D0653491

Elin Hilderbrand

Die onvergetelijke zomer

the house of books

Oorspronkelijke titel
A Summer Affair
Uitgave
Little, Brown and Company, New York

Vertaling
Yvonne de Swart
Omslagontwerp
Studio Jan de Boer BNO, Amsterdam
Omslagfoto
Trevillion Images
Foto auteur
© Laurie Richards@pixel perfect
Opmaak binnenwerk
ZetSpiegel, Best

ISBN 978 90 443 2658 1
D/2010/8899/83
NUR 302

www.thehouseofbooks.com

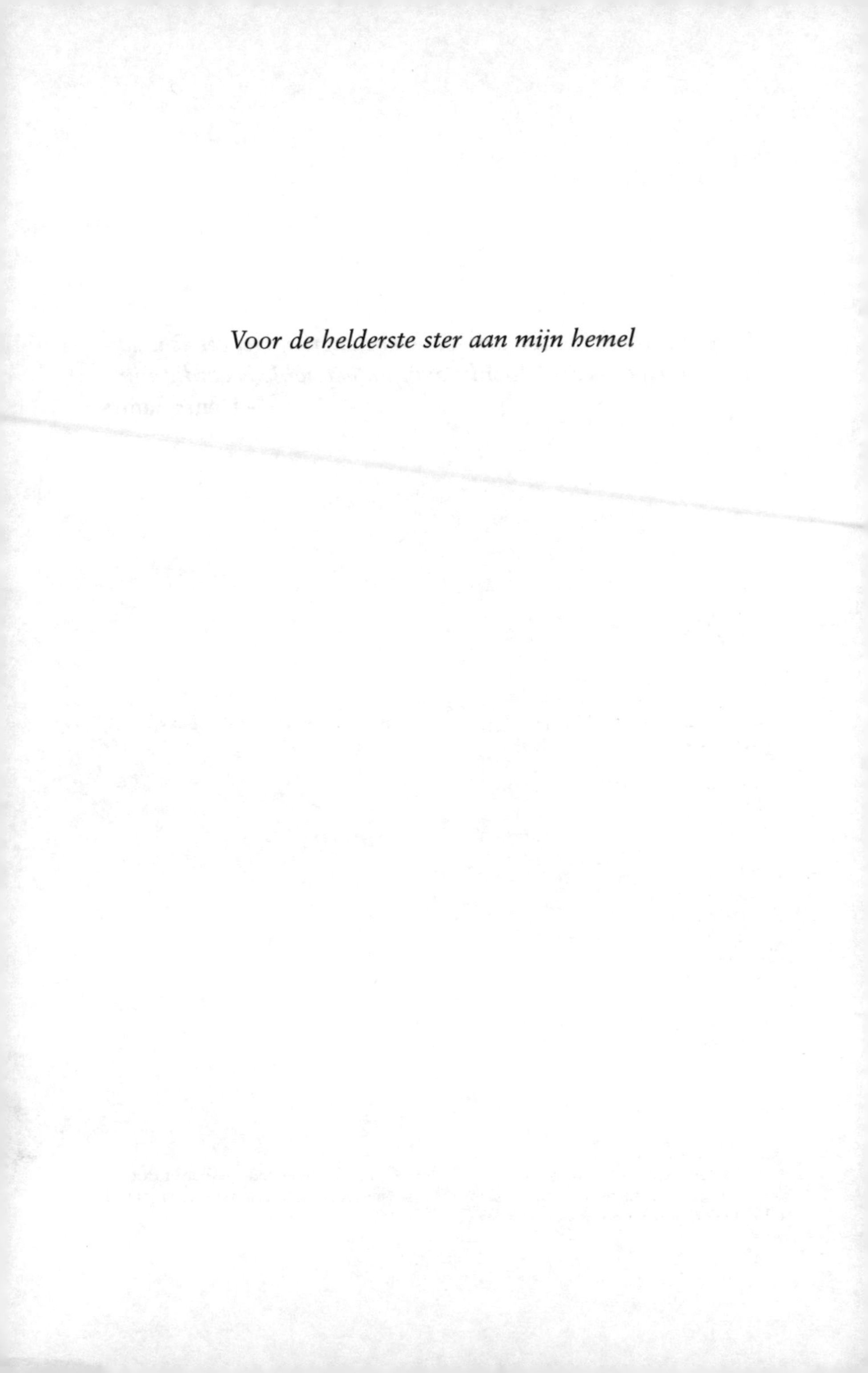

Voor de helderste ster aan mijn hemel

In een mensenleven zijn drie dingen belangrijk. Het eerste is aardig zijn. Het tweede is aardig zijn. En het derde is aardig zijn.

– Henry James

Proloog

De onzichtbare draad die haar met hem verbindt

Maart 2003

Het schuldgevoel was als een klont teer in haar haar, warm en kleverig, onmogelijk te verwijderen. Hoe meer ze eraan zat, hoe erger het werd. De teer plakte aan haar handen, en toen ze het er met water af probeerde te krijgen vormde zich een glad, melkachtig laagje. Ze had een schaar nodig, terpentine.

De klont teer was ooit, lang geleden, werkelijkheid geweest, toen Claire een jaar of vier, vijf was en met haar ouders in hun eerste huis in Wildwood Crest woonde, een schoenendoos waar ze geen herinneringen aan had, maar die haar moeder altijd zo graag aanwees als ze door dat gedeelte van de stad reden. Claire had daar aan het einde van de weg, die opnieuw bestraat was, gespeeld zonder enig toezicht (het grootbrengen van kinderen ging er toen heel anders aan toe) en toen ze thuiskwam met de klont teer, die zwaar aan een kant van haar hoofd hing, een kleverige, dropachtige substantie, had haar moeder nuchter en zakelijk gezegd: 'Dat gaat er nooit meer uit.'

Net als het schuldgevoel!

Die ochtend in maart ging al vroeg de telefoon. Claire voelde zich uitgeput en geradbraakt, en de kinderen waren overal tegelijk. Shea was toen nog een baby, en ze at de stukjes roerei van de grond die J.D. en Ottilie van hun bord hadden laten vallen. Claire pakte de baby op en greep de telefoon. Siobhan natuurlijk. Niemand anders haalde het in zijn hoofd om zondags voor achten te bellen, behalve Siobhan, haar beste vriendin en schoonzus, de vrouw van Carter, Jasons broer. Siobhan was Claires soulmate, haar lieveling, haar verdediger, haar klankbord, en sinds de avond ervoor, ook haar medeplichtige. Ze waren uitgegaan, hadden gedronken, iets wat zo zelden voorkwam dat het een hele gebeurtenis was. Siobhan belde waarschijnlijk om erover na te praten, voorvallen op te halen, de avond te herbeleven, te analyseren en moment voor moment te reconstrueren. Er was veel gebeurd.

'Heb je het gehoord?' had Siobhan gevraagd.

'Wat gehoord?'

'O god,' zei Siobhan. 'Ga zitten.'

Claire nam de baby mee naar de zitkamer voor, die nooit gebruikt werd. Maar het was een perfecte plek om slecht nieuws te vernemen. 'Wat is er?' vroeg ze. In hun slaapkamer lag Jason te snurken, ze kon hem door de muur heen horen. Het was een vaste regel dat hij op zondag mocht uitslapen. De dag van de rust, en zo. Zou ze hem wakker moeten maken?

'Fidelma belde vanaf het politiebureau,' zei Siobhan. 'Er is een ongeluk gebeurd. Daphne Dixon heeft een hert aangereden en is met de auto van de weg geraakt. Ze hebben haar naar Boston gevlogen.'

'Is ze...?' Claire wist niet hoe ze het moest vragen.

'In leven? Ja. Nog maar net, denk ik.'

Vies, kleverig, onoplosbaar. Het gaat er nooit meer uit.

'Ze was dronken,' zei Claire.

'Bezopen,' zei Siobhan.

Ze waren met z'n zevenen geweest: Claire, Siobhan, Julie Jackson, Delaney Kitt, Amie Trimble, Phoebe Caldwell en Daphne Dixon. *Welke naam hoort niet in het rijtje thuis.* Daphne verbleef alleen 's zomers op Nantucket – waaruit je kon concluderen dat ze heel rijk was – en had onlangs besloten er het hele jaar te gaan wonen. Claire kende haar oppervlakkig. Ze hadden elkaar een keer tijdens een *poolparty* ontmoet, en Daphne en haar man waren bijzonder geïnteresseerd geweest in Claires glasblazerij. Misschien zouden ze haar ooit een opdracht geven – wie weet? Claire mocht Daphne. Maar het kon ook zijn dat ze gevleid was dat Daphne haar leek te mogen. Ze liepen elkaar bij de stomerij tegen het lijf (Daphne haalde wat kasjmieren truien op, het leken er wel vijftig). Ga zaterdagavond met ons mee uit! had Claire gezegd.

Ze waren naar de ruime, notenhouten bar in de Brant Point Grill gegaan, waar livemuziek was. Daphne droeg een doorschijnend topje en ze had een roodzijden sjaal om haar hals. Al vanaf het begin van de avond was duidelijk dat Daphne zich op haar gemak voelde, ze amuseerde zich met de andere gasten en voelde zich vrij om flink los te gaan. Dit was heel andere koek dan dat opgeprikte gedoe in Boston, riep ze met dubbele tong in Claires oor.

Er werd behoorlijk doorgedronken: ontelbare glazen chardonnay, een paar roze cosmopolitans en voor Daphne margarita's zonder zout. Aan het einde van de avond was Claire naar de bar gegaan om, voordat alles om haar heen begon te draaien, een Cola light te bestellen, en Daphne zei: 'En voor mij graag een margarita zonder zout, Claire.'

Een Cola light en een margarita, zonder zout graag, had Claire tegen de barkeeper gezegd.

Nu, in de zitkamer waar niemand ooit zat, plukte Claire verdwaalde stukjes ei uit het zachte donshaar van de baby, haar hoofd tolde. Daphne had al behoorlijk wat op toen Claire die margarita voor haar bestelde. Hoeveel had ze eigenlijk precies gedronken? Claire had het niet bijgehouden. Maar maakte het iets uit, één meer of minder? Claire wilde graag dat Daphne gelukkig was, dat Daphne plezier had. Zij was degene die haar had uitgenodigd. Daphne had meerdere rondjes gegeven, achteraf gezien had ze eigenlijk de hele avond met geld lopen zwaaien: ze had de barkeeper fikse fooien gegeven en in de vissenkom op de piano zestig dollar voor de zanger gegooid. Claire was blij geweest dat ze iets kon terugdoen, dat ze Daphne op een margarita zonder zout kon trakteren.

Bezopen, had Siobhan gezegd.

De margarita was het probleem niet, de margarita zelf had geen schade veroorzaakt. Het ging erom dat toen de avond ten einde liep, toen de bar sloot en de zeven moeders buiten op Easton Street stonden, Daphne in haar auto, een Lincoln Navigator, was gestapt. Claire, Siobhan en Julie Jackson hadden een taxi genomen en hadden er bij Daphne op aangedrongen met hen mee te gaan. *Kom op, Daphne, er is plaats genoeg! Wij brengen je thuis!* In Claires hoofd waren de details troebel. Wat ze zich ervan herinnerde was dat ze Daphne hadden aangemoedigd om in de taxi te stappen, maar ze hadden het niet geëist. Ze hadden niet gezegd *Je mag niet meer rijden* of *We laten jou echt niet meer achter het stuur.* Dat hadden ze moeten zeggen. Ze had ik weet niet hoeveel margarita's op en slenterde vervolgens, met haar sleutels rinkelend, in het donker over straat, haar rode sjaal elegant over haar rug. Claire was te zeer onder de indruk geweest om haar tegen te houden. Ze is rijk genoeg om te weten wat ze doet, had Claire gedacht.

Claire zat bij de telefoon, ze wachtte tot Siobhan terugbelde met details van Fidelma, een Ierse kennis van haar op het politiebureau, die informatie zou inwinnen bij haar nicht Niamh, een verpleegster op de intensive care van het Massachusetts General: *Daphne wordt geopereerd. De toestand is precair. Ze weten niet wat ze zullen aantreffen.* Daphne had met een snelheid van vijfennegentig kilometer per uur over de onverharde weg naar haar huis gereden. Vijfennegentig kilometer, de auto moest hebben geschud als een wasmachine. Toen kwam, vanuit het niets, een hert. Ze reed het hert dwars doormidden, de auto belandde op z'n kant. Niemand zag of hoorde het ongeluk, aan weerskanten van de weg stonden zomerhuizen en het was midden maart. Het was er uitgestorven. Daphne zat bekneld in de auto, ze was bewusteloos. Haar man, Lock Dixon, had haar uiteindelijk gevonden. Nadat hij haar veertig keer op haar mobiele telefoon had gebeld en geen gehoor kreeg, liet hij zijn tienjarige dochter Heather alleen slapend in huis achter om zijn vrouw te zoeken. Hij vond haar zo'n honderdtachtig meter van de oprit verwijderd.

Claire huilde, ze bad, ze bad de hele rozenkrans terwijl haar kinderen naar *Sesamstraat* keken. Ze ging naar de kerk met alle drie haar kinderen die omvielen van de slaap en stak vier kaarsjes op: een voor Daphne, een voor Lock, een voor hun dochter Heather en, hoe onverklaarbaar ook, een voor zichzelf.

'Het is onze schuld,' fluisterde Claire door de telefoon tegen Siobhan.

'Nee schat, dat is het niet,' zei Siobhan. 'Daphne is een volwassen vrouw die haar eigen keuzes kan maken. We hebben gezegd dat ze in die verdomde taxi moest stappen, maar ze weigerde. Zeg het na: Ze weigerde.'

'Ze weigerde.'

'We hebben gedaan wat we konden,' zei Siobhan. 'We hebben ons best gedaan.'

Zenuwslopende uren gingen over in zenuwslopende dagen. Claires telefoon stond roodgloeiend. Het waren Julie Jackson, Amie Trimble, Delaney Kitt, allen getuigen.

'Ik kan het niet geloven,' zei Julie Jackson.

'Ik weet het,' zei Claire, met bonkend hart en een knagend schuldgevoel.

'Ze was stomdronken,' zei Julie.

'Ik weet het.'

'Maar toch ging ze achter het stuur,' zei Julie.

'Ik had haar moeten overhalen om met de taxi mee te gaan,' zei Claire.

'Mmmmmm,' zei Julie.

'Ik voel me vreselijk.'

Er volgde een lange stilte, waarin Claire meer medelijden voelde dan een gedeeld schuldgevoel.

'Wil je... iets van maaltijden organiseren of zoiets?' vroeg Julie.

'Hoezo?' vroeg Claire. Dat deden ze als iemand ziek was of net een kind had gekregen: iemand organiseerde het en iedereen meldde zich aan om eten te brengen. Was Claire de aangewezen persoon om dat te organiseren? Ze kende Daphne niet goed genoeg om een parade van onbekende gezichten met pannen eten op haar af te sturen.

'Laten we even afwachten wat er gebeurt,' zei Claire, terwijl ze dacht *Ze moet blijven leven en beter worden. God, alstublieft!*

'Houd me op de hoogte,' zei Julie. 'En weet dat ik aan je denk.'

Aan mij? De opmerking was bedoeld als troost, wist Claire, maar benadrukte haar schuldgevoel. De mensen zouden over Daphnes ongeluk horen en aan Claire denken.

'Dank je,' zei Claire.

Daphne overleefde de operatie. Ze lag wekenlang in Boston in het ziekenhuis, hoewel niet duidelijk was wat ze mankeerde. Er waren geen botbreuken, godzijdank geen verwondingen aan het ruggenmerg en ze had niet uitzonderlijk veel bloed verloren. Ze had een hersenschudding, dat was zeker, maar ook andere problemen die onder de noemer 'hoofdletsel' vielen. Er was sprake van een vorm van amnesie, en daarover liepen de verhalen uiteen. Wist ze haar naam? Herkende ze Lock en Heather? Ja. Maar ze herinnerde zich niets van het uitgaan. Toen Lock haar verteld had dat ze met Julie Jackson, Claire Danner Crispin en Siobhan Crispin was wezen stappen, schudde Daphne haar hoofd. *Die mensen ken ik niet.* Haar geheugen kwam terug, langzaam maar zeker, maar sommige dingen waren door elkaar gehusseld. Ze was niet meer dezelfde, ze was niet in orde. Er was een of andere onherstelbare beschadiging die geen naam had.

Het schuldgevoel bleef aan Claire knagen. Zij was tenslotte degene geweest die Daphne had uitgenodigd om mee te gaan. Zij had dat laatste, ellendige drankje voor haar gekocht, toen Daphne al meer dan genoeg gedronken had. Ze had geprobeerd Daphne over te halen om met de taxi mee te gaan, maar ze had haar niet bij de armen gepakt en haar erin gesleept. Ze had niet de politie gebeld, niet de hulp van de uitsmijter ingeroepen. Ze bleef erover piekeren. Soms pleitte ze zichzelf vrij. Hoe kon het haar schuld zijn? Maar de waarheid was onverbiddelijk: Claire had gefaald. Ze had haar gezond verstand moeten gebruiken en Daphne moeten behoeden voor gevaar. *Het gaat er nooit meer uit.*

Toen Daphne uit het ziekenhuis thuiskwam, maakte Claire een mand met zelfgemaakte oestersoep, kipsalade, twee romans, een cd met jazzmuziek en een paar stukjes geurige zeep. Er was geestelijk iets niet in orde met Daphne, ging het gerucht, maar niemand wist precies wat. Claire bleef lang in haar auto zitten voor het enorme zomerhuis van de Dixons voor ze de moed had verzameld de mand met cadeautjes naar de voordeur te brengen. Ze werd gedreven door schuldgevoel en tegelijkertijd weerhouden door angst. Wat moest ze zeggen als Daphne opendeed?

Zacht klopte ze op de deur. Ze voelde zich net Roodkapje met haar mand, en kon zich vervolgens wel voor haar hoofd slaan. Ze was belachelijk bezig! Siobhan vond het altijd leuk om uit te leggen hoe ironisch het was dat Claire 'Claire' heette, wat 'helder' betekent, omdat Claire dat allesbehalve was. Geen grenzen! zou Siobhan roepen. Al haar hele leven vond Claire het moeilijk om te begrijpen waar andere mensen eindigden en zij begon. Al haar hele leven nam ze het verdriet van de hele wereld op zich, voelde zij zich verantwoordelijk. Waarom?

Er naderden voetstappen. Claire hield haar adem in. De deur ging open en daar stond ze, oog in oog met Lock Dixon. Hij was, dat wist iedereen, waanzinnig rijk, miljardair, hoewel er werd gezegd dat hij van plan was zijn bedrijf in supergeleiders in Boston te verkopen. Ook werd er gezegd dat hij fulltime op Nantucket ging wonen en thuis de zaken zou regelen totdat Daphne weer zichzelf was.

'Hoi,' zei Claire, en ze voelde dat ze bloosde. Ze reikte de mand aan, en beiden staarden ze naar de spulletjes. Soep, zeep – Claire wist niet wat Daphne wilde of nodig had, maar ze wilde haar per se iets geven. Claire kende Lock Dixon nauwelijks, ze hadden het een keer over glasblazen gehad, over Claires atelier achter haar huis in de tuin. Maar zou hij zich dat herinneren? Claire wist zeker van niet. Ze was niet memorabel, het gebeurde haar vaker dat ze met een andere roodharige op Nantucket verward werd. 'Dit is voor Daphne.'

'O,' zei hij. Zijn stem was hees, alsof hij al dagen niet had gepraat. Ze vond dat hij er ouder, kaler en dikker uitzag. 'Dank je.'

'Ik ben Claire Danner,' zei ze. 'Crispin.'

'Ja,' zei hij. 'Ik weet wie je bent.' Hij glimlachte niet en zei verder niets, en Claire besefte dat dit was waar ze bang voor was geweest. Niet voor Daphne, maar voor Lock. Hij wist van de margarita en al het andere waar Claire in tekortgeschoten was jegens zijn vrouw en hij nam het haar kwalijk. Zijn ogen beschuldigden haar.

'Het spijt me,' zei Claire. Er kwam een vreemde geur uit de mand. Bedorven schelpdieren, verrotte kipsalade. Claire kon wel door de grond zakken. Ze moest iets zeggen: *Ik hoop dat Daphne zich weer iets beter voelt. Wens haar het beste.* Maar ze kon het niet. Ze draaide zich om en vluchtte naar haar auto.

DEEL EEN

I

Hij vraagt haar

Begin herfst 2007

Claire Danner Crispin was in haar hele leven nog nooit zo zenuwachtig geweest voor een lunchafspraak.

'Wat denk je dat hij wil?' vroeg ze Siobhan.

'Hij wil met je de koffer in,' antwoordde Siobhan. En ze lachte alsof het een belachelijke, hysterische gedachte was, wat het in feite ook was.

Lock Dixon had Claire gebeld en haar uitgenodigd voor een lunch op de jachtclub.

'Ik wil iets met je bespreken,' had hij gezegd. 'Ben je dinsdag vrij?'

Claire was volkomen verrast geweest. Toen ze zijn naam op het display van haar telefoon had zien staan, had ze bijna gewacht tot de voicemail ingeschakeld werd. 'Ja. Ja, ik ben dinsdag vrij.'

Het had vast iets met liefdadigheidswerk te maken, dacht ze. Sinds Lock Dixon zijn bedrijf in Boston had verkocht en het hele jaar door op Nantucket woonde, was hij zo vriendelijk geweest om de functie van directeur van Nantucket's Children, de grootste non-profitorganisatie van het eiland, op zich te nemen. 'Zo vriendelijk', omdat Lock Dixon zo rijk was dat hij nooit meer hoefde te werken. Claire was lid geweest van de raad van bestuur van Nantucket's Children voordat ze zwanger raakte van Zack, maar vanwege haar val in de glasblazerij, Zacks voortijdige geboorte en alle problemen die daaruit waren voortgevloeid, stelde dat nauwelijks méér voor dan haar naam in het briefhoofd. Toch was het nu de liefdadigheidsorganisatie die hen verbond.

Maar er was ook een onzichtbare draad: de onuitgesproken beschuldiging van Daphnes ongeluk. Wilde Lock het nu, jaren later, nog over de avond van het ongeluk hebben? Claire was zenuwachtig. Ze knoopte haar vest verkeerd dicht en op het parkeerterrein van de jachthaven liet ze bijna haar sleutels in de auto zitten.

Maar toen Claire en Lock eenmaal zaten en over het keurig verzorgde gazon van de jachtclub en de blauwe haven uitkeken, was hij degene die zenuwachtig, onrustig, geagiteerd leek. Nerveus schoof hij op de smeedijzeren stoel heen en weer en hij besteedde overdreven veel aandacht aan wat Claire zou kiezen uit de menukaart. ('Neem wat je wilt,' zei hij. 'Neem de kreeftsalade. Wat je maar wilt.') Nadat ze besteld hadden en de smalltalk uitgeput was, viel er een dramatische, ongemakkelijke stilte. Claire moest er bijna om lachen; ze had het gevoel of ze elk moment ten huwelijk gevraagd kon worden.

Wilde ze overwegen om voorzitter te worden van het Nantucket's Children Zomergala komende augustus?

Er viel een last van Claires schouders. Het voelde als lachgas, het voelde alsof ze elk moment kon opstijgen. Het voelde alsof de onzichtbare draad doorgeknipt, doorgesneden werd: ze was bevrijd van de vreselijke last die op haar omgang met Lock Dixon rustte. Betekende dit dat ze ervan kon uitgaan dat de beschuldiging die ze jaren geleden in zijn ogen gezien had een hersenspinsel was geweest?

Ze werd zo in beslag genomen door haar verbazing dat ze geen antwoord gaf. Ze realiseerde zich in feite nauwelijks dat haar een vraag was gesteld. Het was net als die keer dat ze tijdens een hardlooptraining was flauwgevallen; ze was zeventien en ervan overtuigd dat ze zwanger was. Ze wist het absoluut zeker en had Matthew al zover dat hij bereid was zijn gitaar te verkopen om een abortus te kunnen betalen, ze huilde zichzelf in slaap en besloot het kind toch te houden uit angst dat ze in de hel zou branden. Haar moeder zou het grootbrengen zodat zij naar school kon...

Toen ze bij de dokter kwam, had hij gezegd: Je bent niet zwanger. Je hebt bloedarmoede.

Bloedarmoede! had ze opgelucht uitgeroepen.

'Voorzitter worden?' vroeg ze nu.

'Het is veel werk, maar waarschijnlijk minder dan je denkt. Je krijgt een medevoorzitter. Ik weet dat je het druk hebt, maar...'

Ja, drie kinderen, een baby en een glasblazerij die voorlopig stil lag zodat ze al haar aandacht aan haar gezin kon besteden. Ze was niet de juiste persoon om te vragen. Niet dit jaar. Misschien later, als ze in rustiger vaarwater zou komen. Toen werd het haar langzaam duidelijk waarom hij háár vroeg: het zomergala was een *concert*. Lock benaderde haar omdat ze een optreden van Matthew wilden. Max West, haar vriendje van de middelbare school, nu een van de grootste rocksterren van de wereld.

Claire ademde de hemelse jachtclublucht diep in. Duizenden gedachten flitsten door haar hoofd: Jason zou haar vermoorden. Siobhan zou in lachen uitbarsten en zeggen dat ze zich had laten inpalmen (*Geen grenzen!*). Margarita, zonder zout. *Het gaat er nooit meer uit.* Zou Matthew het doen als ze het vroeg? Ze had hem in geen jaren gesproken. Misschien zou hij het doen, het zou zomaar kunnen. Bloedarmoede! Nantucket's Children was een goed doel. Het beste doel.

Eén gedachte overheerste echter alle andere: Lock Dixon was de enige persoon tegen wie Claire geen nee kon zeggen. Wat er de avond van Daphnes ongeluk was gebeurd, hing tussen hen in en gaf Claire het gevoel dat ze hem iets verschuldigd was.

'Ja,' antwoordde Claire. 'Heel graag. Echt, ik zou vereerd zijn.'

Ondanks dat ze vier kinderen moest opvoeden? Ondanks dat ze sinds Zacks geboorte geen bokaal meer geblazen had?

'Echt?' vroeg Lock. Hij klonk verbaasd.

'Absoluut,' zei ze.

'Nou, dat is dan geregeld,' zei Lock. Hij hief zijn beslagen glas met ijsthee, net als Claire, en ze klonken op hun deal. 'Dank je.'

Jason zou haar vermoorden.

Ze waren twaalf jaar getrouwd en al veertien jaar samen. Ze

hadden elkaar hier op Nantucket ontmoet tijdens de heetste zomer ooit. Jason was op het eiland geboren en getogen, hij kende het vanbinnen en vanbuiten en deelde het vol trots met Claire. Elke dag was als een cadeautje: in hun blootje zochten ze bij zonsondergang schelpen aan de zuidkust. Ze zwommen naakt in de privézwembaden van Hulbert Avenue (Jason wist precies welke zwembaden een beveiligingsinstallatie hadden en welke niet). Het was in elk opzicht een zomerromance geweest. Claire had net haar opleiding glasblazen afgerond aan de Rhode Island School of Design. Ze twijfelde of ze een baan bij het Corning Museum of Glass zou aannemen of dat ze zich bij een rondtrekkende kunstmarkt zou aansluiten om het land te leren kennen. Jason had aan de Northeastern University politicologie gedaan, een studie die hij achteraf zinloos vond. Vier verspilde jaren, zei hij, op het bier, de nabijheid van het honkbalstadion in Fenway, en zijn kennismaking met De Tocqueville na (maar ze wist bijna zeker dat hij dat alleen maar zei om haar te imponeren). Hij wilde op Nantucket wonen en huizen bouwen.

Ze waren verliefd die zomer, maar Claire herinnerde zich vooral dat het tijdelijk, breekbaar, vluchtig en vergankelijk voelde. Eigenlijk kenden ze elkaar nauwelijks. Claire had Jason verteld over haar jaren met Matthew – Max West, *de* Max West van *This Could Be a Song* – maar Jason geloofde haar niet. Hij geloofde haar niet! Hij geloofde ook niet dat ze kon glasblazen. Ze liet hem haar bokalen en bonbonschalen op voet zien, hij schudde zijn hoofd, verbaasd, maar zonder waardering.

Ze zeilden op Jasons Hobie Cat, ze visten op zeebrasem en zeebaars, ze doken van de boot in het donkere water, ze stookten kampvuren bij Great Point en sliepen onder de sterren, ze hadden seks met de onstuimige overgave van twintigjarigen die niets te verliezen hadden. Ze gingen om met Jasons broer Carter, die als kok bij de Galley werkte, en met zijn vriendin Siobhan, een Ierse uit het graafschap Cork. Siobhan droeg een vierkante bril en had donkere sproetjes op haar bleke neus, net zwarte peper op aardappelpuree. Claire werd behalve op Jason ook verliefd op Carter en Siobhan, en op een avond was ze dronken en dapper genoeg om te zeggen: 'Stel nu eens dat ik in september niet naar Corning ga? Stel dat ik hier op Nantucket blijf en met Jason trouw? En dat jij met Carter trouwt, Siobhan, en dat we samen onze kinderen grootbrengen en nog lang en gelukkig leven?'

Ze hadden haar uitgelachen. Siobhan had gezegd dat ze niet wijs was, maar zij, Claire Danner, had gelijk gekregen, ze waren nu met zijn allen Crispins. Tien man sterk, de kinderen meegerekend. Het was een sprookje, behalve dat de realiteit zwaar, frustrerend en saai was. Van twee zongebruinde tieners met zand tussen hun billen waren Claire en Jason mama en papa geworden, hoofd van een minicorporatie, de familie Crispin van Featherbed Lane 22. Jason had jarenlang voor Eli Drummond gewerkt en in de weekenden beulde hij zich af in hun eigen huis en bouwde hij in de achtertuin een glasblazerij voor Claire, haar atelier. Toen nam Jason vier Litouwers in dienst en begon hij voor zichzelf. Claire sleepte vijf klanten in de wacht met een erudiete en dure smaak voor kunstvoorwerpen gemaakt van glas. Kort na elkaar schonk ze het leven aan J.D., Ottilie en Shea. Ze werkte als de kinderen in bed lagen, voordat ze wakker werden. Toen Shea naar de peuterklas kon, ging ze meer werken. Het ging allemaal goed, heel goed zelfs, maar er waren ook hindernissen te nemen. Jason begon weer te roken tijdens zijn werk – roken! – en probeerde dat met bier en pepermuntjes te verbloemen. Jason werd boos als Claire geen seks met hem wilde. Ze probeerde hem uit te leggen hoe het was om de hele dag door drie kinderen gegijzeld te worden. Ze was hun slaaf, hun bediende, ze werkte voor hen. Was het dan zo vreemd dat ze aan het eind van de dag met rust gelaten wilde worden? Jason was in intellectueel opzicht nooit leergierig geweest (na die eerste zomer had hij de naam De Tocqueville nooit meer laten vallen), en in de loop van de tijd ontwikkelde hij zich tot een onverbeterlijke tv-verslaafde. Claire vond tv stomvervelend – het zappen, de sportprogramma's. Jason had een pick-up, zo groot en zwart als een lijkwagen, een benzinevreter die hij liefdevol Darth Vader noemde. *Darth Vader?* vroeg Claire. Ze kon niet geloven dat ze een man had getrouwd die zijn pick-up behandelde als een broer of een huisdier. De kinderen vinden het leuk, had Jason gezegd. De pick-up, de liefde voor de tv, de stiekeme sigaretten en de ontbijtsessies die hij voor dag en dauw in de Downyflake had om met zijn personeel te overleggen en over mogelijke nieuwe klanten te horen, dreven Claire tot het uiterste.

Maar Jason had ook leuke kanten. Hij werkte hard en zorgde goed voor zijn gezin. Hij ging er prat op dat hij eenvoudig was en rechtdoorzee, eerlijk en oprecht, hij was de rechte hoek van een T-kruising, de bel in een waterpas, die altijd het midden zoekt. Wat je ziet is wat je krijgt. Hij was dol op de kinderen. Hun zoon J.D. bewonderde hem mateloos. J.D. hielp Jason met klusjes in en om het huis: hij verfde de muren, draaide schroeven in terwijl hij geconcentreerd op zijn onderlip zoog. *Ik ben papa's rechterhand.* Van de motor van een oude grasmaaier hadden ze een go-kart gebouwd, samen zochten ze mosselen en trokken die uit het natte, moerassige zand met een gereedschap dat Jason van een stuk pvc-pijp gefabriceerd had. *Met een Crispin zul je geen honger lijden!* Jason was ook voor de meisjes een modelvader, de vader van het jaar. Hij bracht Ottilie en Shea naar balletles, kocht bloemen voor hen als ze een uitvoering hadden en floot het hardst van iedereen in het publiek. Onvermoeibaar legde hij uit dat *Ottilie* een ouderwetse Franse naam was. We wilden iets aparts, zei hij dan, trots knikkend.

Toen Claire zwanger was van Zack ging alles voorspoedig. Ze werkte aan een grote opdracht voor Chick Klaussen, haar beste klant: een sculptuur voor in de hal van zijn kantoor aan West Fifty-fourth Street in Manhattan. Ze zou de opdracht klaar hebben vlak voor ze uitgerekend was. Jason was dolgelukkig want hij wilde zoveel mogelijk nakomelingen. Hij zou er wel tien willen, een stal vol kinderen, een club, een voetbalteam, een stam: de Crispin-clan.

Toen Claire tweeëndertig weken zwanger was, stond ze in het atelier aan de Klaussen-opdracht te werken. Ze had er nog één, hoogstens twee weken werk aan. Hoogstens! beloofde ze Jason, ook al adviseerde de dokter haar te stoppen. Veel te heet daar in die werkplaats, had hij gezegd. Gevaarlijk voor jou en voor de baby. Claire werkte bij hoge temperaturen, ze was aan het afwerken, schuren en polijsten, ze dronk niet genoeg water en viel flauw.

Ze viel op de grond, brak haar arm en twee ribben en de weeën kwamen op gang. In de traumahelikopter hadden ze gezegd dat de kans groot was dat ze haar kind zou verliezen. Maar Zack was blijven leven, hij werd met de keizersnede gehaald en lag vijf weken aan de beademing op een speciale afdeling voor pasgeborenen, de NICU, de Neonatale Intensive Care Unit. Hij leefde, Claire herstelde.

Jason had staan trillen van angst. Hij was erbij toen ze Claire opensneden – Claire, ze was zo uitgedroogd dat ze in nog geen halfuur twee zakken vocht kreeg toegediend – en hij was erop voorbereid dat het kind dood ter wereld zou komen. Maar toen, de schreeuw. Het was een openbaring voor Jason; het was het moment van zijn wedergeboorte, het moment waarop een volwassen man die alles dacht te weten iets leerde over het leven. Hij zat naast Claires bed toen Zack de eerste vijfendertig dagen in de NICU lag, en hij liet haar beloven dat ze zou stoppen met werken.

Voor een poosje, had hij gezegd. Laat een ander atelier de Klaussen-opdracht afmaken.

Dat was het enige wat hij gezegd had dat in de buurt van een verwijt kwam. Maar Claire verweet het zichzelf, zoals ze zich ook schuldig voelde over het ongeluk van Daphne. Haar bloedgroep was het zeldzame AB-positief: de universele acceptor. Dat was helemaal Claire. Geef haar maar de schuld, de schaamte, alles: ze had geen grenzen en zou het allemaal accepteren. Ze stemde ermee in te stoppen met werken, ze gaf de Klaussen-opdracht aan een glasatelier in Brooklyn om het af te maken.

Zack veroverde Jasons hart – en dat van Claire – omdat ze hem bijna hadden verloren. Ook nu nog, zeven maanden later, werd Claire midden in de nacht wakker, ongerust over de blijvende gevolgen van haar val. Ze volgde Zack nauwlettend, hield in de gaten of hij precies alles deed wat bij zijn leeftijd hoorde, ze wenste dat ze in zijn ogen de glinstering, de belofte ontdekte die ze bij haar andere kinderen had gezien: intelligentie, motivatie, vastberadenheid. Sinds de geboorte van Zack fluisterde iets in haar: *Er is iets mis met hem.* Ze viel Jason voortdurend lastig: Denk jij dat er tijdens zijn geboorte iets gebeurd is? Denk jij dat dr. Patel meer weet dan ze vertelt, of dat er iets is wat ze over het hoofd ziet? Waarop Jason steevast antwoordde: 'Christene zielen, Claire, hij is gezond!' Maar dat klonk voor Claire alsof hij het gewoon ontkende. Dat klonk alsof Jason door liefde verblind was.

Hoe moest ze Jason over het gala vertellen? Claire wachtte tot ze hadden gegeten – gebraden kip, Jasons lievelingsgerecht. Ze wachtte tot na het bad- en voorleesritueel van de meisjes, tot J.D. gedoucht had en klaar was met zijn huiswerk. Ze wachtte tot Zack zijn fles had en Jason rustig, met de afstandsbediening in de aanslag, op de bank zat. De tv stond aan, maar Jason was nog niet speciaal naar iets aan het kijken. Dit was hét moment om het hem te vertellen! Zo was hun leven op dit moment nu eenmaal, maar Claire kon zich nog heel goed de Jason van vroeger herinneren: naakt en lachend, een mosselhark in zijn hand en zijn zongebleekte haar goudglanzend.

'Ik heb vandaag met Lock Dixon geluncht,' zei ze. 'Op de jachtclub.'

Hij hoorde haar, maar luisterde niet. 'O ja?'

'Verbaast dat je niet?'

Jason zapte naar een ander kanaal. Claire haatte de tv, alle honderdtweeëndertig kleurige, heldere centimeters ervan. 'Een beetje, misschien.'

'Hij vroeg of ik medevoorzitter wil zijn van het zomergala.'

'Welk zomergala?'

'Je weet wel, van Nantucket's Children. Dat evenement. Het concert. Waar we vorige maand heen zijn geweest.'

Op het gala van afgelopen jaar had Claire, terwijl Jason ergens achteraf met zijn visvrienden aan de bar hing, staan applaudisseren toen de twee voorzitters het toneel bestegen om bossen bloemen in ontvangst te nemen. Alsof ze tot de koningin van een universiteitsbal werden uitgeroepen. Alsof ze een Oscar hadden gewonnen. Claire was gefascineerd geweest door de glamour ervan. Louter het feit dat ze op de jachtclub zo comfortabel had zitten lunchen gaf Claire het idee dat haar leven, als ze het voorzitterschap van het zomergala voor Nantucket's Children zou accepteren, meer zou gaan stralen en minder zou zijn zoals het nu was. Claire lunchte nooit zoals vandaag. Voor haar bestond een lunch uit een paar crackers die ze in een vakje bij de versnellingspook van haar Honda Pilot bewaarde en blindelings in haar mond propte als ze de kinderen van school haalde. Als ze thuis lunchte, at ze om halftwaalf een kom muesli (ontbijt én lunch), die tegen de tijd dat ze er een hap van kon nemen klef geworden was omdat de baby huilde, de telefoon ging of omdat de kruimels onder haar voeten haar zo ergerden dat ze capituleerde en de stofzuiger tevoorschijn haalde. Als Claire het medevoorzitterschap van het zomergala op zich zou nemen, zou haar leven misschien een speciale kwaliteit krijgen, een gouden glans die bij een leven gewijd aan goede werken hoorde. Hoe kon ze dit Jason uitleggen?

'Vroeg hij je voor het voorzitterschap?'

'Medevoorzitterschap. Ik krijg hulp.'

'Ik hoop dat je nee hebt gezegd.'

Ze streek over Zacks zachte haar. 'Ik heb ja gezegd.'

'Jezus, Claire.'

Was het zo verkeerd? Zij en Jason hadden zich de afgelopen zeven maanden gekoesterd in hun eigen geluk. Werd het niet eens tijd om aan anderen te denken? Om geld in te zamelen voor kinderen van wie de ouders zich met drie banen over de kop werkten?

'Het is voor een goed doel,' zei ze.

Jason snoof en zette het geluid harder. En dat, dacht ze, was meer dan waarop ze had kunnen hopen.

'Je bent gek, Clairsy. Je bent niet goed snik.'

Zo reageerde Siobhan de volgende ochtend aan de telefoon, nadat Claire had verteld: Lock Dixon heeft me gevraagd medevoorzitter te worden van het zomergala van Nantucket's Children, en ik gaf me over als een soldaat zonder geweer.

'Ik ben niet gek.'

'Je hebt genoeg aan jezelf.'

'Je hebt gelijk,' zei Claire, terwijl haar enthousiasme als sneeuw voor de zon verdween. 'Jason vindt het maar niks. Ben ik heel erg stom bezig?'

'Ja,' antwoordde Siobhan.

De afgelopen twintig uur had Claire zichzelf ervan overtuigd dat het een eer was gevraagd te worden. 'Het wordt vast leuk.'

'Ik voorspel je bergen werk, stress en tranen.'

'Het is voor een goed doel,' zei Claire, opnieuw een poging wagend.

'Smoesjes,' zei Siobhan. 'Geef me de werkelijke reden.'

Ik deed het omdat Lock het me vroeg, dacht Claire. Maar als ze dat zei, zou Siobhan uit haar vel springen. 'Ik kon geen nee zeggen.'

'Bingo! Je hebt geen grenzen. Je cellen hebben geen membranen.'

Inderdaad. Dat probleem speelde al sinds Claires kindertijd: haar ouders die voortdurend ruzieden en altijd en eeuwig problemen hadden. Claire was enig kind, ze dacht dat ze verantwoordelijk was voor hun ellende, en haar ouders deden niets om haar van dit idee af te brengen. (Het grootbrengen van kinderen ging er toen echt anders aan toe.)

Ze was een gemakkelijke prooi, te gemakkelijk. Ze kon geen nee zeggen tegen Lock Dixon, tegen niemand trouwens.

'Ik zou graag willen dat je in mijn commissie komt,' zei Claire. Siobhan en Carter runden samen het cateringbedrijf Island Fare. Ze verzorgden grote evenementen zoals het Pops-concert op Jetties Beach en honderden kleinere cocktailparty's, dineetjes, lunches, brunches, picknicks en trouwerijen. Maar voor het zomergala hadden ze nog nooit de catering gedaan. Claire vroeg Siobhan voor de feestcommissie omdat Siobhan haar beste vriendin was, haar lieveling, maar ze voelde onmiddellijk een spanning.

'Vraag je of ik de catering op het gala wil verzorgen?' vroeg Siobhan. 'Of verwacht je dat ik daar met jou ga lopen draven terwijl een ander die klus krijgt?'

'O,' zei Claire. Als zij het voor het zeggen had zouden Siobhan en Carter natuurlijk het evenement mogen cateren, maar ze wist niet of het medevoorzitterschap haar de bevoegdheid gaf zomaar iemand in te huren, en als ze die bevoegdheid wél had, was het nu nog te vroeg daarvoor. Stel dat ze Carter en Siobhan inhuurde en dat iemand het nepotisme zou noemen (wat ongetwijfeld zou gebeuren)? Of nog erger, dat haar medebestuursleden op een fikse korting rekenden en dat Carter en Siobhan die helemaal niet wilden of konden geven? God, wat gênant! Ze was nog geen vijf minuten in functie en werd al met een onmogelijke situatie geconfronteerd.

'Luister,' zei Claire, 'je hoeft het niet te–'

'Ja, ja, ik doe het wel.'

'Maar ik kan je niets beloven over de catering.'

'Oké.'

Claire wist niet goed wat er nu precies was afgesproken. Zat Siobhan nu wel of niet in de commissie? Zou ze woensdag 19 september om acht uur op de vergadering verschijnen? Vast niet, dacht Claire. Ze zou het vergeten en Claire zou haar niet bellen om haar eraan te helpen herinneren.

Dus toen Claire Danner Crispin de smalle trap van het Elijah Baker House op liep (een villa, in 1846 gebouwd voor Elijah Baker, die een fortuin had verdiend met het fabriceren van vrouwenkorsetten met baleinen) en het kantoor van Nantucket's Children binnenstapte, trof ze alleen... Lock Dixon aan. Lock zat achter zijn bureau, hij droeg een blauw overhemd met smalle streepjes en een gele stropdas, hij hield zijn hoofd voorovergebogen zodat Claire de kale plek op zijn kruin kon zien. Hij was aan het schrijven en het leek alsof hij Claire niet de trap op had horen komen (wat onmogelijk was want ze droeg Zweedse klompen). Misschien had hij haar wel gehoord maar moest hij haar alleen nog begroeten. Claire voelde zich opgelaten. Ze had Siobhan moeten bellen en haar moeten meeslepen, hoe ongemakkelijk of onethisch dat ook was.

'Lock?' zei Claire. 'Hoi.'

Lock keek op. Hij droeg een leesbril, die hij snel afdeed, alsof het een geheim was. Hij glimlachte naar Claire. Het was een echte glimlach, een glimlach die zijn gezicht openbrak, Claire voelde dat de kracht ervan de lucht in de kamer bijna deed knetteren. Die glimlach zond een elektrische stroom door haar hart, die lach had haar uit de dood kunnen doen herrijzen.

Claire vatte zijn glimlach op als beloning omdat ze gezegd had: 'Heel graag. Echt, ik zou vereerd zijn.' Als medevoorzitter van het zomergala waren de mensen blij als ze je zagen. Of dankbaar. Of getroost.

Lock stond op. 'Hoi Claire, hoi, hoi. Zal ik...?'
'Gaat goed, gaat goed,' zei ze. 'Gaan we hier zitten of in de...'
Het kantoor van Nantucket's Children bestond uit twee kamers die door een gang gescheiden werden, aan het einde van de gang was het toilet en ernaast een keukentje. De ene kamer was het kantoor waar Lock werkte en waar het bureau van Gavin Andrews, de bureauchef-boekhouder, stond. De kamer aan de andere kant van de gang diende als vergaderkamer, waar een grote, ronde tafel en acht Windsor-stoelen stonden. Elk detail van het kantoor van Nantucket's Children nam je terug naar de bloeitijd die Nantucket groot had gemaakt: de vloer was gemaakt van honderdvijftig jaar oude grenenhouten planken en boven de deuropeningen bevonden zich glas-in-loodramen. Maar naast de ouderwetse charme waren er ook de ongemakken. De bestuursvergaderingen waren 's zomers snikheet en 's winters ijskoud, en telkens als Claire het toilet gebruikte, spoelde de wc niet goed door.

Die avond zag het kantoor er ongewoon betoverend uit. Omdat het september was, was het donker buiten. Door het raam achter Lock Dixons rug, kon Claire in de verte Main Street zien: het centrum van Nantucket twinkelde als een speelgoeddorpje van een kind. Lock zat te werken bij het licht van een bureaulamp en de blauwe weerschijn van zijn computer. Er lag een halve sandwich – kalkoen, wat sla en cranberrysaus – op een servetje op zijn bureau, waaruit ze afleidde dat hij niet naar huis geweest was. Even dacht Claire aan Daphne. Zou Daphne voor zichzelf koken als Lock 's avonds op kantoor zat? Las ze tijdschriften, ging ze in bad, keek ze tv? Na haar ongeluk gedroeg Daphne zich in het openbaar nooit helemaal normaal, maar hoe was ze in haar privéleven? Ging het daar beter of juist slechter? Hun dochter, Heather, zat op kostschool in Andover. Het was een veelbesproken onderwerp in Claires vriendenkring: hoe was Heather Dixon met middelmatige cijfers en gedragsproblemen op de beste middelbare school van het land terechtgekomen? Omdat ze hockeyde, zo concludeerde iedereen, en waarschijnlijk hadden ze het bij het rechte eind. Heather Dixon was inderdaad goed in sport, maar Claire had het idee dat Heather Dixon haar moeder wilde ontvluchten en alles op alles had gezet om zich een plek op die middelbare school te veroveren. Het was vreselijk voor Lock om zijn dochter te zien gaan en het was bovendien vreemd dat hij een liefdadigheidsorganisatie met de naam Nantucket's Children bestuurde terwijl zijn eigen kind niet als zodanig gekwalificeerd kon worden. Heather Dixon kwam maar heel zelden op het eiland: Claire had gehoord dat ze afgelopen zomer in Maine op kamp was geweest.

'Laten we gewoon hier gaan zitten,' zei Lock. Claire schrok van zijn stem. Ze was zo diep in gedachten verzonken dat ze was vergeten dat hij in de kamer was. 'Dat is gezelliger.'

Gezelliger? dacht Claire. Ze bloosde toen Lock een stoel voor haar bij zijn bureau trok. 'Gezelliger' klonk alsof ze elk moment samen onder de wol konden kruipen. Maar Lock had gelijk: het kantoor was gezellig, het zachte licht, de vage geur van houtkachels die door het halfopen raam naar binnen zweefde en de klassieke muziek uit de Bose-radio.

Nu ze medevoorzitter was, stonden haar misschien meer van dit soort rustige, vredige uurtjes te wachten. Dit kantoor – de bouwkundige details en het gedistingeerde, stijlvolle meubilair straalden een erudiete sfeer uit, het verrichten van nobele werken door welgestelde lieden – stond lijnrecht tegenover de wereld die Claire thuis had achtergelaten. Thuis had ze eten gekookt: taco's, haar enige succesgerecht, maïskolven van de boerderij en een groene salade met een zelfgemaakte dressing (verse kruiden uit de tuin, fijngesnipperde ui). Zoals altijd kwam Jason vijf minuten voor etenstijd binnen (hij rook naar pepermunt) de kinderen sprongen in zijn armen en probeerden hem om te gooien. Claire kon haar kinderen moeilijk al die aandacht van hun vader ontzeggen. Dit was zijn tijd. Ze kon de normale gang van zaken niet verstoren omdat zij een vergádering had. Er stond haar niets anders te doen dan alles van de keuken naar de eetkamertafel te transporteren en niet te laten merken dat ze haast had. Jason maakte een einde aan de stoeipartij door Zack op te tillen en in zijn kinderstoel te zetten, wat heel behulpzaam was, want als Claire dit deed, kreeg hij een woedeaanval. Het eten verliep vlot, slechts zestig of zeventig aanmaningen om door te eten, en onmiddellijk na het dankgebed veerde Claire op om de maïskolven voor de meisjes te beboteren en ze moest twee keer opstaan om melk in te schenken. Toen ze weer zat gaf ze Zack zijn gepureerde worteltjes: een oefening in één stap voor- en twee stappen achteruit. Zack had nog niet goed door hoe hij vast voedsel moest eten. Het merendeel van het eten duwde hij met zijn tong uit zijn mond, het droop over zijn slabbetje of het kwam op het blad van zijn kinderstoel terecht waarna hij er met zijn handen in ging graaien. In een poging om voor haar kinderen een omgeving te creëren waarin kunst gewaardeerd werd, refereerde Claire aan Jackson Pollock. Jack the Dripper, Zack the Dripper. Maar ondanks dat gruwden de kinderen ervan. J.D. (negen jaar, Claires oudste) noemde Zack 'achterlijk'. Claire vond het vreselijk als J.D. dat zei, niet omdat Zack het zou kunnen begrijpen, maar omdat het haar eigen angsten weergaf. *Er is iets mis met hem.*

Zittend in het kantoor, besefte Claire dat ze honger had. Met al die drukte tijdens de maaltijd had ze geen seconde de tijd gehad om zelf iets te eten.

Lock zag dat Claire naar de onaangebroken helft van zijn sandwich staarde. 'Heb je honger?' vroeg hij. 'Wil je... misschien hoort het niet om iemand restjes aan te bieden, maar deze helft heb ik niet aangeraakt, echt niet. Wil je hem?'

'Nee, nee,' antwoordde Claire snel. 'Ik heb thuis gegeten.'

'O ja, natuurlijk,' zei Lock. 'Wat dacht je van een glaasje wijn?'

'Wijn?' vroeg Claire. Thuis zou Jason met het bedritueel bezig zijn. Normaal gesproken liep dat op rolletjes: een bad voor de jongste drie terwijl J.D. zijn huiswerk afmaakte, daarna een douche voor J.D. Vervolgens een verhaaltje voor de meisjes en Zack, wat goed ging als Jason er maar aan dacht Zack een fles te geven. De fles moest dertig seconden in de magnetron. Zou Jason dat weten? Ze had het hem nog moeten zeggen, het even op moeten schrijven. Claire keek naar de telefoon op Locks bureau. Natuurlijk was Pan, de Thaise au pair die na Zacks geboorte bij hen was ingetrokken, ook thuis, maar Pan kwam 's avonds zelden haar kamer uit. Maar toch, als Jason niet wist wat hij moest doen, kon hij naar Pan gaan, zij zou Zacks fles klaarmaken en hem in slaap wiegen.

'Lekker ja, een glaasje wijn,' antwoordde Claire.

Een van de voordelen van het voorzitterschap van het zomergala en het bijwonen van avondvergaderingen, dacht Claire, was dat Jason meer tijd zou moeten besteden aan praktische zaken met de kinderen.

'Prima,' zei Lock. Hij verdween naar de gang en kwam terug met twee glazen, bungelend aan zijn vingers, en een gekoelde fles wijn.

Vreemd, dacht Claire. Wijn op kantoor.

Als een sommelier hield Lock de fles voor haar op. 'Een viognier. Witte wijn uit de Rhônevallei. Mijn favoriet.'

'O ja?' zei Claire.

'Mijn vrouw vindt hem te zuur. Te citroenachtig. Maar ik hou juist van die frisse smaak.' Hij schonk Claire een glas in. Ze nam een slokje. Wijn was net als klassieke muziek een van die dingen waar ze meer van zou willen weten. Ze had geprobeerd Jason te interesseren voor een cursus wijnproeven op de volkshogeschool, maar hij had geweigerd op grond van het feit dat hij nooit wijn dronk, alleen maar bier. Deze wijn was fris, grasachtig – zou ze dat woord 'grasachtig' kunnen gebruiken of zou ze dan dom lijken? Ze wilde Lock gelukkig maken (*Geen grenzen!* hoorde ze Siobhan gillen) en zei: 'Heerlijk.'

'Ja?'

'Ja, heerlijk. Hij smaakt naar grasland.'

Opnieuw een glimlach van Lock. Ze had de afgelopen vijf jaar in de veronderstelling verkeerd dat hij haar haatte, dat hij haar van alles verweet, en nu glimlachte hij naar haar! Het verwarmde haar tot diep in haar binnenste.

'Ik ben blij dat je de wijn lekker vindt,' zei Lock. Hij schonk ook voor zichzelf een glas in. Kon dit wel, wijn drinken op kantoor, alleen met Lock Dixon? Waren de vergaderingen met zijn vorige medevoorzitters ook zo gegaan?

'Komt Adams nog?' vroeg Claire. Adams Fiske, een plaatselijke advocaat met een wilde bos haar en een van Claires beste vrienden, was preses van het bestuur.

'Hij zit deze week in Duxbury,' antwoordde Lock.

‘Ik heb Siobhan, mijn schoonzusje, uitgenodigd,’ zei Claire. ‘Maar volgens mij is ze het vergeten.’

‘Oké,’ zei Lock. Het klonk tamelijk ongeïnteresseerd. Hij hief zijn glas. ‘Proost! Op het zomergala!’

‘Op het zomergala,’ zei Claire.

‘Ik ben ontzettend blij dat je medevoorzitter wilt worden,’ zei Lock. ‘We wilden je heel graag hebben.’

Claire bloosde weer, ze nam een slokje wijn. ‘Graag gedaan.’

Lock ging op de rand van zijn bureau zitten. Hij droeg een kakikleurige broek, mocassins zonder sokken, een leren riem met op de zilveren gesp een monogram. Zijn das was los en de bovenste twee knoopjes van zijn overhemd stonden open. Claire vond hem opnieuw fascinerend – maar waarom? Ze wist niets over hem, behalve dat hij rijk was. Dat was interessant. Of liever gezegd, het was interessant dat hij deze baan had aangenomen (als bestuurslid wist ze dat hij er 82.000 dollar per jaar mee verdiende) ondanks dat hij zo rijk was dat hij nooit meer hoefde te werken.

‘We hebben iemand gevonden die samen met jou het voorzitterschap op zich wil nemen,’ zei Lock.

‘O,’ zei Claire. ‘Fijn.’ Dat was fijn, Claire kon niet alle verantwoordelijkheid van het zomergala alleen dragen. En toch benauwde de gedachte aan een medevoorzitter haar. Claire was kunstenaar, ze werkte in haar eentje. In zekere zin kon ze Jason haar medevoorzitter noemen – medevoorzitter van het gezin – maar als ze straks thuiskwam en J.D. aantrof achter de computer (niet gedoucht, zijn huiswerk nog niet af), de meisjes in bed met hun haar in de klit (je moet het voorzichtig uitkammen) en Zack op Jasons schoot voor *Junkyard Wars*, zou ze danig gefrustreerd zijn en haar armen wanhopig in de lucht gooien. ‘Wie is het?’

‘Isabelle French,’ antwoordde Lock. ‘Ken je haar? In het voorjaar zat ze in het bestuur.’

Isabelle French. Kende Claire haar? Ze stelde zich een vrouw met opgestoken haar voor, bungelende oorbellen en een tuniek met een of andere Indiase funky print die haar aan de Beatles in hun psychedelische periode deed denken. Dat had Isabelle French op het gala aan gehad. Ze had een *cosmopolitan cocktail* gedronken, ze had gedanst; knalrood en buiten adem had Claire haar van de dansvloer zien komen. Ze vroeg zich af of ze de juiste persoon voor zich had.

'Volgens mij... wel,' antwoordde Claire.

'Ze is heel aardig. Ze wil dolgraag meer betrokken zijn.'

'Waar woont ze?'

'In New York.'

'Oké. Weet je of ze...?'

'Werkt? Nee, ik dacht het niet. Behalve dit soort werk, bedoel ik.'

'Heeft ze...?'

'Kinderen? Nee, geen kinderen.'

Er viel een stilte. De liefdadigheidsinstelling heette Nantucket's Children en was bedoeld voor mensen die zich het lot van kinderen aantrokken, wat over het algemeen betekende dat je er zelf een of meer had.

'Geen kinderen?' vroeg Claire, en ze vroeg zich af of Adams Fiske zo schaamteloos was geweest om haar louter vanwege haar portemonnee het bestuur binnen te loodsen.

'Geen kinderen,' bevestigde Lock.

'Is ze...?'

'Gescheiden,' antwoordde Lock. 'Van iemand die ik uit mijn studietijd in Williams ken. Maar dat heeft er verder niets mee te maken. Ik heb Marshall French in geen jaren meer gezien, en eerlijk gezegd ken ik Isabelle alleen oppervlakkig. Adams heeft haar binnengehaald. Maar ik weet wel dat ze erg aardig is. En enthousiast.'

'Fijn,' zei Claire. Vervolgens pakte ze, voor het geval zijzelf niet enthousiast overkwam, een blocnote uit haar tas – dat ze speciaal voor deze gelegenheid had aangeschaft – en zei: 'Zullen we aan het werk gaan?'

Het Nantucket's Children Zomergala: het doel was ongeveer duizend kaartjes te verkopen. De avond begon met cocktails en hapjes, daarna was er een diner. Lock gaf dan een powerpointpresentatie van de activiteiten die Nantucket's Children financierde. Aan het slot van het diner, als de gasten een paar drankjes op hadden, was het tijd voor de veiling. Het kenmerk van het Nantucket's

Children Zomergala was dat er slechts één ding geveild werd (iets spectaculairs wat minstens vijftigduizend dollar moest opbrengen). Na de korte veiling was er een concert van een artiest of band met dansmuziek, zoals de Beach Boys (2004), de Village People (2005) of Frankie Valli and the Four Seasons (2007). Alles bij elkaar bracht de manifestatie gegarandeerd meer dan één miljoen dollar op. Het geld werd over de tweeëntwintig initiatieven en activiteiten verdeeld die uitsluitend voor de kinderen van het eiland waren bestemd.

'De band is hoe dan ook het belangrijkste element,' legde Lock Claire uit. 'Dat maakt ons evenement bijzonder. Iedereen kan een tent neerzetten. Iedereen kan een cateringbedrijf inhuren en een veiling organiseren. Maar wij hebben muziek. Dat maakt ons aantrekkelijk. Daarom komen de mensen.'

'Inderdaad,' zei Claire.

'Nu wordt er gezegd dat jij–'

'Max West kent,' vulde Claire aan.

'Max West,' zei Lock. Weer die glimlach, dit keer vol bewondering. Ja, natuurlijk. Max West was een superster; hij was bijna net zo beroemd als Elton John, Jon Bon Jovi en Mick Jagger. Hij had meer dan dertig hits gehad. Hij zong al bijna twintig jaar, sinds de zomer waarin hij en Claire voor hun eindexamen slaagden, toen hij in de Stone Pony in Asbury Park speelde en een manager hem hoorde, en... tja. Popster. Claires hart was gebroken. God, wat had ze gehuild, elke avond na de show, achter in de bar waar het naar lege bierflesjes en vuilnis stonk. Ze had gehuild en zich aan Matthew vastgeklampt omdat ze wist dat het voorbij zou gaan. Zij ging naar de kunstacademie, naar Rhode Island School of Design, hij naar Californië. Om een album op te nemen. Ze waren andere mensen toen. Hij was echt iemand anders – Matthew Westfield – voordat hij Max West werd en op de inauguratiefeesten in Washington speelde, voordat hij voor prinses Diana optrad, voordat hij zes avonden achter elkaar in een uitverkocht Shea Stadion stond, voordat hij een live-album in Kathmandu opnam, dat dubbel platina werd. Voordat hij twee keer trouwde en drie keer in een afkickkliniek belandde.

'Ja, ik ken hem. We zaten samen op de middelbare school. Hij was mijn... vriendje.'

'Ik heb zoiets gehoord,' zei Lock. 'Maar ik kon het niet...'

'Je kon het niet geloven?' vroeg Claire. Juist ja. Niemand geloofde het meteen. Vanaf de brugklas waren Claire en Matthew bevriend geweest en op een avond, jaren later, toen ze oud genoeg waren om opgewonden en nieuwsgierig te zijn, had Matthew haar gekust, 's nachts in een schoolbus. Ze zaten samen op een koor en kwamen terug van een optreden in een bejaardenhuis. Matthew was niet alleen koorlid, hij was ook eerste tenor in een folkloristisch mannenkwartet, de muziek die de oudjes het leukst vonden. *Sweet Rosie O'Grady.* Ze applaudisseerden als bezetenen en Matthew deed er nog een schepje bovenop door een buiging te maken en de hand van een oude dame te kussen. Op het podium tussen de sopranen had Claire zich onverklaarbaar trots gevoeld. Op de weg terug naar school in de donkere bus hadden ze, zoals honderden keren daarvoor, naast elkaar gezeten. Claire had haar hand op Matthews bovenbeen gelegd, daarna haar hoofd op zijn schouder en voor ze het wist waren ze aan het kussen.

'Het is niet zo dat ik het niet geloofde,' zei Lock. 'Het is gewoon, ik weet het niet... hij is zo beroemd.'

'Toen nog niet,' zei Claire. 'Toen was hij nog gewoon een kind, zoals wij allemaal.'

'Maar de vraag is,' vervolgde Lock, 'kunnen we hem krijgen?'

'Ik kan het proberen.'

'Gratis?'

Claire nam een slokje wijn. 'Ik kan het proberen.'

Lock boog zich naar haar over. Zijn ogen waren helder. Hij had heel vriendelijke ogen, dacht Claire. Heel vriendelijk en heel droevig. 'Wil je dat doen?'

'Ik moet hem alleen zien op te sporen,' zei ze. Bovenaan, op de eerste bladzijde van haar blocnote schreef ze: *Matthew zoeken.* Dat zou nog het moeilijkste worden, hem vinden. 'Ik heb hem in jaren niet gesproken.'

'O nee?' vroeg Lock. Hij klonk ongerust en zelfs wat achterdochtig. 'Denk je dat hij nog weet wie je bent?'

'Ik was zijn vriendinnetje op de middelbare school,' antwoordde Claire. 'Dat vergeet je toch niet?'

Lock staarde haar aan. Claire voelde de trilling van een piccolo langs haar ruggengraat omhoog gaan en de basnoten van een tuba in haar buik weergalmen. Het gezelschap van Lock, alleen met hem in deze 'vergadering' te zijn, verwarde haar. Of misschien kwam het doordat ze aan Matthew dacht dat ze zich zo voelde, als een tiener, alsof ze verliefd werd, alsof de wereld vol was van de meest zonderlinge romantische mogelijkheden.

'En wat nog meer?' vroeg ze.

Voordat hij kon antwoorden trok iets op de boekenplanken links van het uit twintig ruitjes bestaande raam haar aandacht. Het was een glazen vaas met groene en witte tijgerstrepen en een stervormige opening. Het was een van Claires stukken, pal voor haar ogen, en ze had het al die tijd niet opgemerkt. Het was alsof ze een van haar kinderen niet had herkend. Ze stond op, nam de vaas van de plank en hield hem in het licht. Twee zomers geleden, tussen twee opdrachten in, had ze twaalf van deze vazen gemaakt voor Transom, een winkel in de stad. De kleuren verschilden, maar ze hadden allemaal tijgerstrepen of luipaardvlekken. Ze noemde ze *De jungleserie*. Haar carrière als glasblazer bestond volledig uit op bestelling ontworpen, unieke stukken in opdracht van rijke klanten. Het was dus leuk en bevrijdend voor Claire geweest deze vazen te maken, ze waren licht, eenvoudig en bijzonder. Binnen twee weken had Transom de vazen verkocht.

'Waar heb je deze vaas gekocht?' vroeg Claire.

'In de stad. In die winkel...'

'Transom?'

'Ja, op een hoek.'

'Heb je hem gekocht?'

'Ja, ik heb hem gekocht.'

'Voor jezelf?'

'Ja, voor mezelf. Voor op kantoor. We hadden er een paar weken bloemen in staan, maar ik vind hem leeg mooier. Het is een kunstwerk op zich.'

'O,' zei Claire.

'Ik ben een groot bewonderaar van je glas.'

Claire werd achterdochtig. 'Wat heb je van mijn werk gezien?'

'We zijn bevriend met de Klaussens,' antwoordde hij. 'We hebben de *Bubbles* gezien.'

'Aha.'

'En ik lees *GlassArt*, dus heb ik jouw werk daarin zien staan. En ik ken ook de museumstukken.'

'Je bedoelt dat ene werk in het Whitney Museum.'

'En de vazen in het museum in Shelburne,' zei Lock. 'Ze zijn prachtig.'

'Wow,' zei Claire. Haar gezicht werd warm en rood, er zouden twee blosjes op haar wangen verschijnen. Ze werd er verlegen van, ze voelde zich gevleid: Lock Dixon kende haar werk. Kende het, kende het echt. Hij las *GlassArt,* het tijdschrift dat een oplage van ongeveer zevenhonderd exemplaren had.

Lock schraapte zijn keel. 'Het gaat misschien een beetje te ver, maar ik vroeg me af of je misschien bereid bent een werk beschikbaar te stellen voor de veiling?'

'Op het gala, bedoel je?'

Lock knikte.

Verbijsterd schudde Claire haar hoofd. Het veilingstuk op het gala was iets extravagants, iets wat niet voor geld te koop was; een week in een kasteel in Schotland en golfen op St. Andrews, of een Italiaans feestmaal voor twaalf personen met Mario Batali als kok.

'Ik snap het niet. We moeten geld verdienen.'

'Inderdaad, het moet dus werk zijn in de trant van de *Bubbles*-serie.'

Claire liep terug naar haar stoel en dronk haar glas leeg. Omdat ze nog niets had gegeten, vibreerde haar hoofd als een stemvork. 'Ik werk niet meer. Toen mijn zoon werd geboren heb ik het atelier gesloten.'

'Maar dat was toch tijdelijk? Ik heb begrepen dat het meer een sabbatical dan een afscheid was.'

Claire legde haar handen op haar gezicht om haar wangen af te koelen. Lock Dixon wist meer van haar – veel meer – dan ze had gedacht. Claire was nieuwsgierig. Hoe wist hij dit? Van wie? Ze had geen idee wanneer ze haar werk weer zou hervatten. Het atelier achter haar huis was gesloten, het was er koud en stil. Claire keek er met verlangen naar, natuurlijk, het glasblazen zat haar in het bloed, maar tegelijkertijd had ze het gevoel dat ze een vrouw was die prioriteiten kon stellen. Ze had vier kinderen die haar nodig hadden. Als ze allemaal veilig op school zaten kon ze weer gaan glasblazen.

'Ik werk niet meer,' herhaalde Claire.

'Dus je wilt niets voor de veiling maken?'

Claire staarde hem aan. Was hij haar aan het provoceren? Daagde hij haar uit nee te zeggen? Hij schonk haar nog wat wijn in, wat ze dankbaar aanvaardde.

'Ik werk niet meer,' zei ze.

'Bedenk eens hoe dat de prijs zal opkrikken,' zei Lock. 'Je hebt meer dan een jaar lang niets geproduceerd, in augustus twee jaar, toch? Het zou een triomfantelijke comeback zijn.'

'Maar kunst is subjectief. Stel dat ik iets maak wat niemand mooi vindt?'

'Je bent geniaal.'

'Nu zit je me te plagen.'

'Ik zal je eens wat zeggen,' zei hij.

'Wat?' vroeg Claire.

Hij zweeg, keek haar aan, een glimlachje op zijn gezicht. Claire was een beetje in de war. Hij zat haar te plagen en zij genoot ervan. Haar zintuigen waren geprikkeld, haar verstand stond op scherp. Lock Dixon was waarschijnlijk de enige persoon op de wereld – op een handvol klanten na – wie het iets kon schelen of ze weer ging glasblazen. Maar hij kon haar er niet toe overhalen louter vanwege het feit dat hij een man was, een rijke man, een man die haar een glas wijn had ingeschonken, een man wiens vrouw Claire onbedoeld iets misdaan had. Hij kon haar er niet toe dwingen. Ze had wel degelijk grenzen!

'Wat?' herhaalde ze.

'Ik zal zelf vijftigduizend dollar bieden.'

'Wat?' riep Claire ongelovig uit.

Hij boog zich voorover om haar in de ogen te kijken. Zijn gezicht was zo dichtbij dat ze hem had kunnen kussen. De gedachte alleen al bracht de blosjes op haar wangen terug. In gedachten duwde ze hem van zich af en schoof een paar centimeter naar achteren op haar stoel.

'Dat meen je niet.'

'Jawel. Vijftigduizend dollar. Als je een object voor de veiling maakt, een originele Claire Danner Crispin, een museumstuk, een uniek exemplaar, waar je ook maar mee voor de dag komt, ik zal er vijftigduizend dollar op bieden.'

Claire schudde haar hoofd. Hij nam haar in de maling. Dat kon niet anders: vijftigduizend dollar was het bedrag van zijn nettosalaris als directeur.

'Je bent gek,' zei ze.

'Misschien wel,' zei hij op een manier die serieus klonk, maar hoewel Claire een beetje aangeschoten was van de wijn, liet ze zich niet door hem van haar besluit afbrengen.

Ze stond op. 'Ik werk niet meer,' zei ze, verbaasd over zichzelf. Ze wilde iets voor de mensheid betekenen, ze wilde liefdadig zijn – maar ook zij had haar grenzen.

De kinderen sliepen al toen Claire thuiskwam, een voor een controleerde ze hen, in het donker als een wasbeer rondscharrelend. Ze leken redelijk schoon, het haar van de meisjes was gekamd, J.D.'s huiswerk was af, hoewel het als afval in zijn rugtas gepropt was. Claire streek de blaadjes met lange staartdelingen glad en deed ze netjes terug. In de babykamer trok ze de deken over Zacks schouder en aaide over zijn wang. God, wat maakte ze zich zorgen over hem! Hij *was* gezond, ondanks dat hij te vroeg geboren was; haar kinderarts, dr. Patel, probeerde haar keer op keer gerust te stellen.

In hun slaapkamer lag Jason op haar te wachten. Hij verlangde altijd naar seks, ook nog na al die jaren huwelijk. Het zou een perfecte avond zijn geweest om hem eens extra creatief te verwennen, maar seks paste niet bij de stemming waarin Claire verkeerde. De vergadering met Lock Dixon had iets bij haar in gang gezet. Ze wilde haar nummers van *GlassArt* doorkijken. Ze wilde naar haar atelier – een museumstuk! – en tekenen en schetsen tot het ochtend werd.

'Kom naar bed,' zei Jason.

Het leek plotseling ongepast om aan haar atelier te denken. 'Hoe ging het met de kinderen?'

'Goed. Kom bij me in bed.'

'Wil je niet weten hoe mijn vergadering was?'

'Hoe was je vergadering?'

'Geweldig,' antwoordde ze. Hij vroeg niet verder, en Claire dacht: Waarom zou ik me druk maken? Haar definitie van geweldig was totaal anders dan die van Jason. Jason was een aannemer; geweldig betekende voor hem dat de loodgieter op de afgesproken tijd verscheen. Of dat je met een vlieg een gestreepte zeebaars van een meter ving.

'Kom alsjeblieft naar bed, Claire. Alsjeblieft, liefje?'

'Oké,' zei ze. Ze poetste haar tanden, nam ruimschoots de tijd om haar gezicht te wassen en nachtcrème op te doen, maakte de granieten wastafel en wasbak schoon, hopend dat Jason in slaap zou vallen. Maar toen ze in bed kroop had hij zijn bedlampje nog aan. Hij lag met zijn gezicht naar haar kant van het bed en had zijn handen voor zich uitgestrekt alsof ze een basketbal was die hij wilde vangen.

'Hebben de kinderen je niet uitgeput?' vroeg ze.

'Welnee, ze waren fantastisch.'

'Heb je voorgelezen?'

'Ik heb Zack voorgelezen. Ottilie heeft Shea voorgelezen. J.D. heeft zijn huiswerk gemaakt, daarna heeft hij gelezen.'

'Fijn,' zei Claire, terwijl ze zich ontspande. 'De vergadering...' Ze stopte, niet omdat ze aarzelde te vertellen dat ze alleen met Lock was geweest, maar omdat Jasons handen al onder haar nachtpon omhoogschoven. Het interesseerde hem niet wat er op de vergadering gebeurd was. Claire greep Jason bij zijn polsen, maar hij hield vol en ze liet hem gaan. Hun seksleven was onstuimig, maar er was iets in hun huwelijk wat, als het al ooit bestaan had, verdord was. Wat was het? Ze praatten niet met elkaar. Als

Claire op dat moment tegen Jason zou zeggen: *We praten niet,* zou hij tegen haar zeggen dat ze niet zo idioot moest doen. Hij zou zeggen: *We praten de hele tijd.* Ja, over de kinderen, over wat ze gingen eten, over de auto die naar de garage moest, over Joe's veertigste verjaardag volgende week, over de rekeningen die betaald moesten worden, over hoe laat hij van zijn werk thuis zou komen. Maar als Claire zou willen vertellen over haar ontmoeting met Lock en de onderwerpen die aan bod waren geweest – hoe het was om aan Matthew te denken, hoe het was om aan Daphne en het ongeluk te denken, Locks belangstelling voor haar glas en zijn verzoek om weer te gaan werken en iets voor de veiling te maken – zou Jason glazig kijken. Verveeld. Ze zou hem afhouden van wat voor hem werkelijk belangrijk was – seks! Bovendien zou hij kwaad worden: wie was Lock Dixon om zijn vrouw te vertellen dat ze weer moest gaan glasblazen? Claire kon beter haar mond houden, Jason zijn zin geven in bed en haar ergernis laten varen.

Matthew zoeken. Een museumstuk. Zilveren gesp. De Jungleserie. Korsetten met baleinen. Viognier met de smaak van grasland. Vijftigduizend dollar. Klassieke muziek: ze moest zich er echt eens in gaan verdiepen.

Ze sloot haar ogen en kuste haar man.

2

Hij spookt rond in haar gedachten

's Ochtends om halfzeven begonnen de kinderen Crispin wakker te worden. Ze ontwaakten in omgekeerde volgorde van hun leeftijd: eerst Zack, daarna Shea. Shea van vierenhalf was een verhaal apart. J.D. en Ottilie werden altijd 'de groten' genoemd, wat betekende dat Shea en Zack 'de kleintjes' waren, maar Shea wilde geen kleintje zijn en niet in één adem met Zack worden genoemd. Het gevolg was dat ze zich voortdurend probeerde te onderscheiden, alles moest op de 'Shea-manier' gebeuren. Haar pannenkoeken moesten met een scherp mes gesneden worden omdat ze van 'vierkante stukjes' hield, de stukjes zouden anders 'lelijk' zijn en dus oneetbaar. Ze weigerde om tijdens het eten naast Ottilie te zitten, haar haar mocht niet in hetzelfde model worden geknipt als dat van Ottilie en ze vertikte het Ottilies afdankertjes te dragen. Ottilie op haar beurt was bovennatuurlijk mooi, haar lange haar in de kleuren van mahonie-, eiken- en kersenhout. Ze was toen ze acht was al een tiener die haar balletlessen gebruikte om uitdagend met haar heupen te wiegen. Ottilie was vroegrijp, stralend en bedreven in het paaien van haar ouders, haar leraren en haar legioen vrienden en vriendinnen. J.D., Claires oudste, was wat je noemt een voorbeeldkind, met lezen liep hij drie niveaus voor, hij blonk uit op het honkbal- en basketbalveld en was misdienaar in de Mariakerk. Hij was sympathiek, laconiek en respectvol. Als Claire complimentjes kreeg over haar ouderschap, was dat omdat ze zulke geweldige kinderen had. Maar ze waren van zichzelf geweldig, ze waren zo geboren. Claire wilde niet met de eer strijken.

Ze deed zeker haar best een goede moeder te zijn. Ze kon zeggen dat ze dat altijd had gedaan, ze had altijd de behoeften van haar kinderen op de eerste plaats gezet, en nu er geen glas meer in haar leven was, legde ze al haar gedreven, creatieve energie in het ouderschap. Haar kinderen waren maar één keer jong, ze wilde van hen genieten. Ze had nu de tijd om gezonde lunchpakketten klaar te maken, in alle drie hun klassen hulpmoeder te zijn, excursies te begeleiden, 's avonds *Harry Potter* voor te lezen en te zorgen dat ze op elke training, elke wedstrijd en elke balletles op tijd verschenen. Ze was beter geconcentreerd: haar huis was schoner, en haar kinderen waren, dacht ze, gelukkiger nu ze al haar aandacht kregen. Haar ouderschap was niet volmaakt, maar serieus en oprecht.

Neem Claire bijvoorbeeld op een ochtend als deze: ze maakte het ontbijt voor vier kinderen klaar (bacon, pannenkoeken, chocolademelk, vitaminepillen). Ze zocht voor vier kinderen kleren uit (de enige die ze nog echt zelf aankleedde was Zack; bij de andere drie was het een kwestie van zoeken wat bij elkaar paste, wat geschikt was voor school en wat schoon was). Ze maakte voor drie kinderen een lunchpakketje klaar (J.D. hield van aardbeien, Ottilie eiste een obscene hoeveelheid mayonaise op haar sandwich, Shea was 'allergisch' voor aardbeien, het enige 'fruit' dat zij zonder dwang at waren mandarijntjes uit blik). Claire hield hun huiswerk in de gaten, de bibliotheekboeken, verlofbriefjes en alle spullen – sportschoenen met noppen, handschoenen, rolschaatsen, beschermbrillen – die ze voor hun naschoolse activiteiten nodig hadden (op de koelkast hing een met kleuren gecodeerd schema). Het was niet altijd de goedgeoliede machine waar Claire van droomde. Vaak deden er zich onvoorziene omstandigheden voor: een van hen had 'buikpijn' of een huiveringwekkende losse tand, het stortregende of er was een sneeuwstorm. Of Zack kreeg een van zijn onverklaarbare driftbuien waarmee hij krijsend iedereen tot de rand van waanzin dreef. *Mam, laat hem ophouden!* Het gebeurde vaak dat

Claire in de keuken stond en dacht: ik denk niet dat ik het allemaal ga redden vanochtend, laat staan de rest van de dag. Vaak voelde Claire zich een verpleegster op de eerstehulpafdeling: wie had haar aandacht het hardst nodig?

Dit was het leven dat ze gekozen had. In gedachten herhaalde ze bepaalde gedachten als een mantra: *Goede moeder! Maar één keer jong! Geniet van hen!* wanneer ze hen de deur uit loodste.

Claire reed de kinderen naar school: twee naar de basisschool en een naar de Montessori kleuterschool. Zack zat vast in zijn autozitje en gilde om zijn fles, maar geen van de andere drie verwaardigde zich die aan hem te geven. Shea stopte haar vingers in haar oren. Zoals altijd was het een kabaal van jewelste in de auto, maar ondanks dat wilde Claire Siobhan bellen. Siobhan was na twee kinderen gestopt, maar Liam en Aidan waren vreselijke druktemakers die niets anders deden dan vechten, en in Siobhans auto was het net zo'n herrie.

'Toen ik vanochtend opstond en op de kalender keek,' zei Siobhan, 'zag ik dat ik gisteravond de vergadering gemist heb. Hoe was het?'

'O,' zei Claire. De vergadering was nog geen twaalf uur geleden, maar was al met het afwaswater weggespoeld. Haar opwinding was verdampt. Maar iets was er blijven hangen: haar gevoelens voor Lock Dixon. Kon ze die gevoelens aan Siobhan vertellen? Zij en Siobhan waren met broers getrouwd, ze vertelden elkaar alles over hun huwelijk. Ze vonden het zalig om te klagen – *stiekeme sigaretten, te veel tv, altijd dat gezeur om seks* – en hielden ervan tegen elkaar op te bieden. (Omdat Siobhan en Carter met elkaar werkten, beweerde ze dat zij elkaar aan het einde van de dag dubbel zo zat waren.) Siobhan was verliefd op de Koreaanse postbode en Claire had een oogje op een tweeëntwintigjarige vuilnisman. Op een grappige, onschuldige manier hadden ze het voortdurend over andere mannen. Maar omdat Claire niet precies kon uitleggen wat haar gevoelens inhielden, besloot ze niets over Lock te zeggen. 'Het ging goed. We hebben het een en ander voorbereid.'

'Heb je een medevoorzitter?'

'Ja. Een vrouw, ze heet Isabelle French.'

'Isabelle French?'
'Ja. Ken je haar?'
Siobhan bleef stil. Dat was vreemd. Claire keek naar haar telefoon, dacht dat hij het begeven had.
'Ben je er nog?' vroeg Claire.
'Ja.'
'Is er iets?'
'We hebben van de zomer een lunch voor Isabelle French verzorgd,' antwoordde Siobhan.
'O ja? Waar woont ze?'
'Even buiten Monomoy. Maar niet aan de haven. In het bos. Op Brewster Road. Tussen Monomoy en Shimmo in, eigenlijk.'
'Maar wat was er dan? Heeft ze de rekening niet betaald? Was ze vervelend?'
'Nee, ze was aardig. Tegen mij althans.'
'Beledigde ze Alec?' Alec was Siobhan en Carters Jamaicaanse ober. 'Maakte ze racistische opmerkingen?'
'Nee,' antwoordde Siobhan. 'Ze was heel voorkomend, sympathiek, erg vriendelijk. Maar op een gegeven moment toen Isabelle buiten op de veranda stond te kletsen, begon een stelletje heksen in de keuken over haar te roddelen. Er bleef geen spaan van haar heel. Volgens mij was er iets gebeurd in New York. Ze was op een of ander feest en had te veel gedronken. Op de dansvloer had ze de man van een andere vrouw gekust, het werd een hele toestand. Daarna wilde niemand meer met haar praten en werd ze nergens meer uitgenodigd. Ze zat in het bestuur van een groot ziekenhuis, maar ik denk dat ze haar hebben gevraagd een stapje terug te doen. Het klonk niet zo best allemaal.'
'Stonden ze in háár keuken over haar te praten?' vroeg Claire.
'Ja. Ik werd er misselijk van, echt waar.'
'Wisten ze dat jij hen kon horen?'
'Ik ben van de catering. Ze letten niet op mij.'
'Is het erg dat zij mijn medevoorzitter is?'
'Nee, dat denk ik niet,' antwoordde Siobhan. 'Het is maar dat je het weet, dat haar eigen mensen haar niet moeten.'

Om tien over acht liep Claire met Zack op haar arm het huis weer in, de stilte was als een diepe zucht van opluchting. Pan zat aan de eetbar een kom Choco Pops te eten, die de kinderen niet mochten.

Waarom mag Pan dat wel eten?

Omdat Pan volwassen is.

Pan, zevenentwintig jaar, was afkomstig van een eiland aan de zuidwestkust van Thailand in de Andamanse Zee. Ze was na Zacks geboorte als au pair komen werken, hoewel Claire het graag als 'een culturele uitwisseling' zag. Met Zacks gecompliceerde geboorte en al het werk dat een vierde kind met zich meebracht leek het verstandig om extra hulp in huis te hebben. Pans aanwezigheid gaf Claire de gelegenheid een betere moeder te zijn. Pan deed creatieve spelletjes met de oudere kinderen, ze maakte schoon en ruimde op en kookte Thaise gerechten die je het water in de mond deden lopen, maar ze was op haar best met Zack. In Thailand, zo bleek, werden baby's niet neergelegd. Ze werden voortdurend gedragen en huilden dan ook nooit. Als Zack bij Pan was, werd hij vastgehouden en gedragen. Als Zack bij Claire was en ze hem noodgedwongen neerlegde – ik moet eten koken, lieverd – begon hij te huilen. Soms zo hartverscheurend dat Pan haar kamer uit kwam en hem oppakte, en ook al was Claire dan opgelucht, het maakte haar ook wantrouwig. Misschien was het probleem met Zack dat hij te veel vertroeteld en verwend werd. Misschien had de koesterende zorg van Pan zijn natuurlijke verlangen om op onderzoek uit te gaan, te leren en te communiceren onderdrukt. Of misschien hield Pan hem de hele tijd vast omdat zij ook voelde dat er iets mis met hem was.

'Hier,' zei Pan. 'Ik neem hem.' Ze stond op en stak haar armen uit.

'Eet jij maar eerst. Ik heb hem.'

'Ik neem hem,' zei Pan. Zack was niet gek. Hij verlangde naar haar.

'Oké,' zei Claire. En daarna, als een robot: 'Ik heb honderd en één dingen te doen.' Zoals de ontbijtboel – borden die kleefden van de stroop, kopjes met een laag chocoladedrab op de bodem – en dan de eetbar en de krukken. Daarna ging Claire naar boven.

De kinderen maakten voor de vorm hun eigen bed op, maar zij moest het opnieuw doen. Het idee dat haar kinderen in een slordig bed moesten kruipen stond haar tegen. Ze hield van kraakheldere lakens en een opgeschud dekbed. Ze trok de wc in de badkamer van de kinderen door, deed alle tandenborstels in een plastic bekertje en spoelde de opgedroogde tandpasta in de wastafel weg. Toen besefte ze dat ze zichzelf observeerde in plaats van dat ze gewoon bezig was. Ze vroeg zich af wat Lock Dixon zou denken als hij haar bezig zou zien. Of Matthew. O god, ze moest Matthew zien op te sporen.

Ze begon de was uit te zoeken. Als ze één dag oversloeg, liep het volledig uit de hand. Maakte iemand behalve zij zich druk om dit soort details? Om de details die haar leven beheersten, de vijfduizend taken die er in haar dag opdoken als obstakels in een videospelletje. Wat zou er gebeuren als ze dood zou gaan, ziek werd of een tijdrovend project als het zomergala op zich nam en deze taken niet gedaan werden? Zou het huis instorten? Zouden haar kinderen zwervers worden? In haar hart dacht ze dat het antwoord ja was. Haar moeite loonde. Ze gooide een lading donkere was in de machine.

Om tien uur probeerde ze in haar slaapkamer wat yogaoefeningen te doen. Ze rolde een matje op de grond uit en nam de positie van de neerwaartse hond aan. De kamer was gevuld met zonlicht en de neerwaartse hond voelde goed. Ze dacht weer aan Lock Dixon. Zou hij, als hij haar kon zien, onder de indruk zijn van haar lenigheid? (Nee. Zelfs haar oma van tweeënnegentig deed de neerwaartse hond.) Ze was te lui om een andere houding aan te nemen, en eerlijk gezegd was het al zo lang geleden dat ze aan yoga had gedaan dat ze alle houdingen vergeten was. Als ze nu een nieuwe positie ging proberen, zou ze het maar verkeerd doen en zou het toch geen effect hebben.

Ze ging rechtop zitten. Haar hoofd duizelde. Ze had nog niets gegeten, ze was zichzelf vergeten. Dat was de reden dat ze zo slank was, dat had niets met yoga te maken.

De telefoon ging. Zou het Lock zijn? Voorzitter zijn van het zomergala betekende onder andere dat als de telefoon ging het Lock of Isabelle French – of Matthew! – kon zijn, in plaats van Jeremy Tate-Friedman, haar klant uit Londen, die haar belde om te zeggen dat hij gedroomd had van een orkest dat op glazen instrumenten speelde. Zou Claire eens willen overwegen om voor een schappelijke prijs een glazen fluit te maken, een die het echt deed? (Haar carrière was afhankelijk van de excentrieke wensen van een handvol steenrijke mensen.) Claire keek op de nummerweergave: het was Siobhan. Maar ze nam niet op, ze had genoeg aan haar hoofd. Nog steeds Lock. Oké, het was belachelijk. Die man volgde haar in haar eigen huis als een geest die nog iets met de levenden te vereffenen had. Waarom? Wat wilde hij van haar? Hij wilde dat ze een museumwaardig glasobject voor de veiling maakte. Hij wilde dat ze het werkende leven weer oppakte, dat ze, in aanwezigheid van duizend betalende gasten, uit een taart tevoorschijn sprong. Dat ze de ketenen van het moederschap doorbrak, de grot verliet waarin ze zich als een kluizenaar verborgen hield. Ze was maandenlang niet in haar atelier geweest en – Geef het maar toe, Claire! – ze miste het. Iets in haar snakte er naar. Mensen als Jeremy Tate-Friedman hadden gebeld, en Elsa, de vrouw van de winkel Transom. (Zou Claire nog een *Jungle*-serie willen maken? De vazen verkochten als warme broodjes!) Maar die mensen gaven haar niet de juiste impuls om naar haar atelier terug te gaan. Lock had de juiste snaar weten te raken. Hij had haar verrast. Hij las *GlassArt*; hij kende haar werk in het Whitney en in het Yankee Ingenuity Museum in Shelburne, Vermont. Hij bewonderde haar werk, hij bewonderde haar, Claire, op een manier die ze van maar weinig mensen kende. Wie had dat ooit kunnen denken? Lock Dixon was een fan. Ze werd altijd zenuwachtig van hem, en ze dacht dat dat kwam door Daphne en het ongeluk.

Misschien was dat wel niet zo.

Claire vroeg zich af of Lock Dixon ooit een glasblazerij vanbinnen had gezien. Als hij bereid was vijftigduizend dollar neer te tellen voor een kunstwerk van glas zou hij iets van het ambacht moeten weten. Misschien was hij bij Simon Pearce geweest, daar waren tegenwoordig twee studio's waar je kon zien hoe ze bokalen bliezen, en daarna je kon naar boven naar een chic restaurant en er een salade met warme geitenkaas met gesuikerde pecannoten eten. Of misschien had Lock in Colonial Williamsburg of in Sturbridge Village een glasblazerij gezien, of in Corning tijdens een schoolreisje. Ze zou het hem vragen als ze weer eens samen waren. Zouden ze ooit nog samen zijn? Waarom kon het haar schelen? Vond ze Lock Dixon aantrekkelijk? Hij was tien kilo te zwaar en werd kaal op zijn kruin, nee, hij was absoluut geen Derek Jeter of Brad Pitt, hij was geen twintigjarige hunk, zoals die knul die de vuilnis ophaalde. Hij was niet zo knap als Jason (die had buikspieren als een wasbordje en dik blond haar). Maar Lock had aardige ogen, en die glimlach. Er was iets tussen hen geweest in het kantoor de vorige avond – een klik, een bepaalde energie – die er niet was tijdens de lunch op de jachtclub of tijdens de paar bestuursvergaderingen die Claire vroeger had bijgewoond. Een vonk, iets wat vlam vatte en bleef nagloeien. Haar interesse, haar verlangen. Maar waarom? Dit was zo'n vraag waar Siobhan *stapel* op was: waarom juist deze persoon en niet iemand anders? Waarom nu, en niet eerder? Hoe kwam het dat liefde, wellust, romantiek, zelfs de echte, diepgaande en oprechte gevoelens die je voor je man voelde, na verloop van tijd minder heftig werden (en in sommige gevallen zelfs verzuurden)? En als het onvermijdelijk was dat het minder spannend werd, betekende dat dan dat je het tintelende, duizelingwekkende, dat 'god, ben ik verliefd of is het lust'-gevoel voor eeuwig en altijd moest opgeven? Moest je genoegen nemen met een hopeloze verliefdheid op George Clooney of de postbode? Siobhan kon er, terwijl ze filodeeg met stukjes kreeft en verse maïs vulde, uren over praten, maar tot op heden was Claire niet in dit soort vragen geïnteresseerd geweest. Tot op heden had het haar niets kunnen schelen.

Claires atelier was al die tijd gesloten geweest, zo gesloten als Fort Knox. Toen ze werkte had de oven dag en nacht aan gestaan en Jason noemde haar werkplaats 'de buik van de hel'. Hij had het atelier voor Claire gebouwd omdat er op het eiland geen glasstudio was. Hij was er tegen zijn zin aan begonnen. *Een dure hobby,* had hij gezegd. Tienduizenden dollars hadden ze moeten neertellen voor de potoven, de smeltoven, de blaaspijpen, de werkbank, de mallen, gereedschap, de kleurstoffen en de koeloven. Een klein fortuin. Maar na verloop van tijd raakte Jason geboeid door de bouw ervan. Hij bouwde de enige glasblazerij op het eiland. Voor zijn vrouw, die het ambacht geleerd had, die aan de Rhode Island School of Design afgestudeerd was! Ze kon voorwerpen maken – vazen, bokalen en sculpturen – en die verkopen. De glasblazerij had zich inmiddels royaal terugbetaald en Claire had genoeg verdiend aan de bevliegingen van haar verknipte klanten om de auto af te betalen en voor het collegegeld van de kinderen te sparen.

Ze kon niet geloven dat ze dit nu werkelijk deed. Ze keek achterom naar het huis, steels, ze voelde zich net een inbreker toen ze de zware metalen deur van het slot haalde. Maar waarom? Er was niets mis mee om weer te gaan glasblazen. Pan zou de zorg voor Zack op zich nemen en de andere kinderen zaten de hele dag op school, dus... waarom niet? Maar er was schuldgevoel. Het had te maken met haar val. Claire had zich nooit aan de hitte mogen blootstellen toen ze al zo ver in haar zwangerschap was. Ze had meer water moeten drinken. De dokter had haar gewaarschuwd! En Zack betaalde de prijs. *Er is iets mis met hem.*

Ze stapte toch naar binnen. Ze was als een alcoholist die de drankkast opent, als een junkie die naar haar dealer gaat. Maar dat was belachelijk! Ze was er het afgelopen jaar toch al zo vaak binnen geweest – om gereedschap te halen, haar boekhouding met de accountant te bespreken, om Pan de stukken te laten zien die ze als beginner gemaakt had – maar nog nooit was ze er binnengegaan met de intentie weer aan het werk te gaan. Toen ze de oven had uitgezet, deed ze dat uit naam van haar gezin. Ze had een huis, een man en vier kinderen die haar nodig hadden.

Claire stond midden in haar atelier en keek om zich heen. Geef het maar toe! Ze snakte ernaar weer aan de slag te gaan.

Haar fascinatie voor het vloeibare glas was atavistisch, stond ergens in haar DNA gecodeerd. Ze werd tot de vlam, de gevaarlijke temperatuur, het verblindende licht aangetrokken. Een klodder vloeibaar glas aan het uiteinde van een blaaspijp bevatte de zin van haar leven, ook al was die heet en riskant. Ze had zich gebrand en gesneden, te vaak om het zich te herinneren, ze had littekens met verhalen die ze vergeten was. Maar ze hield van het werken met glas op de manier waarop ze van haar kinderen hield – onvoorwaardelijk, ondanks de reële mogelijkheid te falen. Glas was onverbiddelijk; het was een ambacht, maar ook een kunst. Het vergde precisie, concentratie, training.

Op haar werktafel vond ze een halfleeg schetsboek. *Een museumstuk?* Het object in het Whitney-museum was een sculptuur van dun geblazen bollen, zo dun dat ze in een geluiddicht vertrek geplaatst moesten worden. In de bollen, die als zeepbellen met elkaar verbonden waren, hing een zweem van prismatische kleuren. De sculptuur heette *Bubbles III*. (*Bubbles I en II* waren in de privégalerie van Chick en Caroline Klaussen ondergebracht en Chick Klaussen zat in het bestuur van het Whitney.) In het Yankee Ingenuity Museum stond een set van in elkaar vallende vazen, waarvan de openingen verschillend van vorm waren. Als je van bovenaf in de vazen keek was het alsof je door een caleidoscoop keek. Claire had de vazen de kleuren van de zee gegeven: turkoois, kobaltblauw, jade en grijsgroen. Claire, Jason en de kinderen waren naar Vermont gereden om de vazen te bezichtigen. Ze waren prachtig en stonden in het kleine, eenvoudige museum mooi tentoongesteld, maar ze waren niet te vergelijken met de *Bubbles* in het Whitney. Claire kon voor de veiling geen nieuw object voor de *Bubbles*-serie maken, dat zou net zoiets zijn als dat Leonardo de *Mona Lisa* nog eens ging schilderen. Ze zou wel een nieuwe set in elkaar vallende vazen kunnen maken. Zou dat vijftigduizend dollar waard zijn?

De deur ging open en de ruimte vulde zich met een koude luchtstroom. Claire draaide zich om. Pan stond in de deuropening. Claire voelde zich betrapt.

'Waar is Zack?' vroeg Claire.

'Hij slaapt,' antwoordde Pan.

'Ik denk erover weer te gaan werken,' zei Claire.

Pan knikte. Ze was nog steeds heel bruin van de afgelopen zomer. Ze droeg een zwarte tanktop en een kakikleurige capribroek en om haar nek hing een dun zilveren kettinkje met een belletje.

Claire had al twee keer de reparatiekosten vergoed omdat Zack het van haar hals had gerukt. Claire had Pan voorgesteld dat ze het niet meer tijdens haar werk zou dragen, maar Pan negeerde haar advies en dat was ook prima. Het kettinkje met het belletje hoorde bij Pans imago, bij haar magie. Pan was klein en beweeglijk, haar glanzende zwarte haar was in een pagekopje geknipt. Ze was zowel schattig als androgyn. Met het zilveren kettinkje en het tinkelende belletje deed ze Claire aan een boself denken.

'Wat vind je ervan?' vroeg Claire.

Pan hield haar hoofd schuin.

'Dat ik weer ga werken?'

Pan haalde haar schouders op. Misschien begreep ze de vraag niet goed, maar in elk geval begreep ze niet wat het inhield als Claire weer aan de slag ging.

Claire schudde haar hoofd. 'Laat maar,' zei ze.

Pan ging weer weg en Claire bleef nog even op de bank zitten om door haar schetsboek te bladeren. Ooit had ze twee ingenieuze kandelaars voor Fred Bulrush uit San Francisco gemaakt. De 'gesmolten-toffee-kandelaars'. Heel toevallig was ze op het idee van het ontwerp gekomen: terwijl ze een klont glas met een tang vasthield en de blaaspijp bleef roteren, had ze het vloeibare glas gedraaid en uitgerekt en daarna in de blauwe en robijnrode kleurstof gerold die ze op de stenen glasblazerstafel gestrooid had. Ze was als een kind met een stuk klei, ze dacht dat het op een vreselijke knoeiboel zou uitdraaien, maar toen de kleuren mooi in elkaar overvloeiden en de vorm was afgekoeld zag ze er een kandelaar in. Ze maakte er een voet aan en blies er een rond cupje uit, en toen de kandelaar uit de koeloven kwam, dacht ze: dit is fantastisch! Hij deed haar aan een psychedelische ijslolly denken. Het was Jason die hem op een gesmolten toffee vond lijken. Hij vond hem net als Claire geweldig, maar hij zei: Wat moet je met één kandelaar?

En Claire dacht: tja, maar het lukt me in geen miljoen jaar er nog een te maken.

Ze probeerde het, en het lukte bijna – de kleur was niet helemaal hetzelfde en de draaiing was minder sterk – maar dat maakte het kunst. Ze maakte een foto van de kandelaars en stuurde die naar Fred Bulrush, een mysterieus rijke man, voormalig compagnon van Timothy Leary, die dol op Claires kunst was omdat hij meende dat die 'de verrukking en de pijn' van haar ziel bevatte. Bulrush betaalde vijfentwintighonderd dollar voor het paar.

Stel dat ze het idee nu eens omkeerde? Omgekeerde kandelaars: een kroonluchter. Ze had altijd al een kroonluchter willen maken. Een kroonluchter van gesmolten toffee, die als een waterval van serpentines uit het plafond tevoorschijn kwam en waarbij iedere streng in een lichtje ter grootte van een druif eindigde? God, dat zou fantastisch zijn. Zou Lock dat mooi vinden?

Het was bijna twee uur en Claire haalde J.D. en Ottilie van de basisschool en daarna Shea van de Montessori kleuterschool. J.D. en Ottilie hadden om drie uur een competitiewedstrijd honkbal en Shea moest om halfvier voetballen. Claire had voor iedereen iets te eten en drinken mee, voor J.D. en Ottilie handschoenen, honkbalpetjes en shirts en voor Shea voetbalschoenen en scheenbeschermers. De kinderen persten zich met hun lunchtrommeltjes, rugtassen en kunstwerkjes in de auto. J.D. had een flyer voor een open huis mee, die als een herfstblad op de passagiersstoel neerfladderde.

'Hoe was het op school?' vroeg Claire.

J.D. scheurde een zak chips open. Niemand gaf antwoord. Claire keek in de achteruitkijkspiegel: Shea was met haar veiligheidsgordel in gevecht.

'Wat heb jullie vandaag gedaan?' vroeg Claire. 'J.D.?'

'Niks,' antwoordde J.D.

'Niks,' zei Ottilie.

'Shea?'

'Ik krijg mijn gordel niet vast.'

'J.D. wil jij haar alsjeblieft even helpen?'

J.D. snoof. 'Natuurlijk,' zei hij.

Claire glimlachte. Ze was geen Julie Andrews en dit waren niet de Von Trapp-kinderen, dit waren kinderen die op school blijkbaar de hele dag niets hadden uitgevoerd, maar het was goed zo.

Ze was in het atelier geweest, maar eigenlijk hield ze van haar leven zoals het nu was. Ze werd opgeslokt door de zorg voor haar kinderen. Omdat ze zo lang in haar schetsboek had zitten turen, was ze vergeten de was in de droger te doen en ze had ook nog niets aan het avondeten gedaan, dus het zou straks thuis een gekkenhuis worden, en ze had ook Zack nog, want Pan was om vijf uur vrij. Claire had geen tijd om een museumstuk te maken. Maar het gevoel, de drang, bleef. De kroonluchter van gesmolten toffee was haar opwindendste idee sinds tijden. Claire sloeg de bocht om en reed de parkeerplaats van het sportterrein op. Op deze velden werd het zomergala gehouden; het was de enige plek die groot genoeg was voor een feesttent en een concert voor duizend mensen. Claire vroeg zich af of er een reden was dat ze Lock Dixon op het sportterrein zou kunnen tegenkomen en kwam tot de conclusie dat het antwoord ontkennend was.

Om een indruk te krijgen van 'de kinderen van Nantucket' moest je op de voetbalvelden zijn. In Shea's team alleen al spraken de kinderen vijf talen: er waren twee Haïtiaanse meisjes, een Bulgaarse jongen en een tweeling uit Litouwen, van wie de ouders doof waren (ze spraken Engels, Litouws en de Litouwse gebarentaal). De diversiteit was verbazingwekkend, de organisatie was goed en de leiding perfect. De club werd door Nantucket's Children gefinancierd.

Toen Claire haar eigen groep vriendinnen – Delaney Kitt, Amie Trimble, Julie Jackson – zag staan, voelde ze zich zoals mannen zich moeten voelen jegens hun medesoldaten: We zitten allemaal in hetzelfde schuitje, we voeren allemaal hetzelfde gevecht. Jonge kinderen opvoeden en van hen genieten, want ze zijn maar één keer jong.

Claire liep naar Julie Jackson. Julie was wat je noemt een natuurlijke schoonheid, ze had blonde krullen en was nog slanker dan Claire (kickboksen). Julie had drie kinderen, verkocht kantoorbenodigdheden en zat in het bestuur van de ijsbaan. Toen Claire haar zag, dacht ze: commissie!

'Hoi,' groette Claire.

'Hoi!' zei Julie. 'Hoe gaat het? Waar is de baby? Ik heb hem in geen eeuwen gezien. Hij is vast al heel groot geworden.'

'Ja,' antwoordde Claire. Haar goede humeur was als een ballon die ze per ongeluk had laten ontsnappen en nu ver over de bomen wegdreef, uit het zicht. Ze nam Zack opzettelijk niet mee naar het voetbalveld. Ze wilde niet dat de andere moeders hem zagen, ze zouden voelen dat er iets mis met hem was, ze zouden elkaar vragen of dat te maken had met het feit dat hij te vroeg geboren was. 'Hij is thuis bij Pan.'

'En, heb je nog nieuws?' vroeg Julie.

'Nee, niet echt,' antwoordde Claire. Hoe moest ze het onderwerp te berde brengen? Ze zou een e-mail sturen, besloot ze. Maar dat was laf, en dit was de perfecte gelegenheid om het te vragen. Ze stonden te kijken naar het voetbalteam voor kleintjes onder de zes. 'Ik heb er in toegestemd medevoorzitter van het zomergala te worden. Het benefietfeest voor Nantucket's Children. Weet je, ik zou het leuk vinden als jij bij de commissie kwam. Zou je dat willen?'

Julie Jackson was met haar aandacht bij haar zoon Eddie, die de bal had. Julie gaf geen antwoord en Claire overwoog haar vraag te herhalen.

'Weet je waar ik het over heb?' vroeg Claire. 'Het zomergala? Het wordt hier op dit terrein gehouden, in augustus...'

'Ja, weet ik,' antwoordde Julie. 'Van Lock Dixon. Heeft hij je gevraagd?'

'Ja,' antwoordde Claire. Ze merkte dat het horen van Locks naam haar verwarde. Julie had op de avond van Daphnes ongeluk in de taxi gezeten. Bracht ze het een met het ander in verband? 'Ze willen dat ik Max West vraag.'

'O ja,' zei Julie. 'Ik was helemaal vergeten dat jij hem kent.' Was dat ironisch bedoeld, of was Claire gewoon veel te gevoelig?

'Ik kan het er niet bij hebben,' zei Julie. 'Echt niet.'

'Oké,' mompelde Claire. 'Ik snap het.'

'Ik ook niet,' zei Delaney Kitt.

'Ik ook niet,' zei Amie Trimble. 'Ted zou me vermoorden. Het lijkt altijd zo onschuldig om in een of andere commissie te gaan zitten, maar uiteindelijk ben je er honderden uren en duizenden dollars aan kwijt.'

'Ja,' beaamde Julie. Ze grijnsde naar Claire. 'Maar fantastisch dat jij het gaat doen, Claire. Je bent een kanjer dat je er tijd voor vrijmaakt.'

'Een kanjer,' echode Delaney.

'Er komt zoveel werk bij kijken,' zei Amie. 'Jij liever dan ik!'

Claire was laat thuis van het sportterrein omdat er een gewonde vogel aan de kant van de weg lag. Ze zag hem daar liggen, het was een mus of een winterkoninkje, hij was waarschijnlijk door een auto geraakt of gepakt door een hond. Hij was gewond, maar niet dood. De kinderen zaten uitgeteld op de achterbank, ze hadden de vogel niet gezien, en Claire dacht: doorrijden! Over vijf minuten moest ze Pan aflossen. Maar nee, ze kon het niet negeren. Toen ze stopte en zei: 'Kijk, wat een arm klein vogeltje,' kwamen de kinderen enigszins tot leven, maar ze stapten niet uit.

Claire knielde bij de vogel neer. Er was iets mis met zijn pootje en zijn vleugel. Het liep mank. Claire hoorde een auto toeteren. Amie Trimble minderde vaart.

'Wat ben jij aan het doen?'

'Hulpdienst voor gewonde vogeltjes,' antwoordde Claire.

Amie schudde haar hoofd, glimlachte en reed door.

Claire stak haar hand uit om de vogel op te pakken, maar daar moest het beestje niets van hebben. Het hipte weg, en Claire liep langs de zanderige wegberm om hem te pakken. Julie Jackson reed langs. Claire stond op en keek naar de achterkant van Julies auto. Claire was de enige persoon die ze kende die voor een vogel stopte, de enige die ze kende die ermee instemde voorzitter te worden van iets groots en tijdrovends als het gala, maar in plaats van dat ze zich een held voelde, voelde ze zich een domme gans. *Je bent een kanjer, dat je er tijd voor vrijmaakt.* Ze *had* helemaal geen tijd – *Ga terug naar de auto!* – maar ze kon het niet over haar hart verkrijgen het kreupele beestje achter te laten. Ze sloop naar de vogel toe en schoof haar hand onder het beestje. De kinderen juichten haar nu vanuit de auto toe. Dit was net wat het vogeltje nodig had: het schoot omhoog en vloog weg. Claire was opgelucht. Ze liep terug naar de auto. De kinderen klapten.

Een paar dagen later hadden Claire en Siobhan een van hun zeldzame avondjes uit, zo'n avondje dat ze met z'n tweetjes patat en cheeseburgers aten en bij Le Languedoc wijn dronken. Er stond een viognier op de wijnlijst; Claire dacht onmiddellijk aan Lock en hoe ze het hem tijdens die vergadering, meer dan wat dan ook, naar de zin had willen maken. Ze bestelde de wijn, maar bracht het onderwerp Lock Dixon niet ter sprake, anders zou Siobhan haar zeker gaan plagen. Siobhan had iets van een schoolpleinpestkop in zich. Ze treiterde, jende en sarde, ze maakte de meest bizarre plannen en daagde Claire uit mee te doen. Het was algemeen bekend dat Siobhan ondeugend was en Claire aardig; Claire was zoet, Siobhan was pittig; Siobhan was een duiveltje, Claire had een aureool. Siobhan vloekte als een bootwerker en danste boven op tafels. Claire bracht spinnen naar buiten in plaats van ze, zoals elk normaal mens, in een tissue te vermorzelen. Siobhan was iemand met wie je op een verlaten eiland wilde zitten, Claire was degene met wie je moest zijn als het vliegtuig dreigde neer te storten en er maar één parachute was. Ze zou hem onmiddellijk aan jou geven.

'Laten we naar de Chicken Box gaan,' zei Siobhan nu. 'Met een stel lekkere mannen gaan dansen.'

'Geen haar op mijn hoofd,' zei Claire.

Siobhan fronste haar wenkbrauwen. Haar vierkante brilletje gleed een stukje van haar neus. 'Er is geen bal aan met jou,' zei ze, een slok wijn nemend. 'Waarom heb ik geen leuke schoonzus? Je bent het toppunt van saaiheid.'

Claire voelde zich ook het toppunt van saaiheid, maar ze voelde zich ook deugdzaam, ook omdat ze wist dat Siobhan niet in haar eentje moeilijkheden zou gaan zoeken, en ze had gelijk. Ze betaalden de rekening en gingen naar huis, naar hun mannen.

De volgende dag werd Siobhans zoon Liam tijdens de ijshockeytraining tegen de omheining gesmeten waarbij hij een gruwelijke breuk in zijn arm opliep. Carter was met hem naar Boston gevlogen waar hij geopereerd zou worden, Siobhan bleef thuis bij Aidan, ze huilde en bad de rozenkrans.

Een operatie, zei ze. Jezus, Maria en Jozef. Ze snijden mijn kind open. Ze brengen hem onder narcose.

Toen de kinderen op school zaten ging Claire naar de supermarkt om een kip te kopen die ze voor Siobhan en Aidan wilde grillen, en wat koekjes en ijs om hen op te vrolijken. Het was rustig in de winkel.

Claire was blij dat zij en Siobhan zich de vorige avond niet hadden misdragen. In tegenstelling tot de Crispin-broers waren Claire en Siobhan Iers katholiek; ze geloofden beiden dat als je iets slechts deed, je iets ergs zou overkomen.

Maar stel dat dat niet zo was? dacht Claire terwijl ze naar de diepvriesafdeling liep op zoek naar Häagen-Dazs. Stel dat het één niets met het ander te maken had? Siobhan had zich per slot van rekening als een heilige gedragen en toch had Liam zijn arm gebroken.

Claire hoorde een schelle lach. Ze keek op en zag Daphne Dixon aan het eind van het gangpad. Oooo, wat een ramp. Claire kon urenlang met iedereen in de Stop & Shop staan kletsen, maar Daphne Dixon wilde ze op dit moment het liefst ontlopen. Ze wilde achter een hoog schap met hondenvoer wegduiken om zich daarna uit de voeten te maken, maar Daphne had haar gezien. De lach, die als het gekakel van een satanische rockster klonk, bleek voor Claire bestemd te zijn.

'Hoi,' riep Claire. Ze zwaaide, maar zette geen stap in haar richting. Ze kon er nog onderuit, misschien, ze hoefde zich alleen om te draaien en ze stond weer buiten, ook al ging dat ten koste van Siobhans ijs. Ze wierp een snelle blik op Daphne en zag tot haar verbazing dat ze er geweldig uitzag. Ze had haar haar heel donker geverfd en ze droeg een witte haltertop en een gewatteerd jasje en op de gebruinde huid van haar hals schitterde een gouden ketting met een medaillon.

Het was tien jaar geleden dat Claire Daphne Dixon voor het eerst had ontmoet. Claire was zwanger van J.D. en was met Jason naar een poolparty. Claire voelde zich ellendig, ten eerste omdat ze een zwangerschapsbadpak maat circustent aanhad, en ten tweede omdat iedereen, behalve zij, Corona's en margarita's dronk. Jason, die tijdens haar zwangerschappen nooit solidair met haar was wat drankgebruik betreft, werd dronken. Hij wees naar de overzijde van het zwembad, naar Daphne Dixon, die in haar bruine bikini wel naakt leek, en riep: 'Wat heeft die vrouw mooie tieten!'

Misschien had ze inderdaad mooie borsten en misschien was het een onschuldige opmerking, zoals hij beweerde, maar als je je man hebt horen zeggen dat een vrouw 'mooie tieten' heeft, kun je haar nooit meer voor de volle honderd procent sympathiek vinden.

Toch had Daphne Claire op de een of andere manier voor zich gewonnen. Later op datzelfde feest toonde Daphne belangstelling voor Claires zwangerschap. Daphne en Lock hadden een dochter van vijf, Heather, en Daphne vertrouwde Claire toe dat ze heel graag een tweede had gewild, maar dat ze na Heathers geboorte allerlei complicaties had gehad. Toen ze erachter kwam dat Claire glasblazer was, ging ze uit haar dak. Ze was dol op glas; ze was een fan van Dale Chihuly. Ze zou Claires werk heel graag een keer te zien. Oké, dacht Claire. (Claire bewonderde Chihuly ook.) Daphne wist waar ze het over had.

Ongeveer een jaar later brachten Daphne en Heather steeds meer tijd op het eiland door. Daphne schreef Heather in voor de basisschool en Lock pendelde in het weekend van Boston naar Nantucket. Claire kwam Daphne zo nu en dan tegen, ze kletsten over de peuterklas, zwemles en de opdrachten waar Claire mee bezig was. Toen Claire zwanger was van Ottilie, was Daphne opnieuw belangstellend en attent. Ze kwam zelfs naar het ziekenhuis om een roze truitje te brengen met een kaartje waarop stond: Zodra je zin hebt in een meidenavondje, bel me dan!

De Daphne Dixon die Claire zich uit die dagen herinnerde was normaal en vriendelijk, een schat.

Claire bleef bij het vak met kip staan en gooide de grootste haan die ze kon vinden in haar karretje. Ze was bang om achter zich te kijken.

'Claire?'

Claire draaide zich om, heel langzaam. Daphne stond recht voor haar neus. Claire kon haar parfum ruiken en nog iets: azijn. Misschien dressing van de lunch. En weer dacht Claire: o-o-o, wat een ramp.

'Hoi,' zei Claire. Ze had Daphne Dixon in geen eeuwen gezien, haar begroeting had wel iets enthousiaster mogen klinken. In plaats daarvan klonk er gespeeld enthousiasme in door, vrees, het oude, zinloze schuldgevoel, en de angst voor wat er komen ging. 'Hoe gaat het met je, Daphne?'

'Goed goed goed goed goed goed goed,' antwoordde Daphne, op een manier dat Claire, net als J.D., dacht: geestelijk gestoord. 'Het gaat goed. Lock vertelde dat je voorzitter bent van het gala dit jaar.'

'Ja,' zei Claire. 'Klopt.'

'Je weet wel waarom ze je gevraagd hebben, toch?' vroeg Daphne.

'Ja,' antwoordde Claire, 'omdat...'

'Ze willen Max West,' zei Daphne. 'Maar volgens Lock krijg je dat niet voor elkaar.' Ze stonden nog geen tien seconden te praten of Daphne had al een steek uitgedeeld. Het meest duidelijke gevolg van het auto-ongeluk was dat Daphne niet meer wist wat wel en niet kon. Ze had haar gevoel voor tact in sociale situaties verloren. 'Lock heeft Steven Tyler van Aerosmith al gebeld. We kenden hem een beetje toen we in Boston woonden.'

'Oké, maar ik denk dat het me wel–'

'En die andere griet, die Isabelle French? Zij zou wat mensen in Broadway bellen. Hoewel, eerlijk gezegd denk ik dat ze daar helemaal niet zoveel contacten heeft, ze doet maar alsof.'

'Ik ken haar niet,' zei Claire. 'We hebben volgende week een vergadering.'

'Ik wil dat je het zegt als Isabelle French avances richting mijn man maakt. Zal je het zeggen?'

'Avances?'

'Als ze aan hem zit of als ze met z'n tweetjes zijn, moet je me bellen. Onder ons gezegd, die vrouw is een slang. Ik zal je mijn visitekaartje geven.' Daphne rommelde in haar tas, die ook gewatteerd was. Ze droeg jeans en suède Jack Rogers-sandalen. Ze zag er geweldig uit, maar dat was maar schijn. Daphne pakte een visitekaartje uit haar tas en gaf het aan Claire. Het was wit met Daphnes naam en verschillende telefoonnummers in blauw. Claire kende niemand die zo'n visitekaartje gewoon voor zichzelf had. Het was ongebruikelijk, een beetje snobistisch misschien zelfs. Op het kaartje zou moeten staan *Daphne Dixon, idioot mens* of *Daphne Dixon, geestelijk gestoord,* zodat je wist dat je de nummers niet moest bellen. Zelfs als je zag dat Isabelle French Lock Dixon bij zijn stropdas greep en hem kuste.

'Oké,' zei Claire. 'Ik zal het doen.'

'Ik meen het, Claire,' drong Daphne aan. Ze streek haar haar, dat wel heel donker was uitgevallen, achter een rood oor. Waarom was haar oor zo rood? Opwinding? Daphne stond zo dichtbij dat Claire de dunne paarse adertjes op haar oor kon zien. 'Je moet me bellen als je iets ziet, of iets vermoedt. Als ik zeg "slang", bedoel ik slang. In het voorjaar heeft ze in de balzaal van het Waldorf-Astoria de man van een andere vrouw gekust, midden op de dansvloer, waar iedereen bij was. En het is algemeen bekend dat Isabelle French met mijn man naar bed wil.'

Claire lachte. Niet omdat ze die opmerking leuk vond, maar omdat ze zich geen seconde langer met die vrouw bezig wilde houden. Gewoon ja zeggen – Ja, Daphne, natuurlijk! Ik laat het je weten! – en een eind maken aan het gesprek. En maken dat je wegkomt!

'Natuurlijk,' zei Claire. Ze duwde het karretje helemaal naar de ham, bacon, gerookte worstjes, augurken en de zuurkool. Ze voelde dat Daphne Dixon achter haar aan liep, maar ze durfde niet te kijken. Ze bleef staan en deed net alsof ze in zuurkool was geïnteresseerd, omdat ze Daphne liever liet passeren dan voortdurend door haar geschaduwd te worden. Ze pakte een zakje zuurkool – Claire was er dol op, maar ze was de enige thuis – en bestudeerde een pot zure bommen.

'Augurken?' riep Daphne. Claire schrok zo dat ze de pot bijna liet vallen. Daphne stond pal achter haar. 'Je bent toch niet weer zwanger, Claire?'

Weer lachte Claire. 'Nee,' antwoordde ze.

'Weet je het zeker? Dat heb ik laatst ook nog tegen Lock gezegd.

Het is niet slim om jou als medevoorzitter te vragen want je bent altijd zwanger.'

'Ik ben niet zwanger.'

'Je hebt tenminste wel seks,' zei Daphne. 'Dat kun je van ondergetekende niet zeggen. En als je ook nog orgasmes hebt, heb je het al helemaal beter geschoten.'

Het ergerde Claire dat deze opmerking haar nieuwsgierigheid prikkelde. Sliepen Lock en Daphne niet met elkaar? Voelde Lock inderdaad iets voor Isabelle French? Was ze midden in een ingewikkelde situatie beland? Een vriendin uit z'n studietijd, gescheiden... Stel dat niet Claire, maar Isabelle vorige week op die gezellige vergadering was geweest? Zou er dan iets tussen hen gebeurd zijn? Maar Claire moest zich niet gek laten maken. Daphne was als een vies stukje wc-papier dat na een bezoek aan het damestoilet aan Claires hoge hak was blijven plakken.

'Ga je wel eens onder de douche?' vroeg Daphne. Ze snoof in Claires richting, en Claire keek naar haar kleren: yogabroek, afgetrapte gympen, een vaal wit T-shirt met een vlek op de mouw die eruitzag als een schotwond. Ze had die ochtend een paar yogaoefeningen gedaan, ze had geprobeerd om een schets van de kroonluchter te maken, ze had twintig telefoongesprekken gevoerd over Liams arm – wat de dokter gezegd had, wat de op handen zijnde operatie inhield – maar ze had niet gedoucht. Moest ze Daphne vertellen over Liam, Siobhan, het kinderziekenhuis, de gegrilde kip? Ze rook inderdaad niet naar bloemetjes, maar ze stonk toch niet? Je kon jezelf niet ruiken. Misschien stonk ze echt wel. Maar Daphne stonk ook, ze rook naar azijn.

'Ja hoor,' antwoordde Claire, 'maar ik ben er vandaag nog niet aan toe gekomen.'

'Dat is een van de redenen waarom Lock je voor het voorzitterschap van het gala heeft gevraagd. Iedereen weet dat je totaal uitgeblust bent. Vier kinderen, waarvan één een baby, je carrière is in het slop geraakt...'

'Mijn carrière is helemaal niet in het slop geraakt,' zei Claire.

'Lock en ik zijn dol op je glas. Maar het is voorbij.' Daphne knipte met haar vingers. 'Weg. Verdampt.' Ze haalde adem, diep en dramatisch. 'Het gala moet een succes worden, Claire. We moeten iemand hebben die er helemaal voor gaat.'

Claire voelde de tranen in haar ogen branden. Dit was het probleem met Daphne: ze zei je ongezouten de waarheid tot je ging huilen. Ze deed het niet om gemeen te zijn, ze kon er niets aan doen. Deze verbale aanval was een kleine wraakoefening voor alles wat er gebeurd was op de avond van haar ongeluk. De onherstelbare, onbenoembare schade hield in dat Daphne niet alleen ongemanierd, maar ook gemeen geworden was, dat ze van alles vergat en voortdurend hele gedachten, ideeën en woorden herhaalde. Het werd een verbale tic, deze herhaling, het werd gestotter. Toen haar hoofd nog in het verband zat, had ze tegen Julie Jackson gezegd: 'Ik begrijp alles nu. Alles is glashelder.' Dat leek te betekenen dat ze alle omgangsregels aan haar laars lapte. Ze was scherp en venijnig geworden en berucht om haar hardheid. Niemand mocht Daphne Dixon nog, ze was er op uit mensen te steken, als een wesp. Ze was haar eigen dubbelganger geworden, na het ongeluk. Ze was een kom room die zuur geworden was.

Toch was Claire altijd voor haar in de bres gesprongen.

Echt, zo erg is ze niet. Als ze haar medicijnen inneemt, is ze heel normaal.

Het schuldgevoel, oud en zinloos, was als een klont teer in haar haar, het was een onzichtbare draad die om haar hart gesnoerd zat. Claire had het laatste drankje aangeboden, ze had niet geëist dat Daphne in de taxi stapte, met het gevolg dat haar hele persoonlijkheid voor eeuwig en altijd veranderd was. Daphne was iemand anders geworden, en Claire gaf zichzelf daar de schuld van.

Daar, bij het koelvak van de Stop & Shop kreeg Claire haar verdiende loon: Daphne hield haar een spiegel voor en dwong haar erin te kijken. Hoe kun je voorzitter van het gala zijn als je niet eens onder de douche gaat? Als je zo onzorgvuldig in de glasblazerij te werk gaat dat je een voortijdige bevalling op gang brengt? Als je het feit niet onder ogen wilt zien dat je baby niet gezond is en misschien nooit gezond wordt? Hoe kun je er dan helemaal voor gaan?

'Mijn neefje heeft zijn arm gebroken met ijshockey, hij is overgebracht naar Boston,' zei Claire. 'Ik moet gaan. Ik wil iets te eten maken voor Siobhan.'

De uitdrukking op Daphnes gezicht werd milder. 'O,' zei ze. 'Wat erg. Ga maar gauw. Laat het me weten als ik iets kan doen.'

Claire keek naar Daphne. Haar oren waren weer roze, de oren van een normaal mens. Ze was nu gewoon weer als vroeger – maar dat hoorde bij het probleem, het onvoorspelbare ervan. Daphne stuiterde als een tennisbal tussen twee gemoedstoestanden. Welke persoonlijkheid stond je te wachten? Claire was niet gek. Er was een uitweg geboden, en ze zou er gebruik van maken.

'Oké, dat zal ik doen,' zei Claire. 'Tot ziens, Daphne.'

3

Hij vraagt haar (weer)

Toen Claire voor de tweede galavergadering de trap van het Elijah Baker House op liep, trof ze Lock Dixon achter zijn bureau aan, precies zo als twee weken daarvoor, alleen nu zonder sandwich. Dit keer droeg hij een roze overhemd en een das met een rood motief, de klassieke zender stond aan en er klonk klavecimbelmuziek. Het kantoor was donker op de bureaulamp en de blauwe gloed van Locks computer na. Claire keek op haar horloge. Het was vijf over acht.

'Waar is iedereen?' vroeg ze.

Op hetzelfde moment zei Lock: 'Heb je mijn bericht niet gekregen?'

'Bericht? Nee.'

'De vergadering gaat niet door. Verzet naar volgende week.'

'O,' stamelde Claire. 'Nee, ik heb geen bericht gehad...'

'We hadden je op je mobiele telefoon moeten bellen. Ik heb het Gavin gezegd en hij heeft het hele kantoor afgezocht naar je nummer, maar kon het niet vinden. Sorry. Adams heeft griep en Isabelle was verhinderd vanavond, dus hebben we de vergadering naar volgende week doorgeschoven. Ik vind het vervelend dat je helemaal voor niets bent gekomen.'

Voor niets, inderdaad was het in zekere zin voor niets, maar Claire had er geen spijt van. Ze keek om zich heen. 'Is Gavin er?' vroeg ze.

'Nee,' antwoordde Lock. 'Hij is om vijf uur naar huis gegaan.'

'O,' zei Claire. 'Nou, misschien kunnen we samen het een en ander bespreken...'

Op hetzelfde moment vroeg Lock: 'Wil je een glaasje wijn?'

'Viognier?' zei Claire. Ze vroeg zich af of ze het wel goed uitsprak, hoewel ze thuis onder de douche had geoefend. 'Ja, heerlijk.'

Toen Lock met de wijn uit de keuken terugkwam, vroeg hij: 'Heb je nog over mijn voorstel nagedacht?'

'Je voorstel?' zei ze, onmiddellijk blozend.

'Het veilingstuk,' verduidelijkte hij. 'Over je triomfantelijke comeback als kunstenaar.'

'O dat,' zei ze. Ze haalde diep adem en streek neer op de stoel tegenover zijn bureau. Hij ging op de rand van zijn bureau zitten, dicht bij haar. 'Ik wist niet zeker of je het wel serieus bedoelde.'

'Natuurlijk bedoel ik het serieus.'

'Vijftigduizend dollar?'

'Je *Bubbles*-sculpturen zijn vele malen meer waard.'

'Ja, maar...'

Hij nam een slok wijn en schudde zijn hoofd. 'Laat maar dan. Het was maar een idee.'

'Het was een geweldig idee,' zei Claire. 'Ik ben gevleid dat je denkt dat mijn werk goed genoeg zou zijn.'

'Goed genoeg? Het is meer dan goed genoeg.'

'Bijna niemand op het eiland kent me als glasblazer,' zei Claire.

'Ach, kom. Natuurlijk wel.'

'Ze weten wel dat ik glasblazer ben, of was. Maar praktisch niemand heeft mijn werk ooit gezien. De vazen kennen ze wel, maar mijn echte werk niet.'

'Zonde,' zei Lock.

'Ik heb een kleine klantenkring,' legde Claire uit. 'Vijf mensen. Ik ben wat je noemt "exclusief".'

'Je zou net zo bekend als Simon Pearce kunnen zijn,' zei Lock. 'De veiling kan je behoorlijk wat publiciteit opleveren.'

'Maar dat wil ik helemaal niet,' wierp Claire tegen. 'Ik heb er nooit naar gestreefd een Simon Pearce te zijn. Ik hou niet van massaproductie.'

'Natuurlijk niet. Jij bent een kunstenaar.'

Claire keek naar haar handen. Jarenlang hadden ze onder de littekens en de wondjes gezeten, ze had zich gesneden en verbrand. Ze begonnen er nu net als normale vrouwenhanden uit te zien, rood van het afwaswater en hier en daar een viltstiftstreep, maar was dat een goed teken? Ze wist het niet. Praten over weer aan het werk gaan verscheurde haar. Het had zo goed gevoeld het schetsboek open te slaan en bovendien liet het beeld van de gesmoltentoffee-kandelaar haar niet los. Maar daarna dacht Claire aan haar kinderen, en vooral aan Zack: zou ze Lock vertellen dat hij bij zijn geboorte nog geen twee kilo woog en dat hij de eerste vijf weken van zijn leven aan de beademing gelegen had? Dat hij, nu hij acht maanden was, nog steeds niet kroop, terwijl haar andere kinderen op die leeftijd al door de kamer stapten, zich vasthoudend aan het meubilair. Dr. Patel had gezegd dat ze zich geen zorgen hoefde te maken. *Een kind ontwikkelt zich in zijn eigen tempo, Claire.* Claire wilde naar een specialist, maar ze was bang voor wat die zou zeggen. Ze was ervan overtuigd dat er iets mis was en dat het haar schuld was. Haar dokter had haar gewaarschuwd.

'Ik kan de opdracht niet aannemen,' zei ze.

Lock keek haar lang aan, met een ondoorgrondelijke uitdrukking op zijn gezicht. 'Oké.'

Claire voelde tranen opwellen. Wat was er met haar aan de hand? Ze voelde zich plotseling verdrietig en zielig. Ze probeerde zich te beheersen, het was gênant te gaan huilen waar Lock bij was. Thuis was er, althans zo leek het, altijd wel een kind dat huilde. Claire was degene die tissues pakte, neuzen afveegde, een kusje gaf op builen en blauwe plekken en tegen de dader uitvoer. Zij huilde nooit, realiseerde ze zich, omdat er niemand was om haar te troosten. Jason was in emotioneel opzicht net zo zwak als de kinderen. Als hij haar nu zou zien, zachtjes huilend, zou hij verbijsterd zijn.

Lock gaf haar een zakdoek. Claire veegde haar tranen weg, en bedacht hoe heerlijk het was dat er nog een man in de wereld bestond die een zakdoek bij zich droeg.

'Gaat het?' vroeg hij. 'Heb ik een gevoelig onderwerp aangesneden? Het was niet mijn bedoeling–'

'Het gaat wel weer,' antwoordde Claire. Lock gaf haar haar wijn aan. Ze nam een slok en probeerde zich te herstellen. 'Mag ik je iets vragen?'

'Zeg het maar.'

'Waarom werk je hier eigenlijk? Ik bedoel, je bent toch... je hoeft toch niet meer te werken?' Lock schonk haar weer een van zijn ongelooflijke glimlachjes. 'Iedereen heeft zinvolle bezigheden nodig. Ik heb mijn bedrijf verkocht zodat ik mij permanent op het eiland kon vestigen, maar het was nooit mijn bedoeling te stoppen met werken en alleen maar te golfen en met mijn effectenmakelaar te praten. Dat is niks voor mij.'

'Het gaat me ook eigenlijk niets aan,' zei Claire.

'Ik zocht op het eiland iets waar ik gelukkig van werd. Ik heb erover gedacht een makelaarskantoor over te nemen, maar dat voelde in deze fase van mijn leven inhoudsloos. Er was een vrouw die de kamers schoonmaakte in het ziekenhuis toen Daphne daar fysiotherapie kreeg. Marcella Vallenda. Ken je haar?'

'Nee,' zei Claire.

'Een Dominicaanse vrouw. Ze had vier kinderen, drie jongens, pubers die altijd voor problemen zorgden, en een dochter. Haar man was een niksnut, een alcoholist; soms werkte hij en soms zat hij te kienen in de Muse. Na verloop van tijd leerde ik Marcella een beetje kennen. Ze had drie banen en raakte verslaafd aan cocaïne, voornamelijk om wakker te blijven. Bij haar thuis was het een afschuwelijke bende en haar dochter, Agropina, vond eens een rat in haar kom met cornflakes.'

'Mijn hemel,' zei Claire.

'Die dingen gebeuren,' vervolgde Lock. 'Ik had geen idee dat zulke zaken zich hier afspeelden, totdat ik Marcella ontmoette. Ik wilde haar geld geven, maar geld helpt niet, dat wordt onmiddellijk aan drugs uitgegeven. Ze had structurele hulp nodig, en zo kwam ik op het idee om Nantucket's Children op te richten.'

'Dat verhaal heb ik nooit eerder gehoord,' zei Claire.

'Iedereen vraagt zich af waarom ik hier ben, maar weinig mensen hebben de moed het te vragen. Jij wel. Geld inzamelen voor Nantucket's Children is de belangrijkste baan die ik ooit heb gehad.'

Toen Claire opstond, trilden haar benen. Ze voelde een nieuwe huilbui opkomen. Natuurlijk, ze had last van haar hormonen; sinds ze Zack niet meer voedde was ze uit balans. Maar nee, dat was het niet, het was iets anders, iets groters. In haar universum werd een apocalyptische beslissing genomen. Het was niet alleen vanwege Locks relaas over het verbeteren van de wereld of de rat in de kom met cornflakes van het meisje. Claire nam deze beslissing omdat ze het zelf wilde. Ze voelde zich als de persoon die ze bijna in een menigte was kwijtgeraakt: haar oude zelf.

'Oké, ik ga het veilingstuk maken,' zei ze.

'Echt?' zei hij. 'Weet je het zeker? Ik heb nu het gevoel dat ik je heb overgehaald.'

'Ik weet het zeker,' herhaalde ze. Ze wachtte, hield haar adem in. Was dit een beladen moment voor hem, of was alleen zij emotioneel? Per slot van rekening had zij zojuist een gedenkwaardig besluit genomen. Lock stond voor haar, levensgroot, als een godheid, als iemand die dingen kon laten gebeuren.

'Ik moet gaan,' zei ze.

'Wacht even.' Iets in zijn stem maakte dat ze bleef staan.

'Wat?' fluisterde ze.

'Bedankt,' zei hij.

Hij dacht dat ze het voor hem deed, of voor de goede zaak. Maar uiteindelijk deed ze het voor zichzelf.

'Nee,' zei ze. 'Jij bedankt.'

Toen Claire thuiskwam, was Jason nog wakker. Hij keek tv en Zack lag op zijn borst te slapen. Omdat de hele wereld nu anders was, vertederde deze aanblik haar. Haar man en haar baby. Ze wisten niets van haar.

'Hoe was de vergadering?' vroeg Jason.

'O,' zei Claire. 'Leuk. Ik moet Matthew zien te vinden morgen.'

'Hij is aan het toeren door Zuidoost-Azië,' zei Jason. 'Dat zag ik op *Entertainment Tonight.*'

'O ja?'

'Ja, de sultan van Brunei was bij een van zijn concerten. Heel bijzonder. De rijkste man van de wereld was aan het dansen op *This Could Be a Song.*'

'Grappig,' zei Claire. Ze ging voorzichtig in de stoel naast Jason zitten. 'Luister, ik wil iets met je bespreken.'

Jasons aandacht was weer bij de tv. *Deal or No Deal.*

'Jase?'

'Mmmmmm.'

'Ik meen het. Ik moet met je praten.'

Jason zuchtte, ietwat geërgerd. Ze stoorde hem in dat stupide tv-programma.

In de auto had ze een zin gerepeteerd. Zeg het recht voor z'n raap. Geen zoete woordjes, die wil hij niet horen. Maar Claire vond het moeilijk om te zeggen. Jason keek haar boos aan. Hij had alleen het geluid van de tv uitgezet, het beeld stond nog aan.

'Wat is er?' vroeg hij.

'Ik ga weer werken.'

Instinctief, zo leek het, drukte hij Zack tegen zich aan. Juist. Het schuldgevoel kwam zo automatisch dat Claires vingers begonnen te tintelen. (Ze was in de traumahelikopter weer tot bewustzijn gekomen terwijl Jason haar haar streelde. *Ze weten niet hoe het met de baby is,* had hij gezegd. *Ze weten niet hoe het met de baby is.*) Nu was in Jasons stilzwijgen de beschuldiging luid en duidelijk te horen: haar werk was hun zoon bijna fataal geworden. Als het aan hem lag, zou ze nooit meer een stap in haar atelier zetten. Ze had gehoord dat hij tegen Carter had gezegd dat hij het wilde slopen, opblazen, platbranden.

'Wát?' zei hij.

'Ik ga weer werken. Ik ga iets maken voor de veiling van het gala.'

'Jezus, Claire.'

'Lock heeft het me gevraagd,' vervolgde ze. 'Hij denkt dat het veel geld zal opbrengen.'

'Hij vraagt te veel. Je bent al voorzitter van dat verdomde gedoe.'

'Weet ik, maar ik ben eraan toe. Ik wil weer aan de slag. Ik mis het. Het is wie ik ben.'

'Het is een deel van wie je bent,' zei Jason.

'Een belangrijk deel.'

'En de kinderen?'

'Dat komt wel goed. Pan helpt me. En zoveel tijd zal het niet kosten.'

'Natuurlijk kost het veel tijd,' zei Jason. 'Ze vragen niet of je cakejes wil bakken, Claire. Ze willen een stuk voor de veiling. Iets ingewikkelds.'

'Ik bepaal zelf wat ik ga maken.'

Hij huiverde, Zack schrok en begon te huilen. 'Geweldig. Je hebt hem wakker gemaakt,' zei Jason bitter.

'Ik hoopte dat je het zou begrijpen. Ik ben eraan toe.'

'Kijk.' Jason hield Zack voor zich uit. Zack graaide in de lucht als een kever die ondersteboven lag. 'Het is nog geen jaar geleden. Zack is nog een baby, en baby's hebben hun moeder nodig. Je had nee moeten zeggen. Niet alleen tegen het kunstwerk, maar tegen alles. Dat hele gebeuren. Dat gala.'

Claire pakte de baby en kuste zijn voorhoofd. Ze wist niet wat ze moest antwoorden, maar het maakte niet uit. Jason ging weer tv kijken.

Ze had niet verwacht dat de gedachte weer aan het werk te gaan haar zo gelukkig zou maken. Ze voelde zich weer de oude Claire, en tegelijkertijd als herboren. Ze had meer energie voor de kinderen, ze was vol aandacht en vrolijk. Ze gaf J.D. een zoen op zijn wang, hij ging tekeer, Claire lachte, kuste hem nogmaals en kietelde hem onder zijn oksels tot hij lachend riep 'Kappen, mam!' Ze kocht een nieuw schetsboek en een set potloden, nummer twee. Ze sleep ze en streek over het zware, zachte papier. Met een minutieuze nauwgezetheid was ze twee uur lang bezig de gesmolten-toffee-kroonluchter te tekenen. Het zou bijna onmogelijk worden om hem helemaal met de hand te vervaardigen, in haar eentje, maar dat motiveerde haar juist.

Net op het moment dat Claire op het punt stond een pauze in te lassen belde Siobhan.

'Hoe gaat het met je wérk?' vroeg ze. Siobhan had nogal sceptisch gereageerd toen Claire haar het nieuws verteld had. Ze begreep niet waarom Claire ging werken als het niet nodig was, ze begreep niet waarom Claire zich zo uitsloofde voor iets waar ze niet eens voor betaald kreeg. *Je bent getikt, Clairsy! Geen grenzen!*

'Het voelt beter dan een massage,' zei Claire.

'Kom nou toch!' zei Siobhan lachend.

'Echt.'

'Je bent niet goed snik.'

Het voelde goed een opdracht te hebben. Door twee uur voor 'werk' te reserveren liep de rest van de dag efficiënter. Ze bereikte meer. Ze had nog een uur over voor ze de kinderen van school moest ophalen. Ze zou Pan even vrij kunnen geven en met Zack op het strand gaan wandelen. Maar ze wilde Lock komende maandag verrassen, als dank voor de verandering die hij in haar leven had gebracht. Ze pakte de telefoon, nam die mee naar haar slaapkamer en deed de deur op slot. Ze bladerde haar adresboekje door, dat uitpuilde van allerlei briefjes met telefoonnummers en verhuisberichten.

Matthew Westfield (alias Max West): er stond een mobiel nummer, maar Claire wist dat het geen zin had dat nummer te bellen. Twee jaar geleden had ze voor het laatst geprobeerd contact met hem te krijgen omdat Siobhans broer Declan in Dublin concertkaartjes wilde hebben. Toen ze Matthew niet op zijn mobiele telefoon kon bereiken had ze een boodschap voor hem achtergelaten bij zijn manager Bruce in Los Angeles, en de kaartjes waren bij Declan thuis bezorgd. Maar de laatste keer dat Claire Matthew zelf gesproken had was bijna twaalf jaar geleden. Hij had haar vanaf het vliegveld van Minneapolis gebeld toen hij op weg was naar een ontwenningskliniek in Hazelden.

'Ik kan het niet laten, Claire,' had hij toen gezegd. 'De drank. Ik kan het niet laten.'

Drank, dacht Claire, was makkelijker op te geven dan cocaïne, maar de afgelopen twaalf jaar was Matthew drie keer opgenomen wegens alcoholmisbruik. Claire dacht terug aan de middelbare school. In die tijd was zij de enige die het voor elkaar kreeg om bier te kopen. Ze deed krulspelden in haar haar en trok een lange, zwarte rok van haar moeder aan en haar platte schoenen. Volgens Matthew zag ze er uit als een lid van de Amish, maar ze hoefde nooit haar legitimatie te laten zien. Ze dronken buiten in de weilanden, in het bos en 's zomers bij de steengroeve, waar Matthew in beschonken toestand van de hoogste rots in het jadekleurige water dook. Hij was onbezonnen, hij dacht dat hij onverwoestbaar was. Ze dronken op het strand of in een van de leegstaande huurhuizen aan de strandweg. Het drinken was onschuldig, het was een manier om de stemming te verhogen en natuurlijk om te rebelleren. Het hoorde erbij, maar was geen doel op zichzelf (hoewel er uitzonderingen waren, avonden waarop zij, Matthew of beiden zoveel op hadden dat ze tot aan de dageraad lagen te braken). Op die avonden in hun jeugd ging het vooral om de muziek. Matthew sleepte zijn gitaar altijd met zich mee; hij droeg hem op zijn rug of legde hem naast zich neer op het strand of in het gras als ze vrijden. Hij zong voor hun vrienden, voor onbekenden, hij zong voor Claire, hij zong voor zichzelf. Vaak was Claire jaloers op zijn muziek en beschuldigde ze hem ervan dat het een obsessie voor hem was. In die tijd was muziek zijn drug.

Het verbaasde Claire dat de alcohol Matthew als volwassene in zijn greep had gekregen. Waarom hem, niet haar? Natuurlijk bestond zijn leven, in de periode tussen hun laatste maand samen, augustus 1987, en nu, uit uitspattingen waar Claire zich alleen maar een voorstelling van kon maken. Matthew had haar er wel iets over verteld: de drugs, de alcohol, de meisjes, de feesten, het totale gebrek aan scrupules dat hoort bij het leven in een rock-'n-roll-toerbus. Tijdens zijn *Stormy Eyes Tour* ging het er allesbehalve gezond aan toe, hij dronk nooit water en ging nooit eens vroeg naar bed, er kwam geen zin uit zijn mond zonder dat hij vloekte, hij at geen hap groente en haalde geen enkele keer adem zonder de zoete geur van marihuana. Alles draaide om wodka en tieten, zei hij. En spanning. Dat was zijn eigenlijke verslaving: de spanning.

Bijna een uur had Claire met hem gepraat toen hij op het vliegveld van Minneapolis stond te wachten om naar Hazelden te worden gebracht. Het was vooral hij die praatte, herinneringen ophaalde en zich verontschuldigde.

Ik had je nooit moeten laten gaan. We waren gelukkig.

Gelukkig, zei ze.

Je vader had de pest aan me.
Helemaal niet.
Je moeder vond dat ik vals zong.
Doe niet zo gek. Ze vond je dat je een engelenstem had.
Weet je nog dat ik in de Pony zong? Wat was het leven toen eenvoudig.
Eenvoudig, herhaalde Claire. Ze lachte. *Weet je nog dat je mij tamboerijn liet spelen?*
Het was een regelrechte ramp.
Ze hoorde dat hij glimlachte.
Ik mis je. Als je ooit iets nodig hebt, maakt niet uit wat…
Of als jij *ooit iets nodig hebt.*
Vraag het dan, zei hij.
Vraag het dan, zei zij.

Goed. Ze had een oud nummer van zijn mobiele telefoon en het nummer van Bruce in Los Angeles. Bel Bruce! Het was nog maar oktober. Als Max haar over drie weken, een maand, of zelfs twee maanden terugbelde, was ze nog ruim op tijd om hem te boeken. Ze kon ook Matthews moeder, Sweet Jane Westfield, die nog steeds op East Aster Road in Wildwood Crest woonde, een brief schrijven. Elk jaar kreeg Claire een kerstkaart van haar. Sweet Jane was de enige constante factor in Matthews leven; als Jane een brief van Claire zou krijgen, zou ze die op haar prikbord boven de gootsteen prikken en het aan Matthew vertellen als hij haar belde, wat hij elke zondag deed.

Claire besloot beide te doen. Ze vond Sweet Jane's adres in haar adresboek en schreef in grote letters een briefje, waarin ze uitlegde dat ze Matthew moest spreken. Dat ze wilde dat Matthew een kort concert zou geven op Nantucket voor een goed doel voor kinderen. *Het is niet voor mij,* schreef Claire. *Het is voor de kinderen van het eiland. Wilt u alstublieft vragen of hij me belt? Mijn nummer is…* In het P.S. vertelde ze dat het goed ging met haar kinderen – Sweet Jane had ongetwijfeld Zacks geboortekaartje op het prikbord gehangen – en ze vroeg naar Monty, Sweet Jane's kat.

Vervolgende draaide ze het nummer van Bruce Mandalay, Matthews manager. Bruce Mandalay was de man die Matthew in de Stone Pony had ontdekt. Er liepen altijd managers en platenproducers in de Stone Pony rond (dankzij Springsteen en Bon Jovi), en meestal kon je ze er zo uitpikken met hun gladde haar, diamanten oorringetjes en nette pakken. Maar Bruce Mandalay zag er uit als een manager van een dozenfabriek: or-di-nair. Dik, kalend, een bril zonder montuur, een snor en gaatjesschoenen. Hij had een vriendelijke stem en hij was onopvallend op het onzichtbare af. Matthew was met hem in zee gegaan omdat hij serieus, slim en verstandig was. Bruce dacht dat de song *Parents Know* een singletje kon worden en bood geld aan om het professioneel in New York te laten opnemen. Matthew ging erop in en bijna onmiddellijk daarna kon Bruce hem bij Columbia onderbrengen. Vanaf dat moment rees zijn ster.

Toen Matthew naar New York ging om de single op te nemen, stond hij erop dat Claire meeging. Van Wildwood tot Manhattan zat ze op de achterbank van Bruce' Pinto. Bruce was aardig voor haar geweest, bij een wegrestaurant kocht hij een cheeseburger en een cola voor haar en hij informeerde naar haar opleiding. Ze vertelde van de Rhode Island School of Design, en hij zei: 'Indrukwekkend.' Hij vertelde dat hij zelf vijf dochters had.

Maar hoe belangrijker Matthew voor Bruce werd, hoe onbelangrijker werd Claire. Toen ze anderhalf jaar later in het Beacon Theatre een keer backstage opdook (Max West stond in het voorprogramma van de Allman Brothers), herkende Bruce haar niet. Had ze zo weinig indruk gemaakt, of hingen er zoveel meisjes om Matthew heen dat Bruce het niet kon bijhouden? Claire was nu al zo lang buiten beeld dat ze Bruce waarschijnlijk moest uitleggen wie ze was. Er zaten honderden, duizenden meisjes achter Matthew aan, onder wie twee echtgenotes en één betreurenswaardige maîtresse (de beroemdste actrice van dat moment), maar Claire was zijn eerste meisje geweest, het meisje van wie Matthew hield voordat hij beroemd werd.

'Hallo, met Bruce Mandalay.'

'Bruce,' zei Claire, 'je spreekt met Claire Danner.'

Het was stil. Oké, het was al twee jaar geleden dat ze om die concertkaartjes had gevraagd. En misschien overdreef Claire haar betekenis in Matthews leven wel.

'Ik ben Matthews...'

'Ja, natuurlijk,' zei Bruce. 'Hallo Claire.' Zijn stem klonk nog hetzelfde, rustig en zakelijk. Hij was geen managerachtige manager, hij liet zich door niets en niemand gek maken, hoewel hij nu ongetwijfeld rijk en machtig was geworden. Claire dacht aan zijn vijf dochters. Ze waren jonger dan zij, maar nu ook allemaal volwassen. Misschien was Bruce zelfs al opa. Claire had geen tijd om het hem te vragen. Ze moest over een kwartier de kinderen van school halen.

'Ik wil je om een gunst vragen, Bruce.'

'Kaartjes? Max is in Zuidoost-Azië. Hij komt pas in het voorjaar naar de Verenigde Staten.'

'Het gaat niet om kaartjes,' zei Claire. Het ging om zoveel meer dan kaartjes dat ze niet wist hoe ze het moest vragen. Een gratis concert van anderhalf uur op een honkbalveld voor duizend welgestelde zomergasten die misschien niet eens zouden dansen. Ze had een boterham met salami gegeten tussen de middag en had last van het zuur.

'Nee?' vroeg Bruce, hij klonk geïnteresseerd, maar ook op zijn hoede.

'Ik ben medevoorzitter van een liefdadigheidsfeest hier op Nantucket,' zei Claire. 'Het zomergala, met cocktails en een diner voor duizend mensen. En het is traditie dat er een concert wordt gegeven.'

Stilte.

'Het is voor een goed doel,' zei Claire. 'Een kaartje kost duizend dollar en al het geld gaat naar de organisatie waar ik me voor inzet. De organisatie heet Nantucket's Children.'

Stilte.

'Ik wil dat Matthew, Max, bedoel ik, komt spelen.'

Stilte.

'Gratis.'

Had Bruce opgehangen? Ze zou het hem niet eens kwalijk nemen.

'Het is op zestien augustus, een zaterdag,' vervolgde Claire. 'Hier op Nantucket. Nantucket ligt voor de kust van–'

'Ik weet wel waar Nantucket ligt.'

'Goed,' zei Claire. Ze haalde diep adem. 'Wat vind je ervan?'

Ze hoorde papiergeritsel. Bruce Mandalay schraapte zijn keel. 'Het Hollywood Hospice, Artsen zonder Grenzen, Save the Children, de United Way of Orange County, het Metropolitan Museum of Art, het Druckenheimer Center for Elderly of Saint Louis, het Rode Kruis, het symfonieorkest van Seattle, een viswedstrijd in Redbone voor kinderen met cystic fibrosis, het tehuis voor geestelijk gehandicapten in Rock City, Iowa, de vereniging voor natuurbehoud in Estes Park, de eerste baptistenkerk van Tupelo, de Cleveland Clinic, Data, Bono's liefdadigheidsorganisatie in Afrika...'

'Oké, stop maar,' zei Claire. 'Het is wel duidelijk.'

Bruce zuchtte. Hij was niet het prototype van een manager en toen ze geen geld had voor een lunch had hij cola en een cheeseburger voor haar gekocht, maar zó aardig was hij nu ook weer niet. Misschien ooit wel, maar de twintig jaar die hij Max West vertegenwoordigde hadden een realist van hem gemaakt. En het was moeilijk om realistisch én aardig te zijn.

'Claire...' begon hij.

Ze had nooit moeten bellen. Ze had het bij de brief naar Sweet Jane moeten laten. Claire voelde de tranen in haar ogen prikken. Het was een afwijzing, dat was duidelijk, en eigenlijk verdiende ze het, want ze was ervan uitgegaan dat ze een onvergetelijke indruk op Matthew had gemaakt. Je vergeet je vriendinnetje van de middelbare school toch niet? Misschien wel. Ze had Matthew al in geen eeuwigheid meer gezien.

Lock denkt dat je het niet voor elkaar zult krijgen.

'Oké,' fluisterde ze. 'Ik snap het. Al die organisaties willen hem.'

'Het zijn alleen nog maar de verzoeken van deze maand,' zei Bruce. 'De verzoeken die sinds zijn vertrek zijn binnengekomen. Hij heeft Bóno afgeslagen, Claire. Bovendien zijn bijna al deze organisaties bereid te betalen...'

'Ik weet het,' zei Claire. 'Maar ik dacht ik vraag het gewoon.'

'Vragen staat vrij,' zei Bruce.

Hij zweeg weer, en Claire dacht: Alsjeblieft, laten we dit gesprek beëindigen. Verwachtte hij soms dat ze gezellig ging doen en naar zijn dochters zou vragen?

'Weet je voor wie ik werk?' vroeg hij.

'Nou?' zei Claire.

'Voor Max West.'

'Weet ik.'

'Het is alsof hij mijn eigen zoon is,' vervolgde Bruce. 'Ik weet alles van hem. Ik weet bijvoorbeeld dat hij nu in Brunei is, dat hij het moeilijk heeft omdat de sultan moslim is en het sultanaat is drooggelegd.'

'Tja,' zei Claire. Ze had nog tien minuten om de kinderen op te halen. Ze moest ophangen. 'Luister, wil je me een plezier doen? Wil je als je Max spreekt zeggen dat ik heb gebeld en het hem alleen maar vragen? Zeg dat het echt heel belangrijk voor me is...'

'Ik hoef het hem niet te vragen,' zei Bruce. 'Ik weet alles van hem. Als ik hem vertel dat je gebeld hebt en hem voor dat idiote, onmogelijke feest wilt hebben, weet ik wel wat hij gaat zeggen.'

'Wat dan?'

'Hij zal ja zeggen.'

'Wat zeg je?'

'Hij zal zeggen: *Voor Claire Danner doe ik het.* Dat het gratis is, is geen punt. Zaterdag zestien augustus. Je hebt geluk want hij is dan toevallig vrij. Een paar dagen later vliegt hij naar Spanje. Dus ja, hij zal er zijn.'

Claire stond op van het bed. Ze begon te springen – ze móést springen – maar ze wilde niet dat Bruce dat zou merken.

'Ja?' zei ze. 'Denk je echt?'

'Ik dénk het niet,' zei Bruce. 'Ik weet het. Hij komt.'

4

Hij verrast haar

Zondag zochten Jason en J.D. de hele dag coquilles. Maandagavond sauteerde Claire ze voor het avondeten en diende ze op met risotto en asperges. Ze wilde Jason gunstig stemmen omdat hij niet blij was te horen dat ze wéér een galavergadering had.

'Blijft dat voortaan zo?' vroeg hij. 'Dat je twee, drie avonden per week gaat vergaderen? Dat je de kinderen aan mij overlaat?'

'Het zijn ook jouw kinderen,' antwoordde Claire. 'Het is goed voor je om met hen bezig te zijn. Ook voor hen.'

'Geef gewoon antwoord op mijn vraag,' zei Jason. 'Blijft dat voortaan zo?'

'Alleen de komende tijd,' beloofde Claire.

'Ik zei meteen al dat je het niet moest doen. Je had nee moeten zeggen.'

'Ik kan nu niet meer terug, of wel soms?'

'Nee,' gaf Jason onwillig toe.

De vrijdag ervoor, toen Jason en Claire op een feestje voor Joe's veertigste verjaardag waren, was er 's avonds laat een krakerige boodschap op de voicemail ingesproken. Het was Matthew, die vanuit Brunei belde om te zeggen dat hij in augustus naar Nantucket zou komen.

'Ik kan niet wachten om je te zien,' had hij gezegd. 'Het gaat helemaal fantastisch worden!'

Zelfs Jason was onder de indruk dat Claire Max West zo snel, zo makkelijk en helemaal gratis geregeld had. Op Joe's verjaardag had Claire zich het nieuws na een paar glazen champagne laten ontvallen – *Het ziet ernaar uit dat Max West op het gala komt spelen* – en voilà! Vijf mensen hadden zich aangemeld om in de feestcommissie zitting te nemen, onder wie ook Brent, Julie Jacksons man. Hoera! Claire leek zelf wel een rockster. Joe's vrouw had een cd van Max West opgezet en iedereen was gaan dansen. Claire had Jason horen zeggen: 'Ja, hij zal waarschijnlijk wel bij ons logeren. Hij is dol op Claire. Op de middelbare school gingen ze met elkaar. Ze waren bijna met elkaar getrouwd.'

Dus nu was er geen weg meer terug.

De kinderen staarden treurig naar hun bord. Zelfs J.D., die zo trots met twee emmers coquilles was thuisgekomen, wilde ze niet eten.

'Moet het?' vroeg Shea.

'Ja,' zei Jason, terwijl hij zijn eten naar binnen schrokte. Claire kon net als de kinderen nauwelijks een hap door haar keel krijgen. Ze had Lock die ochtend gebeld en gezegd: Ik moet je iets vertellen!

Wat leuk, waar gaat het over? had hij gezegd.

Ik wil het je graag persoonlijk vertellen. Ze wachtte een, twee, drie tellen. Het klonk of hij met papieren aan het rommelen was. Kun je morgenavond? vroeg hij.

Toen Claire de trap van het Elijah Baker House op liep, voelde ze zich licht in haar hoofd en misselijk. De symptomen waren dezelfde als die van een zonnesteek: oppervlakkige ademhaling, hete, droge huid, verhoogde hartslag. Ze viel bijna flauw. Hoe kreeg ze de ene voet voor de andere? Ze klom de trap op om Lock te ontmoeten – dat was alles. De gedachte dat er misschien meer aan de hand was, sloeg nergens op. Alleen in romans en op tv hadden mensen verhoudingen. Hoewel, was dat wel zo? Elke winter was er wel iemand op Nantucket die een relatie begon – de rechter, de scheikundeleraar, de vrouw die pianolessen gaf – en iedereen hoorde de saillante details: ze is betrapt in bed met de manager van het Atlantic Café... Hij heeft al haar spullen op straat gesmeten. Siobhan was een fan van dit soort verhalen. Ze was altijd de eerste om het stel aan de schandpaal te nagelen, voor het vreemdgaan, en omdat ze zich hadden laten betrappen.

Immorele, stiekeme valseriken, riep Siobhan dan vrolijk. Stom! Slordig!

Claire dacht dan altijd bij zichzelf hoe dapper de persoon in kwestie geweest moest zijn, en hoe ongelukkig. Zelf was ze niet dapper (ze had niet eens de moed gehad om zelf voor te stellen Lock die avond te ontmoeten, dat had ze aan hem overgelaten). Bovendien was ze niet ongelukkig. Ze hield van haar kinderen, van Jason, ze had Siobhan en massa's andere vriendinnen, ze had fulltime hulp thuis en een hervonden passie voor haar werk. Ze was niet ongelukkig.

En omdat ze niet dapper en niet ongelukkig was, zou er niets gebeuren. Ze zou Lock het ongelooflijke nieuws over Matthew vertellen – het was zulk groot nieuws dat ze het hem wel persoonlijk moest vertellen – en daarna weggaan.

Het was zo donker in het kantoor dat Claire dacht dat er niemand was. Ze raakte onmiddellijk in paniek. Was Lock het vergeten? Als hij het vergeten was, zou ze gekwetst zijn, maar ook opgelucht. Ze zou maken dat ze wegkwam en proberen te vergeten dat er daar ooit iets interessants was gebeurd. Maar toen ze om de hoek keek zag ze dat Lock achter zijn computer aan het werk was. Zijn bureaulamp was uit en er stond geen radio aan. Er was nauwelijks licht en geen muziek, geen sandwich en geen wijn, maar Lock was er, achter zijn computer, met zijn bril op. Claire observeerde hem: hij was gewoon een man. Een kalende, ietwat gezette middelbare man met diepliggende ogen, een onweerstaanbare glimlach en, wat misschien wel het alleraantrekkelijkst aan hem was, hij straalde een onmiskenbare autoriteit uit.

'Hoi,' groette Claire.

Hij deed zijn bril af en wreef in zijn ogen, alsof hij een droom had die te mooi was om waar te zijn.

'Ik zag je aan komen lopen,' zei hij.

'O ja?'

'Ja. Ik kijk al... vijf dagen naar je uit.'

'O,' zei Claire. Van verbazing wist ze niets te zeggen. Had ze het goed gehoord? Meende hij het? Ze wilde net zoiets liefs terugzeggen, maar het was of ze een instrument vasthad dat ze niet kon bespelen. Wat ze ook zou zeggen, ze zou zeker de verkeerde toon aanslaan.

Hij stond op en zij liep naar het bureau. Ze dacht dat ze hun 'vaste plaatsen' weer in zouden nemen: zij op de stoel, hij op de rand van het bureau. Maar hij liep langs het bureau naar haar toe. Ze bleef staan. Hij bleef staan. Lock keek haar aan, haar maag maakte een buiteling. Hij raakte haar wang aan en liet zijn duim over haar lippen glijden. Hij kuste haar.

O-o-o!

Wat er gebeurde lag zo sterk in Claires fantasie verankerd dat ze niet kon geloven dat het werkelijkheid was.

Lock Dixon kuste haar slechts één keer. Daarna keek hij haar aan. Claire dacht dat ze achterover zou vallen. Ze durfde niet te bewegen, niet te praten. Ze zat in een luchtbel waar het enige wat er toe deed was dat Lock haar gekust had en het misschien weer zou doen.

'Claire,' zei hij. Hij sprak haar naam uit met verwondering en ontzag, alsof het een mooie naam was, alsof ze een mooie vrouw was. Was ze een mooie vrouw? Ze voelde zich bijna nooit mooi. Ze had het altijd druk, ze liep veel te vaak in haar yogabroek, haar wilde, rode haar opgestoken. Jason wilde voortdurend met haar naar bed, maar of hij haar mooi vond? Als ze het hem zou vragen, zou hij lachen en haar minzaam geruststellen. Dat facet van haar huwelijk was verdwenen, dat hij zei dat hij haar mooi vond, dat ze tijdens het eten elkaars hand vasthielden of samen voor de open haard iets dronken. Dat hij, als ze iets met hem wilde bespreken, de tv helemaal uitdeed in plaats van alleen het geluid. Het facet van hun huwelijk dat uit dit soort adembenemende momenten bestond.

'Ik weet niet wat ik moet zeggen.'

Hij knikte. 'Ik ga je weer kussen. Goed?'

Ze knikte. Hij kuste haar intenser, langer, een volle seconde, daarna twee. Haar mond opende zich. Ze proefde hem. Het was hemels. Ze was weer twaalf jaar. Dit was haar eerste kus.

Het bleef onschuldig, alleen zoenen. Hun lichamen raakten elkaar niet, alleen hun lippen, hun tong. Het was zoet en bedwelmend. Claire verlangde naar hem. Verlangde hij naar haar? Ze wist het niet.

'Is dit wel verstandig?' vroeg ze. 'Stel dat iemand ons hier in het donker aantreft?'

'Wie dan?' Hij raakte haar gezicht opnieuw aan. Hij nam haar gezicht in zijn handen, alsof ze klein en teer was, alsof het een gezicht van een kind of een pop was.

Bijvoorbeeld Gavin Andrews, dacht Claire. Of Daphne. Of Jason. Of Adams Fiske. Maar ze zei niets, ze werd te zeer in beslag genomen door Locks handen om haar gezicht en even daarna door zijn kussen. Ze kusten weer. Claires gedachten tolden als een tornado. Waarom gebeurde dit? Waarom zij? Voelde hij al langer iets voor haar, of waren zijn gevoelens nog maar net ontvlamd, zoals die van haarzelf? Zou het nog verder gaan? Lock Dixon bezat een onbetwistbaar gezag, hij was een leider, een bevelhebber, hij wist altijd wat hij deed. Claire hoefde niet dapper te zijn, hij was dapper voor hen beiden. Met een zwaai zou hij haar achter op zijn paard tillen en met haar over de velden galopperen. Maar als hij wist dat ze al deze idiote gedachten had, zou hij niet meer met haar willen kussen. Terwijl ze in gedachten al haar overtuigingen en verwachtingen met de grond gelijkmaakte, ging haar lichaam op in alles wat ze op dat ogenblik ervoer. Ze kuste hem, proefde hem, voelde de warmte van zijn handen op haar gezicht, in haar haar en daarna op haar rug. Hij drukte zich tegen haar aan, ze wankelde, hij ving haar op. Ze maakte zich van hem los.

'Waar zijn we mee bezig?' zei ze.

'Ja,' zei hij. 'Ik weet het niet.'

'Oké, gelukkig.'

'Wil je stoppen?' vroeg hij. Hij klonk bezorgd, bijna geschrokken. 'Dwing ik je iets te doen wat je liever niet wilt?'

'Nee, nee, nee...'

'Ik kan het niet uitleggen,' zei hij. 'Ik ben net zo verbaasd als jij. Het is alsof ik betoverd ben. Vanaf het moment dat je hier binnenstapte, voor de eerste vergadering.'

'De eerste vergadering,' zei Claire. 'Niet... al eerder? Niet toen we gingen lunchen? Niet twee jaar of vijf jaar geleden? We kennen elkaar al best lang.'

'Maar we kennen elkaar niet echt goed,' zei Lock. 'Toch?'

'Klopt,' zei Claire. 'Ik dacht dat je de pest aan me had.' Ze dacht terug aan zijn ogen toen ze met die mand voor Daphne bij hem op de stoep stond. Die vreselijke blik.

'De pest aan je had?'

'Vanwege Daphne. Op de avond van haar ongeluk heb ík haar het laatste drankje gegeven. En de taxi. We vroegen, smeekten haar met ons mee te gaan, maar ze weigerde.'

'Je dacht dat ik de pest aan je had?'

'Dat je het me verweet. Ik verwijt het mezelf.'

'Omdat je zo bent. Je bent zorgzaam. Je bent bezorgd. Je verwijt jezelf iets wat duidelijk, heel duidelijk niet jouw schuld is.' Lock trok zijn das los. De manchetten van zijn witte overhemd waren netjes teruggeslagen, zijn horloge schitterde in het lamplicht. 'Ik wist al heel lang dat je een goed mens bent. Ik bewonderde je werk. Maar toen je hier binnen liep en we samen de avond doorbrachten besefte ik plotseling dat ik eenzaam ben.'

Claire dacht terug aan de half opgegeten sandwich met kalkoen en cranberrysaus op het servetje. Aan zijn dochter Heather in Andover, die daar onder toezicht van mensen die niet haar ouders waren studeerde, at, hockeyde en sliep.

'Ik ben al zo lang eenzaam,' vervolgde hij, 'maar ik voelde me niet eenzaam, tot dat uurtje met jou.'

'Dus ik gaf je het gevoel van eenzaamheid?'

'Jij zorgde ervoor dat ik me niet eenzaam voelde. Toen je weg was kon ik alleen nog maar aan jou denken.'

'Ik had hetzelfde,' zei Claire.

'Ik ben helemaal niet zo,' zei hij. 'Ik heb de laatste twintig jaar alleen mijn eigen vrouw gekust.'

O ja? Was dat echt zo? Claire dacht aan Isabelle French.

'En Isabelle French dan?'

'Wat is er met haar?'

'Ik heb je vrouw in de supermarkt gesproken. Ze denkt dat er iets tussen jou en Isabelle French gaande is.'

'Zei ze dat?'
Claire keek naar de grond. Nu bekroop haar het akelige gevoel dat ze Daphnes vertrouwen had beschaamd. Wat op de een of andere manier als een groter verraad voelde dan het zoenen met Lock.
'Ja,' zei Claire.
'Daphne beseft niet altijd wat ze zegt.'
Dit was een behoorlijke verdraaiing van de werkelijkheid, maar Claire was niet van plan met Lock over Daphnes geestestoestand te redetwisten.
'Ik voel niets voor Isabelle French,' vervolgde Lock. 'Behalve medelijden.'
'Medelijden?'
'Nare scheiding,' zei Lock. 'En daarna een paar onverstandige beslissingen.'
'Ik heb haar nog niet ontmoet,' zei Claire.
'Komt nog wel.'
'Ja.' Dit klonk als een soort overleg over het gala, wat vreemd was omdat ze heel dicht bij elkaar stonden, dichter dan normale mensen zouden doen. Claire stond in Locks persoonlijke ruimte; ze was een gevangene in zijn magnetische veld.
Het is alsof ik betoverd ben.
Was het klinkklare onzin? Het klonk in elk geval wel zo. Als Jason Lock dit had horen zeggen zou hij in lachen uitgebarsten zijn. Hij zou Locks oprechtheid in twijfel getrokken hebben en waarschijnlijk ook zijn seksuele geaardheid. Maar Claire voelde zich ook betoverd. Tijdens de lunch op de jachtclub was ze bang voor Lock Dixon geweest, maar na hun eerste vergadering zag ze hem in een heel ander licht en kon ze hem niet uit haar hoofd zetten. Hij had haar ingepalmd, op de een of andere manier.
En nu waren ze aan het zoenen, en ze begreep het niet. Dat hij het evenmin begreep was een hele opluchting. Hij was bij nader inzien geen dappere ruiter. Als het meer zou worden, zouden ze zich beiden al stuntelend een weg door het donker banen, iets wat Claire dacht wel aan te kunnen.

Omdat ze het over het gala hadden, besloot Claire de zogenaamde reden van haar komst ter sprake te brengen.

'Ik heb Max West weten te krijgen,' vertelde ze. 'Hij gaat het doen, gratis.'

'Ik heb het gehoord,' zei Lock.

'Hoe dan?' vroeg Claire.

'Iemand heeft het me verteld.'

'Wie?'

'Ik heb beloofd dat ik mijn bron niet bekendmaak. Het was iemand met wie je het afgelopen weekend op een feestje was.'

Eén van de vijfentwintig gasten dus. Het was een heel klein eiland.

'Ik dacht dat je verbaasd zou zijn. Je dacht dat het me niet zou lukken.'

'Natuurlijk wel.'

'Dus je bent trots op me?'

'Ja, ik ben trots op je.' Hij boog zich naar haar toe en kuste haar op haar voorhoofd.

'Ik ben begonnen met het ontwerp van de kroonluchter.'

'Fantastisch,' zei hij.

'Ik vind het ook fantastisch, ik wilde al een tijdje terug naar mijn atelier. Ik moest gewoon overtuigd worden.'

'Als er iets is waar ik goed in ben, is het wel overtuigen,' zei hij. Hij keek op zijn horloge. 'Ik moest maar eens naar huis gaan.'

Dit stak haar, gek genoeg. Ze had gedacht dat hij zou proberen haar over te halen te blijven. Wilde hij niet dat ze bleef? Wilde hij niet nog even met haar kussen? Ze had nog geen twintig minuten een buitenechtelijke relatie en was al jaloers.

'Oké,' zei ze. Godzijdank bestonden er woorden als 'oké', woorden die je in elke situatie kon gebruiken, ook als je het tegenovergestelde van 'oké' bedoelde. Ze moest maken dat ze wegkwam, ze dreigde in een emotioneel moeras weg te zinken. Ze had haar jas niet uitgetrokken en kon die daarom niet aantrekken om zich een houding te geven. Het enige wat erop zat was zich omdraaien en gaan.

'Ik zie je dus...' Ze wilde weten of dit alles was. Als er meer zou komen, wanneer dan en waar?

'We hebben woensdagavond een vergadering,' zei Lock.

'Goed,' zei Claire. Ze had de mensen die zich voor de commissie hadden aangemeld al verteld over de vergadering van woensdagavond; ze zou hen nog moeten bellen om hen eraan te herinneren. 'Tot woensdag dan.' Ze draaide zich om om te gaan, ja, te gaan, toen hij haar arm pakte. Hij trok haar tegen zich aan. Ze voelde verrukking. Hij wilde haar nog niet laten gaan. Hij kuste haar zo zacht dat ze zuchtte, daarna kuste hij haar hartstochtelijker. Hij wilde haar, ze voelde dat hij haar wilde, ze voelde zijn armen om haar heen, trillend – vervuld van angst of wellust of omdat hij zich probeerde in te houden, ze had geen idee, maar ze genoot. De persoon die ze was – een goed mens, een aardig mens, zo iemand die een mand met soep en zeepjes kwam brengen, die een zoenoffer bracht – deed dit soort dingen niet. Maar het trillen van Lock, en zijn kussen, waren als een drug, een roes, een verleiding die te groot was om te weerstaan. Claire dacht aan Jason en aan haar kinderen, ze leken ver weg, maar tegelijkertijd lief, ongecompliceerd en veilig.

Waar was ze mee bezig? Ze gaf zich te makkelijk. Ze was de Universele Acceptor.

Lock drukte haar tegen de muur. Hij ging met zijn handen omhoog onder haar trui. Hij raakte haar tepels aan, licht, met zijn handpalmen. Ze snakte naar adem. Zijn aanraking was elektrisch. Ze moest nu weggaan. Ze had hier in gedachten om gevraagd en nu was het er: verbazingwekkend, vreemd, eng. Want wat zou hierop volgen, wat zou er nu gebeuren? Dit was allemaal nog tamelijk onschuldig; je kon het nog geen 'overspel' en 'ontrouw' noemen. Dat zou tot ernstige moeilijkheden leiden, tot iets waar Claire spijt van zou krijgen, iets wat ze niet zou kunnen uitwissen of ongedaan kon maken. Toch wilde ze niet stoppen. Ze wilde zich niet van hem losmaken. Ze wilde het niet. Zijn handen lagen om haar middel, hij trok aan haar riem.

Jij zorgde ervoor dat ik me niet eenzaam voelde.

'We moeten gaan,' fluisterde ze.

'Ja,' zei hij.

Ze stopten niet. Ze kusten. Hij betastte haar. Ze was bang

hem aan te raken, dus hield ze haar handen op zijn armen en voelde hoe sterk en massief zijn spieren waren en hoe zacht zijn overhemd. Ze liet haar vingers over zijn armen naar zijn schouders glijden. Ze voelde de boord van zijn overhemd en zijn nek, en hij zei: 'Het is lang geleden dat iemand me zo heeft aangeraakt.'

Claire voelde droefheid, ze bedacht dat Lock, die rijk was, die een onbetwistbare autoriteit bezat, die goedhartig, betrouwbaar en intelligent was, eenzaam was. Hij was geen Derek Jeter of Brad Pitt, maar desondanks wist Claire zeker dat hij iedere vrouw kon krijgen die hij wilde, en hij had haar gekozen. Ze streelde zijn oren en het gemillimeterde haar achter op zijn hoofd. Jason nam haar vier keer per week, maar ze deelde het verlangen van Lock.

'Echt,' zei ze. 'We moeten gaan.' Claire wist niets van affaires, maar ze was een expert op het gebied van tact en timing. Het waren de talenten van een glasblazer; weten dat je het glas niet te dun moet blazen, weten wanneer je moet stoppen en wanneer je het glas moet laten afkoelen. Zo voelde ze zich nu. Ze konden niet verder gaan.

Met tegenzin liet hij haar los. En ze genoot van zijn tegenzin. 'Tot woensdag,' zei ze, en ze snelde de trap af.

Toen Claire uit het kantoor de frisse herfstlucht in stapte voelde ze zich zo licht als een veertje. Lock Dixon had haar gekust; ze hadden gekust. Hij had niet de pest aan haar, helemaal niet, hij vond haar leuk. God, ze kon het niet geloven. Ze had over hem gefantaseerd, maar voorzichtig, terughoudend, omdat ze het zichzelf niet toestond te geloven dat hij haar gevoelens, haar hevige nieuwsgierigheid, haar ontluikende verlangen zou beantwoorden. Eigenlijk was ze hopeloos verliefd, en zulke verliefdheden waren nooit wederzijds, maar vanavond wel. Claire zweefde naar haar auto, ze had het gevoel alsof ze uit elkaar kon spatten in lichtstralen, in bloemblaadjes of confetti. Ze wilde het iemand vertellen, aan Siobhan natuurlijk, ze had haar mobiele telefoon al in haar hand, maar ze wist dat ze het haar nooit uit kon leggen. Siobhan zou het niet aankunnen, ook al was ze Claires beste vriendin, bijna haar zus. Dit was geen halfbakken fantasie over de jongen die de vuilnis ophaalde of de postbode die aanbelde en die Claire of Siobhan zou uitnodigen binnen te komen. Dit was echt; dit was gebeurd. Claire kon het Siobhan niet vertellen. Ze kon het niemand vertellen.

Die dinsdag brak Claire met haar principes (ze wist helemaal niet dat ze principes had, maar toen ze met bonkend hart de trap van het Elijah Baker House op liep, wist ze dat het niet verstandig was om een dag later zo onverwachts binnen te vallen). Maar ze kon het niet helpen. Bruce Mandalay had haar thuis een fax gestuurd – het contract en de productievoorwaarden voor het optreden van Max West – en Claire wilde de papieren afgeven zodat Lock of Adams ze kon inzien. Matthew zou gratis spelen, maar er stonden een paar punten in de voorwaarden waar ze niet gerust op was. Hij zou komen met Terry en Alfonso (de bassist en de drummer van de band, Matthew speelde nooit zonder hen), en zij vroegen beiden tienduizend dollar. Bovendien werd Nantucket's Children verplicht vier freelance muzikanten in te huren, die ook betaald moesten worden. Er werden voorwaarden genoemd die betrekking hadden op licht, instrumenten, versterkers, geluidsinstallaties en microfoons, waar Claire geen touw aan kon vastknopen. Een specifieke voorwaarde was dat de bandleden in een vijfsterrenhotel ondergebracht moesten worden en over allerlei eten en drinken moesten kunnen beschikken, van Italiaans kersenijs tot Nilla-wafels en Quik-chocolademelk. Claire moest erom lachen, en dacht terug aan haar nachtelijke bezoekjes met Matthew aan de avondwinkel, vijfentwintig jaar geleden. Het meest alarmerende punt was de clausule aan het einde van het contract, dat Lock geacht werd te tekenen, waarin stond dat Bruce het optreden niet kon garanderen vanwege Matthews alcohol- en drugsprobleem. Op een briefje dat op deze bladzijde geplakt was, stond in Bruce' handschrift: *Hij doet dit als een persoonlijke gunst voor Claire, niemand kan hem tegenhouden, maar...*

Dit was typisch Matthew, zijn verslaving had hem altijd en eeuwig in zijn macht.

Claire wilde het contract en de voorwaarden zo snel mogelijk aan Lock geven. Dit was zakelijk. Ze wilde haar zaakjes voor de vergadering in orde hebben. Ook al had ze alle reden om het kantoor binnen te wippen, toch had ze het gevoel dat ze zich aanbood, zich aan Locks voeten wierp.

Er stond klassieke muziek op. Claire klopte op de deur en stak haar hoofd om de hoek. Haar ogen gingen regelrecht naar Locks bureau – leeg.

'Claire?'

Gavin Andrews keek haar vanachter zijn bureau vragend aan.

'Hoi, Gavin. Hoe is het?'

'Met mij?' vroeg hij. Hij keek naar zijn roodwit gestreepte das – iets wat een schoolkind had kunnen dragen – alsof hij zichzelf inspecteerde. 'Prima.'

Claire hoorde hem niet, ze speurde het kantoor af – geen Lock – en probeerde tegelijkertijd te ontdekken of hij zich in de vergaderkamer, in de keuken of op het toilet ophield. Nee, hij was er niet. Eerst voelde ze zich opgelucht, daarna teleurgesteld.

'Is Lock er?' vroeg Claire, geheel overbodig.

'Hij is lunchen met een aantal sponsors,' antwoordde Gavin. 'Wat kan ik voor je doen?'

Claire keek Gavin aan. Ze mocht hem niet, en dat had niets te maken met het feit dat hij een flauw aftreksel van Lock was. Gavin kon het best omschreven worden als een zelfvoldane, arrogante blaaskaak. Bovendien was hij moeilijk te plaatsen. Wie was hij? Hoe oud was hij? Claire schatte hem vijfendertig, maar hij kon ook tweeëndertig zijn, of negenendertig. Hij was bijzonder knap, hij was blond, had heldergroene ogen en gladgeschoren kaken, en net als Lock droeg hij altijd een overhemd en een das. Maar hij was snobistisch en kritisch, de enige keer dat Claire hem gesproken had, had hij verteld dat hij als regel nooit vaker dan drie keer met een vrouw afsprak. Na drie keer, beweerde hij, begonnen ze te zeuren om een trouwring. Gavin woonde in het huis van zijn ouders bij Cisco Beach. Zijn ouders waren al wat ouder, ze woonden in Chicago en kwamen alleen in augustus naar Nantucket. Zijn ouders hadden geld, hoewel het niet duidelijk was hoeveel daarvan naar Gavin doorsijpelde. Hij klaagde altijd en eeuwig dat het levensonderhoud zo duur was op Nantucket (hoewel Claire vermoedde dat hij geen huur hoefde te betalen), en hij vroeg het bestuur regelmatig om salarisverhoging, iets wat Lock verdedigde met de woorden: *Hij heeft zijn zaakjes goed op orde. En hij is precies.* Claire bekeek hem met een zeker wantrouwen – hij woonde hier op Nantucket in het huis van zijn ouders, werkte als een soort veredelde secretaresse en verspilde zijn capaciteiten: zijn knappe uiterlijk, zijn welbespraaktheid en zelfvertrouwen, zijn universitaire opleiding. Waarom? Ook al deed hij aardig tegen Claire en de andere bestuursleden, ze voelde dat hij op haar neerkeek. Hij zag haar zoals Daphne Dixon haar zag (misschien hadden ze het er zelfs wel over gehad), als een onverzorgde slons, een wispelturige kunstenaar die zich als een konijn voortplantte – al die kinderen! En ze was met die proleet van een timmerman getrouwd, die rookte, spuugde, viste, bier uit blik dronk en in een zwarte pick-up reed die Darth Vader heette. (Nauwelijks onderdrukt, vet gelach.)

Gavin was het tegenovergestelde van Claire: hij zag er uit of hij tussen de middag naar huis ging om te douchen, zijn overhemd en pantalon waren zo smetteloos als de bladzijden van een nieuw boek, en hij was vastberaden in zijn toewijding aan Lock Dixon en in zijn nauwgezette administratie van Nantucket's Children.

Claire liet het contract met een klap op zijn bureau vallen. 'Heb je gehoord dat Max West op het gala komt spelen?'

Hij knikte heel gewichtig. 'Lock heeft het verteld. Gefeliciteerd.'

'Je hoeft mij niet te feliciteren. Het is voor ons allemaal geweldig. Het kan ons flink wat geld opleveren.'

'Inderdaad.'

'Hou je van Max West?' vroeg Claire. 'Ben je wel eens naar een optreden van hem geweest?'

'Ik luister naar klassieke muziek, Claire, dat weet je toch.'

'Toch niet alleen klassiek?'

'Alleen klassiek. En soms in het weekend jazz.'

'Maar je luistert dus nooit naar rock, blues, rap of country?' zei Claire. 'Niet naar muziek met woorden?'

Gavin glimlachte. Zijn voorliefde voor klassieke muziek kwam aanstellerig over, net als zijn rood-met-witte Mini Cooper. Ze kon niet zeggen waarom, maar de aanblik van Gavin in die auto stond haar vreselijk tegen.

'Hier heb je het contract en de voorwaarden. Ik zou het fijn vinden als Lock ze doorleest en met Adams bespreekt, of wat de procedure dan ook is.'

Gavin streek de papieren glad. 'Ze gaan regelrecht Locks postvakje in.'

'Bedankt, Gavin.' Claire probeerde zo hartelijk mogelijk te glimlachen.

'Verder nog iets?'

Ze keek op de klok. Het was tien voor één. Lunchen met sponsors? Was hij om twaalf uur of om halféén vertrokken? Stel dat ze nu wegging en hem net zou mislopen?

'Ik heb wat vragen over de catering. De catering van het gala.'

'Mmm. Wat wil je weten?'

Claire zweeg. Ze wist niet goed hoe ze de kwestie van de catering moest aanpakken. Ze had Siobhan automatisch gevraagd om in de commissie zitting te nemen omdat ze haar beste vriendin was en omdat ze haar bij het gala wilde betrekken. Maar het zou nogal pijnlijk zijn als Siobhan in de commissie zat en zij en Carter om de een of andere reden de catering niet zouden mogen verzorgen. Toch? Claire zat in een lastig parket. Ze wilde eerlijk te werk gaan, maar hoe meer ze er over nadacht, hoe helderder het werd dat ze op de een of andere manier de catering voor Siobhan moest veiligstellen. Claire keek naar Gavin. Kon ze open kaart spelen? Nee, besloot ze.

'Mijn schoonzusje wil een offerte indienen voor de catering,' zei Claire. 'Je kent Siobhan en Carter wel, toch? Van Island Fare?'

Gavin knikte even kortaf.

'Wat is de procedure?'

'Het staat hun vrij een offerte uit te brengen,' antwoordde Gavin. 'We hebben er al twee binnen.'

'O ja?'

'Het is een grote opdracht, het gala,' zei Gavin. Alsof ze dat nog niet wist.

'Mag ik de offertes inzien?' vroeg Claire.

'Formeel gezien wel. Je bent tenslotte medevoorzitter. Maar ik zou je willen vragen de inhoud van de offertes niet met Carter en Siobhan te bespreken. Als je Siobhan bijvoorbeeld zou vertellen wat de prijs per persoon is, kan zij er een paar dollar onder gaan zitten, en dat zou niet onder de noemer "eerlijk" vallen. Om eventuele misverstanden te voorkomen wil ik je adviseren de offertes niet in te zien. Sterker nog, ik zou je adviseren om dat gedoe met de catering uit te besteden. Daar heb je een commissie voor!'

'Goed,' zei Claire tegen haar zin. Hoe kon ze aan Gavin uitleggen dat Siobhan haar beste vriendin was en dat ze haar onmogelijk de catering kon weigeren?

'Kun je me wel vertellen wie de offertes hebben ingediend?' vroeg Claire.

'Zou ik kunnen doen,' antwoordde Gavin. 'Natuurlijk. Je bent medevoorzitter. Maar je moet je afvragen of je het echt wel wilt weten. Is het ethisch gezien niet beter dat je je er gewoon niet mee bemoeit? Zoals je weet gaan we hier volstrekt eerlijk te werk.'

Claire staarde naar de muur naast Gavins bureau. Nog geen achttien uur geleden had Lock Dixon haar tegen die muur gedrukt. Wat zou Gavin ervan vinden als hij dat wist? Hij zou het niet geloven – hij zou, als hij het gezien had, ter plekke zijn bezweken.

Zoals je weet gaan we hier volstrekt eerlijk te werk. Gavin was raar bezig, vond Claire. Hij deed zo gewichtig. Hij was het type dat dacht dat elke vrouw met wie hij vaker dan drie keer uitging met hem wilde trouwen, en nu deed hij net of de aanmeldingen voor de catering de *Pentagon Papers* waren. Maar in tegenstelling tot drie weken geleden, toen Claire nog niets over het gala wist, toen ze nog niets had bijgedragen, had ze nu het gevoel dat ze iets te vertellen had, dat ze in een positie verkeerde waarin ze kon onderhandelen. Ze had binnen de kortste keren een gratis optreden van Max West geregeld. Ze kon toch wel voor Siobhan lobbyen?

'Is het werkelijk zo belangrijk?' vroeg Claire.

'Ik wil gewoon dat het allemaal netjes verloopt. Je wilt toch niet dat je integriteit in twijfel wordt getrokken?'

Haar integriteit was nu al een gevoelig punt aan het worden. 'O god, nee,' zei ze. 'Je hebt gelijk. Laat verder maar.'

Gavin knikte weer, ging verder met zijn werk en negeerde haar.

'Laat je het contract aan Lock zien?'

'Als hij terug is.'

'Oké.' Ze kon nu geen tijd meer rekken. Wilde ze tijd rekken? Wilde ze Lock zien? Ja, verschrikkelijk graag, maar ze zou nu te zenuwachtig zijn, ze zou niets weten te zeggen, en Gavin met zijn kritische, scherpe blik, zou onmiddellijk doorhebben dat er iets gaande was, iets wat nog verdachter was dan de cateringoffertes. *Maak dat je wegkomt!* 'Tot ziens!'

De volgende avond, woensdag, vond de echte vergadering plaats. Jason liep te mopperen en Claire snauwde hem daarom af. Hij was boos dat Claire weer aan het werk was gegaan, en zij was boos dat hij boos was. Ze was meer dan boos, ze was teleurgesteld. Jason respecteerde haar carrière niet, sterker nog, hij haatte het. Hij had tegen zijn broer gezegd dat hij het atelier wilde opblazen. Opblazen – als een terrorist! Toen Claire hem dat had horen zeggen, leek het minder afschuwelijk dan nu. Jason had haar gevraagd haar carrière op te geven; hij gaf haar het gevoel dat haar werk slecht was. Hij had geen waardering en geen respect voor haar werk. Het was Lock die ervoor gezorgd had dat ze weer aan het werk ging. Dat schepte een band die verder ging dan die kus op kantoor.

Toen ze haar tas pakte, zei Jason: 'Veel plezier met je vergadering.'

'Bedankt,' zei Claire, openlijk vijandig. 'Dat zal wel lukken.'

Claire kon de lichten in het kantoor van Nantucket's Children al van ver zien branden. Toen zag ze Brent Jackson, Julies man, en zijn vriend Edward Melior (die ooit met Siobhan verloofd geweest was) vanuit Water Street naar het kantoor komen. Claire zwaaide en met zijn allen gingen ze de trap op naar boven. Claire was blij dat ze niet alleen, maar in het gezelschap van deze knappe, succesvolle mannen (Brent en Edward waren beiden makelaar) het kantoor betrad. Het was er een drukte van belang: Adams Fiske stond handen te schudden, op ruggen te slaan en wees mensen de vergaderkamer. Francine Davis was er, een nieuweling die Claire had geïntroduceerd, evenals Lauren van Aln en als klap op de vuurpijl Tessa Kline, redactrice van *NanMag*, het grootste, populairste tijdschrift van het eiland. Zij zou voor een goede pers zorgen. Al deze eilandbewoners vormden met elkaar een bont gezelschap, en Claire was zo overweldigd en trots dat ze deze bijzondere mensen had weten samen te brengen dat ze bijna vergat Lock te zoeken. Daar stond hij, in de hoek, hij was in gesprek met een vrouw die Claire niet herkende. Ze was knap, ze droeg een roodzijden Chinees jasje en jeans. Ze had het soort haar waar mannen gek op zijn, lang en steil. Het hing los, wat er bij een vrouw van in de veertig uitzag als een lokmiddel, een schreeuw om aandacht. Waarom bond ze het niet samen, waarom stak ze het niet op? Het haar – een mooie kleur lichtbruin – was een soort statement, en gaf een signaal dat Claire niet aanstond. Ze had het gevoel dat haar eigen haar – dieprood en van nature krullend – vergeleken met het haar van die vrouw op een schuursponsje leek. Ronald McDonald-haar. Ze voelde zich onmiddellijk de mindere, niet alleen vanwege haar haar, maar ook vanwege het feit dat Lock met een aantrekkelijke vrouw stond te praten. Op het moment dat Lock zich omdraaide en naar haar keek (uitdrukkingsloos, alsof hij haar niet herkende) besefte Claire dat de vrouw Isabelle French was. In hoogsteigen persoon. Het overdonderde haar, ze had verwacht dat Isabelle zou opbellen uit New York. Ze had zich voorbereid op de stem van een onzichtbare, niet op de aanwezigheid van een intrigerende persoonlijkheid van vlees en bloed.

'Claire,' zei Lock. Hij gebaarde naar haar op een manier die haar het gevoel gaf dat ze zijn dienstmeisje was.

Ze probeerde haar gedachtekronkels glad te strijken. Als ze tijdens haar werk het glas te dun of scheef geblazen had, kon ze beter opnieuw beginnen; teruggaan naar de smeltoven en een nieuwe hoeveelheid gesmolten glas pakken. Dat kon ze nu ook met Isabelle doen, wie weet leverde het haar iets fantastisch op.

De groep mensen leek uiteen te wijken toen ze zich een weg baande naar Lock en Isabelle.

'Claire,' zei Lock, 'dit is Isabelle French, je medevoorzitter. Isabelle, Claire Crispin.'

Claire glimlachte. Als twee staatshoofden schudden de twee vrouwen elkaar de hand. Claire zag het onderschrift onder de officiële foto voor zich: *De voorzitters van het gala ontmoeten elkaar voor het eerst.*

'Fijn je te ontmoeten,' zei Isabelle. Haar stem was vloeiend, vol en een tikje rokerig, als een of andere ingewikkelde saus. 'Ik ken je werk, natuurlijk.'

Dat was een snufje hartelijkheid, dacht Claire. *Ik ken je werk.* De woorden gaven Claire het gevoel dat ze Gertrude Stein was.

'Dank je,' zei ze. 'Wat leuk om eindelijk eens een gezicht bij je naam te hebben.' Dit was de vrouw in de tuniek met de Indiase print die Claire op het benefietfeest had gezien. Ze herinnerde zich dat ze Isabelle al eens eerder had gezien tijdens een bestuursvergadering, helemaal aan het andere eind van de zaal, en ze had nooit kunnen denken dat ze ooit een koppel zouden vormen.

'Laten we beginnen,' zei Lock. 'Wil iedereen plaatsnemen?' Hij trok een stoel voor Isabelle van de tafel en ging naast haar zitten. Claire voelde een steek van jaloezie. Ze dacht aan Daphne Dixon: *Als ze aan hem zit of als ze met z'n tweetjes zijn, moet je me bellen...* Maar wie was de werkelijke bedreiging? Claire natuurlijk! Claire was op Daphne na de enige vrouw die Lock sinds twintig jaar gekust had. Maar Lock Dixon had haar stoel niet van tafel geschoven. Oké, stop, dacht ze. Terug naar de smeltoven. Ze moest in gedachten houden waarom ze daar waren – om mensen als Marcella Vallenda te helpen, geld in te zamelen, fondsen aan te boren, levens van mensen te verbeteren.

Claire wilde niet naast Lock gaan zitten, maar de stoelen werden in rap tempo bezet... Even voelde ze paniek, alsof het een kinderspelletje was waarbij de muziek elk moment kon stoppen en ze zo snel mogelijk een stoel moest bemachtigen... Er was er nog maar een over, de stoel rechts van Lock. Claire ging zitten; zij en Isabelle zaten nu aan weerszijden van hem. Rechts van Claire zat gelukkig Adams Fiske met zijn bruine krullen en zijn bril die van zijn neus gleed. Clarie was dol op hem. Zijn jongste zoon Ryan was J.D.'s beste vriend. Adams behoorde tot haar clan, hij zou haar beschermen.

Isabelle schraapte haar keel. 'Ik heb een agenda voor de vergadering opgesteld,' zei ze. Ze sloeg een prachtige kalfsleren portfolio open, nam er een stapel papieren uit en liet die rondgaan. Claire had het gevoel alsof de eerste druppel vergif in de nieuw geslagen bron van hun samenwerking was gevallen. Had ze een agenda opgesteld? Oké, dacht Claire. Isabelle kwam natuurlijk niet helemaal uit New York om op een woensdagavond in oktober onvoorbereid op een vergadering te verschijnen. Vandaar die agenda. Claire wierp een blik op Lock, die zijn multifocale bril had opgezet. Achtenveertig uur eerder hadden ze in de andere kamer als een stel tieners staan vrijen, maar nu het leek alsof dat een hersenspinsel was.

Het eerste punt op Isabelles agenda was 'De beroemdheid, de ster van de avond'. Bespreken van verschillende mogelijkheden. Een beroemdheid kiezen. Opstellen van een budget (inclusief reis- en verblijfskosten).

Isabelle streek haar haar achter één oor, en gooide het over haar schouder. Het was een gebaar uit haar persoonlijke theater, Claire wist zeker dat ze vanaf nu tot augustus heel wat strijk-en-gooigebaartjes van Isabelle zou zien. Weer een druppel vergif in de bron.

'Omdat het gala in wezen een concert is,' vervolgde Isabelle, 'dacht ik dat we het eerst maar eens over de ster van het feest moeten hebben.'

Claire deed haar mond open om iets te zeggen, maar Brent Jackson was haar voor. 'We hebben Max West al,' zei hij. 'Max West is bereid gratis te komen spelen.'

Isabelle draaide zich langzaam, doelgericht om naar Lock. Claire en de anderen keken geboeid toe. Had Lock Isabelle niet van Max West verteld?

'Max West?' zei Isabelle. 'Max Wést?' Ze had zijn naam met ontzag of met bewondering kunnen uitspreken – of met ongeloof –

maar Claire hoorde slechts minachting. 'Maar willen we Max West wel?'

Claire drukte zich tegen de leuning van haar Windsor-stoel zodat ze alle wervels van haar ruggengraat kon voelen, ze zette haar voeten plat op de grond en probeerde tegelijkertijd haar bekken te laten zakken. Ze creëerde haar eigen yogahouding. De ontspanning duurde enige seconden voor het roepen in haar hoofd begon. *Maar willen we Max West wel?* Het was alsof iemand vroeg of ze Billy Joel, John Cougar Mellencamp, Tom Petty wel wilden. Max West was voor alle generaties zo'n beetje de grootste rockster van de hele wereld. Hij was van hetzelfde kaliber als Jimmy Buffett en Elton John. *Maar willen we Max West wel?*

Nam Isabelle hen in de maling?

'Ja, natuurlijk,' antwoordde Brent Jackson. 'Daarom zit ik hier. Ik ben dol op Max West. Iedereen is dol op Max West.'

Isabelle hief haar hoofd op, schuin naar achteren, zodat haar neus in de lucht stak. 'Gezien de samenstelling van ons publiek weet ik niet of hij wel zo geschikt is,' zei ze. 'Onze voornaamste gelddonors zijn tussen de vijfenvijftig en zeventig jaar. Daar zit het geld. Zij zitten niet te wachten op Max West. Ze willen musicalmuziek, Broadway.'

'Met alle respect voor de samenstelling van ons publiek, Max West is bereid om gratis op te treden,' zei Adams. 'We kiezen hem.'

'Dat zou volgens mij een vergissing zijn,' zei Isabelle. 'Echt.'

Het was zover: de bron was vergiftigd. Claire haatte Isabelle French. Siobhan had haar proberen te waarschuwen, maar ze had het in de wind geslagen – ze had medelijden gehad met Isabelle French! (*Nare scheiding*, had Lock gezegd. *En een paar onverstandige beslissingen.*) Maar Isabelle zette haar nu voor aap in aanwezigheid van Adams, de commissie en Lock. Haar verwarring, vernedering en verontwaardiging werden overschaduwd door een groeiende boosheid op Lock (zou ze alle liefdadigheidsorganisaties opsommen die Max West wilden contracteren, maar geen schijn van kans maakten? Zou ze Isabelle vertellen dat Max nee had gezegd tegen Bono?) Lock had Isabelle vóór de vergadering moeten inlichten over Max West en hij zou Claire nu moeten verdedigen.

Het was niet in haar hoofd opgekomen dat er een levend wezen bestond dat niet wilde dat Max West op het benefietfeest speelde. Claire was compleet overdonderd. Ze was woedend.

'We kunnen andere opties bekijken,' zei Lock.

'Nee,' zei Claire. Al die tijd had ze naar haar schoot gestaard, waar ze overigens alle reden toe had: ze wist dat vlekken haar gezicht kleurden. Haar huid was melkwit, maar nu zou er op elke wang een rode vlek prijken, zo rond als een appel. Ze keek naar Brent Jackson en Tessa Kline, de redactrice van het tijdschrift – mijn hemel, wat moest ze wel niet denken? – en richtte zich vervolgens tot Isabelle en Lock. 'Geen denken aan. Als jullie willen dat ik Max West afzeg nadat ik hem om deze gunst heb gevraagd, kap ik ermee.' Ze stond op om duidelijk te maken dat het menens was, maar was dit wel een dreigement? Kon het überhaupt iemand iets schelen als ze afstand deed van haar voorzitterschap? Kon het Lock iets schelen?

'Claire heeft Max West voor ons binnengehaald. Hij was met haar bevriend op de middelbare school,' zei Lock tegen Isabelle. Hij deed het klinken alsof Claire een kat was die een dode muis voor hun voeten had laten vallen.

'Laat maar,' zei Claire. Ze voelde zich een negenjarig, een zevenjarig, een vierjarig kind. 'Ik zal hem bellen en zeggen dat we hem niet willen. Ik zal zeggen dat hij niet bij onze doelgroep past.'

'Ik heb ook wat mensen benaderd,' zei Isabelle. 'Kristin Chenoweth, een van de populairste zangeressen van Broadway. En Christine Ebersole wilde er ook wel over denken. Ik ken haar manager al jaren.'

'Christine Ebersole?' zei Lauren van Aln. 'Nooit van gehoord.'

'Hoe oud ben je?' vroeg Isabelle.

'Eenendertig.'

'Vandaar.'

'Ik heb nog nooit van Kristin Chenoweth gehoord,' zei Brent Jackson.

'Ze speelt de hoofdrol in de heropvoering van *South Pacific,*' zei Isabelle. 'Haar foto staat op alle bussen en billboards in de stad. Ze is t-o-p.'

'Wat heb je tegen Max West als ik vragen mag?' vroeg Claire. 'Hij heeft acht platina albums. Hij heeft eenendertig top 40-hits. Hij is een publiekslieveling. Hij is op en top een beroemdheid, iedereen kent hem, de kaartjes zullen de deur uit vliegen.'

'Niemand wil duizend dollar neertellen voor iemand die hij niet kent,' zei Francine Davis.

Er viel een stilte. Iedereen wachtte tot Isabelle iets zou zeggen. Toen ze dat deed, keek ze naar Lock, hoewel Claire degene was die stond en een antwoord eiste. Maar Isabelle richtte zich alleen tot hem. 'Max West is een róckster,' zei ze. 'Zijn songs zijn hard, sommige doen pijn aan je oren. Willen we onze zo smaakvolle avond met scheurende gitaren laten eindigen?'

'Hij speelt overwegend akoestisch,' bracht Brent Jackson in het midden. 'En hij zingt ongelooflijk mooi.'

'Ik vind hem ordinair,' zei Isabelle. 'Smakeloos, gewoontjes. Door hem krijgt het evenement een goedkoop tintje. We verkopen geen kaartjes voor een honkbalwedstrijd, dit is een evenement voor de beter gesitueerden, daar hoort een artiest van klasse bij.'

'Daar heb je gelijk in,' zei Lock.

'Mij is gevraagd Max West binnen te halen,' zei Claire. 'Dat heb ik gedaan, en nu krijg ik te horen dat we hem niet willen, dat hij niet geschikt is. Denkt iedereen er zo over?'

'Nee!' zei Brent Jackson. 'Waarom is dit überhaupt onderwerp van gesprek?'

Ja, waarom? dacht Claire. Ze keek naar het kale plekje op Locks hoofd, haar blik spuwde zoveel heet zwavelzuur dat ze verwachtte dat hij vlam zou vatten. 'Willen we Max West of niet? Ik zeg hem met alle plezier af, maar dan ben ik weg.'

Adams pakte Claire bij de arm. 'Niet afzeggen. Ons doel is geld voor deze organisatie te verdienen, en dat doen we door de grootste ster te nemen die we kunnen krijgen. Max is een meesterzet van ons, en hij doet het gratis. Volgens mij is het duidelijk. Misschien raken we een paar ouderen die zijn muziek te hard vinden kwijt, maar we halen er jongeren mee binnen.'

'We maken een vergissing,' zei Isabelle. 'Wat dachten jullie van zijn privéleven? Drugs, alcohol, afkickklinieken, die affaire met

Savannah Bright die breed in de tabloids uitgemeten werd. Willen we dat deze man een liefdadigheidsinstelling voor kínderen vertegenwoordigt?'

Claire legde haar handen tegen haar brandende wangen. Ze wist niet welke hatelijke vraag er het eerst bij haar opkwam. Wat weet jíj van kinderen? Weet je eigenlijk wel wie Pino is? Was jij niet degene die op de dansvloer van het Waldorf-Astoria ten overstaan van achthonderd feestgangers de man van een andere vrouw kuste? Wat was dat voor een brief waarin je een week later werd verzocht je plek in het bestuur van het Manhattan East Hospital af te staan? Ben jíj de juiste persoon om een liefdadigheidsinstelling voor kinderen te vertegenwoordigen?

'We houden het bij Max West,' zei Adams. Adams, de vredestichter, die altijd openstond voor andere meningen en geen discussie uit de weg ging, klonk nu vastberaden. 'Ik wil er geen woord meer over horen.'

Isabelle lachte spottend. Ze maakte een wuivend handgebaar. 'Oké,' zei ze. 'Ik zal de lijntjes die ik heb uitstaan weer binnenhalen. Maar voor alle duidelijkheid: ik denk dat we een fout maken.'

'Dat is duidelijk, ja,' zei Adams.

'Hij is zo'n beetje de grootste ster aller tijden,' zei Brent Jackson.

Isabelles glimlach was zo onecht dat het pijnlijk leek. 'Oké,' zei ze. 'Goed.'

Claire ging weer zitten. Formeel gezien had ze de strijd gewonnen, maar ze voelde zich verslagen. Haar eigen medevoorzitter zag Max West niet zitten, en het had niet veel gescheeld of Lock was ook van gedachten veranderd – terwijl hij haar nota bene gevráágd had achter Matthew aan te gaan! Isabelle had Matthew ordinair, smakeloos, gewoontjes en goedkoop genoemd, en omdat hij Claires vriend was, omdat ze samen waren opgegroeid en een verleden deelden, voelde ze zich nu de sletterige ex van een motorrijdende drugsbaron. Ze kon niet tegen die achterbakse, geslepen spelletjes.

Claire wilde geen ruzie met Isabelle, ze wilde niet strijden om wie de baas was. Want daar ging het Isabelle toch om? Dat wilde ze toch bereiken met het opstellen van die agenda? Isabelle wilde haar gezag laten gelden, de touwtjes in handen nemen. Het idee om een agenda op te stellen was niet in Claires hoofd opgekomen. Ze was ervan uitgegaan dat Lock de vergadering zou leiden, of Adams, maar niet zijzelf en al helemaal niet Isabelle.

'Dan neemt Claire de verantwoordelijkheid voor het optreden van de ster op zich. Oké, Claire?' zei Isabelle.

'Prima,' antwoordde Claire. 'Ik heb het contract en de voorwaarden al op kantoor afgegeven.'

Adams stak de papieren in de lucht. 'Ik heb ze hier. Ik zal ze doornemen.'

Het volgende punt op de agenda waren de uitnodigingen. Isabelle kende een grafisch ontwerper in New York die ze kosteloos zou maken. Dat zei ze: 'kosteloos', in plaats van gratis. Claire huiverde. De ontwerper was volgens Isabelle jong en hip; hij woonde in Nolita. (Claire begreep dat dit een wijk in Manhattan was, maar ze wist niet precies waar omdat Nolita nog niet bestond toen ze de laatste keer in New York was.)

'We moeten het ontwerp van de uitnodigingen vernieuwen,' zei Isabelle. 'Het is saai. De afgelopen jaren leken de uitnodigingen regelrecht uit een bejaardenhuis afkomstig te zijn.'

Goed voor onze doelgroep, dacht Claire.

Isabelle zocht in haar map. 'Ik heb voor ieder van jullie de gastenlijst gekopieerd. Willen jullie namen toevoegen, schrappen, en het erbij schrijven als je weet dat iemand overleden, of erger, gescheiden is.' Ze keek op of iemand lachte, maar dat was niet het geval. Claire voelde zich een beetje beter. 'De lijst is verouderd. Hij moet worden bijgewerkt. We willen niet dat elk jaar dezelfde lui komen.'

'Zoals ik al zei, zal Max voor nieuwe gezichten zorgen,' zei Adams.

'Ja,' zei Brent Jackson. 'Zoals ik. Eindelijk iemand waar ik duizend dollar voor wil betalen.'

Isabelle snoof. 'Gaat iedereen ermee akkoord dat ik de uitnodigingen op me neem?'

Iedereen knikte. Goed, goed. Maar waar had je een commissie voor als je de leden ervan geen taken gaf?

'Punt drie,' vervolgde Isabelle. 'De catering.'

Claire had zich voorbereid de strijd van de catering aan te gaan. Maar ze was zo van slag na het geruzie om Max West dat ze zich niet kon herinneren hoe ze de cateringkwestie had willen aanpakken.

'Vorig jaar waren er problemen met de catering,' zei Isabelle. 'Sommige mensen vonden het vlees te rauw, anderen vonden het vlees op schoenzolen lijken.'

'Misschien moeten we van catering veranderen,' zei Claire, terwijl ze niet al te gretig probeerde over te komen.

'Absoluut,' zei Isabelle, en een fractie van een seconde was er sprake van harmonie. De opluchting aan tafel was voelbaar. De voorzitters waren het met elkaar eens! 'Heb je iemand in gedachten?'

Claire zweeg. Kon ze het zeggen? 'Ik ken iemand die geïnteresseerd is in het uitbrengen van een offerte.'

'Wie?'

'Island Fare.'

'Nooit van gehoord,' zei Isabelle.

'Echt?' zei Claire. Ze drukte haar rug weer tegen de leuning van de stoel en deed de oefening met haar voeten en haar bekken in een poging niets te zeggen, maar dat was onmogelijk. 'De eigenaar, Siobhan, mijn schoonzus, zei dat ze afgelopen zomer een lunch bij jou thuis verzorgd heeft.'

'O,' zei Isabelle. 'Kan wel, ik heb de afgelopen zomer heel wat lunches gegeven. Ik weet echt niet meer wie ik allemaal heb ingeschakeld.' Er viel een stilte. Als de andere leden van de commissie niet al de pest aan Isabelle French hadden, was dat nu wel het geval. Claire probeerde haar gezichtsuitdrukking neutraal te houden. Ze had nooit eerder vijanden gehad, zelfs geen rivalen, ze was er niet aan gewend het leuk te vinden als iemand iets doms zei.

Adams schraapte zijn keel. 'Island Fare is heel goed,' zei hij. 'Ze doen elk jaar de catering van de Boston Pops.'

'We willen niet hetzelfde bedrijf als de Boston Pops,' zei Isabelle. 'We willen ons onderscheiden.'

'Het zou om een heel ander soort gerechten gaan,' zei Claire. 'Ik denk dat wij de creatiefste, heerlijkste gerechten voor de beste prijs willen, toch?'

De tafel mompelde ja. Edward Melior nam het woord. 'Volgens mij zou Siobhan geweldig zijn.'

'Laat ze maar een offerte indienen,' stelde Adams voor. 'Toevallig heb ik twee offertes meegenomen, een is van het bedrijf van vorig jaar.'

'Nou, dat was niks,' zei Isabelle. 'Dat was vreselijk. De helft van onze tafel zat aan het hoofdgerecht terwijl de andere helft moest wachten, en tegen de tijd dat hun eten arriveerde, was de rest al klaar.'

Het zag er gunstig uit voor Siobhan, dacht Claire, en ze had nauwelijks iets hoeven zeggen. 'Edward, wil jij de catering op je nemen?' vroeg ze. Ze wist dat hij Carter en Siobhan zou kiezen omdat hij en Siobhan ooit verliefd waren en trouwplannen hadden gehad, en iedereen wist dat hij nog altijd een zwak voor haar had. De enige die niet blij zou zijn met deze situatie was Carter – hij mocht Edward niet – maar Siobhan wilde deze opdracht, en er was maar één manier om die in de wacht te slepen zonder dat Claire een of andere truc met de offertes moest uithalen.

'Graag,' zei Edward.

'Punt vier,' kondigde Isabelle aan. Verbeeldde Claire het zich dat ze afgepeigerd klonk? 'Het veilingstuk.'

Lock had de hele tijd zo stil als een standbeeld gezeten, zijn handen voor zich gevouwen op zijn blocnote. Hij had geen enkele aantekening gemaakt en geen enkele blik van verstandhouding met haar gewisseld (waar Claire op gehoopt had). Misschien was hij bang zich uit te spreken. Hij had aan zijn linkerzijde een voorzitter die voor een lastige, onplezierige sfeer zorgde, en aan zijn rechterzijde een voorzitter die hij twee dagen eerder gekust had. Het deed Claire pijn dat hij niet automatisch aan haar kant stond, maar misschien was hij bang dat hij er iets mee zou verraden. Dat hij iets voor Claire voelde hoefde niemand te weten, dus liet hij Claire stuntelen en nam hij het voor Isabelle op. Het kon ook zijn dat hij, alvorens hij zijn opinie gaf, eerst alle meningen wilde aanhoren. Claire zou zijn onpartijdigheid moeten waarderen in plaats van zich er zorgen over maken.

'Ik heb een paar lumineuze ideeën voor de veiling,' zei Isabelle. Ze maakte weer het strijk-en-gooi-gebaar met haar haar. Claire kon er vergif op innemen dat er geen museumwaardig glasobject, ontworpen en vervaardigd door Claire Danner Crispin, tot de 'lumineuze ideeën' van Isabelle behoorde. Als Lock haar niets over Max West verteld had, had hij het zeker niet over Claires veilingstuk gehad. Claire had nog overwogen de schets van de kandelaar mee te nemen, maar ze vond het uiteindelijk te riskant. Kunst was iets subjectiefs en bracht altijd de kans op een afgang met zich mee. Ze had zich al een paar keer voordat ze in slaap viel voorgesteld dat Pietro da Silva, de beste veilingmeester van het eiland, haar object ging veilen, dat hij zijn blik over een zee van mensen liet gaan die allemaal, stuk voor stuk, op hun handen zaten.

'Aangezien we Kristin Chenoweth niet uitnodigen voor het optreden,' vervolgde Isabelle, 'kunnen we haar vragen enkele zanglessen te schenken.'

'Zanglessen?' vroeg Tessa Kline sceptisch.

'Op elk metrostation in de stad hangen foto's van haar,' zei Isabelle.

Edward Melior haalde zijn schouders op. 'Wat vinden jullie van gratis kaartjes voor haar show en een ontmoeting na afloop?'

'Of een etentje,' zei Tessa.

'Ik zal het haar vragen,' bood Isabelle bereidwillig aan.

Claires ademhaling was oppervlakkig. Niemand zou haar glas willen. Het was niet sexy, niet interessant genoeg.

'Ik heb ook een vriend die bereid is zijn G5 beschikbaar te stellen,' zei Isabelle. 'Een privévliegtuig. Twintig mensen kunnen naar een willekeurige plaats in de Verenigde Staten vliegen, met een cocktailparty aan boord.'

'Dat klinkt ongelooflijk,' zei Edward Melior.

'Ongelooflijk,' echode Claire. Ze voelde zich zo ongelooflijk dom. Lock had haar doen geloven dat mensen haar glas wilden, maar vergeleken met zanglessen van iemand die een Tony Award had gewonnen, of een cocktailparty aan boord van een privévliegtuig dat naar Palm Beach of over de Rocky Mountains vloog, leek wat Claire te bieden had niet meer dan een krijttekeningetje.

Lock Dixon tikte zijn pen tegen zijn blocnote, als een rechter met een hamer. 'Claire en ik hebben het al over het veilingstuk gehad,' zei hij. 'Ze is bereid om voor de veiling een museumwaardig glasobject te maken.'

Claire voelde haar wangen knalrood worden. Dit was waarschijnlijk het meest tenenkrommende moment van haar leven. Waarom had ze zich door Lock laten overhalen? Ze had geen grenzen. Haar cellen, zoals Siobhan zo gevat zei, hadden geen membranen. Als ze op zou kijken, stond haar een tafel vol ongemakkelijke blikken, geschraap van kelen, gekrab op hoofden te wachten, letterlijk en figuurlijk. Museumwaardig glasobject? Hè?

'O, mijn god!' gilde Tessa Kline. 'Claire! Wil je dat echt?'

'Hm,' zei Claire. 'Ik heb tegen Lock gezegd dat ik het wil doen, ja. Maar ik heb verder nog geen idee.' Liegbeest, dacht ze, nu zou haar neus groeien, een leuke combinatie met die gloeiende wangen. 'Bovendien is kunst subjectief. Het kan zijn dat de mensen mijn werk afgrijselijk vinden.'

'Maar je bent geniaal!' zei Tessa. 'Claire heeft een stuk in het Whitney Museum staan.'

'Ik heb haar verzekerd dat dit haar glorieuze comeback wordt,' vervolgde Lock. Hij klonk nu bezitterig en trots, en hoewel Claire in de wolken was, was ze ook ongerust. Zouden de anderen nu door hebben dat er iets tussen hen gaande was? 'Terug na een afwezigheid van twee jaar.'

'Claire heeft wel een punt,' zei Adams. 'Kunst is subjectief. Ik zou het vreselijk vinden als ze er veel tijd en energie in zou steken en het niet weggaat voor wat het waard is.'

'Dat zou vreselijk voor me zijn,' zei Claire. 'Ook voor Nantucket's Children. Als we niet genoeg geld ophalen, bedoel ik.' Het was amper twee weken geleden dat er voor het eerst over het veilingstuk van het gala gesproken was – een stimulans voor haar carrière, maar een breuk in haar huwelijk – en nu krabbelde ze al terug.

'We hebben al een bod van vijftigduizend dollar binnen,' zei Lock.

'O ja?' zei Adams.

'Ja. Van Daphne en mij. Wat Claire ook maakt, wij betalen er vijftigduizend dollar voor. We kunnen proberen andere bieders te vinden.'

'Precies,' zei Tessa. 'Ik zal er in mijn blad een hoofdartikel aan wijden, met een foto erbij. Een museumstuk. De mensen zullen dólenthousiast zijn. Ik weet zeker dat heel wat eilandbewoners de kans zullen grijpen om een stuk van Claire in hun bezit te krijgen. Het wordt toch een uniek exemplaar, hè?'

'Ja,' piepte Claire.

'Een uniek exemplaar. Het feit dat ze een paar jaar uit de running is geweest, maakt het extra bijzonder. Ik ben helemaal voor,' zei Tessa. Ze lachte naar Claire. 'Ik zou zeggen, naar huis en blazen maar!'

Brent Jackson schoot in de lach en Edward Melior begon te klappen. 'Geweldig. Tessa, wil jij de leiding over de veiling op je nemen? Jij bent in de positie om nieuws over het veilingstuk in de publiciteit te brengen.'

Claire wendde zich tot Adams. 'Vind jij dat ook een goed idee?'

'Je geniet blijkbaar het volle vertrouwen van onze directeur,' zei Adams. 'Maar waar haal je de tijd vandaan?'

Dat was een goede vraag.

Claire wierp een blik op Isabelle, die stilletjes haar papieren in haar kalfsleren map aan het opbergen was. Wat vond zij ervan dat Claire een glasobject voor de veiling ging maken? Vond ze het een goed idee of niet? *Ik ken je werk*. Maar vond ze Claires werk mooi? Zag ze glasblazen als kunst of als hobby, zoiets als pottenbakken of breien? Vreemd genoeg zocht ze Isabelles goedkeuring, haar steun. Maar Isabelle beantwoordde haar blik niet, ze zag er uitgeput uit. Ze was voor deze vergadering ingevlogen met haar keurig uitgeprinte agendapunten, maar het was anders gelopen dan ze gehoopt had. Claire zou blij moeten zijn, maar ze werd geplaagd door onzekerheid. Stel dat Max West inderdaad beschouwd werd als ordinair en gewoontjes? Stel dat het inhuren van Siobhan inderdaad niet ethisch was? Stel dat Lock *inderdaad* de enige bieder op haar kunstwerk was? Wist Claire beter dan Isabelle French hoe je een benefietfeest moet organiseren, Isabelle, die het voor grotere organisaties had gedaan in de meest sophisticated stad ter wereld? Wat een domme gedachte.

Als Claire een onwillige winnaar was, was Isabelle een stoïcijnse verliezer. Ze verkreukelde de agenda in haar hand op een manier waaruit eerder berusting dan kwaadheid sprak.

'Ik ben moe,' zei ze. 'En ik verga van de honger. We moeten het nog over de public relations en de marketing hebben, maar zullen we dat onderwerp voor de volgende keer bewaren?'

'Dat doen we de volgende keer,' stemde Lock in, en de rest van de feestcommissie zuchtte opgelucht. Iedereen pakte z'n spullen.

'Uit eten?' hoorde Claire Lock vragen.

'Ja, graag,' antwoordde Isabelle. 'Waar?'

'Ik heb bij Twenty-one Federal gereserveerd.'

'Komt Daphne ook?' vroeg Isabelle.

'Nee. Ze wilde je graag zien, maar voelde zich niet goed genoeg om uit te gaan.'

Claire probeerde kalm te blijven. Lock nam Isabelle mee uit eten. Dit vond ze echt, echt heel erg, maar waarom? Isabelle was tenslotte helemaal uit New York gekomen. Tessa, Lauren en Francine stonden bij de deur te treuzelen. Ze stonden op haar te wachten, ze wilden met haar over de vergadering praten. Ze moest hen bedanken voor hun komst. Ze moest ook Brent en Edward bedanken. Ze hadden haar gesteund. Maar ze kon haar aandacht niet losmaken van Lock en Isabelle. Lock nam Isabelle met haar prachtige haar mee uit eten.

Adams pakte Claire bij haar elleboog. 'Laten we iets gaan drinken.'

'O,' zei Claire. 'Ik weet niet...'

'Claire?'

Het was Locks stem. Claire draaide zich een beetje al te snel om.

'Heb je zin om met mij en Isabelle mee te gaan naar het Twenty-one Federal?' vroeg hij.

Wilde ze dat? Nee! Het zou alleen maar een ongemakkelijke voortzetting van de vergadering worden, of Lock zou Claire en Isabelle aanmoedigen elkaar beter te leren kennen. Claire wilde liever met Adams en de anderen een paar stevige borrels gaan drinken. Maar ze wilde Lock niet afwijzen. Stel dat hij het als een afwijzing zou interpreteren? Misschien zou ze na het etentje met Lock alleen zijn; misschien zouden ze samen weer naar kantoor gaan of met Locks auto ergens heen rijden. Als ze zijn aanbod weigerde, wanneer zou ze hem dan weer zien? Zou hij haar bellen? Of zou ze een smoes moeten verzinnen om op kantoor langs te wippen? Als ze overdag langsging, zou Gavin er zijn. Maar wat kon ze verzinnen om 's avonds te gaan?

'Kom op, we gaan iets drinken!' Dat was Tessa van de andere kant van de kamer. 'We gaan naar Water Street, oké, Adams? We zien je daar.'

'Oké,' zei Adams. 'Claire?'

'Heb je al gegeten?' vroeg Lock.

Claire had het gevoel of ze door een stel kippen gepikt werd. Waarom? Ze kon iets gaan drinken met Adams, Tessa en de hele club, of met Lock en Isabelle uit eten gaan. Ze zou de hele nacht kunnen blijven staan twijfelen, wat voor Claire het bewijs was dat ze gek aan het worden was.

'Ik heb al gegeten,' antwoordde ze, wat deels een leugen was omdat ze alleen maar de twee rimpelige uiteinden van Shea's hotdog gegeten had. 'Ik moet echt naar huis. De baby heeft me nodig.'

'Ga even mee, één drankje,' zei Adams.

Claire trok haar jas aan. Ze kon amper ademen in het Elijah Baker House. Ze had het gevoel of ze een korset aan had.

'Volgende keer,' zei ze. Ze keek Isabelle en Lock aan, glimlachte zo overtuigend mogelijk, schudde Isabelle de hand en zei: 'Bedankt voor het voorzitten van de vergadering. Je hebt mijn e-mailadres, hè? Anders heeft Lock het wel. Je kunt me ook bellen. Ik moet nu gaan. Tot ziens allemaal!' Claire stapte, met haar sleutelbos rinkelend, langs Lock en Isabelle – laatstgenoemde keek naar haar of ze niet goed bij haar hoofd was, wat inderdaad klopte – om de tafel heen de kamer uit. Ze meende het: ze ging.

Toen ze eindelijk buiten op de koude straat stond, kon ze de huid op haar gezicht bijna horen sissen, zoals gloeiend heet glas siste als ze het in het water dompelde.

Ze pakte haar telefoon uit haar tas en belde Jason op zijn mobiele telefoon. Hij nam meteen op en fluisterde: 'Hoi, schatje.'

Ze was dolblij zijn stem te horen, ze kon wel huilen. 'Hoi,' zei ze. 'Ik ben onderweg naar huis.'

5

Ze verrast zichzelf

Een week later sliep Claire voor het eerst met Lock.

Toen Claire na de vergadering met Isabelle French en de feestcommissie wegliep dacht ze: ik ben klaar met Lock Dixon. Het was toch allemaal puberachtige onzin, waar waren ze eigenlijk mee bezig, als twee verstandige, getrouwde mensen? Claire stapte bij Jason in bed en dacht: hier ben ik gelukkig. Ik ben gelukkig! Dat Lock Dixon belangstelling voor haar had vleide haar, maar daar zou het bij blijven.

Hoe was het te verklaren wat er gebeurd was? Claire had overspel altijd beschouwd als een land waar ze niet dapper genoeg voor was om heen te gaan of niet heen wilde – totdat iemand haar een paspoort en een ticket gaf, en plotseling was ze op weg. Lock belde Claire op haar mobiele telefoon, iets wat hij nooit eerder had gedaan. Ze reed naar huis, nadat ze de kinderen naar school gebracht had, Zack lag achterin en sliep bijna. Claire was er zo zeker van dat het Siobhan was die belde dat ze zonder op het display te kijken opnam en ietwat sip (ze was behoorlijk in mineur omdat ze besloten had met Lock te kappen) zei: 'Hoi.'

'Claire?'

Hij was het. Het overrompelde haar. Ze kon zich later niet meer herinneren wat hij gezegd had – iets over dat hij begreep dat ze de vergadering lastig gevonden had, dat het in de toekomst makkelijker zou gaan, dat Isabelle wel zou bijdraaien, dat ze zenuwachtig was geweest en het moeilijk had met haar scheiding.

Oké, zei Claire. Zoiets dacht ik al. Nou ja, het maakt niet uit.
En toen, na een stilte die veelbetekenend leek, vroeg Lock: Heb je zin om vanavond naar kantoor te komen?
Vanavond?
Heb je het druk?
Nee, antwoordde ze. Nou ja, dat wil zeggen, ik heb het altijd druk, maar ik kan wel langskomen. Binnenwippen.
Geweldig, zei hij.
Er viel een stilte. Het was het moment waarop Claire nog terug kon, maar ze deed het niet. Ze kon even 'binnenwippen' – het klonk heel normaal en fatsoenlijk. Hij wilde haar waarschijnlijk iets geven, er was iets wat ze moest ondertekenen, doorlezen of overwegen. Maar ze vroeg niet wat.
Oké, zei ze ten slotte. Tot vanavond.
Tot vanavond, zei hij.

Claire vertelde het pas aan Jason toen hij thuis was.
'Ik heb een vergadering vanavond.'
'Jezus, Claire!'
'Ik weet het, sorry. Het duurt niet lang.'
'Ik vind het ongelooflijk,' zei Jason. 'Je kunt toch overdag vergaderen als de kinderen naar school zijn en Pan er is? Waarom moet dat altijd 's avonds?'
'Sorry,' zei Claire. 'Het is maar even. Tegen negenen ben ik weer thuis.'
'Beloofd?'
'Beloofd.'

Na het avondeten deed Claire de jongste drie kinderen in bad, ze legde de meisjes in bed met een boekje en trok Zack zijn pyjama aan. Ze gaf hem aan Jason, die naar *Entertainment Tonight* zat te kijken.
'Wil jij zijn fles klaarmaken?' vroeg Claire.
'Waarom doe jij het niet?'
'Ik kan het wel doen, maar ik moet me opknappen.'
'Voor wat?'
'Voor de vergadering.'

‘Waarom moet je je voor een vergadering opknappen? Je ziet er prima uit.’

‘Ik wil even iets anders aantrekken.’

‘Waarom?’

Claire trilde van woede, frustratie, schuldgevoel en zenuwen. ‘Laat maar,’ zei ze. ‘Ik ga niet. Geef de baby maar hier.’

Jason fronste zijn voorhoofd. ‘Je gedraagt je als een van de kinderen.’

‘Ik?’

‘Ga je nu maar opknappen,’ zei Jason. ‘Ik regel het allemaal wel hier. Voor de zoveelste keer.’

Claire liep naar de keuken en maakte Zacks fles klaar. Ze kon niet weggaan. Ze kon haar huis, haar kinderen, zelfs haar man, hoewel hij haar razend maakte, niet verlaten om naar Lock te gaan. Het was niets voor haar; het vereiste lef, en dat had ze niet. Ze voelde vanbinnen iets knappen – de bel vol hoop die vanaf het moment dat Lock had gezegd tot vanavond met de seconde groter was geworden. Hij zou er zijn, in het donkere kantoor, hij wachtte op haar. Als ze de trap op liep, zou hij glimlachen.

Claire poetste haar tanden en trok een spijkerbroek en een kasjmieren trui aan. Ze deed niets aan haar haar en deed geen parfum op. Oorbellen? Nee. Geen onnodige opsmuk.

‘Oké,’ zei ze tegen Jason. ‘Ik ga. Ik ben om een uur of negen weer thuis.’

Hij zei niets terug. Ze aarzelde. Hij had haar niet eens gehoord. Of hij had haar wel gehoord maar negeerde haar. Houd me tegen! dacht ze. Als hij haar tegenhield had ze immers alle reden om kwaad weg te lopen. Nu moest ze de stap uit eigen vrije wil nemen. De beslissing was aan haar.

‘Jason?’

Hij was verdiept in *Jeopardy!* Hij zwaaide.

Toen Claire bij het kantoor aankwam, trilde ze. Ze kon het trillen niet beheersen, ook al had ze zichzelf verzekerd dat er niets hoefde te gebeuren, dat het allemaal heel onschuldig zou blijven. Galazaken. *We gaan hier volstrekt eerlijk te werk.*

Lock zat aan zijn bureau, waarop twee glazen wijn klaarstonden, maar daar kwamen ze pas na afloop aan toe, nadat hij haar met een waanzinnige honger, een ongelooflijk geladen begeerte, tegen de muur genomen had. Het ging snel, dierlijk, er werd gekrabd en gebeten. Ze waren als een hoop in benzine gedrenkte vodden waar iemand een lucifer bij hield, die *whoosh* in vlammen opging; ze waren twee stroomdraden die kortsluiting maakten. Pats. Heet. Claire kon alleen maar aan haar lichaam denken en wat dat wilde. Hij betastte haar hier, kuste haar daar, ze kon er geen genoeg van krijgen, ze wilde dat het nooit ophield. Zijn lichaam was heel anders dan dat van Jason. Jason was mager en gespierd, hij had een sixpackbuik waar hij trots op was. Lock was zachter, zijn buik was dikker, zijn borst harig – het was vreemd voor Claire – maar zijn armen waren sterk en hij streelde haar vaardig en wanhopig. Hij liefkoosde haar lichaam en greep het, hij zoog en beet. Hij was een man die heel lang niet gevreeën had, zijn onbeheerste hunkering was ontroerend, hartverscheurend bijna. Claire wilde zich helemaal aan hem geven: *Ja, neem me, slok me op, het is goed.*

Ze was geland. Welkom in het land van Overspel.

Na afloop liet Claire zich op de grond zakken, verdoofd, en Lock ging naast haar zitten, hij trok haar hoofd op zijn schoot en streelde zachtjes haar haar.

'Hoe voel je je?' fluisterde hij.

'Ik weet het niet,' zei ze.

'Ik ook niet,' zei hij.

'Ik ben in de war,' bekende ze.

Ze was blij dat het snel gegaan was, zo snel dat er geen tijd was om te denken; ja, nee, goed, slecht. Als ze er later aan terugdacht, was het alsof ze door een natuurverschijnsel – een tornado, een bliksemflits -- overvallen werden. Lock.

Op weg naar huis huilde ze. Haar hele lichaam beefde, ondanks de wijn, die haar zenuwen tot bedaren had moeten brengen. Ze was bedroefd omdat ze iets heel slechts had gedaan: ze had niet alleen haar man verraden, ook haar waarden. Ze was een echtbreekster. Maar ze was ook bedroefd omdat de seks ongelooflijk geweest was, extatisch, ze had zich volledig gegeven, zich volledig aan hem, aan Lock gegeven. Ze was bedroefd omdat ze hem moest verlaten. Hij zou op kantoor blijven om op te ruimen en naar huis, naar Daphne gaan terwijl zij naar haar eigen huis, naar haar kinderen ging. En naar Jason. Ze zei: *wanneer zie ik je weer?* Hij zei: *ik bel je.*

En zo ging het door. Ze zagen elkaar één, twee keer in de week; ze sms'ten of e-mailden om af te spreken. Claire kon het niet verklaren, ze begreep het niet, ze was een gevangene van het land dat Overspel heette. Lock had haar aangestoken, hij was iets wat ze opgelopen had, hij was een ziekte – misschien zou het net als een verkoudheid na een week of twee overgaan, maar het kon ook langer duren en als een kankergezwel gaan woekeren. Het zou haar kapotmaken. Claire wist niet of het ergste van overspel het schuldgevoel of de angst was. Het schuldgevoel sloopte haar. Het was groter dan haar schuldgevoel over Daphne en groter dan haar schuldgevoel over Zacks geboorte. Dat waren ongelukken, fouten. Dat was allemaal per ongeluk gegaan. Haar verhouding met Lock was vrijwillig, de meest vrijwillige zonde die ze ooit begaan had. Als kind leerde ze de oefening van berouw uit haar hoofd: *Barmhartige God, ik heb spijt over mijn zonden…* Een priester had haar ooit verteld dat zondaars alleen nadat ze gezondigd hadden aan God dachten, niet ervoor. Net als zij. Ze was met Lock naar bed geweest, ze smeekte om vergeving, ze had berouw, maar deed het vervolgens weer.

Claire werd geplaagd door herinneringen aan haar ouders. Haar vader, Bud Danner, had een elektronicawinkel in Wildwood gehad. Hij was een zware drinker en een rokkenjager. Hij was, om met Claires moeder te spreken, 'geen vijf minuten trouw geweest'. Na zijn werk ging hij altijd naar de kroeg waar hij zich volgoot in gezelschap van een stel sloeries. Claire herinnerde zich dat haar moeder huilde, zichzelf de schuld gaf, en zo woedend op haar vader was dat Claire dacht dat ze hem zou vermoorden. Ze krijste, smeet met spullen en hij liep weg, blijkbaar had hij genoeg adresjes waar hij terecht kon. Daarna sloeg haar moeder zichzelf in haar gezicht, steeds opnieuw. Het was afschuwelijk. Die zelfhaat van haar moeder was het ergste wat Claire ooit gezien had. Claire had zich voorgenomen nooit zo te worden. Ze zou zichzelf niet de schuld geven van dingen die buiten haar macht lagen. Maar natuurlijk deed ze dat voortdurend. Ze had de slechte eigenschappen van haar ouders geërfd, hun meest verachtelijke gedrag. Ze had nooit kunnen denken dat ze in haar vaders voetsporen zou treden en overspelig zou zijn. Toch was het zo. Terwijl Claire Zack gepureerd fruit voerde, terwijl ze haar dochters in bad deed en hun kleertjes opvouwde, terwijl ze in de supermarkt perziken en biefstuk uitzocht, zag ze zichzelf als leugenaar. Ze was niet de vrouw die haar kinderen dachten dat ze was; ze was iemand met een geheim leven. Het was erg om zich schuldig te voelen, maar het was nog erger als ze dat vergat. Schuldgevoel zou een vast onderdeel moeten zijn van het vreemdgaan, het zou voortdurend aanwezig moeten zijn. Het was schandelijk je niet schuldig te voelen. Schuldgevoel en geen schuldgevoel: dat was het ergste.

We komen in de hel, fluisterde Claire op een avond in Locks oor.

Er bestaat geen hel, fluisterde hij terug.

Het enige wat nog erger was dan schuldgevoel was de angst betrapt te worden.

Op een avond, toen Claire thuiskwam nadat ze bij Lock geweest was, zei Jason: 'Wat ruik je vreemd.'

Paniek maakte zich van haar meester. 'Helemaal niet.'

'Wel. Je ruikt vreemd. Hoe kan dat?'

Ze keek hem niet aan, hoewel hij rechtop in bed zat en haar aanstaarde. 'Je ruikt zelf vreemd,' zei ze. 'Je ruikt naar sigaretten.' Ze ging meteen onder de douche.

Op een dag kon ze haar mobiele telefoon niet vinden. Waar was hij? Claire zocht overal, in haar hele huis, onder de bedden van de kinderen, in de laden, in al haar tassen, in de auto, buiten op het bevroren gras, in haar werkplaats. Waar was hij? Had Zack hem gepakt? Ze zocht in de speelgoedkist. Had ze hem in de supermarkt laten liggen? Ze belde, maar niemand had een mobiele telefoon ingeleverd. Ze belde Siobhan. Siobhan zei: 'Bel je eigen nummer, dommerd. Dan merk je wel wie er opneemt.'

Claire belde haar eigen telefoon. Jason nam op. 'Wat doe je met mijn mobiel?' vroeg ze.

'Ik heb geen idee,' antwoordde hij. 'Ik wist helemaal niet dat ik hem bij me had.'

Claires maag kromp ineen tot een stevige bal angst. Het klonk als een leugen. Had hij haar telefoon meegenomen om haar te controleren? Had hij al haar telefoontjes naar het kantoor van Nantucket's Children en het nummer van Lock gezien? Had hij de sms'jes gelezen? We zien elkaar hier, we zien elkaar daar. Ze had ze moeten wissen. Ze was ontzettend stom en onnozel; ze had de meest elementaire regel, alle sporen uitwissen, niet in acht genomen. Ze stapte in de auto en reed naar de bouwplaats waar Jason aan het werk was en bedacht hoe ze haar gedrag zou kunnen verklaren. Stel dat Lock belde terwijl Jason haar telefoon nog bij zich had, dat zou helemaal erg zijn. Maar er was een makkelijke verklaring: het gala. Er waren altijd wel vragen over het gala.

Maar zodra Claire haar telefoon weer terughad wiste ze elk gesprek met een bang, bonkend hart. De angst was het allerergste.

Claire wilde biechten, maar de biecht werd alleen 's zaterdags om vier uur afgenomen, het tijdstip dat J.D. voetbalde op de Boys & Girls Club, en Claire kon geen wedstrijd missen. Het was erger om een voetbalwedstrijd van haar zoon te missen dan om niet te gaan biechten, vond ze, hoewel ze er hevig naar verlangde. Ze wist niet goed hoe ze de waarheid moest vertellen aan pater Dominic, de geestelijke die al haar vier kinderen gedoopt had en bij wie J.D. en Ottilie hun Eerste Heilige Communie hadden gedaan. Claire was dol op pater Dominic, hij kwam zo nu en dan bij haar thuis eten en twee keer waren ze samen naar de film geweest; naar *Chicago* en naar *Dreamgirls* (hij was een fan van musicals, iets waar Jason niet van hield). Hoe langer Claire de biecht uitstelde, hoe meer ze ervan overtuigd raakte dat ze niet in staat zou zijn de woorden *ik pleeg overspel* tegen pater Dominic uit te spreken. Ze zou moeten wachten tot er een gastpriester kwam, een priester die zij niet kende en die haar niet kende, of ze zou een reeks zondes moeten opsommen in de hoop dat die haar overspel zouden dekken. Maar

Claire begreep dat biechten niet echt biechten zou zijn als ze pater Dominic niet van Lock Dixon vertelde. Alle andere oplossingen waren uitvluchten en telden niet. Dus ging ze. Halverwege de voetbalwedstrijd zei ze tegen Jason dat ze migraine had en naar huis ging.

'Wil je Zack alsjeblieft meenemen?' vroeg hij.

'Nee, dat kan ik niet,' antwoordde ze.

'Ik kan niet op Zack en Shea én op Ottilie en J.D. passen.' Ottilie was cheerleader, snoezig in haar blauwwitte outfit. Shea rende langs de zijlijn, schopte tegen een voetbal en rende er weer achteraan. Zack huilde, hij krabde in Claires nek. Ze kon Jason niet met alle kinderen opzadelen, maar ze moest naar de kerk.

'Oké,' zei ze. 'Ik neem Zack mee.'

Toen pater Dominic de biechtstoel uit liep zag hij tot zijn verrassing Claire en Zack voor in de kerk zitten, de verbazing stond op zijn gezicht te lezen. Een slanke, knappe jonge vrouw liep gehaast de kerk uit en Claire vroeg zich af wat zij gebiecht had en of dat net zo erg was als wat Claire zou gaan bekennen. Pater Dominic zei niets en gebaarde slechts naar de lege biechtstoel. Claire droeg Zack naar binnen en knielde. Ze wenste op dat moment dat ze protestants was, deze enorme zonde op te moeten biechten, die hardop tegen iemand uit te spreken leek een onmenselijke straf.

Ze begon met de oefening van berouw. *Barmhartige God, ik heb spijt over mijn zonden, omdat ik Uw straffen heb verdiend...* Zack graaide in haar nek. Zijn nageltjes moesten geknipt: ze had het gevoel dat ze bloedde. Claire haalde diep adem. Ze keek naar pater Dominic, die met gebogen hoofd aan het bidden was. Ze trilde, ze was nog nooit in haar leven zo bang geweest. Waar was ze bang voor? Ze was bang dat hij haar zou haten. Hij zag haar niet wekelijks, maar om de paar weken in de kerk met haar kinderen. Hij dacht dat ze vroom was; hij had haar elke dag gebeld toen Zack in het ziekenhuis in Boston lag, ze hadden samen door de telefoon voor hem gebeden. Nu zou hij zien wie ze werkelijk was.

'Ik pleeg overspel,' zei Claire. Ze verwachtte dat hij zou opkijken, ze verwachtte een verbijsterde blik, maar hij bleef onbeweeglijk. Ze was hem er dankbaar voor, uit zijn houding sprak acceptatie. 'Ik heb een verhouding met Lockhart Dixon.' Claire zei zijn naam omdat het verzwijgen ervan voelde alsof ze een deel van de waarheid verzweeg. Claire had geen idee of pater Dominic Lock kende – Lock was lid van Saint Paul, een anglicaanse kerk. Misschien kenden ze elkaar van een van de programma's van Nantucket's Children.

Pater Dominic vertrok nog steeds geen spier. Claire sloot haar ogen. 'Dat was het,' fluisterde ze. Zack begon te huilen.

Toen pater Dominic zijn hoofd ophief, was zijn blik uitdrukkingsloos. Ooit had hij verteld dat hij wat de biecht betreft een gaatje in de achterkant van zijn hoofd had. De zonden van de mensen liepen er uit zodra ze die verteld hadden, zei hij. Maar Claire wist bijna zeker dat dit vandaag niet het geval zou zijn.

'Ben je van plan ermee te stoppen? Je bent komen biechten, dus je begrijpt dat wat je doet niet in de haak is,' zei pater Dominic.

Er stroomden tranen, tranen van Zack en van Claire. Natuurlijk zou hij haar vragen, van haar eisen ermee te stoppen.

'Ik weet niet of ik dat kan,' antwoordde ze.

'Je kunt het, Claire,' zei hij. 'Je moet bidden om kracht.'

'Ik kan bidden om kracht, maar ik weet niet of het me lukt Lock niet meer te zien. Als ik zou zeggen dat ik ermee zal stoppen, zou ik liegen.'

Pater Dominic schudde zijn hoofd, en Claire voelde dat er een conflict in haar ontstond. Haar gedachten zweefden als serpentines door haar hoofd. Maakte het overspel haar automatisch een slechte vrouw? Telden alle goede dingen die ze deed – voor haar kinderen zorgen, Jasons T-shirts wassen, voorzitter zijn van een liefdadigheidsorganisatie die programma's ontwikkelde en het leven van hardwerkende gezinnen verrijkte, een lieve, attente vriendin zijn, gewonde vogels helpen die aan de kant van de weg lagen – telden deze dingen niet mee? Of telden alleen de zonden? Bestond er een soort morele boekhouding? Ze voelde zich immers geen slecht of gemeen mens. Trouwens, wat wist pater Dominic van adembenemende hartstocht?

Zack zette het op een krijsen; zijn geschreeuw weerkaatste tegen de muren van de biechtstoel. 'Kunt u mij de penitentie geven?' vroeg Claire.

'Je moet ermee stoppen,' zei pater Dominic. 'Pas dan kan ik je de penitentie geven.'

Ze moest ermee stoppen. Ze herhaalde dit in de auto op weg naar huis. Zack gilde en schopte op de achterbank, zijn gegil echode in haar hoofd. Ze was geen kroegloper die beneveld was door de drank, zoals haar vader. Ze was een verstandige vrouw. Ze moest ermee stoppen.

Tegen de tijd dat ze thuiskwam, had ze echt hoofdpijn; ze nam een Advil, stak de open haard aan en schonk een glas wijn in, terwijl Zack zich tegen haar borst aan nestelde om te gaan slapen. Ze had een pan chili con carne opstaan, ze had maïsbrood en zelfgemaakte appelmoes. Om halfzes, het was pikdonker buiten, kwamen Jason en de kinderen thuis, hun wangen rood van de kou en het sporten.

Jason vroeg niet hoe ze zich voelde, hij proefde met een houten lepel van de chili en zei dat het verrukkelijk was. J.D. maakte zijn beenbeschermers los en trok zijn bezwete lange ondergoed uit terwijl Ottilie in haar cheerleaderpakje de tafel dekte.

Jason legde zijn hand op Claires rug en zei: 'Zo heb ik het me nu altijd voorgesteld. Ons leven.'

De open haard, de pan chili con carne, thuis met haar kinderen op een koude herfstavond. Wat wilde ze nog meer? *Ze moest ermee stoppen.*

Claire knikte. Haar hart was een rotte appel, zacht en bedorven. 'Ik ook,' zei ze.

DEEL TWEE

6

Hij houdt van haar

Het was erop of eronder met hun bedrijf, en soms zag Siobhan er geen gat meer in. De hele zomer en herfst werkte ze zich slag in de rondte, handelde ze telefoontjes af van heetgebakerde aanstaande bruidjes en hun moeders, stond ze op met de wetenschap dat ze haar jongens geen vijf minuten zou kunnen zien omdat ze om twaalf uur voor vijftien man een lunch te verzorgen had, vervolgens om zes uur voor honderd man een cocktailparty in Brant Point en om halfzeven een lopend buffet in Pocomo. (Kon ze op twee plekken tegelijk zijn? Ze zou wel moeten.) Toch was deze de-hel-is-losgebarsten, krankzinnige chaos te verkiezen boven het gesappel in de winter en het voorjaar, de maanden dat ze alleen dineetjes voor acht personen – die haar bedrijf Island Fare beschikbaar had gesteld op liefdadigheidsveilingen – te verzorgen hadden, en ze zich voortdurend zorgen maakten over geld, illegaal personeel en het binnenhalen van opdrachten. Het bedrijf maakte winst, maar het leven was duur. Liam zat op hockey, wat al een vermogen had gekost nog voordat hij zijn arm brak en voor achtduizend dollar naar Boston overgevlogen moest worden, waar hij twee operaties onderging en ze vervolgens de rekening gepresenteerd kregen van drie dagen ziekenhuis en vijf weken therapie. Dit alles lag nu achter hen, maar de hypotheek, de stookkosten en de naderende kerst drukten zwaar, en bovendien begon Siobhan te vermoeden dat Carter een gokprobleem had. Hij was bezeten van sport, maar dat was niet zo gek, dat had ze vaak genoeg gezien, een kroeg vol mannen (onder wie haar vader en haar vijf broers) die helemaal uit hun dak gingen als er een rugby- of, erger, een cricketwedstrijd op tv werd uitgezonden. Carter bracht veel tijd opgesloten in de smoorhete keuken door, dus het was goed voor hem om wat ontspanning te hebben, en Siobhan was allang blij dat hij zijn heil in sport zocht en niet in internetporno. Ze wist dat hij meedeed met een voetbaltoto, maar hij had onlangs tijdens het eten verteld dat hij twaalfhonderd dollar had verloren met een wedstrijd van de Patriots. Twaalfhonderd dollar! Siobhan was uit haar vel gesprongen. Ze wist niets van Amerikaanse sporten, laat staan van gokspelen die daarmee te maken hadden, maar ze was ervan uitgegaan dat het ging om een stel mannen die twintig dollar op de bar gooiden. Twaalfhonderd dollar betekende zes keer uit eten in een chic restaurant, of een heel weekend naar Stowe of New York.

Niet overdrijven, had Carter gezegd. Zoveel is het nu ook weer niet.

Dat is het verdomme wel, had Siobhan geroepen. Zij was degene die de eindjes aan elkaar moest knopen. Toen Carter besloot zijn baan als chef-kok in het Galley Restaurant op te zeggen en een cateringbedrijf te beginnen, was dat vanwege de kinderen en de flexibele werktijden, en omdat hij eigen baas wilde zijn. Dat was allemaal leuk en aardig, maar hun levensstijl ging er niet bepaald op vooruit als het geld op deze manier de deur uit bleef vliegen. Voor Siobhan betekende het hebben van een eigen bedrijf dat ze moest aanpoten, dag in dag uit.

In november hadden ze één flinke opdracht gehad: het veilingdiner van de Montessorischool. Siobhan vond het geweldig om dit diner te doen. Omdat het haar enige grote klus was tussen het trouwseizoen en de vakantietijd in, kon ze er alle tijd en aandacht aan besteden, en elk jaar weer maakte ze er een meesterwerk van. Dit jaar was het thema het Verre Oosten. Siobhan bracht de jongens naar school en reed vervolgens rechtstreeks naar de cateringkeuken, die zich in de achterste helft van een kantoorgebouw bevond, in de buurt van de luchthaven. Onderweg begon het te sneeuwen, en daar fleurde ze van op. Ze haalde de keukendeur van het slot, maakte een kopje thee voor zichzelf en zette een cd van Chieftains op, muziek die Carter thuis niet wilde horen. Buiten vielen de eerste sneeuwvlokken van het jaar als zachte veertjes naar beneden. Siobhan pakte haar notitieboekje uit haar tas. Zij zou voor het voor- en het nagerecht zorgen, Carter deed het hoofdgerecht. Het voorgerecht bestond uit loempiaatjes gevuld met eend, mango en lente-uitjes, rauwe tonijn met een korstje van sesamzaad op plakjes komkommer met gember en wasabi, en saté van reuzengarnalen met pindasaus, en dat alles voor honderd man. Als nagerecht zou ze een ingewikkelde parfait maken van passievruchten, kokosroom en krokante macadamianoten. Carter verklaarde haar voor gek dat ze het überhaupt ging proberen, maar het moest haar meesterwerk worden. Had hij dan liever dat ze thuis de troep in de slaapkamer van de jongens opruimde of ging zeuren dat ze het geld dat hij had vergokt leuker had kunnen besteden? Siobhan hield van Carter en ze had voor het altaar gezworen dat ze altijd van hem zou houden, maar hij maakte het haar wel moeilijk.

De thee dampte, en buiten hoopte de sneeuw zich op. *Niet denken aan een weekend in Stowe!* Siobhan begon met de pindasaus. Haar moeder had haar leren koken, maar de havermoutpap, kool en gerookte schelvis uit haar jeugd hadden weinig gemeen met de heerlijkheden die Siobhan nu in haar keuken tevoorschijn toverde.

Terwijl ze de uien, knoflook en gember aan het bakken was in arachideolie, ging de telefoon. Verbaasd keek ze in de lege keuken om zich heen. Vreemd, het was de keukentelefoon, niet haar mobiele telefoon. Toen ze op wilde nemen, zag ze dat er zes berichten op het antwoordapparaat ingesproken waren. Zes!

'Hallo?' zei ze.

'Spreek ik met Siobhan?'

Die stem. Ze lachte, niet omdat ze het leuk vond, maar omdat het haar verraste.

'Edward?'

'Hoi,' zei hij.

Waarschijnlijk was hij zenuwachtiger dan zij. Edward Melior, haar voormalige verloofde. Ze woonden op hetzelfde eiland, dat zeven kilometer breed en eenentwintig kilometer lang was, maar ze zag hem zelden. Misschien dat ze elkaar een of twee keer in de maand in de auto passeerden. Edward zwaaide altijd, maar Siobhan had hem meestal pas in de gaten als hij in haar achteruitkijkspiegel verscheen. De laatste tijd bezocht Edward steeds vaker evenementen waar Siobhan de catering verzorgde – op de een of andere manier voelde ze het aan als hij van plan was te komen – en als hij er was bleef ze in de keuken of ze vroeg aan Carter of hij het van haar wilde overnemen. Het was niet dat ze Edward Melior probeerde te ontwijken, ze had gewoon geen zin om hem een toastje aan te moeten bieden.

'Hoi,' zei ze. 'Alles goed?'

'Hoe gaat het met je?' Hij vroeg het zoals hij dat altijd deed: Hoe gáát het met je? Alsof hij het echt wilde weten. Maar hij wilde het echt weten; hij was oprecht geïnteresseerd in andere mensen. Hij onthield hun namen, de namen van hun kinderen, hoe het met hen ging – of ze van plan waren een nieuwe auto te kopen, of ze voor hun bejaarde vader of moeder zorgden en of hun hond onlangs was doodgegaan. Dat soort informatie sloeg hij op. Het was ongelooflijk wat hij allemaal onthield en waar hij zich allemaal om bekommerde. Het was bijna vrouwelijk. En dat was precies de reden dat hij zo'n goede (en welgestelde) makelaar was. Mensen vonden het heerlijk.

'O, prima,' antwoordde Siobhan luchtig. Ze dacht aan de bloemen die Edward naar haar huis had gestuurd toen Liam zijn arm gebroken had. Roze aronskelken, haar lievelingsbloemen, wel vijftig, ontzettend duur. Voordat Liam en Carter uit Boston terugkwamen had ze ze weggegooid. Ze had hem geen bedankje gestuurd, wat schandelijk was, maar ze was op haar hoede met Edward. Hij was nog altijd gek op haar. Het kleinste gebaar van haar kant vatte hij als een toenadering op.

Ze hadden verkering tijdens de eerste vier jaar dat Siobhan op het eiland woonde. Het was in de tijd dat zij ijs schepte en broodjes klaarmaakte bij Congdon's Pharmacy en hij in het makelaarskantoor erboven werkte, waar hij de huurpanden onder zijn beheer had. Edward was gecharmeerd van Siobhans accent (wat zij belachelijk vond) en hij was op slag verliefd. Omdat hij veel meer geld had en veel meer mensen kende dan Siobhan, mat hij zich de rol aan van professor Higgins jegens Eliza Doolittle. Hij vond dat hij haar 'ontdekt' had. Erop terugkijkend stoorde het Siobhan dat ze het spel had meegespeeld. Ze werd eerst keukenmeisje bij de Galley, daarna kok voor de koude schotels en vervolgens een van de koks voor de lunch. Edward sprak altijd over haar als de chef-kok, en ze corrigeerde hem niet. Hij haalde ondertussen zijn makelaarsdiploma en hij dacht erover om voor zichzelf te beginnen, iets wat Siobhan een beetje al te overmoedig leek. De huizenmarkt op Nantucket was dan wel een goudmijn, makelaars verdienden er geld als water, maar Edward was zo lief, zachtaardig en meegaand dat Siobhan vreesde dat hij opgeslokt zou worden. Voordat Edward een eigen zaak begon, verloofden ze zich op Altar Rock, op een volmaakte herfstmiddag. Edward had champagne, bessen, meloen en roze aronskelken meegenomen. Hij knielde voor haar neer en gaf haar een schitterende ring. *Wil je mijn vrouw worden?* Siobhan schoot in de lach, sloeg haar hand voor haar mond en knikte. Wie zou er nu nee zeggen tegen zo'n fantastisch, zo'n geweldig geënsceneerd aanzoek? Pas nadat de verloving bekend was gemaakt, nadat het in de krant had gestaan, nadat Edwards ouders een feest in hun huis aan Cliff Road hadden gegeven, begon Siobhan te twijfelen. Ze geloofde niet in Edward en besefte dat hij niet in haar geloofde. Waarom zou hij anders tegen iedereen zeggen dat ze chef-kok was, terwijl ze in werkelijkheid twaalf uur per dag geitenkaasomeletten en eieren met kreeft stond te bakken? Het idee dat ze een stuk Iers afval was dat hij van de vuilnisbelt had geplukt, stond haar steeds meer tegen en het ergerde haar dat Edward al haar gedachten en gevoelens wilde weten. Ze was in een gezin met acht kinderen opgegroeid; nooit had iemand zich zo intensief met haar bemoeid. Ze wilde dat haar gevoelsleven met rust gelaten werd, ze wilde niet alles uitleggen.

Bovendien was er een nieuwe souschef op haar werk gekomen, een leuke jongen die bij Balthazar in New York had gewerkt en beter met zijn mes overweg kon dan de chef-kok. Zijn achternaam was Crispin. Ze noemde hem Crispy, hij haar Trouble. *Hoe gaat het, Trouble?* Carter was zijn voornaam, wat klonk alsof hij rijk moest zijn, hoewel hij dat duidelijk niet was, maar dat stond Siobhan juist wel aan. Ze werd zo langzamerhand ziek van Edward en zijn torenhoge inkomen en van het feit dat hij dingen kocht louter omdat hij het zich kon veroorloven. Dat soort verspilling ging tegen haar Ierse natuur in.

'Hoe is het met de kinderen?' vroeg Edward. Siobhan rook dat de knoflook en gember bitter werden en snelde naar het fornuis om het vuur lager te zetten. 'Hoe gaat het met Liams arm?'

'Goed. Die is weer helemaal in orde.' Siobhan pakte de kerriepoeder, de pindakaas en de sojasaus. Ze zou de hele dag kunnen kletsen en koken, maar niet met hem. 'Wat kan ik voor je doen, Edward?'

'Ik heb heel veel berichten ingesproken,' zei hij. 'Op de telefoon van je werk.'

'Ik zag het net, een seconde geleden,' antwoordde Siobhan. 'Sinds Columbusdag ben ik niet in de keuken geweest.'

'Ik bel over het zomergala van Nantucket's Children,' vervolgde Edward. 'Ik ben voorzitter van de cateringcommissie en we zouden het leuk vinden als je een offerte indient. Het gaat om de drank, de hapjes, het diner en het dessert. Voor duizend man. Zou dat kunnen?'

'Natuurlijk,' antwoordde Siobhan onzeker. Er kwamen verschillende gedachten bij haar op, die ze netjes probeerde te rangschikken, zoals Carter de kaarten in zijn hand ordende als hij aan het pokeren was. Ze had dit verzoek al een tijdje verwacht. Claire had haar in september gevraagd om in de galacommissie te komen, en Siobhan had toegestemd, ervan uitgaande dat het betekende dat zij en Carter de catering kregen, maar zodra ze het woord catering had laten vallen, krabbelde Claire terug. Ik verdom het om in die commissie te zitten als wij die klus niet krijgen, had Siobhan bij zichzelf gedacht. Ze was dus niet naar de vergaderingen gegaan, en Claire had nooit gevraagd waarom. Sindsdien was het onderwerp van tafel. Dit had een gevaar voor de vriendschap kunnen betekenen, maar de vriendschap van Claire en Siobhan bestreek zo'n uitgestrekt gebied dat de kwestie over de catering van het zomergala maar een piepklein plekje in beslag nam.

'We willen de offertes graag voor het begin van het nieuwe jaar binnen hebben,' zei Edward. 'Maar eerlijk is eerlijk, het kan wel even duren voor we een beslissing nemen. De meeste leden van mijn commissie wonen in New York, dus ik moet iedereen de offertes toesturen, vragen of ze die willen bestuderen, een tijdstip vinden om te vergaderen... Pas ergens in het voorjaar zal er een beslissing vallen.'

'Ik zal je mijn offerte faxen,' zei Siobhan. 'Dit weekend cater ik het veilingdiner van de Montessorischool, maar ik zal zorgen dat je mijn voorstel vóór Thanksgiving in huis hebt.'

'Fantastisch,' zei Edward. 'Ik ben trouwens van plan om naar dat veilingdiner te gaan.'

'Waarom?' vroeg Siobhan. 'Je hebt toch geen kinderen?'

'Je kent me toch. Ik wil graag de goede doelen van het eiland steunen.'

Ja, ze kende hem maar al te goed. Ze wist dat hij naar het veilingdiner zou komen omdat zij er was. En hij had zich waarschijnlijk beschikbaar gesteld voor de cateringcommissie omdat hij dacht dat ze dan konden samenwerken. Opnieuw laaide Siobhans woede op: waarom had Claire haar niets verteld? Misschien had Claire haar willen verrassen; misschien had ze haar blíj willen verrassen. Misschien dacht Claire dat Siobhan iets met Edward wilde. Siobhan liet zich wel eens iets ontvallen over de groentejongen van de supermarkt of de postbode, maar dat was maar grootspraak. Dat was haar manier om op Carter af te geven zonder hem te kwetsen.

'Ik zal je mijn offerte faxen,' herhaalde Siobhan.

'Of breng hem even langs,' opperde Edward. Hij zweeg. 'We hebben trouwens al twee offertes binnen.'

'Oké. Bedankt, Edward.'

'Tot gauw, Siobhan.'

Ze hing op. Wat bedoelde Edward met die opmerking over de offertes, was dat een dreigement? Edward kennende bedoelde hij het zuiver informatief. Hij zou nooit iets onethisch doen, zoals vragen of ze in ruil voor de opdracht met hem naar bed zou gaan. Ha! De gedachte was zo bespottelijk dat ze in de lach schoot. En ze werd weer door het gevoel overvallen dat ze altijd kreeg als ze Edward zag of toevallig aan hem dacht. Ze had nog steeds de verlovingsring die Edward haar gegeven had. Hij lag in een geheim vakje in haar juwelenkistje, in een blauw fluwelen zakje. Het was een schitterende ring, een prachtige diamant gevat in een platina Tiffany setting, Edward had er tienduizend dollar voor betaald. Omdat de ring te groot was om tijdens het werk te dragen – hij had niet aan haar werk gedacht toen hij hem kocht – droeg ze hem een poosje aan een kettinkje om haar hals. Maar in de luidruchtige restaurantkeuken, waar het er grof aan toe ging, leek de ring veel te opzichtig. Siobhan was bang dat hij in de soep zou vallen of dat een van de onbehouwen afwassers hem van haar hals zou rukken als ze na haar werk in het donker naar haar auto liep. Zo rond de tijd dat Carter Crispin in haar leven kwam, besloot ze de ring thuis te laten, wat de aanleiding was voor de ruzie die Siobhan en Edward uiteindelijk uit elkaar dreef.

Toen Siobhan en Edward uit elkaar gingen, begon de ring een zwerftocht. In een onbezonnen moment had Siobhan hem naar Edward gegooid, hij viste hem uit de spleet in de bank waar hij terechtgekomen was en nam hem mee naar huis. Een paar dagen later kwam hij terug om te praten, maar Siobhan stuurde hem weg. De ring liet hij in het zachte, fluwelen zakje op haar stoep achter met een briefje: *Ik heb hem voor jou gekocht. Hij is van jou.*

Het liefst had Siobhan de ring teruggegeven, maar ze kon een nieuwe confrontatie met Edward niet aan. Ze stuurde de ring naar zijn kantoor. Een tijdje later lag de ring weer bij haar op de stoep. Ze begreep het: de ring maakte Edward verdrietig, hij wilde hem niet en hij had het geld dat hij ervoor zou krijgen als hij hem terugbracht niet nodig.

Oké, dacht ze. De ring verdween eerst in haar sokkenla, daarna in het geheime vakje van haar juwelenkistje. De ring was eigenlijk een ergernis, zoiets als een hinderlijk label in haar slipje, een steentje in haar schoen, een stukje popcorn tussen haar kiezen. Ze kon hem verkopen, verpanden, hij zou nog steeds duizenden dollars opbrengen, die ze, in tegenstelling tot Edward, goed kon gebruiken. Gek genoeg kon ze zich er niet toe zetten, en als iemand haar zou vragen wat haar ervan weerhield (wat niet zou gebeuren omdat behalve Edward niemand wist dat ze dat ding had), zou ze zeggen dat ze er nog niet aan toe was. Wat dat ook betekende.

Bedankt voor je telefoontje Edward, fijn dat je mijn heerlijke ochtend hebt verknald! Bedankt Claire, voor je bemoeizucht!

Terwijl Siobhan de loempia's aan het vullen en vouwen was, belde ze Claire. Het was bijna twaalf uur. Nu Claire weer aan het werk was, had ze Siobhan laten weten dat ze alleen tijdens lunchtijd 'beschikbaar' was.

'Hoi,' zei Claire met haar mond vol.

'Edward Melior?' zei Siobhan.

'Sorry?'

'Is Edward voorzitter van de cateringcommissie?'

'Klopt,' antwoordde Claire. 'Stom, ben ik helemaal vergeten te vertellen. Ben je boos?'

'Een beetje.'

'Hoeft niet. Hij bood zich vrijwillig aan.'

'En dat vertel je niet eens.'

'Ik wilde je niet aan het schrikken maken.'

'Ik schrok nu omdat het me overviel.'

'Nou, ik ben in elk geval blij dat hij eindelijk contact met je heeft opgenomen,' zei Claire. 'Ga je een offerte maken?'

'Ja.'

'Hij kiest jou als je offerte lager is. Ook al is het maar een beetje.'

'Ja, weet ik. Maar hoe weet ik wat laag is?'

'Nee, dat weet je ook niet. Ik ook niet. Ik heb de andere offertes niet gezien.'

'Nee, natuurlijk niet. Je bent nog heiliger dan de moeder van de paus,' zei Siobhan. Even overwoog ze te vertellen dat Carter had verloren met gokken, maar ze besloot het niet te doen. Twaalfhonderd dollar betekende niet het einde van de wereld. Hij beweerde trouwens dat het fooiengeld was geweest, geld dat hij zelf had verdiend. *Niet overdrijven, schat.* Als Siobhan het aan Claire zou vertellen, zou ze zich zorgen maken en de hele kwestie zou opgeblazen worden. 'Hoe gaat het met je atelier?'

'Goed hoor,' antwoordde Claire. 'Ik ben nog steeds bezig met de vazen voor Transom. Het is lastiger dan ik gedacht had, en Elsa wil ze ruim voor de kerst binnen hebben. En ik moet met de kroonluchter voor de galaveiling beginnen. Daar heb ik echt zin in.' Diepe zucht. 'Lock zegt steeds tegen me dat ik een echte kunstenaar ben.'

'Lock heeft een vreemde kijk op de wereld,' zei Siobhan. 'Hij kan zijn geld aan glazen kunstvoorwerpen uitgeven. O ja, en aan het schoolgeld voor een particuliere school. En aan wax voor zijn Jaguar. En aan manchetknopen. En aan medicijnen voor Daphne.'

'En viognier,' liet Claire zich ontvallen.

'Wat?' zei Siobhan.

'Dat is zijn lievelingswijn,' antwoordde Claire.

'Ooo! Fijn dat je weet wat zijn lievelingswijn is. Ik had niet gedacht dat Lock Dixon wijn dronk. Hij is zo arrogant.'

'Helemaal niet,' zei Claire.

'Wel,' zei Siobhan.

'Nee, Siobhan, hij is niet arrogant. Je kent hem niet.'

'Ik ken hem wel. Hij is een zelfingenomen kwast.'

'Ik moet ophangen,' zei Claire.

Siobhan rolde nog een loempia, acht rijen van acht, dat waren er vierenzestig. Ze waren goedgevuld en volmaakt, als ingebakerde baby's. 'Bel me later maar terug,' zei Siobhan. Ze hing op.

Siobhan maakte de marinade voor de saté en dacht: *Edward Melior, roze aronskelken. Ik kan nu geen bedankkaartje meer sturen. Dat zou te doorzichtig zijn.* Ze dacht: *Voignier. Zijn lievelingswijn.* Niet die van Edward, maar van Lock Dixon. Lock Dixon die steeds maar tegen Claire zei dat ze een kunstenaar was. Siobhan verzorgde dineetjes, ze was geen chef-kok, geen genie; ze haalde zesjes en zeventjes toen ze bij de nonnen op school zat. Soms ging ze zo op in haar bezigheden dat haar gezonde verstand eronder te lijden had. Haar man had een bedrag van vier cijfers vlak voor haar ogen vergokt. Vlak voor haar ogen. *Dat is zijn lievelingswijn.*

Hadden ze iets, Claire en Lock Dixon? Uitgesloten. Toch leek het erop. Maar Claire was de betrouwbaarheid, de goedheid en hartelijkheid zelve, ze zond positieve energie het universum in. Ze ging op in haar kinderen en in de hogere idealen van kunst, en ze had daarnaast een seksleven met Jason dat rechtstreeks uit de *Cosmo* kwam. Claire zou nóóit vreemdgaan. En als ze het wel deed, wat onmogelijk het geval kon zijn, zou ze het niet voor haar verzwijgen. Claire vertelde haar alles, ze vertelde over haar menstruatiepijn, haar gescheurde nagelriemen, ze vertelde het als de post kwam of als de wc verstopt was. *Dat is zijn lievelingswijn.* Wat een merkwaardig zinnetje, Claire had het zo trots, zo bezitterig gezegd. Claire en Lock Dixon? Nooit! En toch... leek het erop.

Siobhan verzorgde met veel succes de catering van het Montessori-diner, ze diende de offerte voor het gala in bij Edward, ze hield het gokgedrag van Carter nauwlettend in de gaten en haalde en bracht de jongens naar hun eindeloze hockeytrainingen. In de kersttijd was ze als een gek bezig in haar huis, ze kookte en versierde, ze bakte vijgentaarten, ze maakte een dipsaus van gerookte zalm en zelfgemaakte chips van Parmezaanse kaas met peper, ze fabriceerde met de jongens een snoephuisje van peperkoek, ook al waren ze daar eigenlijk te oud voor. Ze maakte voor haar vrienden en vriendinnen een prachtige kerstkrans van gedroogde hortensia's en reusachtige dennenappels van de dennenbomen bij Tupancy Links.

Siobhan ging verschillende keren op dennenappelstrooptocht en telkens weer was het betoverend en romantisch. Gehuld in een wollen omslagdoek met zuurstokstreepjes en een rieten mand aan haar arm dwaalde ze op koude middagen door het dennenbos, met in het vooruitzicht de kerstliedjes die haar thuis te wachten stonden, en een hete rumcocktail om warm te worden. Ze was een meisje uit een sprookje op die momenten, ze verzamelde alleen de grootste, mooiste dennenappels en was het enige levende wezen in de verre omtrek, helemaal alleen in dit ongerepte deel van het eiland.

Je kunt je dan ook haar verbazing voorstellen toen ze, op weg naar huis met een overvolle mand prachtige dennenappels naast zich, plotseling Claires auto zag opduiken. Siobhan reed het dennenbos uit, Claire reed het bos in. Ze reed veel te hard, zodat ze, toen Siobhan op de onverharde zandweg de bocht om kwam, bijna op elkaar botsten. Siobhan hapte naar adem, het was op het nippertje goed gegaan, en ze hapte nogmaals naar adem toen ze zag dat het de auto van Claire was, dat Claire aan het stuur zat, met iemand naast haar – een man. Lock Dixon. Althans, Siobhan dacht dat het Lock Dixon was. Ze kon alleen met zekerheid zeggen dat de man oorwarmers droeg, en Lock stond erom bekend dat hij oorwarmers droeg (arrogante kwast). Siobhan wist dat Claire haar auto herkend had – natuurlijk! – maar Claire stopte niet. Ze reed met een noodgang het verlaten bos in, dat Siobhan zojuist had verlaten.

Siobhan reed verder, verbijsterd. De afgelopen maanden, sinds Claire medevoorzitter van het gala was, waren er twee of drie vergaderingen per week, altijd 's avonds. Jason klaagde tegen Carter, die het weer aan Siobhan vertelde. *Het is wel heel vaak, vind je niet? Al die vergaderingen. Als jij maar nooit voorzitter wordt van zoiets.*

Nooit, zei Siobhan. *Veel te veel werk.*

Wat deden Claire en Lock Dixon samen in het bos op een decembermiddag? Geen dennenappels zoeken, dat was zeker. Siobhan dacht er even over hen te volgen. Wat zouden ze daar doen?

Later die middag belde Siobhan Claire. 'Hoi, hoe is het?' zei Claire. Alsof er niets aan de hand was.

'Zag je me niet?' vroeg Siobhan.

'Hoe bedoel je?'

'Bij Tupancy. Ik kwam uit het bos. Ik zat in de auto. Jezus, Claire, je reed me bijna aan.'

Claire lachte, maar Siobhan die verdomme al eeuwen haar beste vriendin was wist dat het een geforceerde lach was. 'Ik weet niet waar je het over hebt.'

'Ik heb je gezien, Claire,' zei Siobhan. 'Je zat met Lock in de auto.'

Weer een lach, het klonk nu vals. 'Je bent gek, schat.'

Siobhan snoof. Dit was belachelijk! Ze zou Claire nog in een donker hol met een papieren zak over haar hoofd herkennen. 'Ontken je dat je vandaag in Tupancy bent geweest?'

'Tupancy?' Alsof Siobhan gek was. 'Ik ben in geen eeuwigheid in Tupancy geweest.'

Ze ontkende het! Maar waarom? Claire had elk verhaal kunnen ophangen. Ze had Siobhan alles kunnen wijsmaken en zij zou het geloofd hebben, maar ontkennen dat ze er was geweest terwijl ze bijna een botsing hadden gehad was een belediging voor hun vriendschap, en bovendien heel erg dom. Het kon maar één ding betekenen: Claire en Lock hadden een hartstochtelijke verhouding. Dit was het toppunt van verraad.

Nee, dacht Siobhan. Het was gewoon onmogelijk. Claire was veel te braaf. Ze was geboren met een knagend geweten. Ze voelde zich al schuldig als ze een week niet naar de kerk ging, als ze een vlieg doodsloeg, ze voelde zich schuldig als het régende. Overspel was niet iets waartoe Claire in staat was.

Maar wat was er dan aan de hand? Siobhan nam zich voor het uit te zoeken.

In zijn jonge jaren moest hij zichzelf er voortdurend van overtuigen dat hij niet droomde. Het geld stroomde met bakken binnen, maar het was niet het geld waar hij een kick van kreeg; het waren de meisjes, al die meisjes, en niet te vergeten de jongens, de limousines, de hotelkamers in de Four Seasons met de zachte handdoeken, de badjassen, de Veuve Clicquot in zilveren koelemmers en al die rozen die hij toegeworpen kreeg als hij op het podium stond. Het was het respect, de waardering die hij van iedereen kreeg, van platenbonzen en staatshoofden tot Julia Roberts – zij en haar man waren fans en hadden al zijn albums. Alle albums van Max West, Matthew Westfield, een jongen uit Wildwood Crest, een armoedige kuststad in New Jersey. Matthew was aan de kust opgegroeid, met een vader die de benen nam toen Matthew vijf was en een strenggelovige moeder die als secretaresse bij de kerk werkte, en die haar informatie over het leven buiten Wildwood uit tijdschriften haalde die ze bij de supermarkt haalde. Wat deed hij, Matthew Westfield, op het podium voor zeventigduizend met hun armen zwaaiende mensen? Ze aanbaden hem, hij was niet langer een schooier uit New Jersey, maar een godheid. Hij kon krijgen wat hij maar wilde: vrouwen, drugs, wapens, de paus in het publiek (toen hij een keer een optreden had in Italië had hij geprobeerd om zijn moeder over te halen met hem mee te gaan, maar ze wilde niet zo ver reizen, zelfs niet voor de Heilige Vader).

Hij zat nu in Thailand, in Bangkok, in het Oriental Hotel. Voor zijn kamer stonden twee butlers (dat had iedere gast) en twee gewapende bewakers (dat had alleen hij, omdat hij een moslimmeisje in het publiek in Jakarta had aangemoedigd haar *hijab* voor hem af te doen, waarmee hij de woede van de moslims over zich afriep en genoodzaakt was het land halsoverkop te verlaten). Het was winter in Amerika, maar hier in Thailand was het heter dan in de hel. Het was zo bloedheet dat je niets anders kon doen dan bij de airconditioner in de hotelkamer zitten, de gekoelde champagne drinken en, om vergetelheid te zoeken, de verrukkelijke Indonesische wiet te roken die ze als afscheid van Java hadden meegenomen. Want vergetelheid was het enige wat Max West, de man die alles kon krijgen wat hij wilde, zocht.

Ze hadden een paar meisjes naar zijn kamer gestuurd, een stel magere, giechelende grietjes in korte rokjes, met schreeuwerige oorbellen en make-up bedoeld voor blanke vrouwen. Ze waren mooi, maar heel erg jong, sommigen misschien nog maar veertien, waarschijnlijk menstrueerden ze nog niet eens. Als een stel schoolmeiden hingen ze om elkaar heen, en dat maakte Matthew melancholisch. Hij gaf hen wat *bahts* en stuurde hen weg. De butler keek hem vragend aan, en Matthew zei: 'Te jong.' Nog geen uur later werd er op zijn deur geklopt. Er stond een meisje voor hem. Ze was ouder – twintig, eenentwintig – en ze zag er westers uit: jeans, een zwart T-shirt, zilveren oorbellen, slippers, gelakte teennagels versierd met glittertjes. Ze zag er slim uit, maar leek nu al verveeld, het was waarschijnlijk een studente die wat bij wilde verdienen. Matthew mocht haar meteen.

'*Sawadee krup*,' zei hij grinnikend. Hij vond dat hij 'hallo' en 'dankjewel' moest kunnen zeggen in elk land waar hij kwam.

'Mag ik binnenkomen?' vroeg het meisje. Haar Engels was perfect, ze had nauwelijks een accent.

Ze heette Ace (waarschijnlijk anders gespeld, maar de Amerikaanse versie van de naam paste perfect bij haar; ze was zo koelbloedig als een koorddanseres). Ze liep naar binnen, liet zich door Matthew een glas champagne inschenken en ging op de bank zitten. Hij schonk ook zichzelf een glas in, en stak, toen hij zag dat er niet genoeg was om zijn onstilbare dorst te lessen, zijn hoofd om de deur en vroeg de butler om nog twee flessen. Hij wist dat wat hij deed fout was, dat de hele situatie fout was, maar hij was nu eenmaal begonnen; hij werd al warm vanbinnen en hij verlangde naar de wiet en de vergetelheid die het teweeg zou brengen. Hij vroeg zich af wat ze voor een meisje was. Wie was ze? Wat deed ze hier? Waar had ze Engels geleerd?

Officieel was Matthew nog getrouwd. Bess, zijn vrouw, was weer terug naar Californië, waar ze met Pollux en Castor, de border collies, in hun glazen kasteel in Malibu woonde. Bess had als hulpverleenster gewerkt in het afkickcentrum in Pennsylvania waar Matthew tussen zijn opnamen in Hazelden door hulp gezocht had. Ze had niet met een rockster willen trouwen, vooral niet met een rockster die zo ongeneeslijk verslaafd bleek als Matthew, maar haar verlangen hem te redden bleek sterker. Na zes jaar huwelijk voerde ze nu een zerotolerancebeleid, en ze had toen hij haar vanuit Irian Jaya met dubbele tong belde aangekondigd dat als hij tijdens deze tour zou drinken (*en zo te horen heb je al aardig wat op, Max*) ze met hem zou breken. Behalve op professioneel vlak wilde ze niets meer met alcoholisme te maken hebben. Het afkickcentrum had hem niet geholpen, achtentwintig dagen onthouding niet (hij had het in totaal vierentachtig dagen uitgehouden), want zijn drankprobleem lag in hem verankerd. Het probleem had te maken met wat Bess 'een diepgeworteld verdriet' noemde en waarvan zij dacht dat het ontstaan was in zijn jeugd toen zijn vader was weggegaan.

Bess had een hechte vriendschap opgebouwd met Matthews accountant, Bob Jones, en Matthew vermoedde dat Bess binnenkort bij hem wilde intrekken. Ze zou de vrouw van een accountant zijn, ze zou een leven leiden dat lijnrecht stond tegenover haar leven van dat moment. In plaats van dat ze negentig procent van haar tijd in haar eentje doorbracht, met wandelen over het strand en met maaltijden verzorgen voor de honden (terwijl ze zelf alleen maar hummus at), zou ze een leven krijgen waarin ze voortdurend gezelschap had. Ze zou gezond koken voor Bob Jones, ze zouden alles samen doen: tv-kijken, vrijen en slapen tot ze door de weldadige Californische zon werden gewekt. Het mooie van Bess was dat ze geen geld van Matthew wilde. Ze wilde geen geld. Ze had geen geld nodig om de dingen te krijgen die er werkelijk toe deden, zei ze altijd.

Matthew moest toegeven dat de op handen zijnde scheiding hem geen onoverkomelijk verdriet bezorgde. Behalve natuurlijk dat hij en Bess geprobeerd hadden een kind te krijgen en dat die kans nu verkeken was. In plaats daarvan zou Bess met Bob Jones een kind krijgen. Een kind dat kon optellen en aftrekken in plaats van een kind dat genetisch voorbestemd was om gin te drinken. Matthew zou het zelfs niet erg vinden als Bess nu zwanger was. Het leek hem fantastisch om ergens op de wereld een zoon of een dochter te hebben. Bess zou een geweldige moeder zijn. Ze had haar prioriteiten duidelijk op een rijtje, en alcohol, drugs en rock-’n-roll stonden onder aan de lijst.

Dit waren uiteraard de gedachten van een man die hard op weg was dronken te worden. De butler verscheen weer met twee zeer koude flessen Veuve Clicquot, en terwijl Matthew ze in het ijs onderdompelde, bekeek hij zichzelf in de spiegel. Overal in de hotelkamer waren foto’s van Max West, op cd-hoesjes, posters, kranten en tijdschriften, maar ze gaven geen van allen een juist beeld van hoe Matthew er eigenlijk uitzag. Hij vond zijn gezicht pafferig, en zijn huid leek wel grijs, ondanks de tropische zon. Zijn haar was nog donkerbruin, maar het was vet en stond in pieken overeind. Hij had bruine ogen die als ‘gevoelig’ en ‘ondoorgrondelijk’ beschreven waren, maar het wit eromheen was rood, moe en geïrriteerd. Op het puntje van zijn neus zat een putje, dat hij toen hij zeven was had opgelopen toen hij de mazelen had. Zijn stylist bedekte het altijd met make-up, maar op de een of andere manier gaf dat putje in zijn huid hem troost, die kleine onvolkomenheid was een deel van zijn ware ik. Matthew hoorde een ritselend geluid en in de spiegel zag hij dat Ace op de bank haar benen ongeduldig over elkaar sloeg. Ze vond hem niet leuk, ze was niet onder de indruk van hem. Hij was geen wereldberoemde rockster. Hij was een mislukkeling.

Hij had een begeleider mee op deze tour, een begeleider die geen seconde van de dag van zijn zijde zou wijken, behalve als hij optrad, en zelfs dan hield Jerry Camel van achter het podium in het halfduister een oogje in het zeil. Jerry was een toffe vent, hij was fijn gezelschap; Matthew had geen klagen over Jerry of over zijn vurige geloof in Jezus. Jerry Camel was een jeugdvriend van Bruce Mandalay, Bruce betaalde hem om *Max West nuchter te houden!*

Maar Jerry Camel liep een maagvirus op dat hem bijna fataal werd, toen ze een trektocht maakten naar de mystieke, juweelkleurige vulkanische meren van het Indonesische eiland Flores. Hij moest per helikopter naar Denpasar op Bali worden overgebracht en vervolgens naar Singapore. Matthew, die stiekem een paar flinke slokken had genomen uit de heupflacon van de plaatselijke gids, werd niet besmet door het levensbedreigende maagvirus. Alcohol had zijn leven gered!

Maar het maakte zijn leven ook kapot, erkende hij, terwijl hij de twee flessen champagne met een knal ontkurkte. Een ervan gaf hij aan zijn Thaise studente, zelf nam hij een slok uit de andere. Waarom zou je een glas gebruiken? Ace zat er zo te zien niet mee. Ze had de fles al aan haar mond. Ooit zou Matthew dood worden gevonden in een hotelkamer als deze, dat wist hij zeker, vooral nu Bess hem had verlaten. Hij zou alleen sterven, als een onbedoeld slachtoffer van zijn eigen leven, net als Hendrix, Morrison, Joplin en Keith Moon. Verslaafd raken was het risico van het vak, was een geliefde uitspraak van Max West, maar Bess vond dat de slechtste smoes ooit.

Matthew rolde een joint en was blij dat hij gezelschap had. De rest van de band, Terry en Alfonso – Bruce had er lang geleden al voor gezorgd dat Matthew zich met brave huisvaders omringde – waren de hele dag in Bangkok om allerlei bezienswaardigheden te bekijken: de drijvende markten, de tempel van de Emerald Boeddha, de tempel van Wat Po, met een liggende Boeddha van zesenveertig meter en een huis van een bekende zijdehandelaar met de mooiste antiquiteiten van Zuidoost-Azië. Ze stonden het oogluikend toe als hij een paar trekjes van die heerlijke hasj nam, maar zouden hem lynchen als ze wisten dat hij zat te drinken.

Oké, Ace dus. Matthew glimlachte naar haar terwijl hij de joint opstak, maar hij had plotseling geen energie voor smalltalk – waar ze vandaan kwam, wat ze deed. Hij wilde dat allemaal wel weten, maar hij kon zich er niet toe zetten het te vragen. *Een diepgeworteld verdriet.* Matthew probeerde zich een beeld te vormen van het verdriet dat in hem huisde. Gedijde het ergens diep in de krochten van zijn ziel, waar het explosief groeide? Was het inderdaad aan het vertrek van zijn vader te wijten? Matthew had geen herinneringen aan zijn vader en hij dacht nooit aan hem. In zijn beleving had hij een fijne jeugd gehad; zijn moeder hield van hem en zijn oudere broer en zussen waren dol op hem. Zijn volwassen leven was een droom geweest, elke wens, materieel en immaterieel, was vervuld. Hij schreef songs, hij zong, hij speelde gitaar. Hij keek naar Ace, de zachte, bruinsuède huid, het zijdeachtige zwarte haar, de tere, blanke binnenkant van haar pols. Ze was mooi en onverschillig (hij waardeerde de onverschilligheid meer dan haar schoonheid), maar Matthew wist dat hij niet met haar naar bed zou gaan. Hij was het van plan geweest toen hij haar binnenliet, het was wat zij verwachtte, maar hij was die inhoudsloze relaties zat, hij was er klaar mee om te vrijen met mooie meisjes die niets voor hem betekenden.

Een diepgeworteld verdriet. Matthew liet de champagne in zijn keel lopen, het prikte, hij stikte bijna. Toen Max in Brunei was, was hem iets vreemds overkomen. Bruce had gebeld om Max te zeggen dat hij in augustus naar Nantucket Island zou gaan om voor Claire Danner te zingen.

Claire Danner? had Max gevraagd.

Ik dacht dat je dat wel wilde, zei Bruce. *Of heb ik me vergist?*

Nee, zei Max. *Natuurlijk wil ik het doen.*

Het was vreemd hoe de dingen liepen, hoe de wereld in elkaar zat, het was zo bizar en onvoorspelbaar dat Max het nuchter nauwelijks aankon. Zodra Bruce de naam Claire Danner had genoemd werd Max overspoeld door tedere, pijnlijke herinneringen aan zijn tienertijd. En aan Claire. God, wat waren ze onvolwassen geweest, maar op de een of andere manier volmaakt. In zijn gedachten was Claire Danner geen persoon meer, ze was een idee geworden: hand in hand samen onder een deken op het strand in slaap vallen; zij was zijn onschuld, zijn waarneming, zijn stem. Hij had geleerd te zingen door voor haar te zingen. Ze wisten nog niets van de liefde, en dat was beter, dat was het beste – ze waren onschuldig. Ze wisten niet wanneer of hoe ze hun gevoelens konden verbergen, dus vertelden ze elkaar alles. Ze waren kinderen; ze waren gelukkig, ook als er teleurstellingen waren. *Claire Danner*, zei Bruce. Max had haar al lang, heel lang niet gezien, en toch zag hij haar glashelder voor zich, haar blanke huid, haar rode krullen, die kleine oren, als tere schelpjes. Ze had lichte wimpers, smalle polsen, en haar tweede teen was langer dan haar grote teen. Ze nieste heel zacht, waar Max altijd om moest lachen. Omdat ze van bier moest overgeven (dat kon hij bevestigen), dronk ze wijn met vruchtensap. In de weken nadat Bruce de woorden 'Claire Danner' had uitgesproken, raakte hij ervan overtuigd dat zij de vrouw was die hij het beste gekend en begrepen had in zijn leven. Beter dan zijn andere vrouwen, en zeker beter dan Savannah. En hij had haar verlaten. Hij dacht toentertijd dat hij geen keus had: hij vertrok naar Californië om rockster te worden, zij ging naar de kunstacademie, zij zou kunstenaar worden, echtgenote, moeder. Ze behoorde nu iemand anders toe, en hij had vele anderen toebehoord. Maar op de een of andere manier bleef hij altijd bij Claire Danner horen, toch? Max West had, zoals zoveel rocksterren, een carrière opgebouwd vanuit het idee dat we allemaal in ons hart zeventien blijven.

Hij gaf de joint door aan Ace. Ze inhaleerde met gesloten ogen.

'Moet je horen,' zei Matthew. 'Ik ga erheen van de zomer om voor haar te zingen.'

Ace hield haar hoofd schuin. 'Waarheen?' vroeg ze. 'Voor wie?'
'Naar Nantucket,' zei hij. 'Naar Claire.'

Voelde hij zich schuldig? Ja en nee. Het was gevaarlijk emotioneel terrein, maar het fijne van zijn verhouding met Claire Danner Crispin was dat hij zich op het moment dat zij in zijn leven kwam niet langer emotioneel dood voelde. Dat deel van zijn leven waarin zijn gevoelens belangrijk waren was verdwenen. Dat deel was hij verloren, niet in de maanden na Daphnes ongeluk (want dat waren in emotioneel opzicht de meest turbulente maanden van zijn leven), maar in de maanden na die maanden, nadat Daphne 'hersteld' was. 'Hersteld' was niet het juiste woord, want dat hield in dat iets was teruggevonden wat verdwenen was. Daphne had het ongeluk overleefd, ja, maar haar beste kanten was ze kwijt. Haar charme, haar gevoel voor humor, haar toewijding aan hem, Lock, en hun dochter, Heather. Verdwenen. Kwaadheid, achterdocht en een botte eerlijkheid waren er voor in de plaats gekomen, karaktertrekken die Lock, Heather en iedereen die met haar in contact kwam perplex deden staan. Soms, als Lock in bed lag – nadat Daphne had gezegd dat ze met hem getrouwd was om zijn geld en met hem getrouwd bleef om zijn geld, dat hij als minnaar niets voorstelde en dat ze sinds 1988 elk orgasme gefaket had – vroeg hij zich af: als de auto op een andere manier was verongelukt, als Daphnes hoofd een hardere, minder harde, of een ander soort klap gekregen had, zou het ongeluk dan een tegenovergesteld effect hebben gehad? Misschien had hij dan een hartelijke, liefhebbende, vredelievende vrouw gehad. Waarom was het zo gegaan en niet anders? Het verlies van de Daphne op wie hij verliefd was geworden, was de eerste klap, gevolgd door Heathers exodus naar kostschool en naar het zomerkamp in Maine. Ze had zelfs afgelopen Thanksgiving met de familie van een vriendin gevierd, op de Turks- en Caicoseilanden.

Dit was allemaal gebeurd, en Locks bron van geluk en liefde droogde op, en na verloop van tijd droogden ook zijn verdriet, teleurstelling en zijn kwaadheid op. Hij voelde niets meer, hij was een woestijn.

Het was makkelijker om op deze manier te leven dan hij had gedacht. Hij stortte zich op zijn werk. Hij hield van zijn baan, meer dan van zijn carrière die hij twintig jaar lang bij Dixon Superconductors in Boston had opgebouwd. Hij genoot ervan op Nantucket te zijn en deel uit te maken van een samenleving waarvoor hij iets kon betekenen. Het gaf hem voldoening om fondsen te werven en die voor Nantucket's Children te beheren.

In tegenstelling tot wat er over het algemeen werd aangenomen, waren er kinderen op het eiland die het echt arm hadden, net zo arm als kinderen in binnensteden, kinderen die in een kelderverdieping woonden met veertien anderen, die maar een keer per week onder de douche gingen, die hun kleding, schoenen, speelgoed en meubilair uit containers met gratis af te halen spullen op de plaatselijke vuilnisbelt haalden, kinderen van wie de ouders zo hard en tot zo laat werkten dat ze tot acht uur 's avonds bleven tafelvoetballen op de Boys & Girls Club met alleen een zakje chips als avondeten. Lock had inmiddels zoveel connecties dat hij ook met deze mensen in aanraking kwam; iedereen die Lock kende respecteerde hem en vond hem een goed mens. Hij deed werk dat gedaan moest worden, ook al hoefde hij eigenlijk niet meer te werken. Hij bleef zijn vrouw trouw gedurende de maalstroom van haar aanvallen; hij was standvastig. Een rots. Maar een woestijn. Hij had geen gevoelens. Het was niet goed, maar wel makkelijk.

Hoe was zijn verhouding met Claire te verklaren? Hij kende haar al jaren; ze was een gezicht op de achtergrond. Hij had haar nooit bijzonder mooi gevonden; hij was niet speciaal gek op vrouwen met rood haar of met een Victoriaanse, bleke teint. Hij bewonderde Claires glas altijd al, maar die bewondering betrof louter haar werk. Iets in de welvingen van de glasobjecten prikkelde hem, en haar gebruik van kleur strookte met zijn eigen gevoel voor schoonheid. Hij vond haar werk technisch gezien goed, en hij vond het mooi. De *Bubbles*-sculptuur in de hal van het zomerhuis van de Klaussens fascineerde hem op dezelfde manier waarop knikkers en caleidoscopen hem als kind gebiologeerd hadden. Hij had de *Bubbles*-sculptuur in het appartement van de Klaussens in Park Avenue bezocht, en ook het kunstwerk in het Whitney. En toen ze een keer op weg waren naar Stratton om te skiën, waren ze omgereden om het museum in Shelburne te bezoeken. Maar Locks bewondering voor Claires werk stond los van haar als kunstenaar; het was geen verklaring voor het feit dat hij plotseling als een blok voor haar was gevallen. De avond van de eerste galavergadering had het hem als een bom getroffen, als een crash, als een dreun op zijn hoofd. Claire had iets bijzonders over zich die avond: ze was zenuwachtig, serieus, maar ook zelfverzekerd (over Max West en over haar glas). Ze had een jadegroen T-shirt met een diep decolleté aan en strakke jeans, haar haar krulde om haar gezicht, en haar parfum maakte iets in hem in wakker toen ze het kantoor binnenkwam.

Een vrouw, dacht hij. Parfum, haar, borsten, een glimlach. En een glimlach in haar stem. Toen ze over Max West vertelde, zei ze: *Toen was hij nog gewoon een kind, zoals wij allemaal.* Ze dronk wijn en haar wangen werden rood, ze was een vrouw en tegelijkertijd nog een meisje. Toen ze opstond om naar haar eigen kunstwerk op zijn boekenplank te kijken – een vaas – raakte ze hem in het voorbijgaan heel even aan, en opnieuw viel haar geur hem op, en haar jeans. Ze nam de vaas in haar handen en draaide hem voorzichtig rond – op dat moment werd Locks fascinatie voor haar geboren. Zij had die vaas gemaakt, ze had hem met haar eigen lippen geblazen. Dat wond hem op. Hij schrok ervan, want samen met zijn emotionele leven was ook zijn seksuele leven doodgegaan. Wat seks betreft was het met Daphne hollen of stilstaan: een week lang twee keer per dag, en dan weer een jaar lang niets.

Maar als hij naar Claire keek, kwamen er plotseling verschillende lichaamsdelen bij hem tot leven. Het was alsof hij haar voor het eerst zag. Knal, een dreun voor zijn hoofd, een steek in zijn hart. Ze had het medevoorzitterschap van het gala geaccepteerd, niet omdat het haar macht gaf of omdat ze in de spotlights wilde staan, maar omdat ze wilde helpen; in dat opzicht leken ze op elkaar. Ze was lief. Hij wilde haar.

Het begon allemaal heel voorzichtig. Een kus, nog een kus, meer gekus – als ze enige aarzeling had gehad, zou ze hem wel gevraagd hebben te stoppen, toch? Hij pakte het allemaal heel rustig aan, ondanks zijn verlangen en begeerte. Ze kusten, hij streelde haar borsten, haar zachte tepels, en ze hapte naar adem alsof ze zich gebrand had. Onmiddellijk trok hij zijn hand weg: had hij haar pijn gedaan? Liep hij te hard van stapel? *Als je stopt, vermoord ik je,* had ze gezegd. En ze lachten.

Hij voelde zich schuldig – niet voor zichzelf, maar voor haar. Ze had een man, Jason Crispin, en ze zei dat ze van hem hield. Lock wilde weten wat ze daarmee bedoelde. Op welke manier hield ze van hem en hoeveel, en als ze van hem hield waarom wilde ze Lock dan? Want ze wílde hem. De hele herfst, de feestdagen en de hele winter lang sprak ze met hem af. Sommige avonden bleven ze op kantoor, soms spraken ze af in de tuin van Greater Light, een beschermd (maar zelden bezocht) historisch pand, waar ze als tieners vrijden, Claire zittend op de koude cementen trap, Lock met zijn hand in haar bloesje en vervolgens in haar jeans. Soms reden ze in de Honda Pilot van Claire tot voorbij de watertoren of naar het einde van Capaum Pond Road, waar ze rollend over de autozitjes van de kinderen in elkaars armen vlogen, de kleurboeken en de lege pakjes vruchtensap op de grond vertrappend. Lock hield er niet van om in de auto de liefde te bedrijven, niet alleen omdat het niet comfortabel was, maar omdat de aanwezigheid van de kinderen bijna tastbaar was. De Honda was een deel van Claires leven, het was een verlengstuk van haar huis, en Lock voelde zich een indringer. Maar Claire vond het fijn met hem in haar auto te zijn; het gaf haar een verrukkelijk gevoel, zei ze, als ze terugdacht aan hun vrijpartij terwijl ze de kinderen naar school bracht. Ze gingen dus vaak met de auto op pad omdat Lock, meer dan wat ook, Claire gelukkig wilde maken. In tegenstelling tot Daphne, kon Claire gelukkig worden gemaakt, en dat was Locks grootste voldoening, daar putte hij energie uit. Claire glimlachte, ze lachte, ze giechelde. *Ik voel me weer een kind,* zei ze. *Je hebt mijn leven veranderd.*

Hij had ervoor gezorgd dat ze weer naar haar atelier ging, dat ze weer werkte. Niet omdat hij bij haar in de gunst wilde komen, maar omdat hij het als een sociale verplichting zag. Volgens hem kon de wereld niet zonder de kunst van Claire Danner Crispin. Toen hij haar had gevraagd een kunstwerk voor de veiling te maken, wist hij bijna zeker dat ze het geweldig zou vinden en gevleid zou zijn. Hij begreep toen nog niet waarom ze met werken was gestopt. Hij dacht dat het tijdelijk was, een zwangerschapsverlof. Nu kende hij haar hele verhaal, en hoewel Lock graag zijn reactie wilde geven hield hij zijn mond. Hij was allang blij dat hij haar zover had weten te krijgen dat ze weer aan het werk was.

Je zou helemaal gek zijn geworden, zei hij, als je de rest van je leven alleen maar aanrechten moest boenen.

Ik weet het niet... had ze geantwoord.

Maar het was duidelijk dat ze het heerlijk vond om weer te werken. Het was een stimulans, zei ze.

Moeilijker was het voor Lock haar ervan te overtuigen dat noch de val, noch Zacks vroegtijdige geboorte haar schuld was.

Ik was degene die viel, zei ze. Ik was uitgedroogd, ik had niet genoeg water gedronken. De temperatuur was gevaarlijk hoog, dat wist ik. Mijn dokter had me gewaarschuwd...

Ze had het voortdurend over Zack. Eén keer had Lock hem in het voorbijgaan gezien. Claire beschreef hem als zielig en zei dat hij 'enorm achterliep' bij andere kinderen van zijn leeftijd. Lock vond het niet goed klinken en in een poging te helpen gaf hij haar informatie over Early Intervention (Nantucket's Children zamelde jaarlijks geld in om deze vorm van begeleiding aan pasgeboren kinderen te steunen) en de naam van een arts in Boston. Lock dacht dat Claire er blij mee zou zijn, maar het was onmiddellijk duidelijk dat ze het hem kwalijk nam.

'Je denkt dat er iets mis is met hem!'

'Ik ken hem niet eens, Claire. Ik heb hem nog geen vijf minuten meegemaakt. Ik heb je die informatie alleen maar gegeven omdat je bezorgd bent, en ik wilde je helpen.'

Het liep uit op ruzie. Voor het eerst gingen ze op een vervelende manier uit elkaar. Claire huilde om Zack – er was iets mis met hem, het was haar schuld, ze wist het – en Lock wreef het haar nog eens extra in door haar het telefoonnummer van een arts in Boston en Early Intervention te geven. Als ik het idee had dat hij Early Intervention nodig had, gilde ze, had ik hen zelf wel gebeld! Lock probeerde alleen maar te helpen. Zo ging hij altijd te werk; het was niet zijn taak een diagnose te stellen, maar om mensen met problemen in contact te brengen met mensen die hun problemen konden oplossen. Hij had geprobeerd het aan Claire uit te leggen, maar ze wilde niet luisteren. Ze reed weg.

Vijf dagen lang hoorde hij niets van haar. Vijf lege, bijna ondraaglijke dagen. Hij kon zijn gedachten niet bij zijn werk houden, telkens als de telefoon ging, stopte hij met waar hij mee bezig was, keek hij naar Gavin en spitste zijn oren. Was het Claire? Nee. Telkens als hij beneden onder aan de trap de deur hoorde opengaan, sprong zijn hart op. Nee. Hij stuurde haar een (vage) e-mail waarin hij zijn verontschuldigingen aanbood, daarna nog een. Ze reageerde niet, maar dat was niet zo verwonderlijk. Claire checkte haar e-mail maar zelden. Uiteindelijk besloot hij bij haar thuis langs te gaan. Deze beslissing was zowel onbezonnen als doordacht. Eigenlijk wilde hij haar vrolijke, drukke huishouden niet zien, hij wilde zich niet verdrietig en eenzaam voelen omdat zijn eigen huis zo koud en wit als een lege koelkast was. Nadat Siobhan hen in Claires auto had gezien, samen, hadden ze een regel ingesteld over hun afspraken overdag: ze zouden elkaar niet ontmoeten behalve onder het mom van legitieme gala-aangelegenheden. En die waren er genoeg: Claire werkte aan de voorbereidingen van het concert; ze was aan het touwtrekken met Isabelle over het concept van de uitnodigingen, ze was bezig met mogelijke sponsors en de taken van de commissieleden. Voor hun ruzie hadden Claire en Lock twee keer samen geluncht, waarvan één keer met Tessa Kline van *NanMag*. Tessa was bezig met een artikel over Nantucket's Children en de directeur, Lockhart Dixon, het jaarlijkse zomergala en Claire Danner Crispin, medevoorzitter en plaatselijke kunstenaar.

'Ik heb altijd al een echt diepte-interview willen doen,' zei Tessa, 'om de verschillende, maar met elkaar verband houdende elementen uit te lichten.'

Ze lunchten in de Sea Grille. Lock en Claire zaten naast elkaar op de muurbank, Tessa zat tegenover hen en vuurde allerlei vragen op hen af. Op een gegeven moment stootte Claire Lock zachtjes met haar been aan, waarna hij van haar weg schoof. Voortdurend bespraken ze hoe belangrijk het was 'voorzichtig te zijn'. Siobhan koesterde al argwaan, ze konden zich geen enkel risico meer permitteren. Als ze betrapt werden, zou alles instorten: Claires huwelijk, haar gezinsleven, Locks huwelijk, zijn reputatie en de reputatie van Nantucket's Children.

Hun verhouding was een granaat. Trek de pin eruit en alles wordt vernietigd.

Maar Lock kon de gedachte niet verdragen dat Claire van streek was vanwege iets wat hij gedaan had. Hij moest haar zien.

Hij besloot naar Claires huis te gaan onder het voorwendsel een stapel sponsorbrieven af te geven die Claire moest ondertekenen en versturen, zo spoedig mogelijk. Voor de ruzie (je kon het eigenlijk geen ruzie noemen omdat ze niet geruzied hadden en er ook geen sprake was van een meningsverschil – hij had haar onopzettelijk gegriefd) had Claire hem vaak gevraagd langs te komen. Het zou zo lief zijn, had ze gezegd, en zo romantisch als hij haar een keer verraste.

Kom vroeg in de middag langs, had Claire gezegd. Jason is dan nooit thuis.

Lock maakte zich geen zorgen over Jason. Hij was hem laatst toevallig tegengekomen, rond de kersttijd in het Marine Home Centre, waar ze beiden een standaard voor de kerstboom kochten. Ze hadden samen in de rij gestaan en een praatje gemaakt.

'Claire is dolenthousiast over die toestand waar jullie mee bezig zijn,' had Jason gezegd.

'Mmmm,' zei Lock. 'Ja. Het gala.'

'Het zal me een feest worden,' zei Jason.

Hij is best aardig, dacht Lock. Hij had een stoerheid, een mannelijkheid die Lock miste, maar hij vond dat bij die karaktertrekken ook een zekere onnozelheid hoorde. Lock zei niet dat Jason dom was, maar hij was weinig verfijnd of werelds, en er waren dingen van Claire die hij niet wist of niet begreep.

Een keer had Claire op kantoor na een paar glazen viognier over Jason gezegd: 'De helft van de tijd ben ik zijn moeder en de andere helft van de tijd ben ik zijn seksslavin.'

'Je weet dat je beter verdient,' had Lock gezegd, terwijl hij haar haar opzij hield om haar in haar nek te kussen. Volgens Lock behandelde Jason Claire als een feodale dienstmeid, en hoewel hij daar woedend over was, was hij er ook blij om. De gaten die Jason liet vallen kon hij opvullen. Hij kon Claire vertellen dat ze mooi was, hij kon met haar over haar werk praten, hij kon haar op waarde schatten, haar zacht en teder behandelen. Hij kon gedichten uit de *New Yorker* knippen of passages uit een roman kopiëren waarvan hij wist dat de woorden en de sfeer haar aanspraken. Claire bewaarde deze knipsels in een blanco map.

'Ik hou van Jason,' zei ze. 'Maar hij is jou niet.'

Wat betekende dat? Lock begreep dat hij Claire iets gaf wat ze miste, iets waar ze behoefte aan had.

Claire had vaak seks met haar man. Ze gebruikte het woord 'vaak', maar legde niet uit wat ze daaronder verstond. Voor Lock en Daphne was één keer in de maand vaak, maar vóór het ongeluk gingen ze een of twee keer per week met elkaar naar bed. Lock was bang dat 'vaak' voor Claire nog vaker dan dat was, maar hij wilde er niet te lang bij stilstaan. Als hij met Claire samen was, wilde hij niet afgeleid worden door de vraag of Claire de dag ervoor, of misschien zelfs diezelfde dag, door Jason als seksslavin was gebruikt. Ze zei er nooit iets over. Haar passie voor Lock was keer op keer hartstochtelijk en heftig, en daar was hij blij om.

Hij had natuurlijk ook geen andere keus. Jason was haar echtgenoot, de vader van haar kinderen.

Lock ging naar Claires huis nadat hij met de directeur van het Marine Home Center geluncht had en het met hem over een regeling voor jaarlijkse schenkingen van de werknemers aan Nantucket's Children gesproken had. Op weg terug naar kantoor besloot hij de sponsorbrieven op te halen, die inderdaad nodig de deur uit moesten. Het liep toch al niet zo soepel allemaal.

Lock kende de buurt waar Claire woonde, maar hij wist niet precies welk huis van haar was. (Vreemd, dacht hij, dat hij niet eens wist waar zijn minnares woonde.) Daphne was een keer bij Claire thuis geweest voor een cocktailparty of een babyshower en Lock had haar gebracht, maar dat was eeuwen geleden, in een ander leven. Hij draaide Claires straat in – Featherbed Lane, een ongelukkige naam – zijn hart sloeg over, zijn maag speelde op. Hij overschreed een drempel, ging een grens over, hij betrad Claires werkelijke leven. Haar huis, aan de sfeervolle, knusse Featherbed Lane. Het was anders als Claire op kantoor langskwam; het kantoor was een openbare ruimte en zij hoorde daar nu ook, net zo goed als hij. Zij zou het niet in haar hoofd halen om bij Lock thuis langs te gaan, om dat kille, witte paleis aan het water te bezoeken. Ze wilde Daphne niet ontmoeten, en Lock kon het haar niet kwalijk nemen.

Hij wist meteen welk huis het was. Er was iets kenmerkends dat hij vergeten was: een overkapping bij de voordeur. Toen Lock lang geleden Daphne had afgezet, was het zomer, het dak van de overkapping was met klimop en clematis overgroeid (nu, in januari, waren de ranken kaal en bruin), en stond er op de stoep voor de deur een grote groene fles met de naam 'Crispin'. Claires auto stond op de oprit, er stonden hockeysticks tegen de garagedeur en in een bevroren plas lag een basketbal. Het was een heldere, koude dag. Lock kneep met zijn ogen, ondanks dat hij een zonnebril op had. Hij droeg oorwarmers – iedereen maakte er grapjes over, de mensen zeiden dat hij toch echt iets op zijn hoofd nodig had nu hij kaal werd – een jas en brogues. Hij voelde zich net een verkoper toen hij naar de voordeur liep. Of een Jehova's getuige.

Het huis was een kunstwerk op zich. Het was opgesierd met mahoniehout en koper, de lamp naast de deur was antiek. De voordeur hadden ze ergens op de kop getikt, en was waarschijnlijk afkomstig van een boerderij in Vermont. Lock klopte op de deur. Hij had eerst kunnen opbellen, maar dat was in tegenspraak met het idee van onverwachts langskomen, en dat was nu juist wat Claire wilde dat hij deed. Ze wilde door hem verrast worden. Nou, daar was hij dan. Surprise!

Lock hoorde geschuifel, gefluister, met zijn oorwarmers op kon hij het niet goed horen. En toen ging de deur op een kiertje open.

Lock zag een stukje zwart haar, één donkerbruin oog en een zilveren schittering. Hij hoorde een geluid dat op een klein belletje leek.

'Ja?'

Nu voelde hij zich echt een Jehova's getuige, een stofzuigerverkoper. 'Hallo, ik ben Lock Dixon. Ik werk met Claire. Is ze thuis?'

De deur ging iets verder open, er kwam een meisje tevoorschijn. De Thaise au pair. De redder in nood. Degene die het mogelijk maakte dat Lock en Claire een verhouding konden hebben. 'Ze is achter,' antwoordde het meisje. 'Atelier'.

'Ben jij Pan?'

Ze knikte, het belletje om haar nek tinkelde vrolijk. De deur ging nog iets verder open. 'Wil je binnenkomen?' vroeg ze.

'Oké,' zei hij. En toen was hij plotseling in Claires huis. Links stond een bank met kleurige kussens, er hing een lamp van gebrandschilderd glas. Er leidde een deur naar een zilverkleurig boudoirtje. De vloer was van esdoornhout. Rechts van hem zag hij een trap met een vreemde draaiing en een leuning die gemaakt was van iets wat leek op de planken van eikenhouten wijnvaten. Het huis was warm en het rook naar uien en gember. Hij hield onmiddellijk van het huis, en hij haatte zichzelf erom. Zijn ogen gingen rond, alsof hij een dief was die de boel verkende, en hij volgde Pan naar de zitkamer: een open haard waarin een blok hout lag te smeulen, kalkstenen aanrechtbladen, Oosterse tapijten, een grote, rode bank, een balkenplafond, kersenhouten kasten, koperen potten, droogbloemen, een groot ovaalvormig schoolbord waarop geschreven stond: *Shea om 4 uur van de ijsbaan ophalen! Melk!* Pan roerde in een pan op het fornuis, het rook verrukkelijk. Achter de bank lag wat speelgoed: een pluchen tijger, een plastic telefoon aan een koord, wat houten blokken. Lock legde de sponsorbrieven op het aanrecht naast een stapel post. Na alles wat Claire hem verteld had, had hij zich voorgesteld dat het huis één grote janboel was. Hij had open laden verwacht, bergen wasgoed op de leunstoelen, stoffige boekenplanken, kleffe cornflakes in een verstopte gootsteen. Maar het huis was opgeruimd, schoon, gezellig en smaakvol ingericht. De deur naar de bijkeuken stond open en Lock zag regenjassen, laarzen, er hingen balletschoentjes aan roze satijnen linten, hij hoorde het gezoem van de wasmachine. De kamer rook naar houtvuur, gember, wasmiddel. Ineens sprongen de tranen in zijn ogen. Hij had gedroomd dat hij Claire uit dit huis zou redden, maar ze was al veilig. Dit was haar thuis, en hij kwam de boel verstoren. Waar was hij mee bezig?

'Dit is voor Claire,' zei Lock, naar de stapel brieven wijzend. 'Ik kwam dit alleen even langsbrengen.'

Pan knikte, terwijl ze met een houten lepel in een pan met groenten roerde. Ze zag dat hij naar haar keek. 'Heb je honger?' vroeg ze. 'Wil je iets?'

Lock stak zijn hand op. 'Ik heb net gegeten,' antwoordde hij. 'Dank je.' Hij moest gaan. Als Claire eraan toe was om weer met hem te praten, zou ze hem wel bellen. Hij draaide zich om naar de deur. Hij twijfelde, nu zou Claire er achter komen dat hij langs was geweest en niet de moeite had genomen haar te zien, en hoe zou dát overkomen? Hij schraapte zijn keel. 'Kan ik Claire even spreken? Is ze achter?'

'Atelier,' antwoordde Pan. 'Werken.' Het klonk als een aansporing om te vertrekken, Claire wilde natuurlijk niet gestoord worden tijdens haar werk.

'Oké,' zei Lock. Hij moest echt gaan. Maar toch, het had hem zoveel moeite gekost, emotioneel gezien, om te komen, de stap te zetten, hij zou het waarschijnlijk niet nog eens doen, dus... wilde hij haar zien. Hij zou er op staan. 'Ik ga even naar achter,' zei hij. 'Oké?'

'Claire werkt,' zei Pan. 'Het is gevaarlijk.'

Daar had ze gelijk in. Het was er gevaarlijk. Maar Lock zei: 'Dat weet ik, maar ze wil me spreken.'

Pan staarde hem aan. Had hij de Thaise au pair iets laten doorschemeren?

Ze haalde haar schouders op. 'Oké. Voorzichtig. Zet een beschermbril op.'

Hij glimlachte. 'Reken maar.'

Hij ging door de achterdeur het huis uit en liep door de natte, modderige achtertuin naar het atelier, dat kleiner dan een tuinhuis, maar groter dan een schuur was. Er kwamen dikke witte rookpluimen uit de schoorsteen, zoals bij een kernreactor. Hij had zich Claire vaak aan het werk voorgesteld, en nu zou hij haar zien. Hij klopte op de metalen deur. Er kwam geen antwoord. Ze was misschien druk bezig, of ze hoorde hem niet. Hij wachtte, rilde en stampte met zijn voeten op de grond tegen de kou, terwijl hij zich afvroeg of Pan hem in de gaten hield. Hij keek om naar het huis, de ramen waren beslagen. Hij klopte nog eens, harder nu.

'Claire!' riep hij. De tuin grensde aan een openbaar golfterrein, zijn stem echode over de bevroren fairway. Was dit wel een goed idee?

Hij draaide de deurklink om. Zou hij gewoon naar binnen gaan? Een verrassing was leuk, maar stel dat hij haar zo liet schrikken dat ze zich brandde of sneed? Maar toch, hij had niet de hele dag de tijd, hij moest weer naar kantoor, en omdat hij per se zijn gezicht wilde laten zien, liep hij het atelier in.

'Claire?' riep hij weer. Jezus, wat een bloedhitte! Lock trok zijn oorwarmers van zijn oren en knoopte zijn jas los. Het moest er meer dan veertig graden zijn. De oven brulde als een draak. Locks ogen werden naar het oogverblindende licht getrokken, het was alsof hij recht in een ster keek. Hij deed zijn ogen dicht en vormeloze groene vlekken dansten in het rond. Wees voorzichtig! Hij was nog geen tien seconden binnen en hij had al zijn netvlies verbrand. Toen hij zijn ogen weer opendeed, zag hij Claire aan de andere kant van het vertrek staan. Ze droeg een witte tanktop, jeans en klompen. Ze was onherkenbaar. Haar haar was strak in een knot samengebonden en ze had een grote, plastic beschermbril op. Ze stapte juist van de smeltoven vandaan met een gesmolten klodder glas aan het einde van de blaaspijp, ze draaide de blaaspijp bedreven rond zodat de klodder een gelijkmatige bol werd, een perfecte bal gele gelei. Lock rukte zijn stropdas los – het was smoorheet, bijna ondraaglijk hier. Hoe hield Claire het uit? Hij zag dat ze transpireerde, haar topje was vochtig en plakte aan haar huid. Ze had hem nog niet gezien, en hij wist niet hoe hij zijn aanwezigheid kenbaar moest maken zonder haar te laten schrikken. Hij was gefascineerd door haar bewegingen, door de manier waarop ze de blaaspijp vasthield, hoe ze het hete glas aan het vormen was. Het vloeibare glas aan het uiteinde van de blaaspijp was als iets levends, het had een eigen wil; het wilde de ene kant op, maar Claire dwong het naar de andere kant. Het leek haar niet de minste moeite te kosten. Ze draaide de blaaspijp nog iets, legde de ballon op de metalen tafel, rolde, vormde het en maakte er aan het uiteinde met een tang een opening in. Daarna liep ze terug naar de smeltoven. Lock probeerde weg te duiken, maar hij was niet snel genoeg. Hij wilde haar niet laten schrikken, hij wilde naar haar blijven kijken. Ze zag hem – haar mond viel open, ze stootte tegen de blaaspijp. De bol aan het uiteinde ervan verloor onmiddellijk zijn vorm. Claire dompelde de blaaspijp met de vervormde bol onder in een bak water, wat veel stoom en gesis veroorzaakte. Tegelijkertijd ging Locks hoop in damp op. Hij had haar niet moeten storen, hij had haar werk verknald.

Hij wilde weggaan, snel, maar hij was er nu eenmaal en ze wist het, dus deed hij een paar aarzelende stappen naar voren.

Ze sloot de deur van de oven en onmiddellijk was het felle licht verdwenen en werd het minder warm. Ze schoof de beschermbril op haar hoofd en knipperde met haar ogen, alsof ze dacht dat ze hallucineerde.

Ik ben het, dacht hij. Surprise! Het langskomen was totaal mislukt. De vijf dagen stilte waren een signaal geweest. Ze wilde niets meer van hem weten.

Maar toen glimlachte ze. 'Ik kan het niet geloven,' zei ze. 'Ik kan het gewoon níét geloven.'

'Ik ben er,' zei hij. 'Ik heb die brieven afgegeven.'

'Brieven?' zei ze.

'De sponsorbrieven.'

'Hou op over die klotebrieven,' zei ze. Ze keek om zich heen. 'We zijn hier veilig. Ik ben de enige die hier komt.'

'Oké dan,' zei Lock, hij liep naar haar toe en sloeg zijn armen om haar middel. 'Ik kwam voor jou.'

Ze kusten. Ze smaakte naar metaal en zweet; haar lippen en de huid van haar gezicht waren kokendheet, alsof ze koorts had. Het was vreemd, maar niet onplezierig. Als ze allebei naar de hel gingen en zouden kussen, zou het zo zijn.

'Ik ben walgelijk,' zei ze.
'Jij? Nooit.'
'Moet je m'n haar zien,' zei ze. 'En ik stink een uur in de wind.'
Haar haar zat tegen haar voorhoofd geplakt en er stonden afdrukken van de beschermbril in haar gezicht. Ze rook zuur en muskusachtig. En toch was ze nog nooit zo mooi geweest. Nog nooit had Lock een vrouw gezien die mooier was dan Claire op dat moment, werkend, zwetend, glimlachend in haar atelier. Ze was een koningin.
'Het spijt me van laatst,' zei hij. 'Dat ik je die telefoonnummers gaf, ik dacht–'
Ze legde haar hand op zijn mond. 'Laat maar. Het lag te gevoelig. Ik had niet weg moeten rennen.'
'En je belde maar niet...'
'Jij belde ook niet.'
'Ik dacht dat ik je niet kon bellen,' zei hij. 'Ik heb je wel ge-e-maild. Twee keer zelfs.'
Ze gaf geen antwoord. Hij wist niet of dat betekende dat ze die e-mails gelezen had, maar het deed er niet toe. In die vijf dagen stilte was hem duidelijk geworden dat hij verliefd op haar was. Misschien was dat al een tijdje zo, maar hij had het tot nu toe niet willen zeggen. Het uitspreken was het toppunt van *gevaarlijk*.
'Ik ben verliefd op je,' zei hij.
Haar ogen waren vochtig – misschien was het zweet of gezichtsbedrog door de hitte. Maar nee, hij had gelijk: ze huilde.
'Dat moet wel,' zei ze. 'Je bent naar me toe gekomen.'
Hij drukte haar zo stevig als hij kon tegen zich aan, bang dat ze in zijn armen als boter zou smelten, dat ze zou verdwijnen. Het vloeibare glas aan het uiteinde van de blaaspijp, dat hete, trillende, levende ding, dat orgaan dat ze slechts met haar adem beheerste en deed zwellen, was zijn hart.

Ze kusten niet lang meer en gingen zeker niet verder dan dat. Het was te heet in het atelier en Pan zat in het huis te wachten, en bovendien had Lock zich op Claires (en Jasons) territorium gewaagd. Daarbij kwam nog het gevoel dat het doel van dit bezoek meer betekenis en gewicht had dan hun vorige vrijages. Hij had iets belangrijks verteld, hij had zich overgegeven, alles was nu veranderd. Het was naar een hoger plan getild. Hij was verliefd. Ze bezat hem. Hij was van haar.

'Ik moet weer naar kantoor,' zei hij.

'Ik weet het,' zei ze. 'Maar één ding, wil je misschien mee naar boven komen om Zack te zien?'

'Waar is hij?'

'Hij ligt boven te slapen. Ik wil graag dat je hem ziet.'

'Waarom?'

'Gewoon, omdat hij mijn baby is. Ik wil echt dat je hem ziet. Alsjeblieft?'

Ze liepen samen naar binnen, maar raakten elkaar niet aan. Pan zat op een barkruk aan het aanrecht te lunchen. Zwijgend keek ze hoe ze de trap op liepen.

Ze gingen de kinderkamer in, die botergeel geverfd was. Hij zag een kleed met het alfabet, vitrage, een walnoten ledikantje en een bijpassende commode, planken met kartonnen boekjes, een gestoffeerde schommelstoel en een mand met pluchen beesten. Heather had ook zo'n kinderkamer gehad, maar die van haar was opnieuw geschilderd en fungeerde nu als Daphnes 'studeerkamer', waar ze, voor zover Lock wist, nooit werkte, behalve dat ze er boze brieven naar de hoofdredacteur van de *New York Times* schreef waarin ze zich over de vrijzinnige standpunten van de krant beklaagde. Deze kinderkamer was gezellig, net als de rest van het huis, een weldaad voor de ziel. Het gaf hem een vredig gevoel het kindje te zien, een stevige baby met rood haar en de lichte huid van Claire. Hij lag onder een blauw dekentje en sabbelde op een speen.

'Dit is Zack,' fluisterde Claire.

Wat vond Lock van haar slapende baby? Zenuwachtig strengelde Claire haar vingers in elkaar. Ze dacht dat er iets mis was met haar kind, het beangstigde haar; ze was bang, ondanks dat Gita Patel, een vooraanstaand kinderarts, had gezegd dat Zack een gezond, normaal kind was. Om de een of andere reden wilde Claire een diagnose van Lock, ze wilde dat hij haar angst om Zack wegnam. Het was het enige wat ze hem ooit gevraagd had.

Zacks haar was rood en krullerig, net als dat van Claire, en zijn lange, gekrulde wimpers waren rood. Zijn huid was zo wit als gips, talkpoeder, sneeuw of puur marmer. Zijn ogen schoten heen en weer onder zijn oogleden en hij zoog ritmisch op zijn speentje. Hij was Claires kind, haar baby, en Lock voelde een golf van liefde voor hem in zich opwellen. Als er iets mis was met dit kind, zou hij Claire helpen om het op te sporen, op te lossen, te genezen.

'Wat een prachtkind,' zei Lock. 'Hij is volmaakt.'

7

Hij verlaat haar

Aan: isafrench@nyc.rr.com
Van: cdc@nantucket.net
Verzonden: 10 februari 2008, 10.02
Onderwerp: De uitnodiging

Isabelle,
Bedankt voor het toesturen van de proefdruk van de uitnodiging. Het ziet er mooi uit, die perzikkleur en het mintgroen, heel stijlvol, zonder dat het afgezaagd of ouderwets is. Ik wil alleen graag een paar punten aan de orde stellen. In de eerste plaats heb je de naam van het evenement veranderd. 'Une Petite Soirée' heeft een zekere Europese charme, maar Nantucket is geen Parijs of Saint-Tropez, en bovendien wordt het evenement al sinds jaar en dag het 'Zomergala' genoemd. Ik denk dat we, om verwarring te voorkomen, die naam moeten handhaven. Dus 'Une Petite Soirée' graag veranderen in 'Zomergala'.

Ik zag dat Aster is vergeten te vermelden *waar* het evenement zal plaatsvinden. We moeten hem dus vragen om na '18.00 - 20.00 uur' 'Gemeentelijke sportvelden, Old South Road' toe te voegen. Tot slot wil ik je vragen, of je 'mevr. Jason Crispin' in 'Claire Danner Crispin' wilt veranderen. Zonder op de details van mijn huwelijkse staat in te gaan, lijkt het me voldoende om je te zeggen dat niemand me op dit eiland of waar ook ter wereld als 'mevr. Jason Crispin' kent.
Bedankt! Claire

Aan: cdc@nantucket.net
Van: isafrench@nyc.rr.com
Verzonden: 10 februari 2008, 10.05
Onderwerp: De uitnodiging

Beste Claire,
Wat betreft de drie punten die je noemt in je e-mail van enkele minuten geleden: de naam 'Une Petite Soirée' heb ik heel bewust gekozen. Ik geef toe dat Nantucket geen Lyon of Aix-en-Provence is, maar 'Une Petite Soirée' geeft het evenement een bepaald cachet dat het heel goed kan gebruiken.

Ten tweede: door de locatie als 'Gemeentelijke sportvelden' te omschrijven krijgt ons evenement iets van een zondagse softbalwedstrijd, iets wat we koste wat het kost moeten vermijden. Toen ik Aster de gegevens doorgaf heb ik de naam van de locatie opzettelijk weggelaten, omdat ik ervan uitging dat we wel iets stijlvollers dan 'Gemeentelijke sportvelden' zouden kunnen bedenken. We kunnen gewoon 'In de tent, Old South Road' zeggen. Dat doet misschien aan een circus denken, maar het is aanzienlijk beter dan 'Gemeentelijke sportvelden', net zoals 'Une Petite Soirée' – je begrijpt toch dat de vertaling 'Een eenvoudig feestje' is? – stukken beter is dan 'Zomergala'.

Wat onze namen betreft het volgende: het is in New York heel gebruikelijk om 'mevr. Marshall French' en 'mevr. Jason Crispin' te schrijven. Ik geef toe dat het wat stijfjes aandoet (en geloof me, door de scheiding waarin ik momenteel verwikkeld ben heb ik zelfs een hekel aan de naam 'mevr. Marshall French'), maar ik gooi liever geen tradities overboord, vooral niet omdat onze doelgroep het ongetwijfeld op prijs zal stellen dat de uitnodiging formeel geformuleerd is.
Bedankt! Isabelle

Aan: isafrench@nyc.rr.com
Van: cdc@nantucket.net
Verzonden: 18 februari 2008, 11.21
Onderwerp: De uitnodiging

Isabelle,
Sorry dat ik zoooooooooooo laat reageer. Al mijn kinderen zijn ziek, mijn man heeft een belangrijke deadline op zijn werk en tot overmaat van ramp is mijn au pair op vakantie naar de Grand Canyon, waardoor ik in mijn eentje onze dagelijkse survival moet organiseren. Omdat ik dus krap in mijn tijd zit, beperk ik me tot de hoofdpunten:

* Ik begrijp de vertaling, maar bedankt voor je uitleg. 'Une Petite Soirée', een eenvoudig feestje, is een grappige naam voor een bepaald soort feest, maar niet voor ons feest. Ironie is hier niet op zijn plaats, er is niets kleins, eenvoudigs (of Frans) aan het evenement. En zoals ik al eerder zei, het is gevaarlijk om de naam te veranderen van een evenement dat al zo lang als zodanig bekendstaat.

* We moeten de term 'Gemeentelijke sportvelden' wél gebruiken, want zo heet het terrein nu eenmaal. Oké, het is geen fantastische naam, oké, mijn kinderen spelen er inderdaad honkbal en voetbal, maar het is de enige plek die groot genoeg is voor dit soort evenementen. Bovendien mogen we het terrein van de gemeente gratis gebruiken, vandaar dat de gemeente in de uitnodiging genoemd moet worden. 'In de tent, Old South Road' geeft totaal geen informatie. Old South Road is vier kilometer lang, en ik zie onze gasten al voor me, heen en weer wandelend, op zoek naar de nok van een tent tussen de boomtoppen.

* Ten derde: we leven in de eenentwintigste eeuw, tegenwoordig mogen vrouwen hun eigen naam gebruiken. Er is geen enkele reden waarom jij de naam van je ex-man moet gebruiken, zoals er ook geen enkele reden is waarom ik de naam van mijn echtgenoot zou gebruiken. Ik gebruik mijn meisjesnaam en de naam die ik bij

mijn huwelijk kreeg, want zo sta ik zowel beroepsmatig als privé bekend: Claire Danner Crispin. Ik ben niet van plan wat dit betreft enige concessie te doen. Bij voorbaat dank voor je begrip.
Bedankt! Claire

Aan: cdc@nantucket.net
Van: isafrench@nyc.rr.com
Verzonden: 18 februari 2008, 11.24
Onderwerp: De uitnodiging

Beste Claire,
Ik zal Aster inlichten over de aard van onze discussie.
Bedankt! Isabelle

Aan: isafrench@nyc.rr.com
Van: cdc@nantucket.net
Verzonden: 28 februari 2008, 15.38
Onderwerp: Dringende vraag!!!

Isabelle,
Ik ontving vandaag per post de drukproef van de uitnodiging en hoewel het er bijzonder mooi uitziet, zag ik dat slechts één van de wijzigingen die we besproken hebben is doorgevoerd. Ik sta nog steeds als 'mevr. Jason Crispin' vermeld. Bovendien is de locatie omschreven als 'In de tent, Old South Road'. Je hebt gezegd dat je de wijzigingen aan Aster zou doorgeven. Wat is er gebeurd????
Claire

Aan: cdc@nantucket.net
Van: isafrench@nyc.rr.com
Verzonden: 20 februari 2008, 15.41
Onderwerp: Dringende vraag!!!

Beste Claire,
Ik heb gezegd dat ik Aster zou inlichten over de aard van onze discussie. Om niet van voorgaande jaren af te wijken was hij bereid de naam van het evenement te wijzigen (hoewel ik daar absoluut niet gelukkig mee was aangezien ik van mening ben dat 'Une Petite Soirée' een veel betere naam voor de avond is). Aster zag echter geen noodzaak de andere twee veranderingen door te voeren.
Bedankt! Isabelle

Aan: isafrench@nyc.rr.com
Van: cdc@nantucket.net
Verzonden: 28 februari 2008, 20.24
Onderwerp: Gevoel voor benaming?

Isabelle,
Ik hoop dat je niet beledigd bent als ik zeg dat Aster Wyatt, hoe aardig het ook van hem is de uitnodiging gratis te ontwerpen, niet in de positie is om namens Nantucket's Children beslissingen te nemen. Ik ben dan ook woedend dat hij dat wel heeft gedaan. Ik blijf erbij dat ik mijn naam veranderd wil hebben in 'Claire Danner Crispin'. Als je de locatie van het evenement per se zo vaag wilt laten, ga je gang, maar bereid je maar vast voor op de chaos die erdoor zal ontstaan.
Bedankt! Claire

Aan: cdc@nantucket.net
Van: isafrench@nyc.rr.com
Verzonden: 28 februari 2008, 20.27
Onderwerp: Gevoel voor benaming!

Beste Claire,
Aangezien Aster Wyatt in de galacommissie zit (hij is door mij benoemd en ik heb hem verantwoordelijk gesteld voor de uitnodigingen), heeft hij de uiteindelijke beslissingen genomen. Hij heeft de

uitnodiging gratis ontworpen, maar de drukkosten voor de 2.500 uitnodigingen (dat wil zeggen de uitnodiging zelf, een grote envelop, een antwoordkaart en een retourenvelop) bedroegen bijna zesduizend dollar. (Een bijlage met de namen van de commissieleden komt er later nog bij, maar ik denk dat we die pas moeten laten drukken op het moment dat we weten wie er nu werkelijk in de commissie zitten.) De uitnodigingen zijn zojuist terug van de drukker, ik zal er je straks meteen een toesturen. Je zult het met me eens zijn dat we ons geen extra uitgaven kunnen permitteren om de hele boel terug te draaien en jouw naam te veranderen (die overigens niet onjuist is, of foutief gespeld) louter vanwege het feit dat deze jou niet aanstaat.
Bedankt! Isabelle

Doorsturen: LDixon@nantucketschildren.org
CC: AFiske@harperkanefiske.com
Verzonden: 28 februari 2008, 21.00
Onderwerp: Gevoel voor benaming!

Heb je dit gelezen??? Het is toch niet te geloven??? Ik sta als 'mevr. Jason Crispin' op de uitnodiging vermeld (ik sta trouwens onder Isabelle, wat alfabetisch gezien onjuist is, maar wiens beslissing was *dat*, denk je?). Het is zo weerzinwekkend conservatief dat ik er kotsmisselijk van word.

Aan: cdc@nantucket.net
Van: AFiske@harperkanefiske.com
Verzonden: 1 maart 2008, 08.14
Onderwerp: Gevoel voor benaming!

Zesduizend dollar is al veel te veel geld, Claire. We kunnen ze niet terugsturen om ze te laten veranderen. Van de positieve kant gezien: Jason zal het geweldig vinden.
Adams

Aan: AFiske@harperkanefiske.com
Van: cdc@nantucket.net
Verzonden: 1 maart 2008, 09.45
Onderwerp: Gevoel voor benaming!

Jason zal het niet begrijpen! Als hij 'Mevr. Jason Crispin' ziet staan, denkt hij dat hij voor een vrouw aangezien wordt.

Aan: isafrench@nyc.rr.com
Van: cdc@nantucket.net
Onderwerp: Walgelijk gevoel voor benaming!
(Niet verzonden)

Isabelle,
Ik vind het lastig en onplezierig om met je samen te werken. Omdat ik begrijp dat je een moeilijke scheiding doormaakt ben ik bereid me extra geduldig op te stellen. Toch zou ik het fijn vinden als je zou inzien dat Nantucket geen Manhattan is. Nantucket is maar een eenvoudig, bescheiden stadje, ook in de drukke zomermaanden. Wij hoeven (en willen) die pretentieuze pracht en praal niet waarmee een liefdadigheidsgala in Manhattan (Cannes, Nice, noem het maar op) wellicht gepaard gaat. Ik hoef (en wens) niet 'mevr. Jason Crispin' genoemd te worden. Zelfs de kinderen van mijn vriendinnen noemen me Claire. Het is niet belangrijk dat de locatie van het gala 'Gemeentelijke sportvelden' genoemd wordt, want het terrein heet gewoon zo. Sorry als het te provinciaals voor je is. Sorry als Nantucket in zijn algemeenheid te ongemanierd en ordinair voor je is. Maar knoop in je oren dat juist vanwege het vredige, bescheiden, ontspannen karakter van het eiland zoveel respectabele mensen er de zomer doorbrengen. Als tegengif voor de grote stad, niet als een zomerse variant ervan.
Bedankt! Claire

Offerte voor het Nantucket's Zomergala Island Fare Catering, Carter en Siobhan Crispin
Inclusief drankjes, champagnefontein, uitgeserveerde borrelhapjes, borrelhapjes op de tafels, zittend diner, desserts: 225 dollar per persoon.
Toelichting van de cateraar: Het onderstaande menu is een gegarandeerd succes. Ook voor het grootste, meest ervaren cateringbedrijf is het een uitdaging om een diner voor duizend mensen goed te laten verlopen. (We hebben gehoord dat het hoofdgerecht het afgelopen jaar koud, niet gaar, ofwel te gaar was.) Wij gebruiken verse seizoenproducten (indien mogelijk producten die hier in de omgeving gekweekt en verbouwd worden) die net als bij een picknick op kamertemperatuur gegeten kunnen worden. Om iedereen tevreden te stellen serveren we drie verschillende hoofdgerechten in bescheiden porties en we staan garant voor een smaakvolle, creatieve presentatie.

Hapjes die geserveerd worden

Garnalen met kokos en mangochutney
Gekoelde gazpacho-'shots'
Tortilla's met gerookte kip, avocado en maïssalsa
Bospaddenstoelen met roquefort in filodeeg
Kaassoufleetjes
Knapperige wontons van varkensvlees met een zoetzure abrikozendipsaus

Hapjes die op tafel staan

Buffet van verse oesters en kokkels met mignonettesaus
Gamba's met mierikswortel-, mosterd- en cocktailsausjes
Briepakketjes met pecannoten en pruimenchutney
Crudités met een dipsausje van bieslook en pijnboompitten en hummus van geroosterde rode paprika's

Diner

Gegrilde ossenhaas met gorgonzola-roomsaus
Mini-kreeftbroodjes

Salade van wilde rijst met portobello's met een vinaigrette van gedroogde cranberry's
Traditionele Insalata Caprese: plakjes tomaat, buffelmozzarella en verse basilicum
Maïsbrood met honingboter

Nagerechten

Brownies met pure of witte chocolade, aardbeien in een chocoladejasje, eclairs, limoentaart, zelfgemaakte marshmallows, zachte toffee, pindarotsjes, chocolade-mint-truffels

Zakelijk nieuws, *The Inquirer and Mirror,* 25 februari
Lockhart Dixon, directeur van Nantucket's Children, heeft gisteren bevestigd dat rock-'n-roll-icoon Max West zal optreden op het zomergala, het jaarlijkse liefdadigheidsfeest, dat op 16 augustus op de Gemeentelijke Sportvelden wordt gehouden.

'We zijn ontzettend blij met deze kans,' liet Dixon weten. 'Max West is bereid het optreden te schenken, anders hadden we ons nooit zo'n bekendheid kunnen veroorloven. Claire Danner Crispin, een van de voorzitters van het gala, was een jeugdvriendin van Max West. Zij heeft hem voor onze organisatie geïnteresseerd, en daar zijn we heel dankbaar voor.'

Kaarten voor het evenement zijn te koop vanaf 1.000 dollar per persoon, inclusief cocktails, diner en een anderhalf uur durend optreden van West.

'Het wordt ongetwijfeld hét sociale evenement van deze zomer,' aldus Dixon.

Gavin Andrews bestal Nantucket's Children, hoewel hij het niet zozeer als stelen of verdonkeremanen zag. Het was voor hem meer zoiets als 'een graantje meepikken', net zo onschuldig als

wanneer een kind zijn vinger door de slagroom op een taart haalt.

Hij was er in oktober mee begonnen, toen de jaarlijkse donaties binnenrolden. Hij ontving dan zo'n tien tot twaalf cheques, in totaal voor een bedrag van 8.500 dollar, waarvan hij 8.000 op de bank zette en de overige 500 in zijn eigen zak stak. De bedragen van de cheques werden bijgehouden in een computerbestand, maar de cheques stortte hij bij de bank. Het enige bewijsmateriaal was het stortingsbewijs (dat hij weggooide) en de bankafschriften, die hij zelf in de boekhouding kloppend maakte. Ooit zou het door de accountant ontdekt worden, maar die kwam maar eens in de twee jaar en was net afgelopen september langs geweest. Hij had alles tiptop aangetroffen, alles klopte tot op de cent. Lock was blij met Gavin, zei dat hij niet anders verwacht had en gaf hem, letterlijk, schouderklopjes. Twee weken later begon Gavin met het achteroverdrukken van geld. Tegen de tijd dat de accountant weer zou langskomen, zou Gavin er allang vandoor zijn.

Behalve de accountant kon niemand hem betrappen. Het bestuur had een penningmeester, een oudere man, die Ben Franklin heette en in Lincoln Park in Chicago woonde – hoe toevallig! – niet ver van Gavins ouders vandaan. Omdat Ben Franklin en Gavins vader, Gavin senior, tot dezelfde sociale kring behoorden wist Gavin dat Ben de laatste jaren erg achteruitging, vooral geestelijk. Meneer Franklin was het enige bestuurslid dat het penningmeesterschap op zich had willen nemen. Hij had negen kinderen en zesentwintig kleinkinderen, en Gavin had het idee dat het hem niet zozeer om het beheren van de financiën te doen was als wel om 's zomers aan de drukte van zijn familie te ontsnappen. Ben rekende erop dat Gavin hem een paar minuten voor een bestuursvergadering de begroting en de balans overhandigde. Hij bezocht de vergaderingen alleen in juni, juli en augustus, de rest van het jaar verving Gavin hem en presenteerde hij de begroting.

Lock was de enige persoon om wie Gavin zich zorgen hoefde te maken, maar omdat Gavin bijna net zo lang als Lock bij Nantucket's Children werkte, wist hij net zoveel van zijn baas als een echtgenote. (Althans dat dacht Gavin, want wat wist hij van het huwelijk? Laten we het zo zeggen: Gavin bracht meer tijd met

Lock door dan Daphne.) Gavin wist het volgende: hoewel Lock een zakenman was, hield hij vooral van het omgaan met mensen en het leggen van contacten. Hij was rap van tong en zo gewiekst in onderhandelen dat de tegenpartij, zonder het in de gaten te hebben, precies deed waar Lock op uit was. Lock had overtuigingskracht, hij was zelfverzekerd en slim, zo was hij rijk geworden. Maar hij had niets met cijfers. Het begon hem te duizelen als hij rijen en kolommen met getallen zag en hij kreeg dan zo'n hoofdpijn dat hij Gavin smeekte om een Advil voor hem te halen. Gavin had dit al gauw door en stelde Lock voor om die vervelende bankzaken aan hem over te laten. Lock was hem dankbaar en Gavin had er jaren over gedaan om het volledige vertrouwen van zijn baas te winnen. De boekhouding was perfect in orde, de accountant was tevreden. Complimenten voor Gavin!

Het besluit om geld te stelen, achterover te drukken, te verdonkeremanen had hij niet zomaar genomen. Hoewel niets hem in de weg stond en zijn plan volkomen veilig was, was hij toch doodsbang betrapt te worden. Als hij betrapt werd zou het leven dat hij nu leidde afgelopen zijn, het zou het einde betekenen van zijn werk en zijn verblijf in het enorme huis van zijn ouders, om nog maar te zwijgen van de relatie met zijn ouders, Lock en iedereen die hij kende. Waarom deed hij het dan? Kort gezegd: Gavin voelde zich tekortgedaan. Zijn leven was niet gelopen zoals de bedoeling was. Hij was het enige kind van welgestelde ouders, zijn leven zou gemakkelijk moeten zijn geweest. Een van zijn problemen was dat hij te vroeg in zijn leven succesvol was. In de eindexamenklas op Evanston was hij door zijn medeleerlingen verkozen tot 'De mooiste jongen van het jaar', iets waar zijn ouders niet bijster van onder de indruk waren: ze zagen het als een van de dingen die zij hem meegegeven hadden. (*Je bent met uitzonderlijk goede genen geboren,* zei zijn moeder.) Daarna ging Gavin naar de Universiteit van Michigan, waar hij zich verloren voelde, het was bijna onmogelijk op te vallen in de mensenmassa van Ann Arbor. Hij zou nooit zijn eerste voetbalwedstrijd in het Big House-stadion vergeten, waar hij zich temidden van al die anderen nietig voelde; het gevoel dat mensen kunnen hebben als ze naar de oneindige hoeveelheid sterren aan de hemel kijken. Het beslissende moment van zijn studententijd was toen Gavin met Diana Prell, een bloedmooie eerstejaars, in de bezemkast van een Ierse kroeg seks had gehad. Hij kon zich niet meer te herinneren hoe ze daar terechtgekomen waren, wel dat het Diana's idee geweest was, dat zij hem daarheen gelokt had. Maar na afloop beschuldigde ze hem ervan dat hij zich aan haar had opgedrongen. Ze diende nog net geen aanklacht in, maar de term 'verkrachting' kleefde stilzwijgend aan zijn naam. Hij verloor de weinige vrienden die hij had, maar desondanks bleef hij feestjes bezoeken en ging hij roken om zich een houding te geven en zich bij een groepje te kunnen aansluiten, al was het maar om een sigaret te bietsen of een vuurtje te vragen. Zijn wrok en vervreemding groeiden, hij voelde dat er iets bij hem vanbinnen begon te rotten.

Na de universiteit regelde Gavin senior een baan voor hem bij Kapp and Lehigh, een accountantsbureau in Chicago, waar zijn witteboordencriminaliteit startte. Hij werd het slachtoffer van wat hij achteraf als een klassiek geval van groepsdwang beschouwde, toen hij werd benaderd door een groepje collega's dat geld verduisterde. Hij had aan de bel kunnen trekken of een oogje dicht kunnen knijpen, maar hij wilde zo ontzettend graag door die groep geaccepteerd worden dat hij de gevaarlijkste taak op zich nam: als hij geld van de ene naar de andere rekening overmaakte veranderde hij het bedrag en sluisde hij het verschil naar een geheime rekening, waarna het onder de mensen die bij de zwendel betrokken waren werd verdeeld. Na een paar maanden werden ze betrapt, niet vanwege Gavin, maar vanwege iemand anders die de hele groep erbij lapte. Omdat ze allemaal nog maar net in dienst waren, omdat ze nog zo jong en ongelooflijk stom waren geweest en omdat het verduisterde bedrag minder dan tienduizend dollar was, ontsloeg Kapp and Lehigh hen wel, maar klaagde hen niet aan.

Toch had die hele toestand Gavin een slechte naam bezorgd en kwam hij nergens meer aan de bak. Zijn ouders waren ten einde raad. Hij woonde die winter thuis, hij had geen werk, luisterde naar deprimerende jazzmuziek en kocht van het geld van zijn ouders gedistingeerde kleding, waarvoor, zoals het er nu naar uitzag, geen reden was die ooit nog te dragen. Die zomer vertrok hij met zijn ouders naar Nantucket en in de herfst stelden ze voor dat hij daar bleef om een zelfstandig bestaan op te bouwen. Misschien dachten zijn ouders dat de zeelucht en de koude, grijze winter hem zouden sterken in zijn karakter, of misschien wilden ze gewoon van hem af. Gavin mocht hun huis met uitzicht over Cisco Beach gratis bewonen, op voorwaarde dat hij een baan zocht en de vaste lasten betaalde.

Nantucket was klein en dat vond Gavin prettig, maar hij vond het moeilijk een manier te vinden om zich te onderscheiden. Hij werkte een paar maanden als bewaker in een kunstgalerie, maar dat vond hij te saai, hij werkte als ober in de Brotherhood, maar vond het daar te vies en te warm. Daarna vond hij een baan bij Nantucket's Children, en op de een of andere manier ging dat goed. (Vreemd, dachten zijn ouders, want hij hield helemaal niet van kinderen.) Hij bezat, zo bleek, de kwaliteiten van een administrateur. Hij was secuur, slim, uiterst voorkomend en vergat nooit iets. Hij bouwde een imago op: de kleine rode mini die op een lieveheersbeestje leek, zijn voorliefde voor klassieke muziek, buitenlandse films en Italiaanse overhemden, maar de laatste tijd bekroop hem het gevoel dat zijn eigen identiteit hem begon te beknotten. Hij wilde vrienden in plaats van kennissen, hij wilde uitgenodigd worden om naar een band te gaan luisteren en bier te drinken in de Chicken Box, hij wilde dat er met hem gepraat werd in plaats van dat hij werd aangegaapt. Zijn beste vriendinnen waren nu Rosemary Pinkle, een vrouw die pas weduwe geworden was en die hij van de anglicaanse kerk kende, en Daphne Dixon, Locks vrouw, die net zo van roddelen hield als hij.

Hij stal niet omdat hij geld nodig had (hoewel de vaste lasten van een gigantisch huis bepaald niet laag waren en zijn loonsverhoging hem minder had opgeleverd dan hij gehoopt had), maar omdat hij verandering wilde. Hij zou het geld sparen en bewaren om te vluchten. Als de tijd rijp was, zou hij het land uitvluchten en zijn heil in Thailand, Vietnam of Laos zoeken, waar hij een mooie vrouw zou vinden en vrij zou kunnen leven, zonder dat er over hem geoordeeld werd.

Het verbaasde Gavin dat het stelen de kwaliteit van zijn dagelijks leven verhoogde. In plaats van gedachteloos de duizend-eneen taken uit te voeren die hij op een dag deed, zat hij op het puntje van zijn stoel, registreerde hij alles en nam hij niets als vanzelfsprekend aan. Hij was zich bewust van de vijfhonderd dollar aan bankbiljetten in zijn zak, hij was zich bewust van het verkreukelde stortingsbewijs in de prullenmand, hij voelde de druk van zijn vingertoppen op het toetsenbord van de computer als hij het bedrag intikte. Hij voelde de frisse lucht tegen zijn gladgeschoren wangen, hij hoorde Lock door het kantoor lopen en zuchten, hij onderscheidde elke noot van de polonaise van Chopin die uit de Boseradio klonk. Welke noot zou er klinken op het moment dat hij betrapt werd? Het gaf hem een kick zich dit af te vragen.

De telefoon ging en Gavin sprong bijna op uit zijn bureaustoel. Lock keek op.

'Te veel cafeïne gehad tijdens de lunch?'

'Double latte,' bevestigde Gavin.

'Als het Daphne is, zeg je maar dat ik er niet ben,' zei Lock.

Gavin knikte. Het was een standaardverzoek. Hoewel Gavin Daphne als een kameraad beschouwde in zijn streven het leven interessant te houden, vertelde hij haar niet dat haar man haar telefoontjes stelselmatig weigerde.

'Nantucket's Children.'

'Gavin?'

Gavin gleed met zijn tong langs zijn tanden en staarde voor zich uit naar de staande kapstok, waaraan Locks Burberry-jas en Gavins (veel mooiere) kasjmieren jasje van Hickey Freeman hingen. Het was Claire Crispin... weer.

'Hallo Claire.'

'Hoi. Is Lock bij de hand?'

Bij de hand. Dat zei ze altijd, dat vond ze zeker leuk, maar het maakte Gavin razend. Was Lock bij de hand? Nee, hij was niet bij-de-hand, hij kon niet eens een toiletrol verwisselen. (Gavin had dat grapje een keer gemaakt, maar vond het toen meteen al suf.) Hij was dat gebel van Claire meer dan zat. Hij was haar sowieso zat. Om de haverklap viel ze binnen, meestal om kwart over acht

’s ochtends als ze de kinderen naar school gebracht had en ze er in haar versleten, vormeloze yogakleren, onopgemaakt en met haar op goed geluk opgestoken haar als een wandelend lijk uitzag. Gavin zou zich nooit zo in het openbaar vertonen, zelfs in zijn eentje thuis zou hij er niet zo bij willen lopen. Claire verzon altijd wel iets om langs te komen, ze moest iets ophalen of afgeven, ze wilde dat Gavin iets voor haar opzocht, of ze wilde met Lock praten over een conflict dat ze met Isabelle French via de mail uitvocht. Het was dodelijk vermoeiend, Gavin schonk er maar niet al veel aandacht aan. Vaak belde ze later op de dag op, en als hij dan de telefoon aannam, zei ze: ‘Hoi, met Claire. Heb je me gemist?’

Waarop hij dacht: hoe kan ik je in godsnaam missen als je helemaal niet weggaat?

Meestal probeerde hij wat te grinniken, en dan zei Claire (zijn geduld werd tot het uiterste op de proef gesteld): Is Lock bij de hand?

Nu antwoordde Gavin: ‘Een ogenblikje.’ Hij drukte de ruggenspraaktoets in en zei tegen Lock: ‘Het is Claire.’

‘Oké,’ zei Lock. ‘Geweldig. Verbind maar door.’

Lock wilde Daphnes telefoontjes nooit, die van Claire altijd. Wat wilde dat zeggen? Gavin bekeek Lock eens goed. Het was net of zijn ogen begonnen te stralen als hij de telefoon opnam en zijn stem zachter werd. Lock draaide zijn stoel naar het raam met de twintig ruitjes, waardoor hij met zijn rug naar Gavin kwam te zitten. Het was een gebaar dat Gavin zelf maar al te goed kende, in diverse varianten: als hij naar de bank ging om geld te storten hield hij zijn handen in de zakken van zijn jasje, als hij de bankzaken deed, draaide hij zijn computerscherm weg van Locks bureau, zelfs als Lock weg was om te lunchen. Zo gedroeg iemand met een geheim zich. Door zich af te wenden. Door korte, onschuldige zinnen te gebruiken die niets prijsgaven, net als Lock nu deed: *Ja, ik begrijp wat je bedoelt. Oké. Niet nu. Reken maar. Ja, ik ook.*

Gavin keek met toegeknepen ogen naar Locks afgewende rug. Een verhouding? Uitgesloten. Als Claire kwam binnenvallen zag ze eruit of ze zes weken gesurvivald had en nog geen tijd had gehad om weer in de beschaafde wereld te douchen. Dit was niet de manier waarop een vrouw zich voor een geliefde presenteerde (Gavin had in zijn leven veertien vrouwen gehad die geen van allen bijzonder waren, maar in elk geval wel schoon). Claire was trouwens Locks type helemaal niet – en dat was niet alleen vanwege het feit dat ze eruitzag alsof ze zich in het donker aankleedde. Ze was veel te gewoontjes voor iemand als Lock, te makkelijk, te joviaal; ze was niet verfijnd. Als Gavin tegen Daphne zou zeggen dat Lock misschien wel een verhouding met Claire Crispin had, zou ze in hoongelach uitbarsten en zich in zulke laatdunkende bewoordingen over Claire uitlaten dat zelfs Gavin zich ervoor zou generen, en 'ongewassen' zou nog het minst beledigend zijn. Daphne maakte zich zorgen om Lock en Isabelle French, maar daar had ze ook alle reden toe want Isabelle French bezat een klassieke schoonheid en beschaving, bovendien was ze sinds kort single. (Gavin was zelf geïnteresseerd in Isabelle, hoewel ze ver, ver, ver buiten zijn bereik lag.) Maar Isabelle was in geen maanden op het eiland geweest en ze belde maar zelden. En de keren dat ze belde, vroeg Lock meestal of Gavin de boodschap wilde aannemen, en anders waren hun gesprekken zakelijk en deed Lock zijn uiterste best zijn ergernis niet te laten merken.

Nee, verzekerde Gavin Daphne vol overtuiging. *Er is niets aan de gang tussen Lock en Isabelle French.*

Maar nu voelde Gavin een spanning en hij wist bijna zeker dat Lock, net als hijzelf, een geheim bij zich droeg. Zoals hij daar zat, met zijn voet zacht tegen de ouderwetse radiator tikkend. Het was een zenuwtrek. Gavin herkende het omdat hij zichzelf voortdurend op zenuwtrekjes betrapte: hij neuriede, liet de knokkels van zijn vingers kraken, gleed met zijn tong langs zijn tanden en checkte dwangmatig zijn broekzak: zat het geld er nog in, was alles er nog? Om een crimineel te herkennen moest je zelf een crimineel zijn, en Gavin herkende hem.

'Oké,' zei Lock tegen Claire. 'Je hoort van me. Ja, tot later.' Hij hing op.

'Hoe is het met Claire?' vroeg Gavin. Hij stelde zijn vraag zo nonchalant mogelijk. Misschien was het alleen maar projectie: het was voor hem zo gewoon om slecht te zijn dat hij ervan uitging dat dit ook voor een ander gold.

Lock glimlachte. Liefhebbend? Schuldbewust? Gavin wist het niet. 'O,' zei hij. 'Prima.'

Carter had negentienhonderd dollar gewonnen met de March Madness, een basketbaltoernooi, legde hij Siobhan uit, een belangrijk evenement in Amerika. Siobhan was razend dat Carter gegokt had, ook al had hij gewonnen en ook al had hij haar vijfhonderd dollar gegeven en gezegd: 'Ga lekker winkelen.'

Siobhan ging winkelen, terwijl ze het geld meteen op de bank had moeten zetten om toekomstige tegenvallers op te vangen, terwijl ze het Carter in zijn gezicht had moeten gooien en hem onomwonden had moeten vertellen dat hij een probleem had. Maart was een sombere maand voor Siobhan geweest, er was geen werk, alleen een eindeloze aaneenschakeling van uren die ze met de kinderen op de ijsbaan doorbracht, waar ze kartonnen pizza's en oudbakken popcorn at en sodawater dronk waar de bubbeltjes uit waren. Claire gedroeg zich de laatste tijd vreemd en afstandelijk, ze werkte de hele dag in haar atelier aan het veilingstuk voor het zomergala, en 's avonds bezocht ze 'vergaderingen'. Twee keer had Siobhan haar gebeld om in 56 Union een glaasje cabernet te gaan drinken en knapperige frietjes te eten, en beide keren had Claire bedankt omdat ze een 'vergadering' had.

'Gaat iedereen naar die vergaderingen? Of alleen jij en Lock?' zei Siobhan.

Na een stilte antwoordde Claire: 'Er is een commissie.'

In de toon waarop ze het zei klonk het verwijt door dat Siobhan, ondanks dat ze officieel in de commissie zat, nog nooit was komen opdagen. En dat, dacht Siobhan trots, zou ook niet gebeuren. Tenzij ze de opdracht kreeg de catering te verzorgen.

Het zat al niet lekker tussen Claire en Siobhan sinds de dag dat Siobhan Claire en Lock betrapt had in het bos bij Tupancy Links en Claire dat glashard ontkend had. Het was een grove leugen, maar het was niet zozeer de leugen die Siobhan dwarszat. Het was het feit dat de leugen werd bedekt met tal van andere leugens. Waarom al die vergaderingen? Wat gebeurde er tijdens die vergaderingen? Jason stond misschien te dichtbij om de tekenen te interpreteren, maar voor Siobhan was het overduidelijk. Er was iets aan de hand. Waarom speelde Claire geen open kaart? Claire hield iets achter, Siobhan vond dat beledigend en kwetsend, ze was kwaad op Claire en kwaad op zichzelf. Siobhan was misschien te sarcastisch of te hard – het gevolg van overleven tussen acht broertjes en zusjes – en Claire was zo zacht als de vulling van een bonbon. Ze was bang om Siobhan in vertrouwen te nemen. Siobhan popelde om Claire te vragen: Wat vind je van Lock? Vind je het leuk om met hem samen te werken? Jullie zijn zo vaak samen. Voel je iets voor hem? Claires verhouding met Lock leek verder te gaan dan het normale, het alledaagse; de intimiteit ervan leek de grens van het aanvaardbare te overschrijden. Maar Siobhan was niet dapper genoeg om het onderwerp bij Claire aan te snijden. Dus zaten ze in een impasse. Claire nam Siobhan niet in vertrouwen over Lock, Siobhan nam Claire niet in vertrouwen over Carters gokgedrag of wat dan ook. Hun vriendschap leed eronder. Het was een harde winter geweest.

Siobhan nam de vijfhonderd dollar van Carter aan, propte de biljetten in de zak van haar jeans en ging de stad in. Toen ze vertrok riep Carter: *Koop wat moois voor jezelf!* Alsof hij een gangster was en zij zijn liefje. Wat een grap.

Het was zaterdagmiddag, half maart: Federal Street was uitgestorven – het leek wel een spookstad – maar daar, geparkeerd op straat, stond Claires auto. Siobhan zag hem staan toen ze Eye of the Needle in liep. Het was Claires lievelingswinkel, misschien zouden ze elkaar tegenkomen en naar de Brotherhood gaan om een Baileys te drinken. Maar Claire was niet in de winkel. Siobhan ging naar buiten en belde Claire op haar mobiele telefoon, maar ze kreeg meteen de voicemail. Haar intuïtie zei haar dat Claire op het kantoor van Nantucket's Children in Union Street was – ze wist het gewoon. Waarom ging ze er niet heen, dan kon ze zelf zien hoe het zat en een einde maken aan al haar vragen. Siobhan voelde zich net een detective, ze leek verdomme wel Miss Marple.

Siobhan haastte zich over Federal Street, bezeten van een vreemd soort energie. Ze ging haar beste vriendin betrappen op… ja op wat?

Siobhan zag Claire de trappen van de kerk af komen. Siobhan keek op haar horloge. Halfvijf. De mis begon om vijf uur, maar Claire kwam de kerk uit, ze ging er niet in, en iedere goede katholiek wist dat er maar drie redenen waren om midden op de dag naar de kerk te gaan: voor een trouwerij, een begrafenis of om te biechten. Maar Siobhan zag noch een bruidspaar, noch een lijkwagen.

'Claire!'

Claire draaide zich met een ruk om. Schuldig. Betrapt.

'Hoi,' zei ze flauwtjes.

Siobhan sloeg een blik op de kerk. 'Wat ben je aan het doen?'

'Ik kan beter vragen wat jíj aan het doen bent! God, de stad is uitgestorven.'

'Heb je gebiecht?' vroeg Siobhan.

Claire keek om naar de kerk, alsof het haar verbaasde dat die daar stond.

'Ja,' antwoordde ze. 'Inderdaad. Eigenlijk probeerde ik J.D. en Ottilie zover te krijgen, maar ze wilden niet. Dus ik dacht, ik geef het goede voorbeeld of zoiets. Trouwens, van een beetje berouw is nog nooit iemand slechter geworden.'

Claire was de meest doorzichtige persoon in de hele wereld. Er prijkten twee gloeiende plekken op haar wangen. En Siobhan, de detective, had nog een andere aanwijzing. Ondanks dat zij in het graafschap Cork en Claire in het godverlaten New Jersey was opgegroeid, was hun katholieke geloof hetzelfde. Siobhan had sinds haar twaalfde niet meer gebiecht en ze wist dat dat ook voor Claire gold. Om haar de biechtstoel in te krijgen moest ze heel wat op haar kerfstok hebben.

'Ik ben aan het winkelen,' zei Siobhan. 'Heb je zin om ergens iets te gaan drinken? Wil je praten?'

'Nee,' zei Claire. 'Ik heb geen tijd.'

'Eentje maar. Kom op. Ik spreek je nooit meer.'

'Ik moet naar huis,' zei Claire. 'Jason, de kinderen, het avondeten. Je weet hoe mijn leven is.'

Siobhan knikte. Ze gaven elkaar een kus en Claire stevende op haar auto af. Siobhan liep de hoek om, zogenaamd om bij Erica Wilson 'iets moois' uit te zoeken. Maar in werkelijkheid wilde ze zo snel mogelijk uit het zicht zijn om van de schrik te bekomen. Claire was te biecht gegaan.

Je weet hoe mijn leven is.

Was dat wel zo?

Er was een liedje over een *bad day* dat de kinderen leuk vonden. Als het op de radio kwam moest Claire het geluid harder zetten, dan zongen de oudste drie mee en zette Zack het op een brullen. Claire haatte het liedje, het irriteerde haar. De lente – het jaargetijde van nieuw leven en nieuwe hoop – was voor haar een ramp. Ze had de ene *bad day* na de andere.

Neem nu bijvoorbeeld haar werk in het atelier. Ze probeerde al maandenlang een begin te maken met de kroonluchter van gesmolten toffee voor de galaveiling. Maar elke keer ging het mis, het was zonde van de tijd. Ze blies een prachtige bol, die het midden, de body van de kroonluchter moest worden. Het glas was van een bovennatuurlijke kleur roze, het meest goddelijke roze dat ze ooit tevoorschijn had getoverd, door de nauwgezetheid waarmee ze de kleurstof met de vijzel fijngemalen had. De bol was volmaakt zuiver van vorm, zo dun en wonderbaarlijk als de *Bubbles*; ze was weer op de goede weg, ze had de slag weer te pakken. Maar de volmaakte bol spatte in de koeloven uiteen, en toen Claire het zag, huilde ze drie dagen lang. Ze huilde bij Jason, ze huilde bij Lock. Beiden deden alsof ze het begrepen, maar ze begrepen het niet, niet echt, en het ergerde haar dat ze uiteindelijk allebei hetzelfde zeiden. *Het komt wel goed. Je maakt wel weer een nieuwe die nog veel mooier zal zijn.* Ze zeiden het op dezelfde toon, ze waren op die momenten dezelfde man. Verwarrend. Claire probeerde uit te leggen dat niet alleen de bol gebroken was, maar ook haar vertrouwen en haar wilskracht. Toch probeerde ze het opnieuw, en het resultaat was waarschijnlijk net zo goed, maar miste de glans van volmaaktheid die de eerste bol in Claires gedachten gekregen had. Deze tweede bol behandelde ze als een overbezorgde moeder. Toen de bol was afgekoeld legde ze hem voorzichtig in een mand met stro, en van tijd tot tijd ging ze hem even bewonderen, alsof hij het kindje Jezus in zijn kribbe was.

Nu de body van de kroonluchter af was, ging ze verder met de armen. De armen moesten draaien en buigen. Ze moesten hetzelfde toffeeachtige effect krijgen als de kandelaars die ze lang geleden voor Fred Bulrush gemaakt had – gekleurd, kronkelend glas – en als tentakels uit de bol vallen, er als het ware uitdruipen. Om hem op de juiste manier te laten buigen en krommen moest Claire elke arm met de hand trekken en tegelijkertijd blijven draaien. Het was onmogelijk, het was te moeilijk voor haar, net als bepaalde yogahoudingen; ze kon het glas niet laten doen wat ze wilde.

Er waren zestig pogingen voor nodig om één elegante, gracieuze arm te maken en toen ze die uiteindelijk af had, huilde ze weer omdat ze zag hoe ongelooflijk mooi de kroonluchter zou worden als ze hem ooit af kreeg, maar ze wist niet of ze het geduld had om nog zeven armen te maken. Na tien pogingen lukte het haar nog een prachtig exemplaar te vervaardigen, maar omdat ze met de hand werkte en niet met een mal viel deze tweede arm anders uit dan de eerste. De kromming was te scherp, wanneer ze de twee armen nu aan de bol zou bevestigen, zou het net zijn alsof er een gebroken was. Nog meer tranen.

'We hadden ook niet verwacht dat het makkelijk zou zijn,' zei Lock. 'Dat het kunstwerk zo waardevol is, komt doordat het zo moeilijk te maken is. We betalen voor jouw bloed, zweet en tranen.'

Bijna had Claire hem uitgescholden. Het was een kunstwerk voor een veiling, het was een geschenk en het nam al haar tijd in beslag. Haar terugkeer naar het atelier was een vergissing, ze was het gevoel kwijt, de kroonluchter lag boven haar kunnen, maar toch was het het enige wat ze wilde doen. Ze had zichzelf een onbereikbaar doel gesteld, het bracht haar alleen maar frustratie en teleurstelling.

Jason had gelijk. Ze had hem het atelier moeten laten bombarderen of laten beschieten met pijlen. Steek het maar in brand. Darth Vader in de versnelling gooien en er op in rijden.

Claire legde de glazen bol voor de kroonluchter en één weergaloos mooie arm in de mand, en zette die op de archiefkast. Ze zou later wel bedenken hoe het met de kroonluchter verder moest. Als het glas niet meewerkte kon je maar beter ophouden, hadden haar leermeesters altijd gezegd. Pauze nemen. Claire bracht Ottilie en Shea naar de kapper en ging daarna, als super-super-traktatie, met hen naar de manicure. Zelf liet ze zich ook manicuren, maar de aanblik van haar handen herinnerde haar aan de kroonluchter, en ze verliet de salon met twee giechelende meisjes en een zwaar gemoed. De kroonluchter riep haar. Achtervolgde haar. De kroonluchter was een krijsende baby die ze in een container had achtergelaten. Over spookbeelden gesproken! Tot na het avondeten hield Claire het vol, maar toen de kinderen sliepen, ging ze terug naar haar atelier en modelleerde een klein, klokvormig schaaltje aan het uiteinde van de ene arm. Daar zou de lamp in komen. Het was een schattig, beeldschoon schaaltje, net een bloeiend lelietje-van-dalen. Vijf minuten was Claire tevreden met haar werk, daarna ging ze verder met de volgende arm. Na zevenenveertig pogingen was ze opnieuw in tranen. Ze stapte naast Jason in bed, die heel even wakker werd. 'Jezus, Claire, vergeet het toch. Je maakt jezelf stapelgek.'

Aan: isafrench@nyc.rr.com
Van: cdc@nantucket.net
Verzonden: 27 maart 2008, 01.32
Onderwerp: Veilingstuk

Isabelle,
Het vervaardigen van een kunstwerk voor de veiling blijkt moeilijker dan ik gedacht had. Ik was van plan een kroonluchter te maken, die

volgens mij een groot succes zou worden, maar het gaat niet zoals ik gehoopt had. Ik weet dat ik er laat mee kom, maar ik hoop dat jij iets anders voor de veiling kunt fiksen. Misschien moeten we de zanglessen heroverwegen, of logeplaatsen voor de *South Pacific*, met na afloop van de voorstelling een ontmoeting met Kristin Chenoweth. Het is me allemaal te veel op dit moment, de gedachte dat ik dit kunstwerk moet maken maakt me gek, ik kan er 's nachts niet van slapen. (Zoals je ziet, schrijf ik deze e-mail midden in de nacht. Ik krijg te weinig slaap!) Wil je me alsjeblieft helpen een geschikt alternatief te zoeken?
Bedankt!
Claire

Aan: cdc@nantucket.net
Van: isafrench@nyc.rr.com
Verzonden: 28 maart 2008, 07.32
Onderwerp: Veilingstuk

Beste Claire,
Ik heb er het volste vertrouwen in dat het je lukt een adembenemend kunstwerk voor de veiling te maken. Ik deelde tijdens onze eerste vergadering de mening van de commissie dat jij de artistieke parel van het eiland bent. Het is inderdaad een goede zet om voor Nantucket's Children een meesterwerk van jouw hand te veilen. Dineren met Kristin, een fabuleus idee overigens, behoorde in oktober nog tot de mogelijkheden, maar nu zit ze het komende jaar helemaal volgeboekt. Ik denk echt dat we bij ons plan moeten blijven dat jij een magnifiek kunstwerk gaat maken.
Bedankt! Isabelle

Aan: isafrench@nyc.rr.com
Van: cdc@nantucket.net
Verzonden: 28 maart 2008, 09.12
Onderwerp: Veilingstuk

Hoe zit het met de G5?

Aan: cdc@nantucket.net
Van: isafrench@nyc.rr.com
Verzonden: 28 maart 2008, 09.13
Onderwerp: Veilingstuk

Hoe bedoel je?

Aan: isafrench@nyc.rr.com
Van: cdc@nantucket.net
Verzonden: 28 maart 2008, 09.35
Onderwerp: Veilingstuk

Die rondvlucht met die cocktailparty aan boord! Ik dacht dat dat het beste idee was! Is het nog steeds mogelijk?

Aan: cdc@nantucket.net
Van: isafrench@nyc.rr.com
Verzonden: 28 maar, 2008, 09.37
Onderwerp: Veilingstuk

Nee.

Claire moest het loslaten, duidelijk maken dat het boven haar kunnen lag. Ze hadden nog vier maanden voor het gala. Ze zouden echt wel een andere oplossing kunnen vinden. Claire was ervan overtuigd dat het uit wraak was dat Isabelle met alle geweld wilde dat ze die kroonluchter maakte. Dat verdomde ding zou al haar energie en tijd opslokken, en dan, tot overmaat van ramp, zou niemand er op bieden behalve Lock. Claire zou een mislukkeling lijken, een mislukkeling *zijn*. Laat het varen! Het bezorgde haar de ene *bad day* na de andere. Haar frustratie over de kroonluchter beheerste haar hele leven. Ze was nu al twee dagen achter elkaar te laat om de kinderen op te halen, en ze miste het grootste gedeelte van J.D.'s eerste competitiewedstrijd.

Iets in Claire vond dat ze de kwelling die de kroonluchter haar bezorgde verdiende. Ze verdiende het omdat ze loog en bedroog. Ze had een affaire met Lock Dixon.

Ze vroeg zich af of de intensiteit van haar gevoelens voor Lock na verloop van tijd zou afnemen. Zou de fonkeling tussen hen verdwijnen? Zou het allemaal vanzelfsprekend en gewoon worden? Zou ze zich gaan ergeren aan dat hij tien kilo te zwaar was, aan de glimmende kale plek op zijn kruin, aan de woorden die hij steevast gebruikte om indruk te maken ('funest', 'raadselachtig')?

Nee. Elke dag, elke ontmoeting weer leek Lock Dixon voor Claire fantastischer, mysterieuzer, onbereikbaarder – en dus aantrekkelijker – dan ooit. Ze was verliefd op hem, zo verliefd dat ze er ziek van werd. Als ze niet bij hem kon zijn, wat bijna altijd het geval was, was ze een gegijzelde van haar verlangen. Ze kon van niemand anders genieten; niet van haar kinderen, niet van Siobhan, niet van Jason. Ze telde de uren, de minuten, ze gooide haar programma om en zei haar afspraken af om één bitterzoet uurtje bij Lock te zijn.

Op een avond zaten Claire en Lock hand in hand aan tafel in de vergaderkamer. Ze noemden de dingen op die ze samen zouden doen als vrij waren om te doen wat ze wilden.

LOCK:

Kaarten.

CLAIRE:

Naar Spanje vliegen.

LOCK:

Waar in Spanje?

CLAIRE:

Ibiza.

LOCK:

Je mee uit winkelen nemen. Naar je kijken als je kleding past.

CLAIRE:

Big Macs eten.

LOCK:

Naar de film gaan.

CLAIRE:

In het reuzenrad gaan.

LOCK:

De Eiffeltoren beklimmen.

CLAIRE:

De Mount Everest beklimmen. O nee, laat maar. Te moeilijk.

LOCK:

Vissen. Op Ibiza.

CLAIRE:

Een kampvuur maken. Marshmallows roosteren.

LOCK:

Naar een concert gaan.

CLAIRE:

Van wie?

LOCK:

Moeilijk. Iemand van vroeger of van nu? Frank Sinatra.

CLAIRE:

Geweldig. Nu ik weer. Samen de zondagskrant lezen. Jij mag het financiële gedeelte.

LOCK:

In het postkantoor samen in de rij staan.

CLAIRE:

Dat kunnen we nu ook doen, als je wilt.

LOCK:

Maar ik wil je vasthouden als ik achter je sta, mijn kin op je hoofd laten rusten.

CLAIRE:

(vechtend tegen haar tranen)
O.

LOCK:

Het is jouw beurt. Wat wil je nog meer?

CLAIRE:

Samen in één bed slapen. Al is het maar voor één nacht.

Toen ze dat gezegd had, zwegen ze. Het was een spelletje, een leuk spelletje, maar tegelijkertijd om moedeloos van te worden. Al die dingen die ze wilden doen, maar niet konden. De eenvoudigste dingen: in het postkantoor in de rij staan, naast elkaar in de kerk zitten, samen een nieuw horloge kopen, een film uitzoeken. Terwijl ze daar zwijgend zaten, elkaar in de hand knepen, elkaars hand streelden en weer knepen (*Laat me niet gaan!*), vroeg Claire zich af hoe haar leven zou zijn als ze Jason verliet en met Lock trouwde. Ze vroeg zich dit voortdurend af, en het antwoord was: vreselijk. Heel vreselijk. De kinderen zouden haar haten, ze zouden voor Jason kiezen, hun leven zou zo'n warboel worden dat geen therapie het op orde kon brengen. Claire zou al haar vrienden en vriendinnen kwijtraken, ook Siobhan, ze zou haar positie in de gemeenschap verliezen, bovendien was ze er zeker van dat Lock, als hij eenmaal met haar getrouwd was, gedesillusioneerd zou zijn.

Toch bleef het haar bezighouden. Omdat Claire op avonden als deze – avonden waarop ze in plaats van hartstochtelijk te vrijen, zaten te praten en ronddoolden in hun fantasieën – dacht dat ze het geen dag meer zonder hem uithield. Ze was verliefd op deze man. Ze wilde bij hem zijn.

Op een koude, regenachtige zaterdagmiddag was Claire bij Hatch, de slijterij. Jason was met de kinderen thuis, en Claire wilde er even uit. De weekenden waren een kwelling, een woestenij van 'Geen Lock', van Claire die het thuis gezellig probeerde te maken, die iets lekkers probeerde te koken en probeerde zich bij haar gezin betrokken te voelen. *Wil je parcheesi met ons spelen, mam?* Oké, natuurlijk, dat kon ze wel doen. Ze speelden vijf spelletjes terwijl Zack dreinde en de gekleurde pionnetjes in zijn mond stopte. Jason zat vlak naast hen, hij keek naar een bowlingtoernooi op tv.

Is er bier? vroeg hij.

Claire keek in de koelkast. Het bier was op. In plaats van dat ze tegen Jason zei: *Nee schat, sorry,* in plaats van te gaan gillen of hem erop te wijzen dat ze twee uur lang de kinderen had beziggehouden terwijl hij maar voor de buis hing, zag ze haar kans schoon.

Voor hij kon protesteren pakte ze haar autosleutels.

Even naar de slijter, zei ze. *Ben zo terug.*

Ze stond voor de torenhoge rekken witte wijn met een fles viognier in haar handen. Het was druk bij Hatch, het leek wel een vol konijnenhok, met natgeregende mensen die sigaretten, krasloten, snacks, kranten, bier, wijn, champagne, wodka, gin, whisky of Cuervo Gold-tequila kochten, of wat hen ook maar op de been hield. Aan de deur hing een lief klein belletje dat rinkelde wanneer er iemand binnenkwam of wegging. Claire had geen zin om weg te gaan, ze wilde niet naar huis. Ze was een vrouw in een film, een personage uit een liedje van Bruce Springsteen. Ze ging de deur uit om een fles dure Franse wijn kopen en kwam vervolgens nooit meer terug.

'Claire?' sprak een stem. 'Jij hier?'

Claire draaide zich om.

Iemand in een groene regenjas met een druipende Burberry-paraplu. Een vrouw, een bekende, maar heel even wist Claire haar niet te plaatsen. Wie was het? Toen was het alsof ze een stomp in haar maag kreeg. Daphne.

'Hoi!' groette Claire overdreven enthousiast.

Daphne nam precies dezelfde fles viognier van de plank als die Claire vasthield. Claire werd overspoeld door verdriet, daarna door angst en vervolgens weer door verdriet. Daphne kocht wijn voor Lock, of liever gezegd wijn voor hen samen, wijn voor 's middags bij de open haard, wijn voor wat ze ook van plan waren te gaan doen vanavond. Gingen ze uit eten? Bleven ze thuis? Wat zou beter zijn? Wat erger? Snel verborg Claire haar eigen fles achter haar rug, maar blijkbaar kwam dat stiekem over, want deze beweging trok juist Daphnes aandacht.

'Drink je viognier?' vroeg ze.

Ja, altijd, wilde Claire antwoorden. *Het is mijn lievelingswijn.*

Maar dat kon niet.

Claire keek naar de fles wijn in haar handen. 'Ik heb maar wat gepakt,' zei ze. 'Ik heb geen idee wat het is.'

Daphne staarde Claire aan. Vermoedde ze iets? Zou ze weten dat Claire en Lock de hele tijd viognier dronken op kantoor? Of was ze gewoon verbaasd dat Claire niets van wijn wist?

'Hoe gaat het met je?' vroeg Daphne. 'Hoe gaat het met de voorbereidingen van het gala?'

Strikvraag? Je wist het maar nooit met Daphne.

'Goed,' antwoordde Claire. Ze vond het zelf heel nonchalant klinken. Ongeïnteresseerd zelfs. 'Alles valt zo langzamerhand op z'n plaats.'

'Daar ben ik blij om,' zei Daphne. 'Ik heb Lock eindelijk zover om weg te gaan.'

Claire knikte. Waar had Daphne het over? Weggaan? Weg van haar? Of... wat bedoelde ze? Claire snapte het niet, maar bleef knikken. Natuurlijk Daphne, het zal wel.

'We gaan vrijdag een week naar Tortola,' zei Daphne.

'Tortola?'

'Een van de Britse Maagdeneilanden.'

'Ja, ik weet waar het ligt,' zei Claire. 'Ik besefte even niet...' Ze was niet in staat haar zin af te maken.

'We gaan een week.'

'Met Heather?' vroeg Claire. Was er iets aan haar gezicht te zien? Ze stond nog steeds overeind, maar haar benen dreigden het te begeven. De wijn bungelde als een golfclub in haar hand. 'Heeft ze voorjaarsvakantie?'

'We gaan samen,' zei Daphne. 'Met z'n tweetjes. Het wordt hoog tijd. We zijn er echt aan toe. We gaan eerst een weekendje naar Heather. Daarna vliegen we vanaf Logan naar de Caraïben. We hebben een superchic nieuw hotel geboekt...'

'Klinkt geweldig,' zei Claire, en besefte vervolgens dat Daphne nog niet uitgepraat was. Pech, Claire was wel uitgepraat. *Genoeg!* Als ze in de auto zat, zou ze beslissen of ze ging huilen of overgeven, nu kon ze geen van beide.

'Het verbaast me dat Lock het je niet verteld heeft,' zei Daphne. 'Hij heeft zo'n zin om op vakantie te gaan, hij heeft het er de hele tijd over.'

'Ja, logisch met dit weer.'

'Precies,' zei Daphne. 'En jij?' Ze trok haar neus op, en Claire vroeg zich af of ze weer een hatelijke opmerking over douchen zou gaan maken. Als ze dat deed, zou Claire haar neus van haar kop slaan. Oké, dat was een slechte gedachte, een verschrikkelijke gedachte, maar het was ook verschrikkelijk dat ze de vrouw van haar minnaar bij de slijterij tegen het lijf liep, dat ze beiden dezelfde fles wijn kochten, Locks lievelingswijn verdomme, en ook nog eens het nieuws over de vakantie moest horen. Onbeschrijfelijk verschrikkelijk.

'Hoe bedoel je?' vroeg Claire.

'Gaan jullie nog weg?' vroeg Daphne. Een poging tot conversatie. 'Disney?'

'Nee,' antwoordde Claire. 'Dit jaar niet.'

'Jammer,' zei Daphne. 'Het zal wel niet makkelijk zijn met de kinderen.'

'Niet makkelijk, nee,' beaamde Claire. Ze zette grote ogen op, alsof ze zich plotseling iets herinnerde. 'Ik moet bier voor Jason halen,' zei ze. 'Daar kwam ik voor!'

'O.' Daphne leek teleurgesteld dat Claire er vandoor ging. 'Oké. Nou, geniet van de viognier!'

'Bedankt,' zei Claire, achteruit weglopend. 'Geniet van Tortola!'

Claires emoties waren zo gecompliceerd dat ze niet wist waar ze moest beginnen. Lock ging naar Tortola met Daphne, alleen met haar, een week lang. *Het wordt hoog tijd. We zijn er echt aan toe.* Hij had niet eens de moeite genomen het haar zelf te vertellen. Ze had het van Daphne moeten horen. Het was afschuwelijk. Erger kon het niet worden. Sinds ze thuis was van de slijterij had ze zich elke minuut met deze gedachten gepijnigd. Een van de regels van het hebben van een verhouding was dat je dit soort jaloezie niet mocht toelaten. Claire kon niet jaloers zijn op Daphne. Daphne was Locks vrouw. Ze had officieel recht op hem, ze had een verleden met hem, ze droeg zijn naam, ze hadden samen een huis en een kind. Natuurlijk zou hij met Daphne op vakantie gaan. Daar kon Claire toch niets tegen hebben? Een affaire aangaan betekende akkoord gaan met een relatie zonder claims, ze had geen recht op hem. Dat ze zich vreselijk verraden voelde was idioot. Daphne was degene die zich verraden zou moeten voelen, maar Daphne zou een week lang met

Lock alleen zijn, in een of ander superchic, nieuw hotel. Ze zouden met elkaar vrijen op een groot, zacht bed, niet op een vergadertafel. De gedachte was onverdraaglijk dat Lock en Daphne romantisch en intiem samen zouden zijn. Maar wat was ze hypocriet! Zij sliep elke nacht naast Jason, ze vrijde met hem, ze had zelfs orgasmes – maar ze voelde daarbij niet dezelfde hartverscheurende passie als bij Lock. Wat ze met Jason ervoer was routine, het was mechanisch, het was leeg. Ze had het er met Lock uitgebreid over gehad. Ze waren het met elkaar eens: ze zouden met elkaar gelukkiger zijn, samen de krant lezen, samen Big Macs eten, samen vissen op Ibiza. Het gelukgevoel dat werd teweeggebracht door louter over deze dingen te praten kon ze zich nu onmogelijk voorstellen. Tortola. *Met z'n tweetjes. We zijn er echt aan toe.*

Maandagochtend om kwart over acht ging Claires mobiele telefoon. Ze zat in de auto en was op weg naar huis, ze had net de kinderen naar school gebracht. Ze keek op het display. Lock. Ze smeet de telefoon zo hard ze kon tegen het portier aan de passagierskant. De telefoon viel uit elkaar. Zack begon te huilen.

Het is uit!

Op de oprit zette Claire de telefoon met trillende handen weer in elkaar. Hij ging opnieuw. Lock. Weer nam ze niet op. Ze gaf Zack aan Pan en ging haar dagelijkse klusjes doen.

Het is uit!

Haar telefoon ging om het uur. Tot vier uur hield ze het vol. Terwijl Pan op de kinderen lette, nam ze haar telefoon mee naar haar atelier. Ze zei niet eens 'hallo'.

'Waarom heb je het me niet eerder verteld?'

'Ik was bang.'

'Bang voor wat?'

'Dat je boos zou worden.'

'Heb je enig idee hoe vreselijk vernederend het was om het van Daphne te horen?'

'Ik was geschokt toen ik dat hoorde. Ik wilde je zaterdag bellen, maar ik had geen gelegenheid.'

'Je had het me zelf moeten vertellen. Toen jullie plannen begonnen te maken. Wanneer dat dan ook was. Eén maand geleden? Twee maanden?'

'Het spijt me, Claire. Ik smeek je om vergiffenis.'

'Echt?'

'Ja! Jezus, ja. Ik hou van je.'

'Waarom heb je het me niet verteld? Dacht je dat ik het niet aankon?'

'Nee. Ik wist wel dat je het aankon. Maar ik wist zeker dat je het niet leuk zou vinden.'

'Klopt,' zei Claire. 'Ik vind het niet leuk. Het is niet eerlijk, en ik vind het niet leuk.'

'Ik weet het,' zei hij zacht. 'Ik wil ook niet dat je het leuk vindt.'

'Dus je probeert me jaloers te maken? Is dat waar je op uit bent?'

'Nee,' antwoordde hij. 'Ik ga omdat Daphne naar een warm oord wil, en ik kan het haar niet kwalijk nemen. Ik voel me schuldig, Claire, en een van de manieren om mijn schuld te verlichten is Daphne zoet te houden, vandaar Tortola.'

'Had je niet iets voor haar kunnen kopen? Een diamanten ring?'

'Ze wilde weg.'

Dat begreep Claire wel. Het was koud, grijs, regenachtig en deprimerend op het eiland, er was, op een paar wintervaste krokusjes na, nog geen spoor van het voorjaar te bekennen. Misschien moesten Claire en Jason inderdaad ook maar weggaan. Ze konden Lock en Daphne een stap voor zijn en een reisje naar Venezuela of Belize boeken. Maar Jason zou nooit akkoord gaan, hij wilde niet eens naar Hyannis.

'Oké,' zei Claire. 'Ik begrijp het.'

'Echt?'

Was dat zo? Nee!

'Ja,' zei ze.

Dat Claire het begreep wilde niet zeggen dat ze niet jaloers, razend en vol verlangen was. Lock had beloofd dat hij zou e-mailen, maar nadat ze tijdens de eerste vier uur van zijn afwezigheid vijftien keer haar e-mail had gecheckt gaf ze het op. Ze had geen tijd om zo naar iemand te hunkeren, ze had geen tijd om naar haar werkkamer te gaan, in te loggen op haar computer, haar geheime wachtwoord in te tikken en te wachten tot de computer haar zei dat er geen nieuwe berichten waren. Er zat niets anders op dan dat ze haar hart in de mand met stro legde bij de pasgeboren kroonluchter; dat ze haar hart in het berghok opborg tot Lock terugkwam. Ze zou de tijd dat ze niet bij elkaar waren goed moeten benutten en aan haar kinderen besteden.

Zack werd één jaar. Haar baby! Hij was een beetje vooruitgegaan. In plaats van dat hij als een kamerplant op de grond zat en huilde als hij opgepakt wilde worden, schoof hij over de grond op zijn billen vooruit als hij iets echt wilde. Claire gaf een feestje toen hij jarig was. Siobhan en Carter en de jongens kwamen. Ze maakte spaghetti, gehaktballetjes, een prachtige salade en een goudgeel, knapperig knoflookbrood. Met veel moeite bakte ze een taart in de vorm van een giraf, omdat het, hoewel hij het woord 'giraf' nog niet kon zeggen, het enige beest was dat Zack herkende. Als Claire vroeg: 'Waar is de giraf, Zack?' wees hij er meteen naar. Het was zijn lievelingsbeest! Claire maakte van papier een sjabloon en sneed de taart precies zo uit, ze maakte geel en bruin suikerglazuur en ze gebruikte gomballen voor de ogen.

'Wat een prachtige taart,' zei Siobhan. 'Daar ben je vast een eeuwigheid mee bezig geweest.'

'Ja klopt, maar ik had deze week tijd over,' zei Claire.

Siobhan staarde haar aan, en Claire stortte zich op de dressing voor de salade.

Het verjaardagsetentje was een succes, vond Claire, ondanks dat Zack begon te huilen toen er gezongen werd en ondanks dat hij meer belangstelling had voor het cadeaupapier dan voor de cadeautjes zelf. Claire dronk vier glazen van de verdomde viognier en werd sentimenteel. Ze had geen idee of Lock zich herinnerde dat het Zacks verjaardag was, hoewel hij haar in de herfst gevraagd had de verjaardagen van de kinderen op te schrijven zodat hij die uit zijn hoofd kon leren. Ze had niet kunnen voorspellen dat Zacks verjaardag zo emotioneel zou zijn – vanwege het onuitgesproken feit dat ze hem bijna verloren hadden, dat hij te vroeg geboren was, onvoorbereid voor het leven buiten de baarmoeder. Hij had met zijn kleine lijfje in Jasons handpalm gepast, zijn luier was niet groter dan een servetje. Niemand begon tijdens het feestje over haar val in het atelier, over de vlucht naar Boston of over de vijf weken in het ziekenhuis. Was Claire de enige die het zich herinnerde? Ze keek naar Zack en dacht: het spijt me, makkertje.

Het feestje was gezellig, het eten verrukkelijk, de taart prachtig. Het ging goed met Zack, zei Claire tegen zichzelf. Hij was gezond en iedereen was dol op hem.

Toen Claire de tafel afruimde, wreef Siobhan, die ook al behoorlijk wat op had, haar bril met haar servet schoon en zei: 'Raad eens wie ik vorige week te biecht zag gaan?'

Claires hart maakte een vrije val, ze zei niets. Jason en Carter zeiden: 'Nou?'

'Claire,' antwoordde Siobhan.

Claire zette de borden in de gootsteen en draaide de hete kraan voluit open.

'Heb je iets op je kerfstok, Claire?' vroeg Carter.

'Volgens mij iets heel ergs,' zei Siobhan.

Uit de gootsteen steeg stoom op. 'Laat haar met rust, zeg,' zei Jason. 'Jullie kennen Claire toch, ze stopt zelfs voor parelhoentjes die de weg willen oversteken, in plaats van ze van de weg te jagen zoals wij doen. Ze is zo puur als verse sneeuw.'

Ze moesten allemaal lachen, en het onderwerp was van de baan. Aan het einde van de avond toen Claire Siobhan gedag kuste, smaakte Siobhan bitter, als een antisepticum.

En later, toen Jason in bed stapte en Claires heup streelde zei hij: 'Ik begrijp waarom je bent gaan biechten. We mogen van geluk spreken dat we hem nog hebben. We hebben geluk dat onze kleine jongen nog leeft.'

De volgende ochtend ging Claire met Zack naar de praktijk van dr. Patel voor zijn inentingen. Claire had haar e-mail gecheckt

– niets – en om de twintig minuten keek ze op haar mobiele telefoon of ze een bericht had. Lock kon toch zeker wel een sms'je sturen?

Zack was zwaarder en groter geworden, zijn ogen functioneerden prima, zijn oren, neus en keel waren goed, zijn longen waren schoon, zijn reflexen normaal. Tijdens de inentingen gilde hij het uit, hij krijste zo hard dat Claire al haar spieren spande, maar toen ze hem vasthield en hem zijn speen gaf, kalmeerde hij.

Gita Patel glimlachte naar Claire en zei: 'Hij ziet er geweldig uit. Maak je je zorgen?'

'Als ik naar hem kijk,' zei Claire, 'heb ik het gevoel dat er iets mis is.'

'Zoals wat?' vroeg dr. Patel.

'Dat hij zich niet snel genoeg ontwikkelt. Hij kan nog niet lopen. Hij kruipt zelfs nog niet. Hij huilt de hele tijd. Hij zegt nog geen woordjes. Hij is niet zo actief als mijn andere kinderen waren.'

Dr. Patel stak een vinger uit. Zack greep hem. Ze pakte zijn handjes en hij deed een paar stapjes over de onderzoekstafel. Ze kietelde onder zijn voeten en hij lachte, en daarna begon hij te huilen.

'Dit bedoel ik nou,' zei Claire.

'Hij is gezond, Claire,' zei dr. Patel.

'Hij was zo klein toen hij geboren werd, hij moest zo lang aan de beademing. Ik had niet in mijn werkplaats mogen zijn. Het was onverantwoordelijk.' Ze tilde Zack op en drukte hem tegen zich aan. 'Ik voel me zo schuldig.'

'Hij is gezond, Claire. Het komt heus wel goed met hem. Ieder kind ontwikkelt zich in zijn eigen tempo, ook broers en zusjes. Oké? Als ik twijfels had zou ik het je zeggen, maar die heb ik niet.'

'Weet je het zeker?'

'Ja.'

Dr. Patel legde haar hand op Claires arm. Dit gebaar en haar woorden waren zo troostend dat Claire bijna zei: *Ik heb een minnaar, Lock Dixon, hij zit in Tortola met zijn vrouw. Ik mis hem. Ik heb hem nodig. Pater Dominic zegt dat ik moet stoppen, maar dat kan ik niet. Soms kan ik gewoon niet geloven dat ik dit echt*

doe, want ik ben helemaal niet zo. Ik ben een goed mens, of tenminste, dat was ik tot hij in mijn leven kwam. Kunt u me helpen?
'Bedankt,' zei Claire.

De ene *bad day* volgde de andere op. Lock was weg, nog steeds weg. Hoe bracht hij al die uren met Daphne door? Claire dacht aan Daphne, aan haar borsten die uit haar badpak puilden terwijl ze in een zwembad zwom en een knappe Engelse butler haar een tropische cocktail serveerde. Claire overwoog Lock te e-mailen en hem over het bezoek aan dr. Patel te vertellen; hij zou geïnteresseerd zijn en het fijn vinden als ze dr. Patels woorden herhaalde, maar nee, ze wilde niet als eerste contact zoeken. Hij had gezegd dat hij haar zou e-mailen. Laat hem zich maar afvragen hoe het met haar ging, als hij daar dan zo benieuwd naar was.
Siobhan belde om te zeggen dat Carter een onverwachte meevaller had gehad en dat ze, om het te vieren, een borrel gaven. Martini's en hapjes, zaterdagavond. Claire fleurde op. Lock zat met Daphne op Tortola, maar Claire had een waanzinnig feest in het vooruitzicht. Ze zou zich vreselijk gaan bezatten.

Claire keek vol spanning uit naar die zaterdagavond. Carter en Siobhan gaven de beste feesten van het eiland, al Claires vrienden en vriendinnen zouden er zijn, al haar maatjes. Ze zocht in haar kast iets om aan te trekken, ze verlangde naar iets nieuws, maar ze had nooit tijd om te winkelen. Ze trok een spijkerbroek aan en een jadegroen kasjmieren truitje, en deed parels om. Ze probeerde niet aan Lock te denken. Terwijl ze zich klaarmaakte dronk ze een glas wijn, Jason dronk een biertje en uit de stereo in hun kamer klonk een cd van Max West. Jason droeg een spijkerbroek, een zwart overhemd, een sportief zwart jasje en zijn cowboylaarzen. Zijn haar was vochtig en het zat in de war, Claire haalde haar handen erdoor om het glad te strijken. Hij rook lekker, hij had een baard van twee dagen, precies zoals ze hem leuk vond – ruig – en hij was bruin van het buiten werken. Het was al weken geleden dat hij voor het laatst naar sigaretten had geroken als hij thuiskwam uit zijn werk, besefte ze. Daar moest ze dankbaar voor zijn. Jason was knap en sexy, ze zag het en verstandelijk wist ze het, maar ze vond het moeilijk om er iets bij te voelen.

'Heb je zin om te vrijen?' vroeg ze. Het zou, dacht ze, een zachte avond zijn in Tortola, Lock en Daphne zouden uit eten gaan en gegrilde kreeft en zeeslakken bestellen.

Jason keek op zijn horloge. 'Daar hebben we toch geen tijd meer voor?'

Zijn antwoord verraste haar, ze stond versteld. In al die vijftien jaar had hij geen kans op een vrijpartij voorbij laten gaan. Ze waren zo vaak ergens te laat gekomen vanwege Jasons libido, ze stonden erom bekend te aat te komen.

Ze haalde haar schouders op. 'Ik denk het niet, nee.' Ze raakte de boord van zijn overhemd aan. 'Je ziet er goed uit vanavond, Jase.'

'Jij ook,' zei hij.

In een plastic bekertje van Zack schonk Claire een tweede wijntje in en dronk het op terwijl ze naar Siobhan reden. Ze waren met Jasons truck. De ramen stonden een stukje open, daar was het warm genoeg voor, en Jason neuriede mee met de Allman Brothers op de radio. Claire keek naar zijn profiel, dat even vertrouwd als haar eigen gezicht voor haar was. Hij was haar man, ze hadden een gezin, een huis, een leven samen, en toch hadden ze niets gemeenschappelijks meer, behalve hun wederzijdse pogingen om wat ze samen hadden opgebouwd in stand te houden. Ze waren voor het eerst die week met zijn tweeën, samen weg van huis, maar hadden elkaar niets te zeggen. Claire kon vragen hoe het met zijn werk was, maar hij hield er niet van om het daarover te hebben; ze kon hem voor de honderdste keer de bemoedigende woorden van dr. Patel over Zack vertellen, maar elke keer dat ze haar woorden herhaalde hadden ze minder betekenis. Ze wilde Jason vragen waarom hij haar zojuist in de slaapkamer had afgewezen. Was hij boos op haar? Had hij haar slechte humeur van de afgelopen tien dagen opgemerkt en dat met Locks afwezigheid in verband gebracht? Wist hij wat er aan de hand was? Was hij zijn belangstelling voor haar verloren afgelopen week, was zijn passie voor haar uiteindelijk toch verflauwd? Was hij gestrest over het huis dat hij in Wauwinet aan het bouwen was of over iets anders? Het verbaasde haar dat ze eigenlijk geen flauw idee had wat hem bezighield.

'Heb je nog pijn in je rug?' vroeg ze.

'Een beetje,' zei hij.

'Heb je een pijnstiller genomen?'

'Drie Advils, meteen toen ik thuiskwam.'

Hij reed heel hard, alsof hij zo snel mogelijk op het feest wilde zijn. (Om met zijn broer in het souterrain te gaan roken?) Claire wilde er ook heen, maar het idee de hele avond alleen te zijn was onverdraaglijk. Als ze elkaar nu niet terugvonden, betekende dat het einde van hun huwelijk. Het was een overdreven gedachte – die voortkwam uit Claires eigen schuldgevoel en stress, de twee glazen wijn die haar in de greep kregen en de sluimerende krenking van de afwijzing, maar zo voelde ze het echt. Hadden ze eigenlijk nog wel iets gemeen? Waar hadden ze over gepraat toen ze elkaar voor het eerst ontmoetten, toen ze afspraakjes begonnen te maken, toen ze getrouwd waren maar nog geen kinderen hadden? Ze waren zo gefocust op het inrichten van hun toekomstige leven samen dat ze over het hoofd hadden gezien dat hun relatie gebaseerd was op... niets. Er was een lichamelijke aantrekkingskracht, een gemeenschappelijke liefde voor het eiland, een verlangen een gezin te hebben. Maar was dat genoeg? Moest er niet nog een gezamenlijke passie voor iets anders zijn, al was het maar kijken naar *Junkyard Wars*? (Claire had de pest aan dat programma.) Ze wilde reizen met de kinderen – hen meenemen naar Machu Picchu en naar Egypte om de piramiden te zien – maar zou dat er ooit van komen? Ze wilde romans lezen, films zien en over onderwerpen praten die er toe deden. Claire las een boek met korte verhalen van een Aboriginal dat Lock had aanbevolen, maar als ze Jason er iets over vertelde, keek hij haar glazig aan.

Ze keek in de donkere truck om zich heen. Het was er een zooitje – servetjes met koffievlekken, oude kranten, cd-hoesjes van bootlegs van Grateful Dead, visgerei, pepermuntjes, sleutels van god mag weten wat, een rubberen eendje waar de snavel afgekloven was, die er al rondslingerde sinds Shea een baby was, de pet van de visclub die nog van Malcolm, Jasons vader, was geweest. Ze pakte de pet op. 'Mis je je vader?' vroeg ze.

Jason deed even zijn ogen dicht. 'Ik dacht vandaag nog aan hem.'

'O ja?'

'Ja, vreemd dat je dat vraagt. Ik dacht terug aan mijn tiende verjaardag, dat hij me meenam naar Sankaty om mijn eerste rondje golf te spelen. Hij was dat jaar winterlid, en omdat het te koud was om te lopen betaalde hij dertig dollar voor een golfwagentje. Hij had een thermoskan koffie met Baileys of zoiets meegenomen waar hij me van liet drinken.' Jason slikte. 'Het was bijzonder, weet je, want hij liet me merken dat ik volwassen werd.' Hij schudde zijn hoofd. 'Het is net als met seks. Ik heb al heel wat rondjes golf gespeeld, maar de eerste keer vergeet ik nooit.'

'Ik mis je vader ook,' zei Claire.

'Hij was geweldig,' zei Jason. 'De geweldigste. Weet je, ik wil met J.D.'s verjaardag ook zoiets doen. Misschien kan ik met hem in Sankaty negen holes lopen.'

'Zonder Baileys,' zei Claire.

'Oké,' zei Jason.

Claire ontspande zich. Ze dacht aan Malcolm Crispin, de vader van Jason en Carter; een grote, oude, energieke man die veertig jaar bij het waterleidingbedrijf had gewerkt, die van golfen, vissen en grote biefstukken grillen hield, en ervan genoot om rode wijn te drinken en sigaren te roken op het terras van de visclub. Malcolm was aan mondkanker overleden toen J.D. een baby was, en hij had Claire een parelketting gegeven – de ketting die ze nu om had – omdat ze als eerste een Crispin-kleinkind ter wereld had gebracht. Siobhan was zwanger van Liam toen Malcolm overleed en ze had het nooit kunnen verkroppen dat Malcolm Carters kinderen nooit had gezien en dat Claire de parels had gekregen. Maar zelfs Siobhans teleurstelling kwam voort uit het feit dat ze allemaal tot één clan behoorden, de Crispins. Die band was waardevol, daar had je iets aan.

Jason stopte voor het huis van Carter en Siobhan, er stonden in de hele straat auto's geparkeerd. Claire dronk de laatste slok wijn op.

Jason opende zijn portier en stapte uit.

'Jason?'

Hij keek haar aan.

'Bedankt dat je het me verteld hebt,' zei ze. 'Over het golfen met je vader. Het was een mooi verhaal.'

Hij schudde zijn hoofd. 'Ik vind het vreemd,' zei hij. 'Het lijkt wel of je mijn gedachten kunt lezen.'

Op dat moment leek Tortola heel ver weg. Claire voelde zich beter. Ze gingen naar binnen.

Het feest was fantastisch. De zitkamer zag er gezellig uit en werd alleen door votiefkaarsen verlicht. Mensen liepen rond met drankjes in ijsglazen en juweeltjes van hapjes. Er werd gepraat, gelachen en uit de plafondspeakers klonk de sexy stem van Barry White. Siobhan stond aan de andere kant van de kamer, ze had iets nieuws aan, iets nauwsluitends en roze dat één schouder bloot liet. Er stonden gasten om haar heen. Claire probeerde haar blik te vangen, maar toen dat lukte, maakte Siobhan een wuivend gebaar, dat leek alsof ze haar wilde afpoeieren. Claires vrolijke stemming was als een mand met fruit die op haar hoofd balanceerde; hij wankelde gevaarlijk.

Claire schonk zichzelf een glas wijn in, en toen nog een, ze praatte met mensen die ze sinds kerst alleen in het voorbijgaan gezien had: Julie Jackson, Amie Trimble, Delaney Kitt, Phoebe Caldwell en Heidi Fiske.

Waar heb je je schuilgehouden?

Ik heb me niet schuilgehouden, antwoordde Claire vriendelijk. *Ik heb het gewoon druk. Heel erg druk, nu ik weer aan het werk ben.*

Hoe is het met de baby? Hij zal wel heel groot geworden zijn!

Heel groot, echode ze. *Het gaat fantastisch met hem, hij is net één jaar geworden. Hij kruipt al bijna. Het gaat goed met hem.*

Ze dronk, ze kletste, ze at bijna niets, hoewel de hapjes verrukkelijk waren – guacamole met verse maïs, kleine Aziatische krabkoekjes die met kokosmelk gezoet waren, in bacon verpakte coquilles met mierikswortel.

'Heerlijk!' zei Claire toen Siobhan met sappige Chinese spareribs langskwam. Siobhan keek haar over haar vierkante bril venijnig aan. Claires goede humeur kelderde. Was Siobhan kwaad? Claire dacht terug: ze hadden elkaar de afgelopen twee dagen niet gesproken. Claire had een bericht ingesproken, misschien wel twee, maar Siobhan had niet teruggebeld. Dat was niet normaal, maar Siobhan had het druk. Ze gaf een feest! Claire baande zich een weg door de menigte tot ze Siobhan zag, die op dat moment Adams Fiske een sparerib aanbood. Claire tikte Siobhan op haar schouder.

'Hoi.'

'Hoi,' zei Siobhan op vlakke toon.

'Is er iets? Ben je kwaad op me?'

Siobhan knikte in de richting van de gang, waar het schemerig en rustig was. Claire liep achter haar aan, haar hart ging als een razende tekeer.

'Wat is er?' zei Claire.

'Ik heb Edward gesproken.'

'En?'

'Weet je het niet?'

'Wat?'

'Hij heeft de opdracht voor de catering van het gala aan iemand anders gegeven.'

'Wát heeft hij gedaan?'

'Hij heeft de opdracht aan À La Table gegeven.'

'Genevieve?'

'Genevieve.'

'Ik geloof het niet.'

'Maar dat is nog niet alles.'

'Hoezo?'

'Ik heb het niet eens van Edward zelf gehoord. Genevieve heeft het me verteld. Ik kwam haar op de markt tegen, en je weet hoe ze is, ze kon het niet voor zich houden. Ze was zo blij! Ze moest het aan me kwijt: zij had de opdracht voor de catering van het Nantucket's Children Zomergala gekregen!'

'Shit.'

'Ik ben naar huis gegaan en heb Edward gebeld. Hij bevestigde het. Genevieve was bijna veertig dollar per persoon goedkoper.'

'Shit.'

'Wist je het niet?'

'Ik had geen idee.'

'Toen ik Edward vroeg of jij het wist, zei hij dat hij je een e-mail gestuurd had.'

'O,' zei Claire. 'Nou, misschien is dat wel zo. Ik heb mijn e-mail al... een paar dagen niet gecheckt.'

Siobhan kwam een stap dichter bij Claire staan, zodat de rand van het bord met spareribs in Claires buik stak. Siobhans bril gleed naar het puntje van haar neus, en haar gezicht werd rood. 'Edward heeft de ballen verstand van eten en wijn. Je kunt hem pindakaas op een dakpan voorzetten en hij zal zeggen dat het heerlijk is. Hij proeft geen verschil tussen een glas goede wijn en petroleum. Waarom vertrouwde je hem de catering toe?'

'Hij bood zich vrijwillig aan. En ik dacht dat hij jou zou kiezen. Daar ging ik van uit.'

'Maar dat heeft hij niet gedaan, of wel soms?'

'O, Siobhan, het spijt me.'

'Spijt het je? Is dat alles wat je te zeggen hebt?'

'Wat wil je dan dat ik zeg? Vertel het me, en ik zal het zeggen.'

'Je had Edward niet de verantwoordelijkheid voor de catering moeten geven. Dat was een enorme beoordelingsfout van je. Je ging ervan uit dat hij mij zou kiezen, maar als je verdomme een beetje had nagedacht, of als je het me gewoon gevraagd had, had ik je kunnen vertellen dat Edward al jaren zit te azen op een kans me een hak te zetten, me te vernederen omdat ik onze verloving heb verbroken en met Carter getrouwd ben. Waarom heeft hij anders Genevieve gekozen? Ze is waardeloos! Haar eten is bagger, ze gebruikt nota bene cornflakes in een voorgerecht, en tot nu toe heeft ze elk evenement in het honderd laten lopen. Hij heeft haar gekozen omdat hij weet dat ze mijn concurrente is, omdat hij weet dat ik de pest aan haar heb. Ik had nog liever gehad dat hij een of andere trendy cateraar uit New York had gekozen! Maar Genevieve! Ze kan veertig dollar per persoon onder mijn prijs zitten omdat ze haar zestienjarige dochter met haar vriendinnetjes inhuurt om te serveren.'

'Het spijt me echt heel erg,' zei Claire. 'Ik had Edward niet de verantwoordelijkheid moeten geven.'

'Je moet niet domweg mijn woorden herhalen, Claire. Ik vind dat erg neerbuigend.'

'Hij was je op die vergadering aan het ophemelen, hij vertelde iedereen hoe geweldig je was en ik dacht dat je gebeiteld zat.' Claire stak haar hand uit en raakte Siobhans arm aan, maar Siobhan trok die met een ruk weg en liet bijna het bord met spareribs vallen. Claire was behoorlijk aangeschoten – ze leek de situatie niet erg handig aan te pakken – maar Siobhan had misschien nog wel meer op.

'Weet je wat het ergste van alles is?' zei Siobhan. Haar stem trilde en haar ogen vulden zich met tranen. 'Je bent veranderd. Sinds je die achterlijke baan als medevoorzitter hebt aangenomen, ben je een ander mens, Claire Crispin.'

'Ik ben niet veranderd,' zei Claire.

'Je hebt afgelopen kerst tegen me gelogen toen je zei dat je niet in Tupancy was,' zei Siobhan, nu woedend fluisterend. 'Ik heb je gezien, je reed me verdomme bijna aan, en vervolgens ontkende je glashard je dat je er ooit geweest was.'

Claire lachte smalend, maar vanbinnen voelde ze zich steeds ongemakkelijker worden. Ze was in Tupancy geweest met Lock, ze waren op zoek geweest naar een rustig plekje. Toen Siobhan daar zo plotseling opdook, waren ze zich wild geschrokken, zo erg dat Claire was doorgereden, ervan overtuigd dat ze zich vergist had. *Wat moet ik doen?* had ze Lock gevraagd. *Ontkennen,* had hij gezegd.

'Ongelooflijk zeg, dat je me nu ter verantwoording roept voor iets wat nog voor kerst gebeurd is,' zei Claire.

'Geef nou maar toe dat je in Tupancy was,' zei Siobhan. 'Geef maar toe dat Lock bij je in de auto zat.'

'Lock?' zei Claire.

'En een paar weken geleden heb ik je te biecht zien gaan.' Siobhan boog zich voorover. 'Je was verdomme te biecht gegaan, Claire. Waar sloeg dat op?'

'Ik heb je toch verteld dat ik–'

'Denk je dat ik gek ben, Claire?'

Ik zit in de nesten, dacht Claire. Siobhan vermoedde dat er iets aan de hand was, maar ze was in het ongewisse gelaten. Claire aarzelde en dacht: ik had het haar moeten vertellen. Ik had het haar op een rustig moment moeten vertellen. De afgelopen paar maanden zouden een stuk draaglijker zijn geweest als ze een vertrouweling gehad had voor haar gedachten, haar gevoelens, de fijne en de slechte, de zekere en de onzekere. Claire had Siobhan eerder over Lock moeten vertellen, maar nu kon het niet meer omdat Siobhan razend zou worden, misschien voor altijd, dat ze haar niet vanaf het begin in vertrouwen had genomen.

Wat? zou ze zeggen, en haar Ierse temperament zou oplaaien. *Vertrouwde je me niet?*

De waarheid zou tussen hen in staan, stinkend en onmiskenbaar.

Claire vertrouwde haar niet.

Ze kon het Siobhan nu midden in het feestgedruis niet vertellen. Misschien binnenkort... maar nee, nooit. Claire zou het nooit vertellen, ook niet als Siobhan haar met haar rug tegen de muur zette. Zolang het alleen tussen Claire en Lock bleef, was het geen realiteit; als ze uit elkaar gingen, verdween het, had het nooit bestaan, het kon niet bewezen worden. Er stond niets op papier, er was geen aanwijsbaar, tastbaar voorwerp dat naar hen beiden verwees. Als er in een bos een boom valt en er is niemand die het hoort, maakt het dan geluid? Nee, dacht Claire. Zolang niemand het wist, was ze veilig. Als het geheim bleef, zou niemand gekwetst worden. Toch was Siobhan gekwetst. Ze wist dat Claire niet meer dezelfde was. *Je bent een ander mens.* Merkwaardig eigenlijk dat Siobhan het wel gezien had en Jason niet. Maar toch stond Siobhan in praktisch elk opzicht het dichtst bij Claire, en Claire voelde zich even schuldig, zo niet schuldiger, over haar verraad aan Siobhan.

Hoe moest ze dit oplossen?

'Ik maakte me zorgen over Zack,' zei Claire, wat waar was. 'Op zijn verjaardag kwam het allemaal weer boven. En toen we hierheen reden, hadden Jason en ik het over Malcolm...'

Siobhan snoof verachtelijk. 'Malcolm?' zei ze. 'O ja!' Ze draaide zich om met haar bord met spareribs. 'Leuke parels, trouwens!'

Claire wilde achter haar aan lopen (hoewel ze geen idee had wát ze moest zeggen om het goed te maken) toen ze iets zag dat haar sprakeloos maakte: haar echtgenoot en Julie Jackson kwamen de trap af. Op de trapreden stonden aan weerskanten votiefkaarsjes, maar voor zover Claire wist, was dat als versiering bedoeld, niet als uitnodiging om naar boven te gaan. Voor zover Claire wist was het boven donker en verlaten, op Liam en Aidan na, die lagen te slapen.

Claire had het gevoel dat ze moest braken. Julie Jackson was de mooiste vrouw die ze kende. Julie raakte Jasons arm aan, boog zich naar hem over, en hield hem vast. Ze had een kort rokje aan en superhoge hakken, met moeite daalde ze de trap af. Claire dacht terug aan Jasons afwijzing in de slaapkamer. *Daar hebben we toch geen tijd meer voor?* Ze dacht aan de haast waarmee hij hiernaartoe was geracet. Wat hadden Jason en Julie Jackson in godsnaam boven in het donker uitgespookt? Claires ogen zochten Siobhan, maar die was kwaad weggebeend. Claire dronk het restje wijn uit haar glas en liep naar Jason toe. Ze wist dat haar wangen rood waren, en ze had het gevoel dat haar gezicht elk moment kon exploderen. Haar ogen voelden als gloeiend heet glas en de geforceerde glimlach om haar lippen deed haar klappertanden. Julie kneep in Jasons arm en dook weg, de keuken in.

'Hé, schatje,' zei Jason.

'Wat deden jullie daarboven?' vroeg Claire.

Jason lachte en nam een slok bier. 'Je zou je gezicht eens moeten zien.'

'Ik vroeg je iets.' Ze kookte van woede. Terwijl Siobhan haar het vuur na aan de schenen legde, had haar man Julie Jacksons rok omhooggetrokken en haar voorovergebogen genomen in de logeerkamer. Claire twijfelde er geen moment aan. 'Je hebt met haar geneukt,' fluisterde ze.

'Wat!' riep Jason. Zijn wenkbrauwen schoten omhoog.

'Ontken het maar niet,' zei Claire. 'Jullie waren met zijn tweeën boven, helemaal alleen. Ik ben niet achterlijk, Jason.'

Met een klap zette hij zijn biertje op de tafel achter hem neer. 'Ik liet haar de halfronde sierlijsten aan het plafond in de slaapkamer zien,' zei hij. 'Julie en Brent gaan uitbouwen en ze vroeg of ze het mocht zien.'

'O ja, vast,' zei Claire.

'Beschuldig je me ervan dat ik vreemdga?' zei Jason. 'Is dat echt wat je aan het doen bent?'

Hij praatte heel hard, en hoewel een muur hen van het feestgedruis scheidde, konden de mensen die naar toilet gingen hen zien en waarschijnlijk ook horen. Vanuit de deuropening van de zitkamer stonden Adams en Heidi Fiske hen aan te staren. Je kon maar beter geen scène schoppen op een feest, iedereen zou het er de volgende morgen over hebben.

Jason greep Claire bij de arm. 'We gaan Julie vragen wat we boven deden. Kom, nu meteen, dan kun je het zelf horen. We gaan haar zoeken.'

'Nee,' zei Claire. 'Geen denken aan.' Het laatste wat ze wilde was een of andere ordinaire confrontatie in de keuken terwijl iedereen hen stond aan te gapen. Claire zou Julie nooit meer in de ogen durven kijken.

'Je beschuldigt me er net van dat ik haar genaaid heb,' zei Jason. 'Na vijftien jaar samen te zijn, dertien jaar huwelijk en vier kinderen thuis. Denk je dat ik dat allemaal op zou geven door met een van je vriendinnen op een feestje te gaan rotzooien? Heb je zo'n lage dunk van me?'

'Ze is erg mooi,' zei Claire.

'Jij bent mooi!' Jason schreeuwde nu. 'Het gaat toch niet om mooi! Het gaat erom dat je mij beschuldigt, het gaat erom dat je mij, Jason Crispin, je man, niet vertrouwt. Denk je nu werkelijk dat ik je zou bedriegen?'

Hij was razend, woest. Eerst haar beste vriendin, nu haar man. Waarom vanavond? Wat had ze fout gedaan?

'Je wilde thuis ook al niet met me vrijen,' zei Claire.

'Dan zouden we te laat komen,' zei Jason. 'Bovendien sterf ik van de pijn in mijn rug.'

'Je reed als een gek...'

'Dacht je soms dat ik zo snel mogelijk met Julie Jackson naar boven wilde?'

'Nou...' zei Claire.

'Denk je echt dat ik een verhouding heb?' vroeg Jason. 'Denk je nu echt dat ik zo laag-bij-de-gronds ben? Zo achterbaks?'

'Het is donker boven,' zei ze. 'Pikdonker. Vind je het gek dat ik het denk?'

'Je denkt dat ik een vuile schuinsmarcheerder ben. Net als je vader! Kom, we gaan.'

'Nee.'

'We gaan. Ik ga de jassen halen.'

Claire ging op de onderste tree van de trap zitten en legde haar gloeiende gezicht in haar handen. In de andere kamer werd de muziek harder gezet, ze waren waarschijnlijk aan het dansen en misschien had Siobhan een fles heerlijke Moët ontkurkt, maar Claire en Jason Crispin gingen ervandoor.

Jason wierp haar haar wollen omslagdoek toe. 'Hier.'

'Maar Siobhan...' Siobhan zou hels zijn dat ze op haar feestje ruzie had gemaakt en vroeg wegging.

'We gaan,' zei Jason.

Ze stampten het huis uit en sloegen de deur met een klap achter zich dicht. Toen ze op de stoep stonden, stak Carter zijn hoofd naar buiten.

'Jase, waar gaan julie naar toe, man?'

'Mijn vrouw wil naar huis.'

'Nu al? We hebben nog van alles te eten, kerel. Ik ga lendenbiefstuk grillen...'

'Sorry, man,' zei Jason. Hij klom de truck in, Claire klom de truck in, en daar zaten ze, koud, zwijgend en ziedend van woede.

'Jij blijft,' zei Claire.

'Nee,' zei Jason.
'Oké, dan blijf ik.'
'Nee,' zei Jason.
'Jij maakt hier de dienst niet uit,' zei ze. 'Ik ben je bezit niet.' Ze trapte met haar hoge hak tegen het handschoenenkastje. 'Ik haat die truck.' Jason zei niets, wat haar nog kwader maakte. 'Belachelijk dat je hem Darth Vader noemt. Heb je ooit bedacht hoe imbeciel het is om in een truck te rijden die Darth Vader heet?'

Jason manoeuvreerde de truck behendig uit de parkeerplek en gaf gas. Claire zette zich met één hand schrap tegen het dashboard. Ze zag Jasons gezicht toen ze langs een lantaarnpaal reden. Zijn mond was een smalle streep.

Toen ze de oprit op reden, rukte Jason de sleutels uit het contact. Er stonden tranen in zijn ogen. 'Ik noem de truck Darth Vader omdat de kinderen dat leuk vinden. Zij vinden het grappig.'

Claire staarde hem opstandig aan. Ze liet zich niet de mond snoeren, ze zou zich niet door zijn woorden laten vermurwen. Maar Jason in tranen? Dat was nieuw, dat was afschuwelijk, dat was iets wat zij veroorzaakt had. Ze boog haar hoofd. Jason was geen imbeciel. Hij was niet dom, burgerlijk, achterlijk of bekrompen. Hij was een man die genoot als hij zijn kinderen zag lachen, die genoot als hij de van schrik vervulde, verrukte kreten hoorde (Shea) als hij de motor van de truck dreigend liet razen. En Jason bedroog haar niet. Toen ze Jason met Julie Jackson van de trap had zien komen, dacht ze: Ik weet wat dit betekent. Ze had zichzelf gezien. Claire loog en bedroog, Claire had seks gehad met Lock Dixon op de vergadertafel in de directiekamer van Nantucket's Children – ontelbare keren had ze seks gehad met Lock in haar eigen auto, de Pilot, die Jason tegenwoordig niet meer van haar mocht gebruiken. Claire had haar eigen gedrag op Jason geprojecteerd; het als verf over hem heen gespat.

Claire was achterbaks.

De volgende ochtend ontwaakte Claire met de ergste kater van haar leven. Het was niet alleen de alcohol, hoewel haar hoofd bonkte van de pijn, haar maag zich samentrok en ze boeren liet die zo stonken dat Jason daar zeker over geklaagd zou hebben, als hij naast haar gelegen had. Maar zijn kant van het bed was leeg, glad, het was onbeslapen. Hij had de nacht in de logeerkamer doorgebracht, wat ze, zo gold de afspraak, nooit zouden doen behalve in geval van een echtelijke crisis. J.D. en Ottilie waren beiden oud genoeg om te begrijpen wat het betekende, en noch Claire, noch Jason wilde dat er verhalen over hun slaapgewoonten, of die nu waar waren of niet, naar buiten kwamen. Het feit dat Jason in de logeerkamer had geslapen betekende dus dat de situatie ernstig was. Claire had hem beledigd; ze had zijn liefde, zijn persoon in twijfel getrokken, en wat was er erger dan dat? Zodra ze thuis waren en zodra Pan naar haar kamer was weggeglipt, had Claire geprobeerd uit te leggen dat ze van slag was geweest na haar gesprek met Siobhan, dat ze vier of vijf glazen wijn op had en dat ze, toen ze Jason met Julie de trap af zag komen, overhaaste conclusies had getrokken. Ze had hem inderdaad beschuldigd, maar ze had er spijt van en ze smeekte hem rekening te houden met de situatie waarin ze verkeerde.

De situatie is, had Jason over zijn woorden struikelend gezegd, terwijl hij, met de afstandsbediening in de aanslag, voor de tv zat, dat je goed waardeloos bezig bent. Hij zette het toestel aan en zocht *Junkyard Wars*.

Intussen pakte Claire een glas water voor zichzelf en zei: Kom mee naar bed. Ik zal het goedmaken. Ze was niet gewend ruzie te maken met Jason. Ze hadden hun leven opgedeeld in zijn territorium en haar territorium, ze bestuurden dat vreedzaam, zij aan zij, en maar zelden was hun gezamenlijk grondgebied – hun huwelijk – onderwerp van gesprek op de manier waarop het die avond het geval was. Die avond was hun huwelijk de Gazastrook. Maar ondanks dat was Claire er vrijwel zeker van dat ze Jason op de gebruikelijke manier kon overhalen.

Nee, zei Jason.

Wijs je nou alweer een vrijpartij af? vroeg ze.

Ik ga in de logeerkamer slapen, zei hij.

Ze had haar man van zich vervreemd en ze had haar beste vriendin van zich vervreemd. Het eerste was plotseling gebeurd, het tweede vond geleidelijk aan, in de loop van een halfjaar plaats. Claire walgde van zichzelf, haar hart pompte zwart bloed uit, slijk, rioolwater. Ze was nauwelijks in staat haar hoofd van het kussen op te lichten of haar voeten naar de grond te brengen.

Kon ze niet terugkeren naar de vorige avond zes uur en het allemaal overdoen? Kon ze niet terugkeren naar die lunch op de jachtclub en beleefd weigeren, tegen Lockhart Dixon zeggen: Bedankt, fijn dat je aan me gedacht hebt, maar ik moet je verzoek afslaan? Kon ze niet gewoon de hele dag in bed blijven liggen, zoals in haar studententijd op de ochtenden waarop ze wakker werd met een kater en met spijt omdat ze zes tequila slammers had gedronken, een of andere corpsbal van de universiteit van Rhode Island had versierd wiens achternaam ze niet wist, en vervolgens om twee uur 's nachts bij het tankstation twee hotdogs met chili en uitjes naar binnen had gewerkt – maar toen had ze, ondanks haar beklagenswaardige gedrag, tenminste wel kunnen slapen.

Nu hoorde ze Zack boven huilen. Joost mocht weten waar de andere kinderen waren. Het was zondag, Pans vrije dag. Erger kon niet.

Claire trok haar yogakleren aan, poetste haar tanden en sleepte zich de trap op. Haar hoofd voelde als een glazen bol die te dun geblazen was, een die zeker in de oven uiteen zou spatten. Zack brulde. J.D. zat op de overloop achter de computer, hij speelde een afschuwelijk racespelletje waar hij aan verslaafd was. Jason stond het toe omdat het geen gewelddadig spel was. Het was niet gewelddadig, maar wel zo hypnotiserend dat J.D. zijn broertje in de kamer ernaast blijkbaar niet hoorde krijsen.

'Hoor je je arme broertje niet?' zei Claire.

'Wat moet ík eraan doen?' zei J.D. 'Hij wil mij niet. Hij wil jou.'

Claire had zin om hem een draai om zijn oren te geven, maar J.D. imiteerde zijn vader niet bewust. Het was Jason die tegen Claire praatte alsof ze zijn zwakzinnige bediende was, Jason die haar het absurde idee gaf dat zij de enige in het gezin was die voor Zack verantwoordelijk was – misschien omdat zíj ervoor gezorgd had dat hij bijna dood was gegaan. Claire wierp een blik in de logeerkamer. Het bed was leeg en opgemaakt.

'Heb jij papa vanochtend gezien?' vroeg Claire.

'Hij is naar zijn werk,' zei J.D.

'Naar zijn werk?'

'Hij had het over een deadline.'

'Ja, maar het is zondag. Rustdag.'

J.D. reageerde niet, hij was alweer in zijn spel verdiept.

'Waar zijn je zusjes?'

Weer gaf hij geen antwoord. Claire liep naar de babykamer en nam Zack uit zijn ledikantje. Hij was rood aangelopen, ontroostbaar, hij had de hik en was over zijn toeren. Hij was de verdrietigste baby die Claire ooit had gezien, en ook toen ze hem in haar armen had bleef hij krijsen, hij hapte naar adem, misschien ook omdat hij voelde dat ze er met haar gedachten niet bij was.

Ottilie kwam uit haar slaapkamer met haar nachtpon over haar spijkerbroek. Ze had ooit op een onverklaarbare ochtend gevraagd of ze in die outfit naar school mocht.

'Kom je zo beneden?' zei Claire. 'Ik ga het ontbijt maken.'

'Ik heb geen trek,' kondigde Ottilie aan.

'Maakt niet uit. Je zult toch moeten eten,' zei Claire.

'Shea heeft in bed overgegeven, en het stinkt zo dat ik geen trek meer heb.'

'Heeft Shea in bed overgegeven?'

Ottilie gebaarde met haar hoofd naar de gesloten badkamerdeur. 'Daar is ze.'

Claire legde haar oor tegen de deur. Ze hoorde Shea kokhalzen en braken.

Ze klopte op de deur. 'Shea, lieverd, gaat het?'

Gekerm.

'Haar hele bed zit onder,' zei Ottilie. 'Het zit ook op het tapijt. Het stinkt vreselijk.'

'Oké,' zei Claire, en ze dacht: Jason is aan het werk (om haar te treiteren, om haar te straffen), Pan heeft een vrije dag, één kind blèrt, één kind braakt en twee kinderen zijn te beroerd om een poot uit te steken. Hoofdpijn, zwaar hart. Geen hartsvriendin meer, haar minnaar in Tortola. Het voelde alsof het rechtvaardig was, het voelde juist. Claire dacht aan pater Dominic. Dit was haar boetedoening.

Claire forceerde de deur van de badkamer. Ze wreef over Shea's rug terwijl die haar maaginhoud in de wc uitbraakte. (Ottilie had gelijk, het rook walgelijk. Claire kreeg zelf braakneigingen, de krabkoekjes woelden als een gek rond in haar maag.)

'Enig idee hoe het komt, schat? Heb je gisteravond te veel gesnoept? Of heb je te veel vette popcorn gegeten?'

'Nee,' kreunde Shea.

Dit antwoord deed Claire vrezen dat het om een virus ging dat het hele gezin zou treffen.

Ze trok Shea's pyjama uit, poetste haar tandjes en legde haar bloot in het bed in de logeerkamer. Het beddengoed op het logeerbed behoorde tot Claires kostbaarste bezittingen; het fijnste katoen, kraakhelder en wit, afgezet met grijsgroen garen. Er lagen tien kussens op het bed, inclusief twee grote, met zacht schuimrubber gevulde kussens in Europese slopen die versierd waren met de letter *C*. Het logeerbed was het toppunt van verwennerij, iets voor een Turkse pasja, en Shea was zo verrukt dat ze bloot onder het zachte, frisse katoen, de groene chenille deken en het donzen dekbed mocht kruipen, dat ze onmiddellijk leek op te fleuren. Maar het kon ook zijn dat ze zich opgelucht voelde nu ze had overgegeven. Claire hoopte, bad, dat Shea niet over de lakens zou braken. Op het nachtkastje stond een glazen kan met een glas. Claire vulde het glas in de badkamer en zette het bij Shea neer.

'Niet meteen te veel drinken, hè, lieverd?'

'Nee, mam.'

'En je moet me beloven dat je naar de badkamer gaat als je misselijk bent.'

'Beloofd.'

Claire keek naar haar dochter. Haar rode haar was vochtig en samengeklit, haar ronde wangen waren rood. Alleen haar tengere bovenlichaam en twee broodmagere (maar onvermoed sterke) armen staken boven het dekbed uit. Shea was een wonder, dacht Claire, en haar ogen vulden zich met tranen. Al haar kinderen waren een wonder, vooral het kind dat in haar armen lag te jengelen.

'Ik hou van je,' zei ze tegen Shea.

'Weet ik,' zei Shea, zich niet bewust of niet onder de indruk van Claires emotionele opwelling. 'Mag ik tv-kijken?'

Er stond inderdaad een tv in de logeerkamer, verborgen in een kast tegenover het houten bed. Vreemd dat ze met al dat comfort niet meer gasten hadden (de gedachte aan vier kinderen schrok de meeste mensen af). Maar in augustus zou Matthew in deze kamer slapen. Claire wilde echt niet dat Shea op het peperdure beddengoed zou overgeven. Ze liep naar de linnenkast, pakte een emmer en zette hem naast Shea's bed.

'Voor het geval dat,' zei ze.

Er lag een briefje van Jason op de bar in de keuken waarop stond: *Ik ben naar mijn werk*. Claire schonk een kop koffie en een glas water in en nam drie Advils. Het was een prachtige dag, zonnig, voorjaarsachtig, het zou maar een dag of twee, drie zo blijven. Ze zouden ervan genieten: gaan picknicken bij Great Point, wandelen rond Squam Swamp, met het hele gezin naar buiten.

Ze knuffelde Zack, kuste zijn oogleden en zijn neusje. 'Ik hou van je,' zei ze. 'Mag ik je in je kinderstoel zetten? Dan kan ik het ontbijt klaarmaken.'

Hij klampte zich aan haar vast. Hij wilde niet neergezet worden. Ze kon onmogelijk bacon bakken, beslag voor de pannenkoeken maken, cacaopoeder door de melk roeren als ze haar handen niet vrij had. Dus maakte ze een kom ontbijtgranen voor J.D. en Ottilie klaar en riep dat ze beneden moesten komen. Ze probeerde Zack voor een banaan te interesseren, maar hij staarde er alleen naar.

'Banaan' zei ze. 'Die kun je eten.' Ze nam een hap, maar had er onmiddellijk spijt van. 'Zie je?'

Claire keek naar de telefoon. Zou ze Jason op zijn mobiele telefoon bellen en nogmaals haar excuus aanbieden? Zou ze Siobhan bellen? Het was nog geen halfacht en Liam en Aidan stonden erom bekend dat ze, in tegenstelling tot Claires kinderen, in het weekend tot twaalf uur uitsliepen. Nee, ze kon Siobhan niet bellen. (Wat moest ze trouwens zeggen? Beloven dat ze contact met Edward zou opnemen en de cateringkwestie zou oplossen? Dat kon niet! Ze had het regelen van de catering uitbesteed aan Edward en hij had met zijn commissie een besluit genomen. Zij kon er niets meer aan doen.) Er stond een andere, belangrijker kwestie als een berg tussen hen in. Claire had haar niet over Lock verteld, en was dat ook niet van plan.

Ze riep J.D. en Ottilie nog een keer – ze hoorde het vervloekte dopplereffect van het racespelletje – maar wist dat ze niet naar beneden zouden komen, en dat ze, als ze dat uiteindelijk deden, zouden klagen dat hun ontbijt niet meer lekker was. Laat maar, dacht ze. Het ontbijt was een verloren zaak.

Ze glipte de werkkamer in, Zack zwaar tegen haar borst, en zette de computer aan.

'Computer,' zei ze, naar het scherm wijzend.

Lock zou die ochtend thuiskomen. Eindelijk, eindelijk. Hij had vast bij lange na niet zoveel geestelijke energie aan haar besteed als zij aan hem. Ze was boos op zichzelf, maar voelde zich tegelijkertijd hulpeloos. Ze kon haar gedachten niet onder controle houden en, zoals de avond ervoor gebleken was, haar woorden en daden ook nauwelijks. Al haar gedachten voerden naar hem.

Ze opende haar e-mail. Daar was het onheilsbericht van Edward, dat hij ook naar Isabelle, Lauren van Aln en twee andere vrouwelijke commissieleden uit New York had gestuurd. Er was geen e-mail van Lock.

Claire drukte Zack tegen zich aan en kuste zijn haar. Boven hoorde ze Shea kokhalzen.

Ze had zich in haar hele leven nog nooit zo eenzaam gevoeld.

Ze was met Zack naast zich op haar bed in slaap gevallen, wat, zo besefte ze toen ze wakker werd, een kostbaar geschenk was, ondanks het feit dat ze de andere drie kinderen – van wie er één ziek was – aan hun lot had overgelaten. Ze keek op de klok, het was bijna tien uur. Er kwam geen geluid van boven, wat haar alarmeerde. Het was beter geweest als ze het geraas van dat godvergeten racespelletje of braakgeluiden van Shea had gehoord, dan wist ze tenminste dat haar kinderen nog leefden. Ze keek om de hoek van de keukendeur. Alles was nog net als daarvoor: het briefje van Jason dat haar razend maakte, de twee onaangeroerde kommen Cheerios. Ze probeerde Zack, die zijn plaats op haar schouder weer ingenomen had – zij de piraat, hij haar krijsende papagaai – een paar Cheerios te voeren, maar hij hield zijn mond stijf dicht.

Boven zat er niemand achter de computer, J.D.'s kamer was leeg (bed onopgemaakt, pyjama op de grond in plaats van in de wasmand), de meisjeskamer was verlaten en het stonk er. Claire was vergeten de lakens met braaksel af te halen. Zij, de Koningin van de Was, was het op een na belangrijkste, na het verzorgen van Shea, vergeten. Nu rook de kamer van de meisjes zuur en smerig, en het feit dat het een warme dag was en de ramen niet openstonden maakte de stank nog erger.

Maar nu eerst de kinderen. De deur van de logeerkamer was dicht en er kwam geen geluid uit, zelfs niet het gedempte gebabbel van Cartoon Network (Claire haatte het tekenfilmkanaal, alleen in haar zwakste momenten stond ze het toe). Voorzichtig opende ze de deur, ervan overtuigd dat wat ze binnen zou aantreffen haar niet zou bevallen. Maar daar zag ze Shea, rechtop slapend tegen de C-kussens en aan het voeteneind van het bed zaten Ottilie en J.D. stilletjes te tekenen. Het was zo aandoenlijk, wanneer had Claire die twee voor het laatst zo rustig en productief bezig gezien? Jaren geleden. J.D. was aan het tekenen met een set scherp geslepen potloden. Hij tekende huizen, hij wilde architect worden. Ottilie was aan het kleuren met speciale viltstiften die Claire uit een catalogus had besteld. Toen ze binnenkwam, keken de kinderen op en glimlachten verlegen, ze wisten dat hun moeder, ondanks dat ze geen hap van het ontbijt hadden gegeten, alleen maar blij met hen kon zijn. Ze waren creatief bezig en pasten tegelijkertijd op hun zieke zusje. Modelkinderen, nog twee wonderkinderen, had Claire kunnen denken, als haar oog niet op dat moment op Ottilies speciaal-uit-een-catalogus-bestelde fuchsiakleurige viltstift was gevallen, waar de dop van af was, en die een volmaakte cirkel inkt lekte op het kostbare, witte dekbedovertrek.

Het dekbedovertrek was naar de maan. In vergelijking met al het andere stelde het niets voor, maar het was juist dit waardoor Claires keel zich dichtkneep, en ze bijna moest huilen.

'Kom, we gaan ontbijten,' zei ze met een onderdrukte snik.

Om halfelf ging de telefoon. Met Zack hangend aan haar nek was Claire boven de lakens met braaksel af aan het halen. Het geluid van de telefoon verraste haar. Ze vloog de trap af om op te nemen. *Siobhan*, dacht ze, en haar hart werd lichter. Of Jason. Of... Lock. Maar nee, het was zondag; hij zou haar in geen duizend jaar 's zondags thuis opbellen.

Op het display stond *Onbekend nummer*. Een telefonische verkoper, dacht ze teleurgesteld. Zack bonkte met zijn hoofd tegen haar borstbeen en begon te huilen. Het was geen geschikt moment om op te nemen. Maar Claire was blij dat er überhaupt iemand met haar wilde praten, zelfs een verkoper. Ze nam op.

'Hallo.'

'Claire?'

Het was een man. Was het Lock? Nee, maar de stem was net zo vertrouwd als die van Lock. Dezelfde belletjes begonnen in haar hoofd te rinkelen.

'Ja?' zei ze.

'Ik ben het.'

Ze wachtte, en vroeg toen aarzelend: 'Met wie?'

'Matthew.'

'O,' zei ze verbaasd. *Matthew?* Was het echt Matthew? 'Mijn hemel, ik kan het niet geloven.'

'Heb je mijn bericht ontvangen?' zei hij. 'Afgelopen...'

'Oktober. Ja, dat heb ik ontvangen.'

'Ik ben thuis nu,' zei hij. 'Nou ja, niet echt thuis, maar in Californië.'

Zack huilde. Claire kon Matthew niet goed verstaan. 'Heb je een ogenblikje?'

'Bel ik ongelegen?'

'Nee,' zei ze. 'Nee, helemaal niet.' Plotseling herkende ze zijn stem, viel zijn stem die zo beroemd was op zijn plaats. Het was ook zo lang geleden. 'Ik moet met je praten. Ik bedoel, ik heb iemand nodig, maar ik heb al mijn vrienden en vriendinnen tegen me in het harnas gejaagd, zelfs mijn man. Ik ben hier een persona non grata.'

'Dan kunnen we elkaar een hand geven,' zei hij.

'Wacht even,' zei ze.

Ze legde de telefoon neer en probeerde Zack te kalmeren, maar hij was compleet over zijn toeren, er was niets wat ze voor hem kon doen. Maar ze wilde met Matthew praten, ze kenden en hielden al van elkaar lang voordat Jason, Siobhan of Lock in haar leven waren gekomen. En het was niet toevallig dat hij juist nu, deze ochtend belde. Het was een teken, het was precies wat ze nodig had.

Ze nam een besluit. Ze had geen keus. Ze klopte op Pans slaapkamerdeur.

Pan deed de deur op een kier. Ze droeg een grijs sportshirt en een zwart slipje, en haar haar zat in haar gezicht. Ze had geslapen.

'Het spijt me verschrikkelijk,' zei Claire, 'maar zou je hem alsjeblieft, alsjeblieft tien minuten willen vasthouden? Ik heb een heel belangrijk telefoontje.'

Pan gaf geen antwoord, en Claire dacht dat ze misschien slaapwandelde. Zack stak zijn armpjes naar haar uit en instinctief nam Pan hem van haar over en deed de deur dicht.

'Bedankt!' zei Claire tegen de gesloten deur. 'Bedankt, Pan! Tien minuten!'

Ze haastte zich naar de telefoon. 'Ben je er nog?'

'Ja, ik ben er.'

'Goddank.' Ze liep naar buiten en ging op de bovenste tree van het terras in de zon zitten. Voor het eerst sinds maanden had ze het warm. 'Wat fijn dat je belt.'

'Wat is er aan de hand?' zei Matthew. 'Je moet me alles vertellen.'

Pas op dat moment begon Claire te huilen. Max West was een rockster. Hij had voor de sultan van Brunei gespeeld, voor de Dalai Lama, hij had in een amfitheater vol boeddhistische monniken gestaan. Hij had Grammy Awards gewonnen en presidenten ontmoet. Maar hij was haar jeugd, haar meisjesjaren; hij was een deel van haar, hij was wie ze geweest was en wie ze nog altijd, diep vanbinnen was. Vroeger toen ze vrienden waren, voordat ze verliefd werden, kwam hij altijd op zaterdagochtend naar haar huis om haar te helpen met haar taken: het afstoffen en stofzuigen van de voorkamer. Voor zijn groeispurt ging hij boven op de stofzuiger staan en trok Claire hem de kamer rond. Hij was een keer midden in de nacht onverwacht langsgekomen en had Claire slapend aangetroffen met een speciaal soort papier in haar haar om het te ontkrullen, en ze hadden het bijna in hun broek gedaan van het lachen. In de laatste klas van de middelbare school reed hij in een gele Volkswagen Kever uit 1972 waarvan de richtingaanwijzers en de startmotor het niet deden, en ook als het in februari vijftien graden vroor moest hij zijn raampje opendraaien en zijn arm naar buiten steken om richting aan te geven. Om zijn auto aan de praat te krijgen moest hij ernaast rennen, Claire holde en duwde net zo hard mee en sprong op de passagiersstoel zodra de motor aansloeg. Hij had een zomer als hulpkelner in een visrestaurant op de boulevard gewerkt, Claire sprak met hem af als zijn dienst erop zat en soms toverde hij kreeftenstaartjes vanachter zijn rug tevoorschijn. *Ze waren over. Een cadeautje van de kok*. Ze peuzelden de zeekreeft in de duinen op terwijl ze over de zwarte zee uitkeken. Die avonden met de gestolen kreeften, met de wind in haar gezicht en Matthews blote benen die tegen haar benen aanstootten en dat het zo laat werd dat de lichten op de boulevard achter hen doofden, ervoer ze iets bijzonders. Ze dacht op die momenten bij zichzelf: *Ik wil dat mijn leven nooit verandert.*

Maar het veranderde wel.

'Het gaat goed,' snikte Claire. Hoe was ze hier beland? Zo ver weg van de duinen in Wildwood. Ze woonde nu ergens anders, ze had vier kinderen, een man, een carrière, een huis, een hartsvriendin, een minnaar, en een onuitvoerbare opdracht die haar zoveel angst inboezemde – maar het gala bracht ook Matthew terug in haar leven, en met hem deze herinneringen. Ze gaven haar kracht, alleen al vanwege het feit dat ze weer wist wie ze eigenlijk, diep vanbinnen was. Maar op dat moment was ze net als Zack; ze kon niet stoppen met huilen, ondanks de zon die op haar scheen. 'Jij eerst. Hoe is het met jou?'

'Ik drink weer,' antwoordde Matthew. 'Ik ben nu ook dronken.'

'Ooo,' zei Claire, met een verstopte neus van het huilen. 'Nee toch.'

'Ja,' zei hij, 'ik was een paar maanden op tournee. Ik was in Azië, in Indonesië, verre eilanden met draken, ik was in de wildernis op Borneo, waar nog kannibalen leven. Het was een gekkenhuis. Ik dacht dat ik het allemaal wel aankon. Maar toen werd mijn manager ziek, en hij liet me achter boven op een vulkaan op Flores, waar de meren roze, paars en turkoois waren door afzetting van mineralen. De meren waren ongelooflijk mooi, Disney-achtig, maar dan echt. Mijn manager Jerry, een gelovig man, was godvergeten ziek, en ik zou kunnen zeggen dat dat de reden is waarom ik in de fout gegaan ben, maar eigenlijk ben ik weer begonnen met drinken in het toilet van het vliegtuig voor we uit Los Angeles vertrokken, en sindsdien ben ik niet meer gestopt.'

'Nee.'

'Ja. Toen ik weer thuiskwam in Californië, is Bess van me gescheiden. Ik had haar laten zitten, zei ze. Ze kon het niet meer opbrengen. En ik zei: 'Je wist dat ik zwak was. Je had met me mee moeten gaan.'

'Ja. Waarom deed ze dat niet?'

'Ze heeft de pest aan toeren. Bess is een huismus. Ze wilde de honden niet achterlaten.'

'Ooo,' zei Claire, snotterend. 'De honden.'

'We zijn nu uit elkaar. Het is voorbij. Ze gaat met mijn accountant trouwen en kinderen krijgen. Ik geef haar drie miljoen dollar, ook al beweert ze dat ze geen geld wil. Ze wil het huis ook niet, hoewel ze heeft geholpen het te ontwerpen en inrichten in die typische zenboeddhistische Bess-stijl, maar ik kan er niet in wonen – het is háár huis. We gaan het dus verkopen. Maar voorlopig woont ze er nog met de honden – zij blijft natuurlijk voor de honden zorgen – en ik ga een huis in de bergen huren waar ik zal proberen om niet meer dan twee gin-tonics per uur te drinken.'

'O, Matthew...'

'Ik weet het. Dit is het dieptepunt. Iedereen dacht dat het dieptepunt bereikt was toen Savannah en ik betrapt werden toen we samen het Beverly Hills Hotel uit liepen.'

'Dat was ook wel heel erg.'

'Dat was gewoon een mediahype, behalve dat haar man de Russische maffia inschakelde om me koud te maken.'

'Je wordt nu niet met de dood bedreigd,' zei Claire. 'Dus nu is het minder erg.'

'Dit is erger,' zei hij, 'ik ben mezelf namelijk heel langzaam aan het vermoorden.'

'Je moet stoppen,' zei Claire.

'Ik kan niet stoppen.'

Ja, ze had het in de roddelbladen gezien: de ene ontwenningskliniek na de andere, waar hij behandeld en gedeprogrammeerd werd, waar hij medische verzorging kreeg en waar met hem gepraat werd, maar zodra hij eruit kwam, zodra hij het zelf moest doen, zocht hij juist datgene op waar hij vanaf wilde blijven. Claire begreep het nu, beter dan ooit tevoren, omdat zij verslaafd was aan Lock. Ze was niet in staat hem op te geven, ondanks het feit dat bij hem blijven haar leven ruïneerde.

'Je kunt niet stoppen,' fluisterde ze.

'Het is een ziekte,' zei hij.

Claire dacht terug aan het weekend voor de Dag van de Arbeid in 1986, een paar avonden voor haar laatste jaar begon. E.K., een vriend van hen, gaf diep in de nacht een feest in een leeg huurhuis (zijn moeder was makelaar). Er was bier en ze speelden strippoker. Om de een of andere reden was Claire het enige meisje dat na twaalven nog op het feest was, in ieder geval het enige meisje dat strippoker speelde. Matthew wilde niet dat ze haar kleren uittrok, maar dat was nu juist het spel, dus deed ze ze uit, zorgeloos, omdat E.K., Jeffrey en Jonathan Cross en alle anderen goede vrienden van haar waren, al sinds de peuterklas, ze beschouwde hen als haar broers. Claire zat praktisch naakt in de kring, ze voelde zich mager en seksloos – die jongens waren haar broers! – maar Matthew zat zich stilletjes te verbijten, hij dronk en dronk en dronk, en toen de zon opkwam en ze allemaal hun kleren weer aanhadden moest Claire hem naar zijn huis slepen. Hij sprak met dubbele tong en zei: *Je maakt me helemaal gek. Ik hou van je. Ik ben gek. Je maakt me gek, Claire Danner.*

Ze had overwogen Matthew voor de deur van zijn huis achter te laten, maar ze was bang dat hij in zijn braaksel zou stikken, iets waar je op school altijd voor gewaarschuwd werd. Ze klopte op de hordeur, waarna Sweet Jane Westfield met een sigaret en een kop thee naar buiten kwam. Claire had verwacht dat Jane kwaad zou zijn – ze waren de hele nacht weggebleven en hadden gedronken – maar omdat Matthew een broer en drie oudere zussen had die al uit huis waren, was Sweet Jane wel wat gewend. Ze nam Matthew mee naar binnen en zwaaide Claire uit. Toen Claire over het pad wegliep hoorde ze Matthew tegen zijn moeder zeggen: *Dat meisje van me maakt me gek.*

Toen Claire aan dat weekend in 1986 terugdacht, dacht ze: *Toen is het begonnen.* Matthews alcoholverslaving. Maar dat was weer dat zinloze verantwoordelijkheidsgevoel van haar. *Geen grenzen!* In werkelijkheid was Matthew zich in de jaren nadat ze uit Wildwood vertrokken waren aan de alcohol te buiten gegaan op een manier waarvan Claire zich geen voorstelling kon maken.

'Nu jij,' zei Matthew. 'Vertel eens waarom je verdrietig bent. Ik had in geen duizend jaar verwacht dat ik je verdrietig aan de lijn zou krijgen. Ik stel me je nooit verdrietig voor. Weet je nog dat je me zei dat als je eenmaal uit huis was, je leven helemaal volmaakt zou worden?'

'Ha!' riep Claire. Dat had ze inderdaad gezegd. Ze had zichzelf beloofd dat ze Wildwood Crest met een schone lei zou verlaten. En haar leven was gelukkig geweest, het was voorspoedig verlopen. Tot... wanneer? Wanneer waren de moeilijkheden begonnen? Met Zacks geboorte, of daarvoor? Op de avond van Daphnes ongeluk? Waar moest ze beginnen als ze hem haar liefde voor Lock wilde uitleggen? Wat moest ze zeggen? *Ik hou op dezelfde manier van hem als waarop ik van jou hield, roekeloos, zuiver, met heel mijn hart, verlangend, hunkerend en riskant.*

'Ik was op een feestje gisteravond,' zei ze. 'Ik dronk flink, ik had van alles aan mijn hoofd. Ik kreeg ruzie met Siobhan, mijn beste vriendin. Het was haar feestje en ik voelde me er ontzettend rot over. Toen zag ik Jason de trap af komen met een vriendin van ons. Die vrouw is waanzinnig mooi en ik beschuldigde hem ervan dat hij met haar naar bed geweest was en... God, wat heb ik er een zooitje van gemaakt. Niemand praat meer tegen me, Jason niet, Siobhan niet en onze au pair vast ook niet meer. Een van mijn dochtertjes is ziek, ze ligt boven over te geven en ik voel me gewoon... waardeloos. Het is een chaos in mijn hoofd. Als ik naar mijn leven kijk denk ik: *Wat is er gebeurd? Waar ben ik mee bezig? Hoe ben ik hier beland?* Heb jij dat gevoel wel eens?'

'Voortdurend,' zei Matthew. 'Ik heb dat gevoel eigenlijk altijd.'

'Maar jij bent een superster,' zei Claire. 'Op jou wordt niemand kwaad.'

'Bess is kwaad. Meer dan kwaad. Ze is me spuugzat. Mijn band is kwaad. Terry en Alfonso zijn teleurgesteld en kwaad, en daar hebben ze groot gelijk in. Ik ben een superster, maar weet je? Ik ben eigenlijk een ongelooflijke zwakkeling. Ik kan songs schrijven, zingen en gitaarspelen, maar dat wil nog niet zeggen dat ik geen tekortkomingen of rotdagen heb net als ieder ander. We maken allemaal fouten, Claire.'

Ze begon weer te huilen. 'Ik mis je,' zei ze.

'Ik jou ook.'

'Ik moet ophangen. Ik zie je in augustus, hè? Logeer je bij ons?'

'Ja,' antwoordde hij.

'Je moet stoppen met drinken,' zei ze. 'Al is het maar voor een uur. Zal ik Bruce bellen?'

'Hij weet ervan. Hij is al onderweg.'

'Je moet nuchter zijn op mijn concert, Matthew. Doe het voor mij, oké?'

'Voor jou,' zei hij. 'Oké.'

'Oké,' zei Claire. Ze hing op en bleef even zitten om van de zon op haar armen te genieten. Ze had verdriet om de afgelopen vierentwintig uur, en om twintig jaar geleden. Ze was nu net zo van streek als toen; de wereld en de mensen verwarden haar. Ze verwarde zichzelf.

'Mama?'

Ze ging naar binnen.

De vakantie had op verschillende manieren kunnen uitpakken. Lock en Daphne waren acht dagen en zeven nachten samen; het had beter tussen hen kunnen gaan, of slechter. Sinds Daphnes ongeluk waren ze twee keer eerder samen op vakantie geweest, een keer naar Kauai en een keer naar Londen, en beide keren was niet het gewenste resultaat bereikt. Toch bestond er de stille hoop dat deze keer anders zou zijn. Deze keer zouden de zon, het zwembad of de luxe van het eersteklas hotel de verandering teweegbrengen waarop Lock had gewacht. Daphne zou terugschieten in haar vroegere ik; ze zou de bezweringsformule van het hoofdletsel doorbreken en ontwaken, net als Sneeuwwitje of Doornroosje. *Waar ben ik al die tijd geweest?*

Uiteindelijk leverde de vakantie niets goeds maar ook niets slechts op. Alles bleef bij het oude. Wat betekende dat? De twee dagen in Andover liepen op een ramp uit. Heather wilde hen daar helemaal niet hebben. Ze had gevraagd buiten de campus af te spreken, in een vegetarisch restaurant in de stad. Er zaten meer studenten in het restaurant, sommigen zwaaiden naar Heather en noemden haar bij de naam, maar Heather stelde haar ouders niet voor. Lock nam het zijn dochter niet kwalijk, omdat Daphne zich, met name in gezelschap van mensen die ze niet kende, onvoorspelbaar kon gedragen. Het begon ermee dat ze de serveerster lastigviel over haar dreadlocks.

'Dat een leuke, blanke meid als jij,' zei Daphne, een paar seconden nadat ze een quiche met prei en gruyère besteld had, 'haar uiterlijk met die afschuwelijke haardos verpest. Was je het soms niet? Wat vinden je ouders ervan?'

De serveerster negeerde Daphne. Ze bloosde terwijl ze de bestelling van Lock en Heather neerkrabbelde en maakte zich vervolgens snel uit de voeten terwijl Daphne, onverklaarbaar, als een kip begon te klokken. Als verstijfd staarde Heather voor zich uit.

'Mam,' zei ze, 'kappen.'

'Hoezo kappen?' zei Daphne. 'Ik vraag me gewoon af wat haar ouders ervan vinden.'

Lock probeerde als buffer tussen zijn vrouw en dochter op te treden en Heather te beschermen voor Daphnes hatelijkheden, maar toch had Daphne een paar venijnige steken weten uit te delen. Heathers kuiten waren te gespierd, zei ze. *Je lijkt wel een jongen. Je kunt volgend jaar beter stoppen met hockey.*

'Maar mam,' zei Heather, 'ik ben hier om te hockeyen.'

'Maar je wilt toch geen lesbienne worden?' zei Daphne. 'Als je dat maar uit je hoofd laat.'

'Oké,' zei Lock. 'Genoeg nu.'

Heather leek meer op haar gemak toen ze met Lock alleen was, nadat Daphne naar het hotel was teruggegaan om te 'rusten'. Ze nam Lock mee naar de campus, stelde hem voor aan haar leraar kunstgeschiedenis, ze liet hem haar studentenflat zien, waar hij een praatje maakte met Désirée, haar kamergenootje, wier ouders Heather hadden meegenomen naar de Turks- en Caicoseilanden. Désirées ouders hadden ook een huis op Martha's Vineyard, en Heather zei dat ze daar misschien de zomer wilde doorbrengen. 'Je kunt ook met Désirée naar Nantucket komen. We hebben ruimte genoeg,' zei Lock. Maar Heather fronste haar wenkbrauwen, en Lock begreep dat ze niet op zijn aanbod zou ingaan. Zijn dochter, amper vijftien, was weg en kwam niet meer terug. Dit besef maakte hem ongelooflijk kwaad op Daphne. Maar Daphne had haar gedrag niet in de hand. Wat hadden de artsen gezegd? Het was alsof iemand bezit van haar genomen had, of iemand anders de zeggenschap over haar had. Een duivelsgroene alien die vrouwen en moeders binnendrong. Lock kon het Heather niet kwalijk nemen dat ze de zomer op de Vineyard door wilde brengen; als hij de mogelijkheid had zou hij het waarschijnlijk zelf ook doen.

Voordat Lock terugging naar het hotel om te douchen en zich om te kleden – op Heathers aanraden gingen ze naar een restaurant dertig kilometer verderop – zei Heather: 'Jullie hoeven je om mij geen zorgen te maken. Ik red het allemaal wel.'

Lock keek naar zijn dochter: haar donkere haar, haar grote,

mooie mond, die zo op die van Daphne leek, haar sterke benen, haar in espadrilles gestoken slanke, vrouwelijke voeten, en hij begon bijna te huilen. Die woorden had hij verwacht als ze op huwelijksreis zou gaan of misschien als ze het ouderlijk huis zou verlaten om te gaan studeren, maar niet nu, nu ze vijftien was. Hij dacht dat hij zijn verdriet over het verlies van het vertrouwen van zijn dochter en het gemis van haar gezelschap wel te boven was, maar hij had zich vergist. Hij voelde de pijn weer in zijn volle omvang.

Hij had het zo druk met het bemiddelen tussen Heather en Daphne – het was zo uitputtend – dat hij geen moment aan Claire kon denken. Dat veranderde toen Lock en Daphne van de Phillips Academy wegreden en ze alleen samen waren, en, zo leek het, een eindeloze alleen-samen-tijd in het vooruitzicht hadden. Daphne staarde een poosje zwijgend naar buiten en begon vervolgens Heather af te kraken. Haar benen waren net de benen van een knul van achttien, een langeafstandsloper, met van die enorm ontwikkelde spieren. Als ze op die school bleef, was de kans groot dat ze lesbisch zou worden. Ze moesten haar daar weg zien te krijgen. Ze zag er sowieso erg ongelukkig uit, toch? Ontzettend chagrijnig. Tijdens hun hele verblijf had ze niet één keer gelachen. En het idee dat ze vegetariër was! Ze was nota bene met biefstuk van de haas grootgebracht! Het was allemaal de schuld van de school. Veel te liberaal, te progressief en schaamteloos alternatief. Had Lock toevallig het haar van het meisje dat hen bediende gezien? Heather moest maar weer thuis komen wonen. Ze konden het souterrain opknappen, er een gezellige plek van maken met een iPod-station en de allerbeste speakers, een computer, een plasma-tv, een koelkast – vol met hummus, als dat was wat ze wou! Ze had er alles voor over als ze maar thuiskwam! *Ze is zo op haar privacy en zelfstandigheid gesteld dat we haar gewoon beloven niet in het souterrain te komen.*

Lock zweeg. Het idee was niet eens zo gek. Hij wilde net als Daphne zijn dochter graag thuis hebben, maar hij wist dat het er nooit meer van zou komen. In antwoord op Locks stilzwijgen begon Daphne te huilen, en toen hij haar hand wilde pakken, sloeg ze die kwaad weg.

'We hadden meer kinderen moeten nemen,' zei ze. 'Ongelooflijk dat ik me dat door jou uit mijn hoofd heb laten praten.'

Het had geen zin om Daphne eraan te herinneren dat er na Heathers geboorte in een van haar eierstokken een cyste was ontstaan en dat beide eierstokken verwijderd waren. De schuld voor het feit dat Heather enig kind was, rustte sinds het ongeluk op Locks schouders.

Op een zeker moment tijdens de rit naar de luchthaven dacht Lock aan Claire, hoewel het onjuist was te zeggen dat hij haar vergeten was. Het was eerder uit eerlijkheid jegens Daphne en Heather dat hij besloten had zijn best te doen zijn gevoelens voor Claire te bedwingen. Hij zou die gevoelens in een doosje doen – hij stelde zich een klein, gouden schatkistje voor – en bewaarde het, stevig op slot. Maar toen Daphne eerst één keer, en toen nog een keer tegen hem uitviel, opende Lock het kistje, op een klein kiertje, en hij zag Claire in gedachten voor zich: onderweg naar de supermarkt, vloeibaar glas uit de oven halend, in bed stappend. In Locks gedachten was ze alleen, hoewel hij heel goed wist dat dit in werkelijkheid niet het geval was. Er stroomden meer beelden uit het kistje: hij hoorde Claires Zweedse klompen op de trap van het Elijah Baker House terwijl hij stond te wachten, twee glazen wijn in zijn handen, met ingehouden adem, tot ze haar hoofd om de hoek zou steken. *Hé, jij.* Hij dacht eraan hoe hij haar tranen wegveegde, die vaak in haar ooghoeken verschenen als ze gevreeën hadden. Claire huilde om verschillende redenen: de seks was verbazingwekkend, de stroom van emoties overweldigde haar, ze vond het zo vreselijk om bij hem weg te gaan, het deed pijn, fysiek pijn om zich van hem los te scheuren. En ook voelde ze zich schuldig – ten opzichte van Jason, Daphne, de kinderen – en er was angst, angst om betrapt te worden, angst om in de hel te belanden. Bijna elke keer dat ze samen waren, hadden ze het erover om ermee op te houden, om te stoppen omwille van een deugdzaam leven. Maar geen van hen beiden nam stappen. Het was louterend om erover te praten, maar onmogelijk het uit te voeren. Ze voelden zich extatisch, verrukkelijk, bezorgd, schuldbewust en verachtelijk, maar vooral vol leven. Elke dag zinderde van sensatie en verwachting: elkaar te zien, met elkaar te praten, elkaar aan te raken, en het waren deze gevoelens die te bedwelmend waren om op te geven.

De vakantie, hoewel sommige aspecten ervan fijn waren – de warme zon, het koele, helderblauwe water, het heerlijke eten en drinken, de luxueuze kamer, de voorkomende bediening, voelde voor Lock als een vacuüm. Het was een tunnel van acht dagen en zeven nachten van geen-Claire; het wat iets wat overleefd moest worden. Hij had Claire beloofd dat hij zou e-mailen, en het resort had een businesscenter waar hij altijd terecht kon, maar hij had het gevoel dat het communiceren met haar, het proberen de leegte in hem onder woorden te brengen en zich daarna te moeten onderwerpen aan de kwelling van het wachten op een antwoord, oneindig veel pijnlijker zou zijn dan gewoon vol te houden en het te ondergaan. Hij en Daphne zaten lange, zwijgende uren te lezen bij het zwembad, en tijdens Daphnes middagslaapje wandelde Lock langs het strand en dacht hij niet aan Claire (alleen maar aan Claire), maar verzon hij onderwerpen die hij tijdens het avondeten ter sprake kon brengen, en die geen aanleiding zouden kunnen geven tot een verbale aanval van Daphne. Ze gedroeg zich iets beter in het resort, hoewel ze toch nog manieren vond om andere gasten te beledigen (het waren over het algemeen Britten, die gereserveerd en afstandelijk waren, vooral als Daphne verviel in het maken van klokkende geluiden). Twee keer bedreven ze de liefde, en die avonden waren misschien nog het moeilijkst voor Lock. In seksueel opzicht was Daphne agressief en onmogelijk te behagen. Lock, aangemoedigd door drie glazen rumcocktail, probeerde zich de Daphne van vroeger voor de geest te halen, toen ze nog niet de gewoonte had zijn mannelijkheid te beledigen terwijl ze hem tegelijkertijd poogde op te winden. Het was tijdens deze intieme momenten dat Lock bij zichzelf dacht: *met deze vrouw kan ik niet getrouwd blijven.* Hij zou niet in staat zijn om zijn leven lang dit soort seks te hebben, maar hij wist ook dat hij zich nooit van Daphne zou kunnen losmaken, hoe beroerd hun verhouding ook was. Geen man ter wereld zou Daphne willen en haar ouders waren overleden, kortom: als Lock haar verliet, scheepte hij Heather met haar op. Lock kon en wilde zijn dochter niet op die manier belasten. Hij zou bij Daphne blijven.

Het beste moment van de vakantie was toen Daphne van haar boek opkeek, een slokje rumcocktail nam en zei: 'Dankjewel, liefje' – zo noemden ze elkaar en Heather voor het ongeluk – 'dat je me hier mee naartoe genomen hebt. Ik geniet!'

Het ergste moment deed zich voor op de laatste avond tijdens het eten. Het was geen verrassing dat Daphne haar pijl met vergif voor het laatst had bewaard; dat was een deel van de kwelling: Lock te doen geloven dat ze het gered hadden – een hele week zonder openlijke vijandschap – en dat ze hem vervolgens in het laatste uur een steek toebracht. Daphne was nu slimmer, sluwer en geslepener dan voor het ongeluk.

Tijdens een glas voortreffelijke, sprankelende champagne zei ze: 'Ik heb een vraag.'

'Zeg het maar.'

'Vind je Isabelle French aantrekkelijk?'

Lock lachte en morste per ongeluk wat champagne over het tafellaken. 'Nee,' zei hij.

'Je liegt.'

'Nee, ik lieg niet.'

'Isabelle French is een mooie vrouw. Dat vindt iedereen.'

'Ze is leuk om te zien, maar niets bijzonders. Andere mensen vinden haar misschien mooi, maar ik niet speciaal. Ik ken haar al zo lang. Misschien ben ik aan haar uiterlijk gewend. Ik zie het niet zo.'

'Ze probeert je te versieren.'

'Doe niet zo belachelijk, Daphne.'

'Heb je gehoord wat ze met Henry McGarvey in het Waldorf deed?'

'Natuurlijk.'

'Als je ook maar één vinger naar haar uitsteekt, vermoord ik je.'

'Dat gaat helemaal niet gebeuren.'

'Ik meen het. Ik vermoord je in je slaap. En ik zoek een vrouwelijke rechter die me zal vrijspreken.'

'Er is niets tussen mij en Isabelle.'

'O nee?' vroeg Daphne. Ze hield haar hoofd schuin. De blik in haar ogen was ongewoon helder. 'Ik vind je zo veranderd sinds je haar gevraagd hebt medevoorzitster te worden van het gala. Je blijft de laatste tijd lang op je werk.'

'Dat heb ik altijd gedaan. Het is de enige tijd dat ik echt iets kan doen. Dat weet je toch. Overdag staat de telefoon roodgloeiend.'

'Lock,' zei Daphne. Ze leunde naar voren, over haar glas champagne heen. Het scheelde een centimeter of ze zou die met haar borsten omstoten. 'Ik ben echt niet achterlijk.'

'Dat denkt ook niemand. Ik al helemaal niet.'

'Toch heb je een affaire, vlak voor mijn neus.'

Lock dacht dat hij misschien iets zou voelen bij deze verklaring, maar het paste in het patroon van Daphnes gebruikelijke strategie; ze begon met een 'onschuldige' vraag (vind je Isabelle French aantrekkelijk?) waarna ze op een regelrechte beschuldiging afstevende. In dit geval lag het iets gecompliceerder omdat ze het toevallig gedeeltelijk bij het rechte eind had. Ze vermoedde iets.

'Ik heb geen verhouding met Isabelle French,' zei Lock vol overtuiging. 'En ik vind het vervelend dat ik op de laatste avond van een heerlijke vakantie van zoiets beschuldigd word.'

Daphne keek geamuseerd. 'Zeg dat je van me houdt.'

'Ik hou van je.'

'Ik heb overwogen een privédetective in te huren.'

'Dat meen je niet.'

Ze nam een flinke slok champagne – oké, nu steeg Locks bloeddruk ietsje – en zei: 'Nee, dat meende ik inderdaad niet.'

Hij verloor bijna zijn zelfbeheersing – ze maakte hem woest, het was ongelooflijk dat ze altijd weer in staat was hem op stang te jagen. Zou er nooit een einde aan komen? Zou ze ooit tot bedaren komen? Zou hij ooit zo hard kunnen worden dat hij tegen haar aanvallen bestand was? Ze grinnikte een beetje en richtte haar aandacht op het menu. Lock liet zijn adem die hij onbewust had vastgehouden los en dacht: Isabelle French. Jezus.

Toen Lock van vakantie thuiskwam en hij eindelijk, eindelijk, eindelijk weer op kantoor was en de nette stapeltjes met papieren doorkeek die Gavin op zijn bureau had gelegd, vervaagden zijn gedachten aan Tortola, de warme zon, het koele water, de boeken die hij gelezen had en de pesterige opmerkingen van Daphne over een privédetective. Hij kon alleen maar denken aan wanneer hij Claire zou zien.

Hoe was je vakantie? vroeg Gavin. Lock staarde hem uitdrukkingsloos aan en zei: We hadden goed weer.

Lock belde Claire op haar mobiele telefoon en zei snel (ook al was hij zo voorzichtig geweest te wachten tot Gavin naar de bank was om geld te storten): 'Ik ben terug. Kun je om een uur of zeven langskomen om de spullen op te halen?'

Hoewel, zeven uur was te vroeg, dan was het nog licht buiten. Ze zouden op kantoor moeten blijven, verborgen; ze konden niet met haar auto gaan toeren. Lock zou haar eigenlijk moeten vragen om acht uur te komen, maar zo lang kon hij niet wachten.

Dus... Claire kwam om zeven uur. Lock hoorde haar de trap op hollen, ja, hollen, het geluid echode na in zijn hart, zijn hart sloeg op hol, nog even en...

Boven aan de trap ving hij haar op. Hij keek niet eens naar haar, dat hoefde niet, het maakte hem trouwens niet uit hoe ze er uitzag, hij wilde haar alleen maar in zijn armen sluiten. Hij drukte haar tegen zich aan, zij huilde en hij hapte naar adem, overspoeld door liefde, opluchting, troost en geluk.

'Het was te lang,' zei hij. 'Sorry...'

'Ik ging bijna dood zonder je,' zei ze. 'Alles was waardeloos...'

'Ik kreeg soms geen adem, zo erg miste ik je.'

'Je mag nooit meer weggaan,' zei ze. 'Nooit meer op die manier bij me weggaan.'

'Nee,' zei hij. 'Dat doe ik nooit meer.'

Het was heftig en hartstochtelijk. In de week na zijn thuiskomst uit Tortola zag hij Claire vier keer. Vier keer! Het was ongekend, gevaarlijk. Lock zei tegen Daphne (en hij loog niet): Je zou het werk eens moeten zien wat zich tijdens mijn afwezigheid heeft opgestapeld. Jason had een of andere deadline aan het eind van de maand, hij was nog later thuis dan Claire. Ook was hij nog kwaad op haar. Ze hadden ruzie gehad en hij sliep in de logeerkamer of op de bank. Lock had erover gehoord, hij had ook gehoord over Edward en Siobhan (ook zij sprak niet meer met Claire, al bijna een week niet), hij had gehoord over Zacks verjaardag en de bemoedigende woorden van de kinderarts. Lock en Claire moesten elkaar stukje bij beetje bijpraten omdat ze bijna al hun tijd doorbrachten met elkaar vasthouden en elkaar te overtuigen dat ze er echt waren. In zeker opzicht was het de mooiste week die ze ooit hadden gehad. Hun gevoelens schoten van extase naar delirium en weer terug; de wanhoop van het van elkaar gescheiden zijn lag achter hen. Er was geen schuldgevoel, geen angst. Ze dachten er niet aan voorzichtig te zijn, tot twee keer toe had Lock Claire toen ze hem wilde omhelzen voor het raam met de twintig ruitjes moeten wegtrekken (de privédetective spookte door zijn hoofd). Ze waren met hun gedachten alleen maar bij elkaar.

In de week dat Lock weg was, greep Gavin zijn kans om te stelen, te stelen, te stelen. Hij verdonkeremaande elke cheque die op kantoor binnenkwam, waaronder een cheque van vijftigduizend dollar van een prestigieuze schoenenzaak in New York, die Isabelle French had aangeschreven om het gala te sponsoren. (Gavin hield duizend dollar zelf.) Hij had bijna tienduizend dollar cash in de besteklade in de keuken van zijn ouders verstopt. Gavin vond het bijna te gemakkelijk om geld te pikken wanneer Lock er niet was; hij kon zijn sporen uitwissen, en dan nog eens twee, drie keer controleren of ze wel goed waren uitgewist. De spanning om onder Locks neus met geld te sjoemelen ontbrak. Het was nu bijna een grotere kick om geld uit de kleine kas te pikken voor zijn lunch (wat hij tijdens Locks vakantie elke dag deed). Gavin was blij dat Lock weer terug was, niet alleen omdat hij dan meer plezier in zijn spel had, maar ook omdat hij zijn werkgever gemist had. Lock was een geweldige vent – dit was hem tijdens Locks afwezigheid nog duidelijker geworden. Gavin voelde zich er rot over dat hij

Lock bedroog, maar zijn schuldgevoel voegde ook een extra dimensie toe aan zijn bedriegerij.

Voortdurend fantaseerde hij dat hij betrapt werd. Hij had een favoriet scenario waarin hij Lock en Daphne uitnodigde voor een etentje in het huis van zijn ouders, en op zoek naar een vork of een extra dessertlepel zou een van hen de besteklade opendoen en het geld ontdekken. Ze zouden zeggen: Hoe kom je aan al dat geld?

Hoewel ze wisten dat dat maar op één manier gebeurd kon zijn.

Ik ben een dief, dacht Gavin voortdurend. Hij zag het niet meer als 'een graantje meepikken'. Zo noemde hij het toen er nog maar een paar honderdjes in de besteklade lagen, maar nu het een bedrag was van vijf cijfers, verdiende het de naam 'stelen'. Hij was een dief. Blijkbaar was zijn geest verpest (zoals zijn moeder altijd al vreesde) door films en tv, want zijn zelfbeeld werd steeds mooier en schitterender. In plaats van zichzelf als een waardeloze, onbetrouwbare snotaap te zien, een klaploper die teerde op de zakken van zijn ouders en geld stal van kleine kinderen die een leven leidden dat oneindig veel moeilijker was dan zijn leven ooit geweest was, rekende hij zichzelf tot de categorie van Brad Pitt in *Ocean's Eleven*, iemand die met fluwelen handschoenen ingewikkelde veiligheidssystemen onklaar maakte en codes kraakte.

Toch waren er scheurtjes, barstjes in zijn vastberadenheid waardoor zijn paniek ontsnapte. Hij mocht niet betrapt worden! Niet dat hij veel te verliezen had – als hij gepakt werd zou hij het huis van zijn ouders moeten verlaten, zijn baan verliezen en de drie, vier vrienden die hij had. Maar dat zou sowieso gebeuren. Als hij genoeg geld had (hoeveel was genoeg? Honderdduizend? Kon hij honderdduizend dollar jatten en niet gesnapt worden?), nam hij de benen. Dan vertrok hij naar een eiland in Zuidoost- Azië dat zo afgelegen lag dat het niet eens een naam had (althans niet uit te spreken voor mensen die Engels als moedertaal hadden). Hoe dan ook, het was belangrijk voor Gavin dat hij het eiland op zijn eigen voorwaarden zou verlaten, dus glorierijk, min of meer. Tegen de tijd dat de mensen van Nantucket er achter kwamen dat hij een dief was, zou het te laat zijn. Zou hij verdwenen zijn, nooit meer iets van zich laten horen en er met de poet vandoor zijn. Dat was een must, het mocht niet weer zo'n debacle worden als bij Kapp and Lehigh, waar hij als een kleine jongen op de vingers getikt was, waar zijn 'misdaad' in de categorie 'naïef en onvolwassen' gevallen was. Het was belangrijk dat hij dit keer zou slagen.

En bovendien had hij er lol in. Als hij gepakt werd, was het in één klap uit met de pret.

Op een avond, een week na Locks terugkeer, werd Gavin overvallen door een paniek die hij nooit eerder had gevoeld. Hij zat te eten met Rosemary Pinkle, de vrouw die sinds kort weduwe was en die hij van de anglicaanse kerk kende. Ze gingen beiden vaak naar de avonddienst, en hun vriendschap was uitgegroeid tot maandelijkse etentjes. Deze etentjes gaven blijk van Gavins altruïstische kant en versterkten zijn idee dat hij wat menselijke goedheid betreft nog niet volledig afgeschreven was. Hij luisterde aandachtig naar Rosemary's verhalen over haar overleden echtgenoot; Rosemary en Clive Pinkle hadden veel gereisd, en Rosemary vertelde daar boeiend over. Soms verviel ze plotseling in melancholie en barstte ze in snikken uit. Op die momenten hield Gavin haar hand vast en hoopte hij dat als zijn vader als eerste kwam te overlijden er in Chicago een jongeman zou zijn die deze rol voor zijn moeder zou vervullen.

Op de avond in kwestie was Rosemary in een opgewekte bui. Ze tuinierde graag en het mooie weer beurde haar op, alsmede het feit dat de herten haar tulpen niet opvraten. Ze zaten te eten bij American Seasons, voor het eerst dat seizoen open, een voorbode van de naderende zomer. Net toen Gavin een hap van de romige zuringsoep wilde nemen, overviel hem een verlammende gedachte. Hij had die middag op zijn werk een brief naar de vrouw van de schoenenzaak in New York gestuurd waarin hij haar bedankte voor het sponsorbedrag en een bevestiging gaf dat Nantucket's Children geen winstgevende organisatie was, waardoor de donatie belastingvrij was. Terwijl Rosemary hem uitvoerig verslag deed van de manier waarop ze de herten te slim af geweest was (ze had de aarde rondom de tulpen bestrooid met menselijk haar dat een plaatselijke kapsalon voor haar had verzameld), vroeg Gavin zich af welk bedrag hij in de brief genoemd had. De cheque bedroeg 50.000 dollar, waarvan hij 1.000 dollar cash opgenomen had en 49.000 dollar had gestort. Het bedrag van 49.000 dollar bleef in zijn hoofd gonzen, en terwijl hij deed of hij zijn soep at en naar Rosemary luisterde (de kapsalon was blij dat ze van het haar af waren) werd hij er al zekerder van dat hij 49.000 dollar als bedrag van de donatie had getikt in plaats van 50.000. Lock had de brief ondertekend (zonder hem te lezen), er een postzegel opgedaan en gepost. Maar als Gavin inderdaad 49.000 dollar getikt had in plaats van 50.000 zou er vandaag of morgen iemand van de schoenenzaak bellen om te vragen hoe dat mogelijk was en zou of Lock of Adams Fiske de zaak nader gaan onderzoeken.

Gavin probeerde, probeerde, probeerde het zich te herinneren. Hij was zich van elk detail van zijn oplichterij bewust, hij had toch wel opgelet toen hij die brief schreef? Maar dat was nu juist het probleem: hij kon zich niet herinneren dat hij '50.000 dollar' had getikt, en hij wist ook niet meer of hij het wel gecontroleerd had voordat hij Lock de brief had laten tekenen. Hij kon zich ook niet meer herinneren dat hij '49.000 dollar' had getikt, maar dat was wel het bedrag dat hij onbewust aan de donatie linkte. Gavins hart bonkte in zijn borst. Het zweet brak hem uit, hij moest zijn das losrukken – hij stikte bijna – hoewel hij dat haatte omdat er niets zo afzichtelijk was als een man met een losse das. Gavin wist nu zeker dat als hij vanuit zijn onderbewuste gehandeld had, als hij de brief op de automatische piloot geschreven had – wat vast zo was omdat hij zich het belangrijkste detail van de brief niet kon herinneren – dan had hij vast 49.000 in plaats van 50.000 geschreven. Lock had de brief niet gelezen, want dat deed hij nooit, ze waren immers allemaal hetzelfde, en ook omdat Gavin op dat moment met nauwelijks verholen ongeduld over zijn bureau gehangen had. Hij wilde naar de bank, hij wilde een sigaret en sommige brieven die Lock ondertekende lagen al twaalf dagen te wachten om verstuurd te worden. Lock had het bedrag niet opgemerkt. Hij was moe van zijn vakantie en Gavin had de indruk dat hij er met zijn hoofd niet bij was, alsof hij zijn concentratievermogen in Tortola had achtergelaten. Bovendien was er geen enkele reden om Gavins werk te controleren, want Gavin maakte nooit fouten. Het moest er natuurlijk een keer van komen, en het was vandaag gebeurd. Gavin legde zijn lepel op het bord waar zijn soepkom op stond. Hij kon geen hap meer door zijn keel krijgen.

Rosemary zag het. Ze leek in heel veel opzichten op zijn moeder: *Opeten, opeten!*

'Wil je niet meer?' zei ze. 'Smaakt het niet?'

'Ik voel me niet lekker,' antwoordde Gavin. Hij mocht niet betrapt worden! Oké, stel dat er iemand van de schoenenzaak belde. De kans bestond dat Gavin de telefoon opnam. Maar stel dat er gebeld werd als hij aan het lunchen was? Stel dat er gebeld werd voordat hij 's ochtends op kantoor was, of als hij al weg was? De kwelling om op dat telefoontje te wachten was genoeg om Gavin in het gekkenhuis te doen belanden.

De serveerster kwam zijn bord halen. 'Het was uitstekend,' zei hij. 'Maar ik voel me niet zo lekker.'

Rosemary boog zich voorover. Ze had ervaring met mensen die zich niet lekker voelden. Clive, haar man, was op een avond vroeg naar bed gegaan omdat hij het zuur had en was toen in zijn slaap overleden.

'Drink wat water,' zei ze.

De kwestie drukte steeds zwaarder op zijn borst, en lager, op zijn darmen.

Hij moest naar kantoor, de brief op zijn computer checken. Want stel dat hij zich vergiste? Stel dat er 50.000 dollar stond? God, wat zou dat een opluchting zijn! Hij zou aanbieden het etentje betalen, hij zou het niet alleen aanbieden: hij zou de serveerster zijn creditcard geven en haar vragen het buiten medeweten van Rosemary te regelen. Rosemary zou beledigd zijn (zij betaalde altijd, ook daarin leek ze op Gavins moeder), maar ook ontroerd. Hij moest zich verontschuldigen – zeggen dat hij naar het toilet moest – vlug naar kantoor, de brief op zijn computer checken en weer terugracen. Nee, dat zou te lang duren. Rosemary zou ongerust worden, ze zou hem in het toilet gaan zoeken of de ober vragen dat te doen, maar daar zou hij niet zijn, en hoe moest hij dat uitleggen? Maar blijven tot het lamsvlees geserveerd was en daarna koffie met een dessert was geen optie.

Hij trok zijn stropdas nog wat losser, dit keer om indruk te maken. 'Ik vind het vreselijk om te zeggen, maar ik denk dat ik beter maar naar huis kan gaan.'

'Naar huis?' zei Rosemary.

'Ik ben ineens heel misselijk.'

'O, jee,' zei Rosemary. 'Ja, dan moet je natuurlijk gaan. Je hoeft voor mij niet te blijven...'

'Ik vind het heel erg om je zo achter te laten...' zei Gavin.

'Ga nu maar! Ik zal de serveerster uitleggen wat er aan de hand is en de rekening betalen. Tenzij ik je even met de auto thuis moet brengen. Wil je dat?'

'Nee!' zei Gavin. Hij stond gebogen, om duidelijk te maken hoe erg hij eraan toe was. 'Ik kan wel rijden. Ik moet... ik moet gewoon naar huis.'

'Ga!' zei Rosemary. 'Ik bel je straks even om te vragen hoe het met je gaat.'

Hij kuste haar op haar wang. 'Je bent een schat. Sorry dat ik–'

'Ga,' zei Rosemary.

Hij haastte zich door de stad, met gebogen hoofd, snel en zenuwachtig een sigaret rokend, in zichzelf mompelend, biddend dat het een vergissing was, een onjuist vermoeden. Leden alle criminelen aan deze paranoia? Dat moest wel! Negenenveertigduizend dollar. Ja, hoe meer hij er over dacht, hoe zekerder hij ervan was dat hij het verknald had. Maar misschien ook niet. God, hij hield het niet langer uit. Hij snelde voort.

Hij morrelde met zijn sleutels aan de deur. Zijn handen trilden. Hij deed niet bepaald zachtjes, het was nog niet in zijn hoofd opgekomen dat Lock nog op kantoor zou zijn – het liep tegen achten – maar toen hij halverwege de trap was, hoorde hij stemmen. Lock was er. Shit! Gavin wilde zich omdraaien en weggaan, maar nee, hij moest die brief vanavond nog checken! Hoe moest hij zijn komst aan Lock verklaren? Hij kon zeggen dat hij een telefoonnummer nodig had, of een e-mailadres. Zou dat aannemelijk zijn?

Terwijl Gavin de verschillende mogelijkheden in gedachten doornam, werd hij zich bewust van het feit dat er daarbinnen iets ongewoons gaande was. Hij hoorde gebonk en gestoot, gehijg en de stem van een vrouw. Gavin bleef staan waar hij stond en drukte zich tegen de muur, op de manier waarop hij dat mensen in films had zien doen. Wie was er binnen? Hij en Lock waren de enigen die de sleutel hadden. Gavin spitste zijn oren. De geluiden leken uit de vergaderkamer te komen. Een vrouw praatte, of huilde, of kreunde. Ze zei Locks naam. Lock was er dus. Een tel later hoorde Gavin Lock heel duidelijk zeggen: 'O, Claire, Jezus!'

Oké, dacht Gavin. Oké. Hij was op iets gestuit, op iets superbelangrijks, iets tussen Lock en Claire. Zijn hoofd tolde. Het was toch niet mogelijk? Hij had al langer het idee dat Lock iets verborgen hield – hij had zelfs even aan een affaire met Claire gedacht, maar had die gedachte onmiddellijk weer verworpen – maar om er op deze manier achter te komen was ronduit afschuwelijk. Hij moest ervandoor. Hij was verbijsterd, geschokt, maar tegelijkertijd nieuwsgierig, als een sensatiezoeker bij een verkeersongeluk. Hij liep verder de trap op, stilletjes, zachtjes, fluwelen handschoenen, fluwelen pantoffels. Hij zou, om een visueel bewijs te krijgen, een blik naar binnen werpen en er vervolgens als een haas vandoor gaan.

Hij sloop naar boven en hoorde, heel duidelijk, Claire huilen. Hij keek om de hoek de vergaderkamer in. Daar waren ze. Gavin zag Locks rug – hij had alleen zijn gele overhemd aan en een boxershort. Zijn broek lag even verder op de grond. Claire zat op tafel, haar blote benen om Locks rug geslagen en haar hoofd tegen zijn borst. Ze huilde, hij troostte haar.

Oké, dacht Lock. Genoeg nu. Dit ging te ver. Hij moest gaan! Op zijn tenen liep hij de trap af, hij wist niet hoe snel hij buiten moest komen. Voorzichtig opende hij de deur (eigenlijk was het al verdacht dat ze die op slot hadden gedaan, dacht hij). Ze hadden een systeem, een ritueel; Gavin had iets ontdekt, iets belangrijks! In andere omstandigheden zou hij dat spannend hebben gevonden, zou hij geamuseerd, zelfvoldaan en zelfingenomen zijn geweest (hij wíst immers dat Lock iets verborgen hield!). Dan zou hij zich opgelucht hebben gevoeld dat hij niet de enige was die stiekem bezig was, zou hij misschien de waarde hebben ingezien van zijn nieuw verworven kennis, beseft hebben dat het hem macht gaf. Maar Gavin voelde zich in de eerste plaats geschokt en onmiddellijk daarna bedroefd, teleurgesteld en gedesillusioneerd. Het was alsof het besef tot hem doordrong dat er geen Superman, geen echte held bestond. Lock en Claire. Gavin schudde zijn hoofd en spoedde zich door de donkere nacht naar zijn auto (zijn zorg om de brief was op slag verdwenen).

Hij kon niemand meer vertrouwen.

8

Ze vertelt het haar

Claire probeerde het weer goed te maken. Met Jason, wat betekende dat ze hem om het uur liet weten dat ze spijt had – ze zei het hem persoonlijk, ze sprak het in op zijn voicemail en ze schreef het op een briefje wat ze op het stuur van zijn truck plakte. Het betekende dat ze zich dienstbaar maakte. Ze kookte zijn lievelingsgerechten: gebraden kip, pasta met worstjes en basilicum, zijn moeders rundvlees en chocoladekoekjes. Ze vouwde zijn T-shirts op, trok als hij thuiskwam een biertje voor hem open en bracht 's avonds de kinderen naar bed zodat hij tv kon kijken. Maar nog steeds sliep Jason in de logeerkamer of op de bank; hij sprak nog steeds op een kwade, afgemeten toon tegen haar, maar toen het weekend aanbrak werd het debacle van het feest geabsorbeerd in de spons van hun gezamenlijke leven. Er gebeurde te veel om er te lang bij stil te blijven staan. Jason kwam weer in hun bed slapen en vrijde met Claire alsof er niets gebeurd was, en na afloop, toen ze wakker lag, verbaasde het haar hoeveel een huwelijk kon hebben. Het was bestand tegen vreselijke ruzies, het was bestand tegen haar, hopeloos verliefd op een ander.

Claires relatie met Siobhan was een ander verhaal. Claire had Siobhan al tien dagen niet gesproken. Tien dagen! Het was zo lang dat Claire begon te denken dat Siobhan misschien voorgoed weg was. Claire had van alles geprobeerd, ze had zelfs Edward Melior gebeld over de cateringofferte.

Edward, die altijd charmant was, was kortaf en zakelijk geweest aan de telefoon. Dat was misschien een reactie op de scherpe toon die Claire aansloeg (ze had zich nog zo voorgenomen dat niet te doen, maar kon zich nauwelijks bedwingen).

'Edward? Met Claire Crispin. Ik heb gehoord dat je een cateringbedrijf gekozen hebt.'

'Ja...'

'Ik heb gehoord dat je À La Table gekozen hebt.'

'Ja, we–'

'Jammer genoeg heeft Genevieve het Siobhan verteld...'

'Ik weet het maar al te goed, ja.'

'Het zou fijn zijn geweest als je Siobhan meteen had gebeld. Dan had ze het niet op straat hoeven horen.'

'Ik heb haar ook gebeld. Ik heb een boodschap ingesproken op het nummer van haar werk.'

'O ja?'

'Ja.'

'Ze checkt haar werktelefoon 's winters niet,' zei Claire. 'Dat weet je.'

'Dat weet ik helemaal niet. Het was het nummer dat op de offerte stond.'

'Je had haar thuis kunnen bellen.'

'Daar voelde ik me niet zo prettig bij, Claire. Je begrijpt wel waarom.'

'Ik ben medevoorzitter van het gala, Edward. Je had mij kunnen bellen en mij op de hoogte kunnen stellen van je besluit. Dan had ik Siobhan kunnen inlichten en het haar uit kunnen leggen.' Claire zweeg. 'Het verbaast me eigenlijk,' vervolgde ze, 'dat je me niet even gebeld hebt om te overleggen voordat je de gouden appel aan Genevieve gaf.'

'Het lijkt er verdacht veel op dat je je macht misbruikt, Claire,' zei Edward. 'Toen je me vroeg de cateringcommissie te leiden begreep ik dat mijn commissie en ik de offertes moesten vergelijken en een cateraar moesten kiezen. Nu lijkt het wel alsof ik alleen maar voor de vorm aangewezen ben, en dat het de bedoeling was dat jij, de medevoorzitter, uiteindelijk zou bepalen welk bedrijf het zou worden. En iedereen weet dat jij Siobhan wilde.'

'Natuurlijk, Edward.'

'Genevieve rekent bijna veertig dollar per persoon minder. Begrijp je? Door met À La Table in zee te gaan sparen we zo'n veertigduizend dollar uit.'

'Ik weet zeker dat Siobhan met haar prijs gezakt was als we er met haar over hadden gepraat,' zei Claire. 'Bovendien weet je bij Island Fare zeker dat je waar voor je geld krijgt.'

'Dit gesprek neemt een wending die me niet bevalt,' zei Edward.

'Oké. Het doet er nu ook niet meer toe. Gebeurd is gebeurd. Maar ik bel je eigenlijk om te zeggen dat ik het prettig zou vinden als je Siobhan belt om je excuus aan te bieden.'

Dit verzoek werd met hoongelach ontvangen. 'Voor de duidelijkheid, Claire, ik heb je netjes ingelicht toen de commissie een besluit had genomen. Ik heb jou en Isabelle een e-mail gestuurd. Isabelle reageerde meteen.

'Toch zou ik het op prijs stellen als je–'

'Dag, Claire.'

Het had geen zin om de kwestie met Lock of Adams te bespreken want Edward had gelijk: hij was belast met de catering, het was zijn taak om een bedrijf uit te zoeken, hij had de verantwoordelijkheid om voor Nantucket's Children het beste menu voor de laagste prijs in de wacht te slepen, en dat was in dit geval de offerte van À La Table. Als ze dezelfde kwaliteit catering leverden, kon Claire niet ontkennen dat ze inderdaad veertigduizend dollar moesten uitsparen. Edward had zowel Claire als Isabelle ge-e-maild toen de commissie een besluit had genomen; het feit dat de e-mail tijdens Locks tiendaagse afwezigheid was binnengekomen en Claire zichzelf een tijdelijk e-mailverbod had opgelegd, kon Edward niet verweten worden. Isabelle had nog geen kwartier later geantwoord. Claire had die e-mail ook ontvangen. De tekst was kort en bondig: *Prima. Ik vertrouw op het oordeel van de commissie.* Edward zei dat hij de voicemail van Siobhans werktelefoon had ingesproken, het telefoonnummer dat op de offerte stond. Heel begrijpelijk. Het feit dat Siobhan Genevieve op de markt tegen het lijf gelopen was en dat Genevieve zich zo nodig moest verkneukelen over de situatie, was gewoon pech. Dat Claire Edward gevraagd had Siobhan zijn excuus aan te bieden ging misschien te ver, maar Siobhan was haar hartsvriendin en Claire wilde verschrikkelijk graag dat het allemaal weer goed kwam tussen hen. Ze had geen grenzen.

Claire sprak berichten in op de huistelefoon van Siobhan en Carter en op Siobhans mobiele telefoon, korte (*Het spijt me. Bel me*) en langere (twee na elkaar waarin Claire verslag deed van haar telefoongesprek met Edward). Siobhan reageerde niet, Siobhan belde niet terug. Uiteindelijk reed Claire op een zaterdagochtend een week na het feest naar het huis van Siobhan en Carter. Liam deed open en zei met een uitgestreken gezicht dat zijn moeder boven in bed lag. Claire overwoog om aan de overkant van de straat net zolang in de auto te gaan zitten wachten tot Siobhan zou verschijnen, maar dat viel onder de noemer 'stalken' en Siobhan kennende zou ze de politie bellen en een straatverbod eisen.

Die Ieren waren ook zo verdomde koppig! Siobhan wachtte op het enige dat Claire niet wilde geven: een bekentenis. *Ik heb een verhouding met Lockhart Dixon. We hebben die verhouding sinds september en ik heb het voor je geheimgehouden.* Claire zag Julie Jackson toen ze de kinderen van school haalde, en Julie had haar vreemd (hartelijk? nijdig?) aangekeken. Claire glimlachte en zwaaide alsof er niets aan de hand was, maar inwendig kreunde ze, en ze bad dat de reden van haar ruzie met Jason niet het onderwerp van gesprek op het feest was geweest. Hoe gênant! Ze konden maar beter meteen hun huis te koop zetten.

Toen Siobhans stilzwijgen de tweede week inging, gaf Claire het op. Ze zag zelfs Siobhans auto bij de ijsbaan staan – Siobhan zat naar de ijshockeytraining van Liam of Aidan te kijken en kon dus makkelijk aangesproken worden – maar ze nam niet de moeite te stoppen. Net als iedereen was ook Claire als kind wel eens op het schoolplein buitengesloten, en ze wist dat ze er niet voor eeuwig uit zou liggen. Ze was haar beste vriendin kwijt, maar dat gold ook voor Siobhan. Uiteindelijk zou Siobhan eieren voor haar geld kiezen – dat had Jason over de kwestie gezegd. Zelf sprak hij nog nauwelijks tegen Claire, maar hij had wel zoveel mededogen dat hij zei dat als het nog veel langer zou duren, hij Carter zou bellen om een familiebijeenkomst te beleggen, zodat iedereen zijn grieven kon uiten. Het klonk als een idee dat hij bij de tv-serie *The Sopranos* had opgedaan, maar Claire stelde zijn bereidheid om te bemiddelen, mocht het ooit zover komen, op prijs.

Claire bracht haar tijd door met Lock – vier keer in één week, vijf keer in negen dagen. Als hij de reden was dat haar leven bergafwaarts ging, wilde ze op z'n minst bij hem zijn. In het atelier werkte ze als een gek aan wat ze zelf in gedachten 'die verdomde kroonluchter' noemde. De hele maandag en de hele dinsdag probeerde ze een tweede arm te blazen, acht uur werk, 163 pogingen. Ze werd beloond met niet één, maar met twee armen die zo goed gelukt waren dat ze de oven in mochten. Aanvankelijk twijfelde Claire, maar toen ze de armen tegen de sublieme bol hield die het hart van de kroonluchter vormde, zag ze dat de armen perfect pasten, meer dan perfect; ze vielen en tuimelden als een bloemblad dat op de grond dwarrelt, als een gelukkig en vredig denkbeeld dat vanuit je gedachten op papier vloeit. Claire dacht: *Deze verdomde kroonluchter wordt het schitterendste wat ik ooit gemaakt heb.* Elsa, van Transom, had weer gebeld, ze vroeg om twee dozijn vazen van de *Jungle*-serie, en ondanks dat de vazen makkelijker te maken waren en flink wat geld opleverden, zag Claire ervan af. *Ik heb op dit moment geen tijd.* Claire bedroog Jason met Lock, ze bedroog haar carrière met de kroonluchter; ze bedroog haar leven met het gala.

Aan: cdc@nantucket.net
Van: isafrench@nyc.rr.com
Verzonden: 29 april 2008, 11.01
Onderwerp: Plaatsen

Beste Claire,
Ik wil je alleen even attent maken op het feit dat ik Lock gebeld heb en een 25.000-dollar-tafel voor het gala heb gekocht. Ik vind het belangrijk dat wij als voorzitters het gala zo goed mogelijk steunen en we kunnen dat onder andere doen door de duurste kaarten te

kopen. Ik zag op de lijst van de kaartverkoop van vorig jaar en het jaar daarvoor dat jij en je man toen de kaarten van 1.000 dollar hebben gekocht en achterin zaten. Ongetwijfeld zul je het belang ervan begrijpen dat je dit jaar vooraan zit – we kunnen tafels naast elkaar nemen – op de plaatsen van 25.000 dollar. Ik koop zelf de hele tafel en nodig mensen uit om bij me te zitten. (Van hen wordt dan verwacht dat ze een flink bedrag doneren). Maar het is ook heel acceptabel dat je de mensen die bij je aan tafel zitten vraagt hun eigen plaatsen te betalen, een aanpak die jij waarschijnlijk prefereert. Ik heb mijn tafel nu gekocht omdat het al bijna zomer is en we binnenkort beginnen met de kaartverkoop. Het is altijd prettiger/makkelijker om ze dan zelf al in huis te hebben.
Bedankt!
Isabelle

Claire staarde stomverbaasd naar het computerscherm.

Omdat ze die avond niets voor het avondeten in huis had, sloeg ze een paar eieren in de koekenpan stuk en deed er reepjes gesneden achterham bij, geraspte cheddarkaas, volle melk, bieslook en halve cherrytomaatjes, en serveerde dit alles met geroosterd tarwebrood met boter. Jason keek ongelovig naar zijn bord en zei: 'Wat is dit?'

'We hadden niets in huis en ik had geen tijd om boodschappen te doen,' zei ze.

'Waarom heb je geen pizza besteld? Ik had ze op weg naar huis op kunnen halen.'

Bij het woord 'pizza' begonnen de kinderen te gillen, ook Zack, die niet eens wist wat pizza was.

Claire stond van tafel op en staarde Jason aan. 'Goed,' zei ze. 'Ga maar pizza halen.'

Toen Jason die avond in bed stapte, zei hij: 'Wil je dat ik morgen Carter bel zodat je die kwestie met Siobhan kunt uitpraten?'

Claire las de e-mail 's morgens nog eens over en vond hem weer net zo absurd. Ze had de organisatie een enorme dienst bewezen door te regelen dat Max West een gratis concert zou geven, ze had een maandlang elke zondag in het atelier aan die verdomde kroonluchter gewerkt, en nu eiste Isabelle min of meer dat ze ook nog eens 25.000 dollar voor het concert neertelde. Claire begreep het: je een slag in de rondte werken en gunsten verlenen waren allemaal leuk en aardig, maar uiteindelijk werden je bijdragen beoordeeld in termen van harde, koude munten.

Vijfentwintigduizend dollar: het voelde als een provocatie.

Het was de eerste week van mei en elke dag regende het, koud en hard. Het was troostend. Claire trok zich terug in het atelier en blies een paar vazen; ze was te zeer van slag en te ongeconcentreerd om aan de verdomde kroonluchter te werken. Het vervelende van de situatie was dat ze begreep wat Isabelle bedoelde. Claire had zich bereid verklaard medevoorzitter te zijn, ze had die verantwoordelijkheid op zich genomen en het zou naïef zijn als ze niet inzag dat dit ook financiële consequenties met zich meebracht. Maar Claire wist niet waar ze het geld vandaan moest halen. Twee kaarten van 2.500 dollar – samen 5.000 – betekende voor hen een extreem grote uitgave. (Het zou nog enigszins aanvaardbaar zijn geweest als Claire de afgelopen vier maanden geld had verdiend met een betaalde opdracht, in plaats van op die verdomde kroonluchter te staan zwoegen.) Een hele tafel voor 25.000 dollar kopen was om meerdere redenen geen optie. Gesteld dat Claire een tafel vooraan zou nemen en de mensen die bij haar zaten zou vragen mee te betalen, dan zou ze (a) nooit het lef hebben om het geld te vragen en (b) überhaupt niemand van hun vrienden of kennissen bereid vinden zo'n groot bedrag neer te tellen. Ze was beledigd dat Isabelle had uitgezocht hoeveel ze de voorgaande jaren voor hun kaarten betaald hadden. Claire en Jason hadden niet 'achterin' maar in het midden gezeten, en vorig jaar zaten ze bij Adams en Heidi Fiske. Zelfs Adams Fiske, voorzitter van het bestuur, had geen kaart van 2.500 dollar gekocht. Hij had, net als ieder normaal mens, een 1.000-dollar-kaart. Claire kon niemand uit haar vriendenkring bedenken die 2.500 dollar op tafel kon leggen voor een zitplaats. Carter en Siobhan zeker niet (zoals de zaken er nu voor stonden kwamen die twee waarschijnlijk sowieso niet), Brent en Julie Jackson niet, Tessa Kline niet, Amie en Ted Trimble niet en Delaney en Christo Kitt niet. Misschien Edward Melior – maar Claire had pas woorden met hem gehad, dus hij vast ook niet. Misschien klanten van Jason, die mensen van het huis in Wauwinet, maar wilde Claire – op de belangrijkste, schitterendste avond van haar leven – met mensen aan tafel zitten die ze nauwelijks kende? Nee. Ze wilde haar vrienden om zich heen hebben. Dus... ze zou geen 25.000-dollar-tafel nemen.

Waarmee ze dan zou zeggen dat ze niet over dezelfde financiële middelen beschikte als Isabelle French, en dat krenkte haar trots. Maar waarom? Claire was opgegroeid in Wildwood Crest, New Jersey, in een echt, typisch middenklassegezin. Vergeleken daarbij leidden zij en Jason een koninklijk leven: het huis, haar glasblazerij, zijn aannemersbedrijf, de kansen voor hun vier kinderen, de au pair. Ze hadden op materieel gebied alles wat ze nodig hadden en alles wat ze wilden, maar ze hadden geen 25.000 dollar te besteden voor een avondje uit. Niemand in haar omgeving had dat, maar dat was misschien juist het gevaarlijke van de situatie: Claire had het gevoel dat ze, als ze geen tafel van 25.000 dollar kocht, het verschil tussen de zomergasten en de lokale bevolking benadrukte. Isabelle French en haar stadse kliek hadden meer geld dan Claire en de geweldige mensen die tot haar vriendenkring behoorden. Ze hadden véél meer geld – waarom doen alsof dat niet zo was? Ze steunden allemaal hetzelfde doel: geld inzamelen voor de arme, hardwerkende gezinnen van Nantucket, alleen verschilde de mate waarin.

Hoe meer Claire erover nadacht, hoe verontwaardigder ze werd dat Isabelle haar gevraagd had zo'n enorme financiële verplichting aan te gaan. Ze kwam tot de conclusie dat het weer een staaltje passief-agressief gedrag van Isabelle was. Isabelle had het gevraagd terwijl ze wist dat Claire óf zou moeten zeggen dat ze het geld niet had (wat hun klassenverschil zou benadrukken, of, erger nog, de indruk zou wekken dat Claire minder enthousiast en minder bij de zaak betrokken was dan Isabelle), óf dat Claire met het geld over de brug moest komen en haar gezin in financiële moeilijkheden bracht.

Verschrikkelijk mens! dacht Claire.

Ze kon dit probleem niet met Jason bespreken. Hij zou het maar op één manier zien omdat hij een man was, en omdat hij geen emotionele band met geld had behalve het geluk (of het gemak) dat je ermee kon kopen. Hij zou zeggen: Als we vijfentwintigduizend dollar konden uitgeven aan een tafel op het gala, zouden we in plaats daarvan een boot kopen.

Dus uiteindelijk belde Claire Lock. Ze twijfelde even, omdat het er de laatste tijd steeds meer op ging lijken dat haar problemen alleen door Lock opgelost konden worden. Of dat alleen Lock het zou begrijpen. Misschien was Claire op de een of andere manier gehersenspoeld, want ze geloofde in zijn gezag (*Er bestaat geen hel*) en daarom was hij de enige met wie ze haar problemen wilde bespreken, ondanks dat ze bang was dat hij haar binnenkort zou gaan beschouwen als iemand die voortdurend problemen had. Maar deze kwestie, Isabelle, het geld en het gala, viel absoluut onder de paraplu van zijn deskundigheid.

Ze belde hem op zijn werk. Gavin nam op, en de toon die hij tegen haar aansloeg was anders dan anders. In plaats van arrogant en ongeduldig, was hij nu bijna vriendelijk. ('Claire! Hallo!') Hij klonk alsof hij niemand liever dan Claire aan de lijn had. ('Hoe gaat het met je?') Het was alsof ze een vriendin was die hij sinds jaren niet gezien had. Lock is net even weg van zijn bureau, maar ik ga hem voor je zoeken. Wacht, daar zal je hem hebben – Lock, Claire voor je! Vreemd.

'Hallo,' zei Lock. Zijn stem klonk vriendelijk, maar niet vertrouwelijk. Claire snakte naar vertrouwelijkheid, een lief grommetje of kreuntje, een herkenningswoord of een koosnaampje speciaal voor haar – maar dat was onmogelijk. Net als altijd reageerde ze aardig en verlangend.

'Ik hou van je,' zei ze.

Hij grinnikte. 'Ben blij dat te horen.'

'Ik heb net een e-mail van Isabelle ontvangen.'

'O jee.'

'Ze heeft een vijfentwintigduizend-dollar-tafel gekocht. Ze wil dat ik dat ook doe. Om het goede voorbeeld te geven, als medevoorzitter.'

'Juist, ja,' zei Lock. Hij klonk ongemakkelijk.
'Begrijp je dat ze me in een onmogelijke positie brengt?'
'Ja.'
'O ja?' Pas op dat moment vroeg Claire zich af of hij het wel kón begrijpen. Lock ging door voor een doorsnee eilandbewoner, maar in feite was hij miljonair. Hij doneerde jaarlijks een bedrag van zes cijfers, hij kon tien 25.000-dollar-tafels kopen, zonder een centje pijn. Deze gedachte (die nieuw voor haar was, omdat ze nog nooit op die manier naar hem gekeken had; het kon haar niet schelen, ze wilde hem, arm of rijk) werd gevolgd door een nieuwe reeks gedachten. Wat was Lock eigenlijk van plan met zíjn galakaarten? Als hij een 25.000-dollar-tafel kocht, zouden zij en Jason twee plaatsen van hem kunnen kopen (inmiddels had ze zich verzoend met het idee dat ze zeker 5.000 dollar kwijt zou zijn). De andere mensen aan tafel kon hij dan zelf uitkiezen. Een bijkomstig voordeel was dat Lock en Claire samen aan één tafel kwamen te zitten (naast elkaar, als het even kon) en Jason naast Daphne met haar geweldige tieten. Iedereen zou blij zijn.
'Ja...' zei hij.
Tegelijkertijd vroeg ze hem: 'Wat ben jij eigenlijk van plan? Waar zitten jullie meestal? Jij en Daphne?'
'Tja,' zei hij. Hij klonk nu heel ongemakkelijk. 'Nou, toen Isabelle belde, voor haar tafel bedoel ik, vroeg ze of Daphne en ik bij haar kwamen zitten. En ik heb ja gezegd.'
'Je hebt ja gezegd?'
'Ik zag geen reden om het niet te doen. Ik heb het gevoel dat Isabelle onzeker is vanwege haar scheiding, weet je wel. Ze vroeg het niet, ze smeekte bijna.'
'Jij en Daphne zitten dus bij Isabelle.'
'Ja.'
'Oké.' En omdat ze niet wist wat ze verder nog moest zeggen, zei ze: 'Bedankt!' Haar stem was vrolijk en onecht. Terwijl ze het zei dacht ze aan haar e-mails met Isabelle: *Bedankt!* Ze hing op en staarde naar het toestel, perplex.
Een paar tellen later ging de telefoon. Claire dacht: *Lock, hij belt terug*. Hij was natuurlijk met zijn mobiel naar buiten gelopen

om in Coal Alley ongestoord met haar te kunnen praten. Bijna had ze niet opgenomen – Locks woorden zaten haar meer dwars dan Isabelles e-mail – maar het ontbrak haar aan wilskracht hem te weerstaan.

'Hallo?' zei ze.

'Hoi,' zei Siobhan. 'Met mij.'

Het huis in de bergen dat hij huurde was een bungalow met gebrandschilderd glas en echte Stickley-meubelen. In het toilet hing een ingelijste schets van Frank Lloyd Wright en in een vitrinekast in de studeerkamer stond een goudklompje (naar verluidt in 1851 gedolven). Max was dol op het huis. Het behoorde toe aan een echte Californische familie; de man was eigenaar van een aantal Tex-Mex-restaurants en zijn vrouw componeerde jingles voor tv-commercials. Er waren vijf kinderen, in de leeftijd van peuter tot tiener, en het gezin was voor een jaar naar Shanghai. Het was een gezellig huis, een veilige haven, een nest, en ondanks dat noch het huis noch de spullen van Max waren, voelde hij zich er thuis, veilig en vrij om naar believen te drinken.

Bess had hem maar één ding gevraagd: of hij zijn invloed wilde aanwenden om de scheiding te bespoedigen. Uitstel, rekken, bemiddelingspogingen en rechtszittingen zouden de zaak voor hen beiden alleen maar pijnlijker maken, zei ze. Ze wilde ervan af, nu, ze wilde er een streep onder zetten. Er hoefde niet onderhandeld te worden, het enige wat ze wilde waren de honden.

'Ik geef je drie miljoen dollar,' had Max tijdens hun laatste telefoongesprek gezegd.

Bess zweeg, en Max dacht dat zijn vrijgevigheid haar overrompelde. Maar toen zei ze, misprijzend – soms had ze iets van een schoolfrik – 'Max, ik wil je geld niet.'

'Neem het van me aan,' zei Max. 'Het schept geen verplichtingen. Drie miljoen.'

'Ik wil het niet. Als je een cheque stuurt, verscheur ik hem.'

Blufte ze? Hoe dacht ze zonder geld te kunnen leven? Bob Jones was een accountant voor beroemdheden, maar zijn put was niet bodemloos zoals die van Max. Hoe kon Bess zich haar luxueuze, gezonde levensstijl – de ladingen biologische groenten, de comfortabele-maar-niet-goedkope Donald Pliner-schoenen – blijven veroorloven?

'Neem het geld nu maar aan, Bess.'

'Ik wil het niet,' zei Bess. Haar stem klonk vastberaden. Was er ooit in de geschiedenis van Hollywood een scheiding op deze manier verlopen? Was het ooit voorgekomen dat de ene partij ongevraagd een grote som geld aanbood en dat de andere partij die weigerde?

'Is het niet genoeg?' vroeg Max. 'Wil je vijf miljoen?' Stilte. 'Tien miljoen?' Max wist dat hij ongeveer zestig miljoen bezat (en dat wist Bob Jones natuurlijk ook). 'Vijftien?'

'Ik wil geen rooie cent van je, Max. Ik wil alleen de papieren.'

Bess wilde zijn geld niet omdat ze dacht dat er een vloek op rustte. Het was niet goed genoeg, het was niet het soort geld dat haar geluk zou brengen. Ze wees hem af, Max West, alcoholist en drugsverslaafde, en weigerde zijn geld.

De scheidingspapieren kwamen met de post. Max gooide zijn kopieën bij het vuilnis samen met een catalogus van een meubelzaak en een folder van de biologische winkel. *Sayonara,* zei hij. *Adiós. Adieu. Arrivederci. Bayartai.* Hij kon in veertig talen gedag zeggen, dat was in elk geval iets. Max zette koffie en belde Bruce. Bruce kwam, en samen dronken ze koffie op het terras, nauwelijks een woord wisselend (Max was om die reden erg op Bruce gesteld). Toen Bruce weg was, haalde Max een fles Tanqueray tevoorschijn, maar hij schonk zichzelf niet in. Hij voelde zich prima zonder drank, en dat was vreemd. Hij dacht: Ik zou elke dag moeten scheiden.

Toen de verhuisdoos van zijn moeder kwam, werd het een ander verhaal. Zijn moeder, Sweet Jane, ging van het huis in Wildwood Crest, waar ze vijftig jaar had gewoond, naar een chic seniorencomplex in Cape May. Max betaalde de verhuizing en hij betaalde de chique seniorenwoning. Zijn drie oudere zussen en zijn oudere broer hadden aangeboden om naar Wildwood Crest te gaan om de verhuizing te organiseren. Van Max werd alleen maar verlangd dat hij betaalde en verder niets deed. Zijn moeder had, met behulp van een van zijn zussen – waarschijnlijk Dolores – alle kasten en laden van het huis uitgezocht. Sommige spullen konden weg, sommige spullen gingen in dozen. En alles van Matthew Westfield ging in dozen omdat er, zodra bekend werd dat Jane Westfield ging verhuizen, mensen waren die aan de overkant van de straat gingen staan wachten tot het vuilnis buiten gezet werd. Wat zou een middelbare-schoolrapport van Max West op eBay opleveren? De handgeschreven tekst van *Stormy Eyes,* op een McDonald's servetje neergekrabbeld, kon aan het Smithsonian Institution of aan het Hard Rock Café verkocht worden. Sweet Jane en Dolores deden dus alles wat ze konden vinden uit Matthews jonge jaren in een doos en stuurden die naar hem op.

Hij maakte de doos open, en de doos rook naar Claire. Hij ging naar de keuken voor de fles Tanqueray, een glas en ijs. Daarna liep hij de achtertuin in en plukte drie van de mooiste limoenen van de boom. Hij schonk zichzelf een flink glas in. De doos rook naar Claire – of naar wat hij zich als haar geur herinnerde, het was waarschijnlijk een parfum dat tienermeisjes in 1986 gebruikten – omdat hij vol zat met briefjes van Claire, honderden briefjes (geparfumeerd!), handgeschreven en opgevouwen, die ze hem in de gang, in de klas, tijdens de lunch, in het muzieklokaal (waar hij gitaar zat te spelen) of in het tekenlokaal (waar zij zat te tekenen of te boetseren) gegeven had.

Hij vouwde een van de briefjes open, voorzichtig, omdat het papier twintig jaar oud was en zo zacht als stof. Er stond: *'How can I tell you that I love you?' Wat een prachtig nummer! Alles wat Cat Stevens zingt is zo vreselijk mooi! Jij kunt net zo zingen als hij – leer dit nummer voor me, alsjeblieft! Ik heb vanmiddag een atletiekwedstrijd tegen Avalon, maar mijn vader is in Atlantic City vanavond, dus ik kom pas laat naar je toe. Laat de deur open!!! Ik hou van je xoxoxoxo.*

Max dronk zijn glas in één teug leeg en proefde niets behalve de scherpe smaak van vers limoensap. Ergens in huis stond zijn... Hij stond op en doolde door het huis, terwijl de eerste borrel zijn behoefte aan de volgende versterkte. Waar was zijn gitaar? Hij had, volgens de laatste telling, 122 gitaren, maar eigenlijk had hij er maar een, zijn Peal, van mahonie- en esdoornhout en ingelegd met parelmoer. Het was zijn eerste gitaar; hij had hem toen hij vijftien was voor honderd dollar van een rijke zomergast gekocht, die hem voor haar zoon had aangeschaft die hem niet wilde. Max gebruikte altijd de Peal om een nieuwe song te schrijven, het was om de een of andere reden het enige instrument waar hij helemaal gelukkig mee was. De gitaar paste in zijn armen zoals hij zich voorstelde dat zijn eigen kind dat zou doen.

Hij schonk zichzelf nog een borrel in en probeerde *How can I tell you that I love you?* te spelen. Hij en Claire waren gek op Cat Stevens, ze kochten al zijn elpees en draaiden die eindeloos. Matthew zocht de akkoorden uit en leerde de teksten uit zijn hoofd. Cat Stevens was in die tijd nogal excentriek, hij had zich tot de islam bekeerd en was uit de openbaarheid verdwenen, maar dat maakte niet uit. Matthew en Claire hadden hem samen ontdekt, opgediept en afgestoft; de songs waren hun valuta, hun goud, hun schat.

How can I tell you that I love you? Claire, in haar sportbroekje, haar lange benen, melkwit, met sproeten in haar knieholten. Hij hield ervan naar haar te kijken en te zien hoe ze die benen strekte en over de horden gooide, met haar arm voor zich uitgestrekt, perfect getimed. Ze sprintte ook. Ze zat in het estafetteteam, tweede loper; ze pakte de estafette, ze gaf hem door. Claires moeder kwam bij de wedstrijden kijken, maar had de hele tijd haar handen voor haar ogen. *Ik kan het niet aanzien!* En Bud Danner kwam helemaal niet opdagen. Matthew zorgde voor de support. Hij was haar familie.

Nog een borrel. In hun eindexamenjaar glipte Claire soms midden in de nacht het huis uit en rende helemaal naar East Aster, waar ze schaamteloos langs Sweet Janes slaapkamer sloop, Matthews kamer in. Ze trok haar kleren uit en dook bij hem in bed – hij herinnerde het zich als de dag van gisteren. Als hij wakker werd, lag Claire, naakt en warm, boven op hem. Ze waren zeventien. Het was zo subliem als de liefde maar zijn kan.

Hij las bijna veertig briefjes – het kostte hem de hele fles Tanqueray. En er was nog meer wat hij door wilde kijken: zijn diploma, programma's van het zomer- en voorjaarsconcert, hun eindexamenbal, loonstrookjes van een restaurant waar hij voor twee dollar per uur de tafels geboend had, muntjes voor de flipperkasten op de boulevard, een gebroken 45-toerenplaatje van Billy Squiers *My kinda lover*, een wiskundeproefwerk waar hij een achtenhalf voor had gehaald (als hij het proefwerk nu zou moeten doen, zou hij alles fout hebben). Er waren ook songteksten; oninteressante, slechte teksten en teksten die hij herschreven had en die later top-40-hits waren geworden. Helemaal onder in de doos lag een grote envelop met heel veel foto's, maar hij kon er niet naar kijken. Hij had te veel gedronken, hij was te droevig en het waren allemaal foto's van Claire.

Ze hadden elkaar kortgeleden gesproken en Max dacht dat hij een aanwijzing in haar stem hoorde, iets wat hem de mogelijkheid gaf terug in haar leven te komen. Was hij krankzinnig? Hij wist het niet. Hij had Claire al jaren niet meer gezien, ze zou nu een andere vrouw zijn, moeder van vier kleine kinderen. Het was gek, maar hij beschouwde haar kinderen als zijn kinderen, ook al had hij hen nog nooit gezien. Hij was dronken, niet in staat helder te denken, maar hij realiseerde zich dat Claire Danner in zijn hart woonde en dat dat altijd zo geweest was, ze was een deel van hem. Ze waren met elkaar verbonden door hun gezamenlijke verleden, ze waren samen opgegroeid en deelden hun eerste ervaringen in de liefde. Hij was geen newage-aanhanger zoals Bess, en hij geloofde zelfs, tot wanhoop van zijn moeder, niet echt in God, maar hij geloofde wel in verbintenissen tussen mensen. Al zijn vroege songs had hij voor Claire geschreven. Zij was alles wat hij kende, ze was er vanaf het begin geweest. Zijn relaties na haar waren allemaal stukgelopen. Hij liet vrouwen in de steek: eerst Stacey, zijn eerste vrouw, toen Savannah en later Bess.

Kon hij naar Claire teruggaan? Zou ze hem terug willen? Zou er nog iets van vroeger over zijn?

Hij tokkelde op de Peal. De Peal was, net als Claire, zijn ware instrument, zijn enige echte. Hij voelde een song in zich opwellen, de klanken pakten zich als een storm samen. Een oude song, een nieuwe song.

Haar moeder had het niet één keer, maar wel vijftigduizend keer gezegd: *Wees voorzichtig met wat je wenst.*

Vroeger als kind had Siobhan een paard gewild. Ze woonden per slot van rekening op een boerderij, die haar vader had geërfd, maar het was een bescheiden stuk land waar alleen wat rapen werden verbouwd en een paar armzalige kippen rondliepen. Toen Siobhan om een paard smeekte, zei haar moeder: Wees voorzichtig met wat je wenst. Je hebt geen minuut rust meer als we een paard voor je kopen. Je moet het beest te eten en te drinken geven, je moet hem verzorgen, je moet zijn stal uitmesten en je moet hem laten lopen. Je moet veel met hem rijden, Siobhan. Het zal je zwaar tegenvallen. Een paard brengt ons aan de bedelstaf, en je broers en zusjes zullen groen zien van jaloezie, ze zullen je haten. Wens gerust een paard, Siobhan, maar het zou vreselijk zijn als die wens zou uitkomen.

Het was haar ellendige Ierse opvoeding ten voeten uit! En toch waren de woorden van haar moeder op dat moment weer van toepassing. Siobhan had willen weten wat er gaande was tussen Claire en Lock Dixon, ze had zich voorgenomen er achter te komen! Ze had gedreigd, beschuldigingen geuit en twee volle weken helemaal niets van zich laten horen.

Nu zaten ze samen op het koude zand aan de zuidkust, twee boterhammen tussen hen in, onaangeraakt. Het was fris op het strand, maar Claire was wat de plek betreft niet te vermurwen geweest. Samen, met zijn tweeën, buiten, omgeven door een landschap groter dan zij.

Ik moet je iets vertellen, had Claire gezegd.

En Siobhan dacht: Ja! Voor de draad ermee!

Ik heb een verhouding met Lock Dixon. Ik ben verliefd op hem.

Het paard, haar moeder, de rapen en de kippen, de jaloezie van haar broers en zussen. Wees voorzichtig met wat je wenst. Siobhan hoorde Claires woorden en zag de uitdrukking op haar gezicht – die van naakte pijn, alsof Siobhan haar arm op haar rug omdraaide. Siobhan had onmiddellijk spijt. Ze was geschokt en ontzet. Het was waar, het ondenkbare was waar. Het bedrog was echt en compleet. Een gebod was genegeerd, het lag in gruzelementen aan hun voeten. Het was overtreden door de enige persoon op wiens goedheid Siobhan volledig vertrouwde. Siobhan wist niet in wie ze meer teleurgesteld was: in Claire vanwege haar zonde of in zichzelf vanwege het feit dat zij Claire had overgehaald het te bekennen.

Ik heb een verhouding met Lock Dixon. Ik ben verliefd op hem.

Verliefd op hem?

Siobhan voelde walging achter in haar keel, een kokhalsreflex. Ze werd misselijk. Al haar leven lang was dit haar eerste reactie op slecht nieuws: braken. Afschuwelijk en walgelijk, maar waar. Op de begrafenis van haar moeder had ze buiten op het kerkplein staan overgeven, ook al had haar moeder maandenlang op sterven gelegen, ze had in haar appartement urenlang liggen kotsen toen ze haar verloving met Edward Melior had verbroken. Claire was verliefd op Lock Dixon, en Siobhan stond op het punt om op het koude zand over te geven. Het was de meest basale afwijzing van het lichaam. Alles in haar schreeuwde: *Nee!*

Ze hoestte in haar hand. Oké.

Dit was geen film met acteurs, het was geen soap op tv waarin iedereen het met iedereen deed. Dit was het echte leven met echte mensen, mensen die andere mensen kwetsten. Om te beginnen kwetste Claire Jason. Arme Jason! Siobhan had haar leven erom willen verwedden dat ze nooit zo over hem zou denken, want Jason was allesbehalve 'arme Jason'. Jason was een harteloze klootzak, absoluut onmogelijk, zo macho en Marlboro als een man maar zijn kan. Bij de geboorte van zijn jongste had hij iets van zijn kwetsbare kant laten zien. Siobhan had hem zien huilen, zijn lippen zien trillen, maar wat had hij vervolgens gedaan? Hij had Claire van alles de schuld gegeven. *Zij had niet in het atelier mogen zijn. Ze wist dat het niet verantwoord was.* Jason was een Neanderthaler. Carter was de verfijnde broer, hij werkte met gehakt en fijngesneden groente, hij kon gesauteerde schotels maken; hij had een kunstenaarsoog, gevoel voor subtiliteit. Jason pestte Carter altijd met zijn kookkunsten; Carter was een mietje, koken was voor watjes. Echte mannen deden... wat? Sloegen spijkers in hout. Siobhan had genoeg te stellen gehad met Jason, ze hadden woorden gehad, hij kwam beslist niet op haar lijst met favoriete personen voor. Maar hij was familie, en ze zou, net zoals voor haar eigen broers en zussen – waarvan ze er een paar verafschuwde – altijd blind zijn partij kiezen.

Arme Jason.

Siobhan hoestte opnieuw. Het bleef maar prikkelen achter in haar keel, haar maag kwam in opstand. Die boterhammen kon ze wel vergeten. Siobhan huiverde en trok haar jack strakker om zich heen. De lucht was loodgrijs, de wolken hingen laag. Je zou niet zeggen dat het al bijna zomer was.

'En?' zei Claire. 'Wat denk je allemaal?'

Wat moest ze zeggen? De waarheid? *Ik ben me lam geschrokken. Ik probeer niet over te geven.* Wees voorzichtig met wat je wenst. *De kinderen – hoe moet het met jullie schatten van kinderen?*

Claire begon te huilen. 'Je haat me. Je vindt me walgelijk.'

Siobhan vond het verschrikkelijk rechter te moeten spelen. Dat paste niet bij haar. Van hen tweeën was zíj degene die ondeugend was, het duiveltje, het kreng.

'Sinds wanneer?' zei Siobhan.

'Vanaf de herfst.'

Siobhan hapte naar adem, en hoopte dat het niet hoorbaar was. Zo lang al. Bijna vanaf het begin. Met kerst had ze wel iets vermoed. Iets ja, maar niet dit. *Ik ben verliefd op hem.* Dit was niet de Claire die het giechelend door de telefoon over die leuke jongen had die haar vuilniszakken achter in de vrachtwagen kieperde. Dit was echt. Liefde. Liefde? Claire was gemakkelijk in te palmen, makkelijk te beïnvloeden, ze liet mensen te snel dichtbij komen, ze gaf zich helemaal, onvoorwaardelijk; ze bekommerde zich om mensen, maakte zich zorgen om hen, nam hun ellende op zich. Het zat in haar bloed, een of andere verdomde erfenis van haar ouders. Was het gek dat Lock Dixon, een man die in de ogen van Siobhan een miserabel leven leidde – met zijn beschadigde, schizofrene vrouw – hier misbruik van gemaakt had?

'Zeg iets!' smeekte Claire.

Siobhan stak haar tenen in het koude, vochtige zand. 'Ik weet niet wat ik moet zeggen.'

'Zeg dat je het begrijpt.'

'Ik begrijp er niks van. Leg het uit.'

'Jij denkt dat ik Jason en de kinderen verraad. Maar ben je ooit zo verliefd geweest dat niets er meer toe deed?' Claire pakte Siobhans handen en kneep erin, maar ze waren verstijfd en bloedeloos, twee droge sponzen. 'Heb je ooit het gevoel gehad dat je hart ondersteboven stond?'

Kende ze dat gevoel? Ze ging in gedachten haar liefdes af. Carter? Edward? Michael O'Keefe, met zijn blauwe ogen, zijn blauwzwarte haar en zijn hoge leren laarzen? Hij reed paard. Dat was de reden waarom de kleine Siobhan ook een paard gewild had! Ze was smoorverliefd geweest op Michael O'Keefe. Bedoelde Claire dat? Waarschijnlijk wel, maar hoe oud was Siobhan toen, elf? Ze waren nu volwassen vrouwen, ze wisten nu wel beter!

'Ben je van plan om Jason te verlaten?' vroeg Siobhan.

'Nee.'

'Oké. Maar als je niet bij Jason weg wilt, hoe moet het dan verder?'

'Ik heb geen idee.'

'Je moet ermee stoppen, Claire.'

'Je lijkt pater Dominic wel.'

'Dat zal wel.'

'Ik kan er niet mee stoppen. Ik heb het geprobeerd.'

'O ja?'

'Ik probeer het elke dag.'

'Je blijft dus gewoon...'

'Ik weet het echt niet.'

'Maar op een gegeven moment zal je... of er gebeurt iets...'

'Je bent mijn liefste vriendin van de hele wereld,' zei Claire, 'ik vertrouw je met heel mijn hart. Maar je mag het aan niemand vertellen. Niet aan je zussen in Ierland, niet aan Julie, niet aan Carter...'

'Jezus, Claire, natuurlijk niet.' Siobhan zei dit automatisch, zonder te beseffen dat dit geheim, deze boosaardige worm, aan haar zou gaan knagen. Kon ze dit geheim bewaren? Siobhan drukte haar bril verder op haar neus. Haar glazen zaten onder zoutig condens.

'Ik kan gewoon niet geloven dat ik het je verteld heb.' Claire was opnieuw in tranen. 'Ik heb het gevoel alsof ik zojuist het laatst overgebleven pokkenvirus heb vrijgelaten. Ik heb het gevoel alsof ik je zojuist het wapen heb gegeven waarmee je me gaat vermoorden.'

Er was een manier waarop Siobhan zou moeten reageren, er waren dingen die ze zou moeten zeggen – troostende, bemoedigende dingen – die haar op dat moment niet te binnen schoten. Ze had de waarheid gewild, en die had ze nu. Ze had de lucht willen klaren, ze had Claire terug gewild. Wees voorzichtig met wat je wenst.

Siobhan hoestte in haar hand. Haar moeder was alomtegenwoordig met haar spreuken. De Ieren hadden woorden voor de vreemdste situaties, en die woorden waren altijd raak. En altijd weer legde haar moeder haar hand op haar rug, om de wereld weg te wrijven, hoe moeilijk de situatie ook was. *Dit gaat ook weer voorbij, Siobhan, schat van me. Dit gaat ook weer voorbij.*

Siobhan keek haar vriendin aan. Vergeving was te veel gevraagd, maar troost?

'Het komt allemaal goed,' zei ze.

'Denk je?' zei Claire.

9

Ze maakt er een potje van

In tegenstelling tot de kustplaats New Jersey, waar Claire was opgegroeid, waar de lente zacht was, ging het in Nantucket van loodgrijze luchten en de hevige stormen in één keer over in hoogzomer. De verandering van het jaargetijde was over het hele eiland merkbaar, het was alsof iemand het doek had opgehaald en de show was begonnen. Overal waren mensen; er was verkeer, er stonden rijen voor de supermarkt en het postkantoor, de trottoirs van Main Street waren vol mensen die koffiedronken, die wilde bloemen uit de laadbak van een vrachtwagen van een boer kochten, die met hun mobiele telefoon aan het bellen waren, de hond uitlieten of achter de wandelwagen liepen. De restaurants openden een voor een hun deuren, en dit jaar werden Claire en Jason voor alle spetterende openingsfeesten uitgenodigd omdat Claire medevoorzitter van het gala was, omdat ze nu in de spotlights stond, omdat haar naam in de krant met die van Max West verbonden werd en omdat Lock – Joost mocht weten waarom – haar naam aan elke mogelijke invitatielijst had toegevoegd.

Het was bijna onmogelijk geworden om Lock te ontmoeten. De huizen naast en tegenover het Elijah Baker House werden nu bewoond, dag en nacht bezochten mensen de tuin van Greater Light en de politie was begonnen met patrouilleren op de meest afgelegen stranden. De bestuursleden van Nantucket's Children verbleven nu allemaal op het eiland en kwamen op de meest onverwachte ogenblikken op kantoor binnenvallen. Een keer toen Lock en Claire in de vergaderkamer stilletjes, maar vurig de liefde bedreven, werd er plotseling beneden dringend op de deur geklopt. Ze sprongen op en maakten zich van elkaar los om razendsnel in de kleren te schieten en die vast te knopen, dicht te ritsen en recht te trekken. Op zijn tenen liep Lock naar het raam met de twintig ruitjes dat openstond (noodzakelijk voor de ventilatie, en omdat het zo'n gammel, oud geval was zou het tot oktober open blijven). Beneden op de stoep stonden Libby Jenkins, medevoorzitter van het gala van het jaar ervoor, met haar man en nog een echtpaar. Libby had vast een paar wijntjes op want ze lispelde een beetje toen ze zei: 'Verdomme, hij zit op slot. Het kantoor is beeldschoon, echt, al dat originele pleisterwerk uit 1850...' Libby en haar gezelschap liepen weer door, maar Claire bleef geschrokken achter. Zij en Lock hielden elkaar vast, zwaar ademend, tot de kust na enige tijd weer veilig leek en Claire fluisterend kon uitbrengen: 'Jezus.'

'Inderdaad.'

'We moeten hier niet meer naartoe gaan.'

'De deur is op slot.'

'Weet ik. Maar stel dat we het een keer vergeten?'

'Geloof me, dat vergeet ik echt niet.'

Claire wist dat het waar was. Dat Lock de deur checkte, dubbelcheckte en nogmaals checkte.

'Maar Gavin heeft ook een sleutel. En Adams ook.'

'Ja, maar...' mompelde Lock.

'Ik heb het gevoel dat we eerdaags betrapt worden,' zei Claire.

'We worden niet betrapt. Vertrouw me.'

Het klonk als een van zijn verordeningen die niet tegengesproken konden worden – *Er bestaat geen hel* – maar om de een of andere reden zat het Claire niet lekker. Het klonk onwaar en aanmatigend.

'Zeg het maar,' zei Lock. 'Is er een andere keus?'

Claire vlijde haar hoofd tegen zijn borst. 'Ik weet het niet,' zei ze. 'We kunnen een time-out nemen.'

'Een time-out?' zei hij. 'Niet meer afspreken, bedoel je? Elkaar niet meer zien?'

'Nee,' zei ze. 'God, nee.' Als Claire alleen was, yogaoefeningen deed, afwaste, als ze in haar atelier was en om kracht bad, leek het de oplossing. Een time-out nemen. Afkoelen. Maar als ze weer bij Lock was, als hij weer in haar nabijheid was, als ze zijn gekwelde stem hoorde zeggen: Elkaar niet meer zien? was het ondenkbaar. 'We moeten gewoon voorzichtig zijn. Heel voorzichtig.'

'Volhouden,' zei Lock. 'En standvastig blijven in onze afspraak om dit geheim te houden.'

Claire werd door een nieuw schuldgevoel overmand. Ze had het geheim aan Siobhan verteld, maar dat niet tegen Lock gezegd. Hij zou in geen miljoen jaar begrijpen waarom ze dat had gedaan. Hij zou waarschijnlijk zo kwaad worden en zich zo verraden voelen dat hij de verhouding zou stopzetten. En dus was het nu een vaststaand feit: Claire loog iedereen voor. Siobhan kende nu de waarheid, maar sinds de keer dat Claire het haar op het strand had verteld, was het onderwerp niet meer ter sprake geweest. Siobhan zinspeelde er nooit op, ook niet als ze met Claire alleen was. Het was alsof Siobhan een gaatje in haar hoofd had, en dat de informatie eruit was gevallen en was verdwenen. Het was een opluchting voor Claire, maar tegelijkertijd was het verwarrend. Waarom wilde Siobhan het er niet over hebben? Was het uit respect voor Claires privéleven, of vond ze het allemaal te walgelijk, te verwarrend, te weerzinwekkend en te verontrustend om te bespreken? En als ze het er toch niet over zouden hebben, nooit, waarom had Claire dan eigenlijk de moeite genomen haar het geheim te verraden?

Alles in Claires leven werd steeds ingewikkelder. Ze had zo te kampen met tegenstrijdige gevoelens dat het haar verbaasde dat ze nog functioneerde.

'Ik moet gaan,' zei Claire. Ze haatte die momenten vlak voor ze afscheid namen, vooral omdat het er de laatste tijd elke avond op leek dat het hun laatste keer samen kon zijn. Ze kuste Lock, wanhopig, en glipte de trap af.

Het ergste van overspel was haar toenemende jaloezie op en afkeer van Locks leven thuis met Daphne. Ook al probeerde Claire het zoveel mogelijk luchtig op te nemen, de feiten waren daar: Lock en Daphne hadden een kind samen van wie ze vreselijk veel hielden, om wie ze zich bekommerden, op wie ze trots waren en om wie ze zich zorgen maakten. Ze hadden een huis vol kunst en antiek, en aan elke aankoop kleefde een verhaal. Ze hadden een luchtvaartmaatschappij waar ze graag mee vlogen en een autoverhuurbedrijf waar ze het liefst een auto huurden, ze hadden hun favoriete merk shampoo en olijfolie, hun favoriete afhaalrestaurants, het televisieprogramma waar ze op zondagavond naar keken, een speciaal soort donzen kussen waar ze op sliepen, ze hadden hun eigen badkamerrituelen, hun eigen standjes in bed, hun internetprovider, hun vrienden in Seattle en Saint Louis, hun foto's van reisjes naar Zuid-Afrika en IJsland, hun herinneringen aan een wedstrijd van de Red Sox waarin Ramirez een homerun liep en Lock de bal ving en aan de avond van het concert met Itzhak Perlman. Ze hadden hun gezamenlijk vocabulaire, ze deelden jaren en jaren aan ervaringen en ze sliepen elke nacht bij elkaar. Claire en Jason namen de kinderen op vakantie naar Story Land, maar Lock en Daphne gingen naar Tortola en verbleven in een vijfsterrenhotel, waar het zand net poedersuiker was. Het was alsof hun levenswijze superieur was, alleen al omdat het van hen was. Claire wilde haar eigen leven met Lock hebben. Het was ondraaglijk haar leven met Jason te moeten leven naast het leven dat Lock met Daphne leefde. Dat was nog het ergste.

Claire en Lock zagen elkaar minder vaak alleen en vaker op allerlei feestjes met hun echtgenoten. Dat was het probleem. Claire kon het niet aanzien, Lock en Daphne samen – en het leek wel of Daphne die eerste zomerdagen elke avond met Lock op stap was in plaats van dat ze zich, zoals de afgelopen jaren, in huis opsloot. Nu liep ze aan Locks zijde, als zijn vrouw, ze waren een stel, en keer op keer werd Claire met hun huwelijk geconfronteerd. Haar stekels gingen overeind staan als ze Locks arm om Daphnes schouders zag, als hij een drankje voor haar haalde, als hij zijn hand uitstak om haar ketting goed te doen. Claire probeerde haar aandacht op Jason te richten, maar Jason haatte die sociale verplichtingen. Ze moest hem erheen slepen, ze moest zijn kleren voor hem klaarleggen zodat hij er netjes uit zou zien. Hij gedroeg zich als een dwarse tiener en liet zijn ergernis duidelijk blijken: hij stond het merendeel van de avond aan de bar waar hij het ene biertje na het andere achterover sloeg en met Mikey, de barman, kletste, zijn viskameraad, terwijl hij voortdurend op zijn horloge keek. Hoe lang duurde het nog voor hij naar huis kon om tv te kijken?

Tijdens elk feestje kwam het moment dat Claire en Lock elkaar moesten begroeten, en dat was pijnlijk en gênant: Lock en Daphne in een persoonlijke ontmoeting met Claire en Jason.

'Hallo Claire,' groette Lock, zich voorover buigend om haar te kussen, waarna hij zijn hand voor haar langs naar Jason uitstak. 'Hé, Jason.'

'Hé, kerel,' zei Jason.

'Hoi Claire,' zei Daphne, guitig lachend.

Claire gleed met haar tong over haar tanden. 'Hoi, Daphne.' Een zoen in de lucht. Een blik op Daphne borst – had ze iets bloots aan? Daphne nam Claire zonder blikken of blozen op en kwam dan vervolgens met haar hatelijkheden op de proppen, de een na de ander, als waterballonnen over de schutting. Je hebt vast veel in de zon gezeten, zoveel sproeten! Dit topje staat je altijd weer leuk. Het is toch dezelfde die je laatst ook aanhad? Had je niet verteld dat je hem in de uitverkoop gekocht had? Daar denk ik nou nooit aan. God zeg, wat een smerige wijn. Dat je het drinkt! Het is een belediging voor mijn gehemelte. En je eet achter elkaar van die kaaskoekjes, dat kan ook makkelijk want je bent ook zo dun. Ik zou je eigenlijk moeten volgen als je naar het toilet gaat om te kijken of je niet aan de laxeermiddelen bent. We vragen ons dat allemaal af, weet je.

Claire glimlachte dan, lachte het weg. Wat moest ze anders? Jason deed zijn mond niet open, hij schonk er nauwelijks aandacht aan, maar Locks ogen werden steeds groter en verdrietiger. Dan nam hij Daphne bij de arm en loodste haar een andere kant op, maar dat deed ook pijn, het feit dat hij van haar wegliep en ander gezelschap zocht. Later zocht hij Claire op om zijn verontschuldigingen aan te bieden. Zo is Daphne nou eenmaal. Geloof me, ik weet het. Ik moet met haar leven. Het spijt me. Je ziet er beeldschoon uit.

Claire keek Lock aan, gekwetst en woedend.

'Ik hou van je,' fluisterde hij toen hij achter haar in de rij voor de bar stond.

Met opeengeklemde lippen knikte ze.

De voetbalcompetities waren voorbij, de school was dicht, het bleef tot negen uur 's avonds licht en het was onmogelijk de kinderen naar bed te krijgen. De dagen werden langer, hopeloos lang en tegelijkertijd veel te kort. Tussen het wegbrengen en ophalen van de kinderen van zomerkamp, lessen en uitjes naar het strand had Claire maar weinig tijd over om naar haar atelier te gaan. De verdomde kroonluchter had nog maar drie armen; hij was mooi in zijn onvolledigheid, zonder twijfel haar beste kunstwerk tot nu toe, maar dat maakte hem niet minder onvolledig. Hoe zonnig en energiek de eerste zomerdagen Claire ook maakten, er lag altijd een klomp van schuldgevoel en angst in haar, die radioactieve straling afgaf. Die verdomde kroonluchter! Hij moest af!

Ze moest hem voor 10 juli af hebben, besloot ze. Op 10 juli zouden de uitnodigingen voor het gala de deur uitgaan. Op 9 juli zouden de leden van de galacommissie 's avonds in het huis van Isabelle French in Monomoy samenkomen om de uitnodigingen in de enveloppen te doen, de stickers met de namen erop te plakken en de enveloppen dicht te doen. Isabelle zou op 8 juli in Nantucket arriveren met de dozen met uitnodigingen, dus eigenlijk was die dag Claires deadline, want ze zou de stress niet aankunnen dat Isabelle op het eiland was terwijl zij de verdomde kroonluchter nog niet af had.

Eerst keek Claire wat ze had: een schitterende roze bol in het midden waar drie sierlijke armen aan hingen. Ze had nog vijf armen nodig en daarna moest ze de kleine kelkvormige cupjes maken voor de lampjes. Ted Trimble belde elke week om te vragen of de kroonluchter al klaar was zodat hij hem kon bedraden.

Nog niet, zei Claire. Binnenkort.

Claire zag de kroonluchter als een examen dat ze moest afleggen of een scriptie die ze moest inleveren. Als katholiek had ze de overtuiging dat er een offer voor nodig was om iets groots, iets volmaakts te creëren. Daarom gaf ze vijf dagen lang alles op wat ze leuk vond. Ze gaf haar avonden alleen met Lock op, ze gaf een extravagante cocktailparty in Libby Jenkins' huis aan Lincoln Circle op, waarvan ze wist dat Lock er zou zijn, ze gaf drie prachtige, zonnige middagen aan het strand op, ze gaf het vuurwerk op 4 juli op waar ze met haar kinderen naartoe zou gaan – Jason en Pan gingen in haar plaats mee, met een verrukkelijke picknick die Claire had klaargemaakt, maar waar ze niets van gegeten had. In de dagen dat ze alles opgaf om die verdomde kroonluchter af te krijgen, at ze alleen maar bleek, smaakloos eten: rijstkoeken, droge volkoren crackers, zoutjes met biologische pindakaas, sojaboontjes, radijsjes en iets wat Pan had gemaakt, wat ze Thaise vuurbouillon noemde, een verraderlijk kruidig drankje dat Claire alleen maar dronk om wakker te blijven.

Met zoveel opoffering, met zoveel toewijding en inspanning in het atelier, dacht Claire dat de rest van de verdomde kroonluchter een makkie zou zijn. Er waren maar heel weinig dingen in haar leven die ze met veel zelfvertrouwen deed, en glasblazen was er een van. Ze kon het glas laten doen wat ze wilde; het was een gave. Na haar jarenlange ervaring – ze had de bollen voor de *Bubbles* geblazen en tal van excentrieke kunstvoorwerpen gemaakt voor mensen als Jeremy Tate-Friedman uit Londen en Fred Bulrush uit San Francisco – wist Claire precies hoe de klont gesmolten glas zich zou gedragen. Ze had duidelijk voor ogen hoe de armen van de kroonluchter er uit moesten zien, en als geheugensteuntje had ze een schets aan de glasblazerstafel geplakt. Haar katholieke ziel geloofde dat ze vanwege het feit dat ze slaap had ingeleverd, yoga, zon, viognier en lekker eten had opgeofferd en niet bij de opgetogen kreten van haar kinderen was geweest op het moment dat het vuurwerk boven hun hoofden uiteenspatte, in staat zou zijn de kroonluchter af te krijgen. Ze zou op eigen wilskracht uit deze hel kruipen.

Maar het was moeilijk. Ze had zesennegentig pogingen nodig om de vierde arm in de juiste vorm te blazen, en toen was ze zo moe dat ze hem bijna had laten vallen. Maar hij was goed, heel, onbeschadigd. Hij ging de koeloven in en ze was zo afgepeigerd dat ze had kunnen huilen, maar ze dwong zichzelf naar de smeltoven te gaan voor een nieuwe klont vloeibaar glas.

Haar armen deden pijn, ze zag vlekken voor haar ogen, ze probeerde en probeerde steeds opnieuw. Nog vier armen. Ze moesten op dezelfde manier vallen en draaien. Ze dacht dat ze wist wat de perfecte draaiing was, in gedachten zag ze het voor zich, maar ze kreeg het niet voor elkaar het hete glas de juiste draai te laten maken; als het gebeurde, zou het puur geluk zijn. Maar nee, zo mocht ze niet denken, ze moest geloven dat het binnen haar bereik lag. Steeds weer probeerde ze het. Ze transpireerde, ze dronk liters water – liters! – en toch had ze voortdurend dorst.

Op een middag, toen Pan en de kinderen naar het strand waren – toen ze het zo heet had als een gebraden kalkoen op Thanksgiving Day – lukte het haar de vijfde arm – perfect en mooi – in de oven te krijgen. Tien of elf pogingen later had ze de zesde arm. Yes! Twee armen in een uur tijd, en nog maar twee te gaan... Ze kon hem diezelfde middag nog afkrijgen, de middag van 6 juli. Ze ging terug naar de smeltoven voor een nieuwe klont vloeibaar glas en stelde zich voor dat ze in de auto stapte en naar het strand reed om te zwemmen. Ze dacht aan het verkoelende, frisse water; ze dacht aan koel water dat langs een stenen fontein sijpelde, aan een ketting van koude jade tegen haar borstbeen, een schaal met koude komkommer, muziek uit een glazen fluit, een glas ijskoude citroenlimonade, gekoelde zilveren bekers voor muntcocktails, ijszwanen, diamanten. Er viel een druppel zweet van het topje van haar neus op het gloeiend hete metaal van haar metalen blaaspijp, het siste en verdampte. Ze deed de deur van de smeltoven dicht, zette haar blaaspijp neer, en liep wankelend naar de werkbank. Ze voelde dat ze moest overgeven. Ze boog zich voorover en braakte op de betonnen vloer. Ze schoof haar beschermbril op haar hoofd, rukte haar handschoenen af en strompelde naar de bak met water waar ze haar handen in onderdompelde en haar gezicht mee nat maakte. Ze viel achterover op haar kont.

Muziek uit een glazen fluit. Wie had er om een glazen fluit gevraagd? Ze kon het zich niet herinneren, ze wist ook niet meer of ze er een gemaakt had of niet. Het moest mogelijk zijn. Lock hield van dat instrument, dat wist ze omdat ze vaak naar klassieke muziek luisterden op de Bose-radio. Ze hield van Lock, het was fout, maar het was zo. Hoeveel weken was ze niet te biecht geweest, hoeveel weken had pater Dominic haar gesmeekt te bidden om kracht om te stoppen, hoeveel keren had ze gezegd: *Ja, oké. Ik doe het,* maar was ze er vervolgens niet toe in staat? Ze vroeg zich af hoeveel andere mensen die ze kende een geheime liefde hadden. Geen een? Allemaal? Siobhan niet. Siobhan vond Claire een heiden. Claires hoofd bonkte, ze moest gaan liggen. Ze wilde haar hoofd achterover leggen, maar schatte de afstand naar de grond verkeerd in. Met een dreun kwam ze op het harde beton neer. Nog maar twee armen.

Duisternis. Hitte. Hel.

Ze kwam bij in het ziekenhuis, in een steriele, witte, vierkante kamer, waar ze op een blauwe kunststof tafel met wit papier lag. Jason was er, en een zwaargebouwde verpleegster die Claire niet herkende hield een zakje koude blauwe gel tegen haar voorhoofd.

'Claire?' zei Jason.

'Hoi?' zei ze.

'Het is weer gebeurd,' zei hij. Zijn gezicht was rood en de huid om zijn ogen gezwollen. Ze had hem zo eerder gezien, maar wanneer? Ze kon het zich niet herinneren.

'Nog twee armen,' zei ze. Ze dacht niet dat Jason zou weten waar ze het over had, maar zijn gezicht vertrok en kreeg een woedende uitdrukking.

'Wilt u ons even alleen laten?' vroeg hij aan de verpleegster.

'Voor ze ontslagen wordt moet er eerst een dokter naar haar kijken,' zei de verpleegster. 'Ze was door de hitte bevangen. Dat ze is bijgekomen wil nog niet zeggen dat ze naar huis mag.'

'Oké,' zei Jason.

De verpleegster liep weg. Claire keek Jason aan. 'Door de hitte bevangen.'

'Weer,' zei Jason. 'Je hebt het weer zover laten komen.'

Ze wachtte even om te zien of hij nog meer zou gaan zeggen of dat het haar beurt was. Alles bewoog heel langzaam, het ging bijna achteruit.

'Je moet stoppen,' zei hij. 'Met dat stomme gedoe. Die galacommissie lijkt wel een sekte. Het lijkt wel of je naar een andere planeet bent verhuisd. Planeet Gala. Het neemt je hele leven in beslag, je moet ermee stoppen.'

Ze wilde zeggen: *Ja, oké, ik doe het* zeggen maar in plaats daarvan zei ze: 'Dat kan ik niet.'

'Je moet stoppen,' zei Jason. 'Ik had je nog zo gezegd dat je niet weer aan het werk moest gaan. Het is gevaarlijk, je weet niet wanneer je moet stoppen, je gaat er net zolang mee door tot het niet meer veilig is. Dat je je lesje niet geleerd hebt na de vorige keer! Je had jezelf verwond en bijna hadden we Zack verloren.'

Claire begon te huilen. Er was een ijskoude plak blauwe gel op haar voorhoofd gebonden, merkte ze, waardoor haar hoofd zwaar voelde en moeilijk te bewegen was. Had Jason dat echt gezegd? Nee, hij had het niet gezegd. Ze was vast nog door de hitte bevangen. Het was haar eeuwige schuldgevoel.

Ze keek Jason aan. Het leek wel of zijn ogen twee verschillende kleuren hadden, maar ze wist niet meer welke kleur de echte was. Waren zijn ogen blauw of groen? Jaren geleden toen ze de in elkaar vallende vazen voor het museum in Shelburne had gemaakt, had ze een van de vazen de kleur van Jasons ogen gegeven. Was die vaas nou blauw of groen? Of alle twee? 'Ik ben in de war,' gaf ze toe. 'Ik weet niet wat echt en niet echt is.'

'Omdat je door de hitte bevangen bent!' zei hij. 'Je was te lang in het atelier, het was er duizend graden, je had geen water meer, je hebt veel te veel van jezelf gevergd, en je bent weer – weer! – gevallen en weer flauwgevallen. Je was bijna dood. Weer! Je bent net een van de kinderen, Claire. Je luistert niet!'

'Het spijt me,' zei ze. Ze dacht terug aan de keer dat ze haar verontschuldigingen had aangeboden toen met Zack, op de operatietafel, toen ze hem met de keizersnede gehaald hadden. Het spijt me, het spijt me, het spijt me. *Ze weten niet hoe het met de baby is.* Ze dacht toen dat het kind dood ter wereld zou komen, maar hij leefde, hij was gezond. Een kind ontwikkelt zich in zijn eigen tempo, net als broertjes en zusjes. Claire probeerde rechtop te gaan zitten.

'Je had niet eens een goede reden om weer aan het werk te gaan!' zei Jason.

'Je bedoelt een financiële reden.'

'Ik bedoel een góéde reden! Het gala! Het veilingstuk! Lock Dixon heeft je gevraagd! Wat kan het jou schelen? Het is het niet waard. Laten ze iets anders verzinnen, een reisje naar Italië, een picknick op een motorboot! Het is het niet waard dat je je leven in gevaar brengt.'

'Ik breng mijn leven niet in gevaar,' zei Claire. Maar ze zaten mooi wel in het ziekenhuis.

'Je bent een soort robot geworden die die lui geprogrammeerd hebben.'

'Het is bijna voorbij,' zei Claire. Ze gaf de poging om rechtop te gaan zitten op, ging liggen en sloot haar ogen. Ze was moe. 'Over zes weken is het voorbij. En ik kan er niet zomaar uitstappen als Matthew komt.'

'Het maakt hem niet uit of jij of iemand anders de leiding heeft.'

'De reden dat hij bereid is het te doen, is dat het *mijn* ding is. Het zou belachelijk zijn als ik er nu de brui aan gaf. Dan zou hij toch denken dat het me eigenlijk niets kan schelen? Ik kan het niet opgeven. Ik heb een afspraak gemaakt en die wil ik nakomen.'

'Ook als het ten koste van je huwelijk gaat? Van je kinderen?'

'Gaat het ten koste van jou en de kinderen?' zei Claire.

'Ik weet het niet,' zei Jason. 'Ik begrijp het niet. Je zegt dat je thuis bij de kinderen wilt zijn, dat je het glas een poosje wilt laten rusten, dat je moeder wilt zijn, dat je bij Zack wilt zijn en zo, en dan opeens, zonder het met mij te overleggen, neem je het gala op je, wat een fulltime baan betekent, als het niet meer is. Al die vergaderingen, als ze je per uur zouden betalen, zou je honderd rooie ruggen verdienen. En dan ga je ook nog terug naar het atelier, om te glasblazen, om aan dat stuk te werken dat je magnum opus moet worden. Goed, het zal wel, leuk voor je. Alleen jammer dat je er geen cent voor betaald krijgt, maar Lock Dixon heeft je gevraagd en de commissie, wie dat ook mogen zijn, rekent op je, en nu zit je eraan vast.' Hij slikte. 'Ze hebben je van ons afgepikt, Claire. Je bent weg. Ook al zit je aan tafel met het avondeten, ook al lig ik op je in bed, het voelt alsof je ergens anders bent.'

Wat moest ze zeggen? Hij had gelijk. Het verbaasde haar dat hij het opgemerkt had.

'Ik heb je steun nog zes weken nodig,' zei ze. 'Dan is het voorbij. Over.'

'Je had dood kunnen zijn, Claire. Als Pan niet bij je was gaan kijken toen ze van het strand thuiskwam, zou ik nu je doodskist moeten uitzoeken.'

'Het spijt me...'

'Het spijt je? Je was buiten bewustzijn, Claire. Je hebt jezelf gevloerd, letterlijk, voor die verdomde kroonluchter.'

Nog twee armen, schoot het onwillekeurig door haar hoofd. Vervolgens dacht ze: Hij heeft gelijk. Ik ben gehersenspoeld. Ik ben mezelf niet. Hoe krijg ik mezelf weer terug? Stoppen? Lock verlaten? Tegen Isabelle zeggen dat ze de pot op kan met haar 'Petite Soirée'?

De deur vloog open en de dokter kwam binnen. 'Nou,' zei hij. 'Ik hoor dat je van geluk mag spreken dat je nog leeft!'

Ze zaten in een impasse. Claire had Jason beloofd dat ze een week niet naar het atelier zou gaan, maar dat betekende dat ze de zichzelf opgelegde deadline niet zou halen. En ze hoefde nog maar twee armen, maar twee! Ze kon het, ze wist dat ze het kon; ze had in één uur twee volmaakte armen geblazen, ze had nu door hoe het moest, ze had de formule, het ritme. 'Ik ga een uurtje werken. Kom je over een uur even bij me kijken?' vroeg ze Pan.

Pan greep naar haar broekzak, waar ze haar mobiele telefoon bewaarde. Claire wist dat dit betekende dat Jason tegen Pan had gezegd dat ze hem moest bellen als Claire zulke plannen had.

'Laat maar,' zei Claire. 'Ik ga toch maar niet werken.'

Maar natuurlijk sloop ze een paar seconden nadat Pan de oprit af reed om met de kinderen naar het strand te gaan naar buiten. Ze trof het atelier aan met een hangslot op de deur.

Ze belde Jason op zijn werk. 'Wat ben jij een eikel, zeg!'

'Heb je het slot gezien?' zei hij.

Ze hing op. Bijna had ze Siobhan gebeld, maar zij zou partij kiezen voor Jason. Ze had al partij voor Jason gekozen, want toen ze Tupperware-bakjes met kipsalade en gemarineerde komkommer kwam brengen had ze gezegd: Het is het niet waard wat jij jezelf aandoet, Claire.

Daarom belde ze Lock, ook al was hij op kantoor en kon hij niet vrijuit praten. Ze vertelde hem wat er gebeurd was: de kroonluchter, de hitte, het zweet, de val, het ziekenhuis, de ruzie, het hangslot.

'Hij is een dictator,' zei ze over Jason. 'Hij denkt dat hij mijn vader is. Hij is mijn vader niet.'

'Nee,' zei Lock. 'Dat is hij niet.'

'Dat hij de me de toegang tot mijn eigen atelier verbiedt, dat hij me ervan weerhoudt te werken, is misdadig.'

'Misdadig,' zei Lock.

'Wat moet ik nou doen?'

'Weggaan.'

Ze keek door het raam naar haar vergrendelde atelier. 'Waarheen?'

Lock zweeg.

Het was lekker makkelijk voor hem om haar kant te kiezen, hij greep alles aan om zich tegenover Jason te plaatsen, hij zou alles aanwenden om Jason als de schurk en zichzelf als de held af te schilderen. Oké, nu was Claire Jason aan het verdedigen. Hij verbood haar de toegang tot haar atelier omdat hij zich om haar bekommerde. Ze wérd toch ook stapelgek van die kroonluchter? Ze hád toch een rustperiode nodig? Weggaan? En dan? Het vliegtuig pakken naar Ibiza? Het was niet eerlijk dat Lock haar adviseerde weg te gaan terwijl hij zelf helemaal geen plannen in die richting had.

'Claire!' klonk een stem op de gang. Ongelooflijk, maar waar: Jason was thuis, om twee uur 's middags.

'Ik moet gaan,' zei Claire, en ze hing op.

Ze deed de slaapkamerdeur open en zag Jason daar staan, zijn gezicht paars van woede, zijn arm trillend voor zich uitgestrekt. In zijn handpalm lag de sleutel.

'Hier,' zei hij. 'Pak hem.'

Ze pakte hem. Hij draaide zich om en beende weg.

Ze hield de sleutel vast tot hij in haar hand begon te zweten. Dit was wat ze wilde. Jason probeerde haar het gevoel te geven dat het verkeerd was. Het was verkeerd, alles was verkeerd. Ze was ontvoerd. Waar was de oude Claire? Vermist, dood, verdwenen.

Ze sloot haar ogen, en de gedachte die bij haar opkwam was: *Nog twee armen.* Ze vulde een thermosfles met ijswater en liep door de achterdeur naar buiten.

Negenenveertig minuten en achttien pogingen later had ze haar zevende arm. In de koeloven! Nog één arm! Ze was duizelig van haar ophanden zijnde triomf. De volgende dag was het 8 juli, de dag waarop Isabelle aan zou komen, en Claire... klaar zou zijn! Het slopende werk zou af zijn. Het blazen van de cupjes zou net zo makkelijk zijn als bellenblazen met de kinderen in de achtertuin.

Claire ging terug naar de smeltoven en nam er nog een klont vloeibaar glas uit. Het geheim bestond eruit precies de juiste hoeveelheid gesmolten glas op de blaaspijp te krijgen. Het zag er perfect uit. Claire nam de klont naar de glasblazerstafel en rolde hem in de kostbare roze kleurstof. De klont koelde af en Claire stak hem in de smeltoven om hem opnieuw te verhitten, nam hem naar de werkbank en draaide hem rond, ze pakte haar tangen en trok, boog, draaide en manoeuvreerde. Ze ging terug naar de smeltoven, verhitte het glas opnieuw en vormde en draaide er nog iets meer aan. Ze dacht aan de tuimeling die ze in haar maag voelde als ze Lock zag, die tuimeling wilde ze in het glas vormgeven. Ze vond dat het er al aardig op begon te lijken, ze was er bijna... ze verhitte hem, trok er nog wat aan, en vol optimisme doorboorde ze hem in de lengte met een lange naald – dit was verfijnde chirurgie, een handeling die tientallen gelukte armen verknald had – zodat er een smalle tunnel ontstond waar de elektriciteitsdraad doorheen getrokken zou worden. Pas toen ze de arm tegen de bol hield kon ze zien hoe ongelooflijk goed hij gelukt was. Het kon niet waar zijn dat ze twee perfecte armen achter elkaar had vervaardigd – maar het was zo! Toen de glazen arm genoeg was afgekoeld om hem met de tangen op te pakken, zag Claire dat hij het missende deel van de puzzel was. Hij paste, als Assepoester het verdomde glazen muiltje. Ongelooflijk, maar waar!

Claire had een homerun geslagen, de achtste bal via twee banden in de pocket gespeeld, de pot gewonnen met een *royal flush*, ze had een ace geslagen en de zwarte piste bedwongen in sneeuw die tot de knieën reikte. Hoera! Een hole-in-one! Touchdown! Goal! Haar zelfingenomen verrukking was echter haar ergste vijand. Ze liet de achtste en laatste arm op weg naar de koeloven vallen – ze trilde van geluk, zenuwen en, eerlijk is eerlijk, van de dorst – en hij spatte aan haar voeten uiteen.

Toen ze later die avond in bed lag, nadat ze al haar tranen vergoten had en ze aan haar man, God en zichzelf steeds weer haar excuses had gemaakt, dacht ze aan de mythe van Sisyphus. Het was zijn taak een rotsblok steeds opnieuw tegen een berg op te rollen, zijn taak kwam nooit ten einde. Toen Claire leerde glasblazen, had haar leraar haar dit verhaal dikwijls verteld. Je moet geen voldoening uit de voltooiing van een opdracht halen, maar uit het proces dat eraan voorafgaat.

Ze vreesde dat ze haar taak, net als Sisyphus, nooit zou afkrijgen. De laatste arm van de verdomde kroonluchter was haar rotsblok dat ze steeds maar weer omhoog moest rollen. Het was haar straf.

Op het display van haar mobiele telefoon stond Isabelle French en Siobhan kon het niet laten om op te nemen.

Onmiddellijk daarna had ze er spijt van.

Isabelle French wilde dat Siobhan nog diezelfde avond de catering zou verzorgen voor een feest, nou ja, niet echt een feest, het was meer een avondje bij haar thuis. '*Une soirée intime*,' zei Isabelle, en Siobhan dacht dat het een grapje was, dat Frans praten, omdat Isabelles achternaam 'French' was. Maar nee, Isabelle meende het: de *soirée intime* was de avond waarop de commissieleden de uitnodigingen voor het zomergala in de enveloppen zouden doen.

'Ik denk aan Amerikaans picknick-eten,' zei Isabelle. 'Gebraden kip, gevulde eieren. Mijn oma's zoetzure augurken. Als ik je het recept geef, wil je ze dan maken?'

'Maken?' herhaalde Siobhan. Ze wilde dat intieme avondje bij

Isabelle thuis niet cateren. Ze wilde niets met het zomergala te maken hebben. Ze wilde de zoetzure augurken van Isabelles oma niet maken.

'Ik weet dat het kort dag is,' zei Isabelle. 'Daarom wil ik je er extra voor betalen. Wat dacht je van drieduizend dollar?'

Siobhan kuchte. 'Voor hoeveel personen?'

'Ik weet het niet precies. Minder dan tien.'

Siobhan begon de benodigde ingrediënten in haar aantekenboekje neer te pennen. 'Hoe laat?'

'Zeven uur.'

'Ik ben om zes uur bij je om alles voor te bereiden,' zei Siobhan.

Ze was omkoopbaar. Vooral omdat Carter die woensdag zeshonderd dollar en afgelopen zondag vierhonderd dollar verloren had met de Red Sox. Hij moest stoppen met dat rottige gokken, had ze gezegd, of ze zou een telefonische hulplijn bellen. Hij beloofde het, maar zo waren alle verslaafden, toch? Ze beloofden je gouden bergen, maar achter je rug gingen ze gewoon door. Siobhan had zonder medeweten van Carter een bankrekening geopend en al het geld dat ze deze zomer verdiende ging daar regelrecht heen. Dan kon hij er tenminste niet aankomen.

Siobhan had al eerder een catering verzorgd in Isabelles huis en wist dus hoe prachtig het eruitzag. Het huis lag eigenlijk 'aan de verkeerde kant van de straat', dat wil zeggen niet aan de haven, maar op een heuveltje met uitzicht op de haven. Het was niet kolossaal, maar ruim en licht en perfect ingericht. In de hal was een karpervijver, wat in elk ander huis vreselijk overdreven zou zijn, maar in het huis van Isabelle was het speels en verrassend. Ze had een lichte, goed uitgeruste keuken, die toegang gaf tot een enorme kamer waar ze gewoonlijk gasten ontving. De *soirée intime* zou echter buiten op de veranda plaatsvinden, waar twee met zacht, glad leer bedekte speeltafels naast elkaar waren neergezet. Isabelle had bloemstukken besteld van paarse en witte irissen, witte gerbera's en geurige Aziatische lelies, zo groot als dinerborden. Eén kant van de veranda bestond uit glas met uitzicht over het water, en het was de bedoeling dat Siobhan het buffet aan de achterkant opstelde. Gebraden kip, aardappelsalade, gemarineerde snijboontjes, maïskoekjes, gevulde eieren en... de augurken. Het maken van de augurken was een werkje van niets geweest, en ze waren fantastisch gelukt (Siobhan had het recept bewaard om het later nog eens te kunnen gebruiken). Ze had chocoladekoekjes en perzik-bosbessen-cakejes gebakken. Ze was de hele dag met de voorbereidingen van de Amerikaanse picknick bezig geweest, maar het eerste wat Isabelle deed toen Siobhan arriveerde was haar de cheque overhandigen. Drieduizend dollar.

'Bedankt,' zei Siobhan.

'Jij bedankt!' zei Isabelle. Ze boog zich voorover en gaf Siobhan een zoen op haar wang, waar Siobhan van opkeek. Isabelle had een tamelijk vol glas wijn in haar hand, maar maakte niet de indruk dat ze teut was, gewoon opgewonden en nerveus. Was het avondje 'uitnodigingen versturen' zo belangrijk? Terwijl Siobhan de eieren vulde belde ze Claire om haar de laatste stand van zaken door te geven. Claire was verbijsterd toen ze hoorde dat de avond überhaupt gecatered werd.

'Ze noemt het een *soirée intime*,' zei Siobhan. 'Een intiem avondje in huize French.'

'Allemachtig,' riep Claire. 'Godzijdank heb ik niet aangeboden het bij mij thuis te doen. Ik zou alleen een stel krijsende kinderen en een zak chips hebben kunnen aanbieden. En Jason die ons er om negen uur uit zou schoppen omdat hij naar *Junkyard Wars* wil kijken.' Siobhan was in de lach geschoten: samen hadden ze gelachen. Siobhan wilde Claire vragen of Lock ook op de *soirée intime* aanwezig zou zijn, maar sinds de dag dat Claire had opgebiecht dat ze een verhouding hadden kreeg ze de naam Lock niet meer over haar lippen.

Siobhan moest het die avond zonder hulp stellen; Carter verzorgde een diner voor veertig mensen in Sconset, een klus die ze nu voor de grap '*La Grande Soirée*' noemden, en had Alec en twee Dominicaanse jongens mee om te bedienen en af te wassen. Isabelle was een en al hulpvaardigheid en hielp Siobhan de schalen van de auto naar de buffettafel op de veranda te tillen.

Toen ze klaar waren, bleef Siobhan staan om de uitnodigingen te bekijken. Alles stond klaar op een van de speeltafels: een doos met uitnodigingen, antwoordkaarten, enveloppen, een schaaltje water, een sponsje en op elke plaats een rol postzegels. Voorzichtig pakte Siobhan een uitnodiging uit de doos, het leek wel een huwelijksaankondiging, zo zwaar en romig als het papier was. Siobhan voelde kwaadheid in zich opwellen. De hoeveelheid geld die ze aan deze uitnodigingen hadden besteed (hoeveel waren het er, tweeduizend?) was voldoende om een jaar lang dagopvang voor een van 'Nantucket's Children' te bekostigen.

'Mooi,' zei Siobhan.

'Mmmmm,' murmelde Isabelle. Ze nam een slokje wijn, pakte de lijst met namen en wuifde ermee in de lucht. 'Dit zijn de commissieleden,' zei ze. 'Ik zag jouw naam er ook op staan.'

'O ja?' Siobhan keek op de lijst: *mevr. Carter-Crispin,* en giechelde. 'Ja, ik had Claire gezegd dat ik een handje zou helpen, maar dat is er niet echt van gekomen.'

'Nee. De helft van de mensen op de lijst heb ik geworven, maar de meeste praten niet eens tegen me. Ze helpen niet, steken geen vinger uit, kómen waarschijnlijk helemaal niet op het gala, maar omdat ze officieel in de commissie zitten, sturen ze waarschijnlijk wel een cheque. En ze verbinden hun naam aan het evenement. Maar het zijn geesten.'

'Geesten,' herhaalde Siobhan, terwijl ze een blik op de lijst sloeg.

'Ik weet dat Claire woedend kan worden om die commissieleden die hun handen niet uit de mouwen willen steken, maar zo is het nu eenmaal.'

Ze hoorden voetstappen, er kwam een vrouw de veranda op lopen, ze sleepte een groot instrument in een zwarte zak met zich mee.

'Is het de bedoeling dat ik hier ga spelen?' vroeg ze Isabelle.

'Dara! Hallo! Ja, daar, in de hoek denk ik, wat vind jij?' Isabelle wendde zich tot Siobhan. 'Dit is Siobhan, zij verzorgt de catering. Dit is Dara, de celliste.'

'Een celliste!' zei Claire. Ze was vijftien seconden binnen, genoeg tijd om een glas champagne van Siobhans dienblad te pakken en de flarden cellomuziek op te vangen die uit de andere kamer klonken. 'Heeft ze een celliste ingehuurd?'

'Ze heeft haar laten overvliegen uit New York. Ze speelt in het symfonieorkest.'

'Niet te geloven!' zei Claire, maar Siobhan gaf geen antwoord. Ze had als regel, en daar hield ze zich strikt aan, zich niet met gasten in te laten, dus ook niet met Claire.

'Zullen we na afloop gaan stappen?' fluisterde Siobhan in een poging een eind aan hun geroddel te maken.

'Ik kan niet,' zei Claire.

Siobhan fronste haar wenkbrauwen, wat Claire niet zag omdat Lock Dixon op dat moment binnenkwam. Hij glimlachte hartelijk naar Siobhan.

'Hallo, Siobhan.'

'Hallo, Lock. Champagne?'

Claire glimlachte ook, ze dronk van haar champagne en frummelde aan de bandjes van haar zomerjurk. Plotseling dook vanuit het niets Isabelle op.

'Lock!'

Ze kusten elkaar op de mond terwijl Siobhan en Claire toekeken. Daar stonden ze dan, dacht Siobhan, de kok, de dief, diens vrouw en haar minnaar. Of iets in die trant.

'Hoor ik muziek?' zei Lock.

'Dara is er,' antwoordde Isabelle. Ik weet dat je gek bent op cellomuziek!'

Claire draaide zich naar Siobhan. Siobhan keek in de karpervijver, die vrolijk aan hun voeten kabbelde. Gavin Andrews kwam binnen – stijfjes en aanstellerig als altijd – gevolgd door Edward Melior. Siobhan zette haar tanden op elkaar. Drieduizend dollar was niet voldoende om zich met Edward in te laten. Als het maar even in haar was opgekomen dat hij hier zou zijn, had ze de klus nooit aangenomen. Het leek onvoorstelbaar dat ze hem ooit, ooit gekust had, geknuffeld had, zijn voeten had gemasseerd, op zijn oorlelletje had gesabbeld, door zijn haar had gewoeld, met hem naar bed was geweest, hem haar liefde had betuigd, toegestemd had met hem te trouwen. Ze dacht terug aan het moment dat ze zijn verlovingsring naar hem toe gesmeten had en *Het is over, Edward!* had geschreeuwd. En aan zijn van verdriet vertrokken gezicht. Die herinnering deed haar goed.

Maar omdat je als cateraar ook moeten kunnen acteren, glimlachte ze. 'Champagne? Gavin? Edward?'

Gavin nam een glas van het blad en snoof. Edward pakte een glas, stak vervolgens zijn hand uit, pakte Siobhans kin tussen zijn duim en wijsvinger en kuste haar vol op de mond. Ze had hem in zijn gezicht geslagen als ze zich niet strikt aan de regel 'nooit gasten slaan' had gehouden.

'Hallo, schoonheid,' zei Edward.

Het liefst had ze een vork in zijn pens gestoken. Helaas bleef de smaak van zijn mond op haar lippen hangen – gin, hij kwam van een ander feestje – en ze had geen hand vrij om haar mond af te vegen. Maar erger was dat Siobhan een trilling tussen haar benen voelde. De kus had haar opgewonden. Onmogelijk! Ze gruwelde van die man. Onwillekeurig stelde ze zich voor dat ze haar lichaam tegen hem aan duwde, tegen Isabelles koelkast. Ze stelde zich voor dat ze hem zo opwond dat hij om haar zou smeken. Hij had haar autoritair en bezitterig gekust. Hoe durfde hij! Ze haatte zijn zelfingenomenheid. Het dienblad met champagne trilde in haar handen, en even dacht ze dat ze hem in de vijver liet kiepeperen. Die verdomde Edward! Ze had al meer dan twee jaar niets meer uit haar handen laten vallen. Edward liep naar Isabelle toe en gaf haar een hand. Siobhan wierp een snelle blik op hem, op zijn overhemd, de perfecte snit bij zijn schouders, naar de bult van zijn portemonnee in de achterzak van zijn kakibroek.

Ze dronken veel. Er waren maar zes mensen, maar Siobhan kon het niet bijhouden met bijschenken. Bovendien moest ze zorgen dat het eten perfect was. Ze warmde de gebraden kip op en smolt de boter met honing met pecannoten voor over de kip. Ze frituurde op het laatste moment de maïskoekjes op Isabelles grote keukenfornuis en serveerde ze gloeiend heet. Ze bood ze eerst aan Edward aan, hij stak er een in zijn mond en verbrandde zijn tong.

Siobhan gnuifde. 'Voorzichtig. Ze zijn heet.'

Er bestond geen twijfel over haar rol: ze was de ingehuurde hulp. Dit vond ze nooit een punt, ze had een sterk arbeidsethos en had van de zeven hoofdzonden het minst last van trots. Ze genoot ervan te luisteren, af te luisteren, dat deed ze tijdens haar werk aldoor. Ook al bediende ze haar beste vriendin en haar ex-verloofde, ze was onzichtbaar, een vlieg op de muur. Ze was, net als Dara de celliste, aangename achtergrondmuziek.

Eerst observeerde ze Claire. Claires wangen waren rood, ze dronk schielijk, liet haar vork meer dan eens op haar bord kletteren en ze tuttelde met het servet op haar schoot alsof het een vogeltje was dat ze tot kalmte wilde manen. Ze zat naast Lock. Het was voor het eerst dat Siobhan hen samen zag, en het was een openbaring. Siobhan wist hoe het zat – ze was de enige – maar het was alsof je naar de optische illusie van de oude vrouw en de jonge vrouw keek. Aanvankelijk zag je alleen de oude vrouw, maar daarna, als iemand het aanwees – aha! Natuurlijk! De mooie jonge vrouw! Dat ze dat niet eerder had gezien! Het was zo duidelijk! Lock en Claire hadden hun lichaam naar elkaar toe gedraaid, ze keken elkaar tijdens het praten aan en onder tafel, Siobhan zag het van een afstandje, raakten hun benen elkaar lichtjes. Het gebeurde onder ieders ogen.

Ook was Siobhan zich sterk bewust van Edward. Hij dronk stevig, nog een gin, een scheutje tonic erbij en een kwart bitter lemon – ze wist hoe hij zijn gin-tonic het liefste had – en hij was, zoals altijd, humoristisch en charmant, maar telkens onderbrak hij zijn verhaal om lange, doordringende blikken naar Siobhan te werpen, blikken die met de klanken van de cello leken te groeien en zwellen. Toen Siobhan op een gegeven moment zijn blik ving, keek hij niet weg. Ze zaten vast, aan elkaar gehaakt. Zijn blik zei: *Ik wil je!* En Siobhans blik was, hopelijk, verleidelijk en tartend. *Je kunt me niet krijgen!*

De stem van Isabelle onderbrak Siobhans gedachten. 'Claire, heb jij je tafel al gekocht?'

Er viel een gespannen stilte. Isabelle stelde haar vraag hardop, precies op het moment dat Dara een stuk beëindigde, zodat de kamer plotseling stilviel en de vraag een gewicht kreeg van een bekendmaking of een toespraak.

'Nog niet,' antwoordde Claire met een dun stemmetje.

'Maar je neemt toch wel een tafel, hè? Een van vijfentwintigduizend dollar? Dan zit je voorin, naast mij. En Lock!'

Iedereen leek de situatie ongemakkelijk te vinden, behalve Gavin, die opeens juist geïnteresseerd leek. Een tafel voor vijfentwintigduizend dollar? dacht Siobhan. Dat was absurd. Dat wil zeggen, niet voor Isabelle, en niet voor Lock, waarschijnlijk ook niet voor Edward, maar wel voor Claire. Vijfentwintigduizend dollar, daar kocht je een nieuwe auto voor. Dat was de hypotheekaflossing voor een jaar. Het was niet iets wat Claire in één avond erdoor wilde – of kon – jagen. Wat een gemene streek van Isabelle, dacht Siobhan, om dit in het bijzijn van iedereen aan Claire te vragen. Arme Claire, haar wangen gloeiden en er verschenen allemaal rode vlekjes in haar nek. Siobhan ging met de augurken langs. Al meer dan twee jaar had ze niets laten vallen, maar stel dat de augurken nu pardoes op Isabelles schoot terecht zouden komen?

'Iedereen moet geven waar hij zich prettig bij voelt,' zei Adams Fiske. 'Niemand verwacht van Claire dat ze een tafel van vijfentwintigduizend dollar koopt.'

'Waarom niet?' zei Isabelle. 'Ze is voorzitter van het gala, net als ik, en ik neem een tafel voor vijfentwintigduizend dollar. Er wordt van ons verwacht dat we het goede voorbeeld geven.'

Lock haalde diep adem, alsof hij op het punt stond iets te gaan zeggen, en Siobhan dacht: Ja, neem het op voor je vriendinnetje! Laat me maar zien dat je van haar houdt! Maar Edward, die zijn portemonnee geen seconde in zijn zak kon houden, zei: 'Ik wil wel een tafel van vijfentwintigduizend dollar.'

Claire keek op. Ze had al die tijd naar een eenzaam gevuld ei op haar bord gestaard. 'Ik ook,' zei ze.

'Claire?' zei Adams.

Claire? dacht Siobhan. Ben je wel goed bij je hoofd?

'Hoezo?' zei Claire. 'Ik ben medevoorzitter. Isabelle heeft gelijk, we hebben een voorbeeldfunctie. Ik heb er geld voor opzij gelegd.'

Ze loog, haar blik was weer op meneer Ei gericht. Siobhan griste haar bord weg en stootte haar zacht aan. Claire keek op. Siobhan schudde haar hoofd. *Je hoeft dit soort spelletjes niet mee te spelen.* Het was wat ze altijd tegen Carter zei: Geld uitgeven dat je niet hebt is niet stoer, maar stom.

Lock draaide de ijsklontjes in zijn glas rond en zei: 'Fantastisch. Iedereen bedankt. Het is voor het goede doel.'

Ze verhuisden naar de andere tafel en gingen met de uitnodigingen aan de slag. Het was nu donker. Siobhan serveerde het dessert en koffie met likeur, Dara, de celliste, pakte haar cello in en ging naar de voorkant van het huis om op haar taxi te wachten. Siobhan maakte de keuken aan kant. Gewoonlijk vond ze dit het leukste van de hele avond; de restjes inpakken voor de jongens, alles in orde maken om naar huis te gaan. Maar die avond, op dat moment, was ze aan het treuzelen, ze was er met haar gedachten niet bij, ze was van streek. Er spookte van alles door haar hoofd: Claire, Lock, Edward, Carter en zijn goklust, Isabelle. Siobhan besloot voortaan alleen nog maar klussen aan te nemen van goedaardige mensen, van lieve mensen. Ze zou niet meer voor Isabelle French werken.

Er stond nog één glas champagne op het zilveren dienblad, het was niet koel meer, maar wat maakte dat uit? Siobhan sloeg het in één keer achterover. Daarna voelde ze zich beter, lichter, minder zwaar op de hand. Claires problemen waren niet haar problemen. Ze waren zulke goede vriendinnen dat het er soms op leek, maar nee.

Siobhan voelde handen om haar middel en daarna een warme mond achter in haar nek. Ze was goed getraind in zelfverdediging, en instinctief had ze bijna haar elleboog in Edwards borstbeen gezet. Toch hield ze zich in en ze gaf hem een zet die net krachtig genoeg was om hem van zich af te duwen.

'Wegwezen, Edward.'

'Je bent mooi, Siobhan. En je smaakt naar perzik.'

Door het hete afwaswater was haar bril beslagen en kon ze hem niet goed zien toen ze zich omdraaide, maar voordat haar glazen weer helder waren, kuste hij haar. Opnieuw wond het haar op. Vreselijk! Ze had Edward met zijn irritante, oppervlakkige manier van doen zo lang geminacht dat ze was vergeten hoe goed hij kon zoenen. Maar ze zou ook geen vier jaar van haar leven hebben doorgebracht met iemand die niet bedreven was in zoenen en seks. Edward was een fantastische minnaar geweest, zorgzaam, niet zo dierlijk als Carter misschien, maar liefdevol en vrijmoedig, ja, ze herinnerde het zich terwijl hij haar kuste. Toen duwde ze hem van zich af.

'Stoppen, Edward.'

'Ik ben gek op je. Kijk me aan.'

Ze keek. Ze was heel, heel boos op hem, maar gek genoeg dreef die boosheid haar dichter naar hem toe, in plaats van bij hem vandaan. Ze wilde hem slaan, hem stompen. Hij had nooit gezien wie ze werkelijk was – een sterk, slim, competent persoon – en ze wilde dat hij haar nu zo zag.

Ze leidde hem naar Isabelles voorraadkast, die groot genoeg was voor een kingsize bed. Mijn hemel, wat was ze hypocriet bezig. Ze veroordeelde Claire, maar moest je haar nu zelf zien...

Het was donker in de voorraadkast, het rook er heel sterk naar truffelzout, toevallig een van Siobhans lievelingsgeuren. Ze hoorde de andere gasten buiten op de veranda praten, ze moest gaan kijken of ze nog genoeg te drinken hadden en de citronellakaarsen aansteken. Ze zou het zo doen, over een minuutje. Over Edwards schouder zag ze meel staan, bakpoeder, zuiveringszout, een potje zwarte peperkorrels, een potje roze peperkorrels, een blikje Colman's mosterdpoeder, een kristallen potje met truffelzout, ongeveer drie ons, dat had zeker veertig dollar gekost. Edward keek haar verwachtingsvol aan. Zo wilde ze het: zij was de baas, zij had de touwtjes in handen. Ze haalde diep adem, en vervolgens ademde Edward diep in alsof ze een spelletje deden waarbij ze elkaar moesten nadoen, maar of Edward had de sterke geur niet opgemerkt, of hij wist niet wat het was. Die man wist niets van eten.

Was ze van plan Edward weer te kussen hier in de voorraadkast van Isabelle? Nee.

'Help me even wat spullen naar de bestelwagen te brengen,' fluisterde Siobhan.

Dat wilde hij met alle plezier. Toen hij zich omdraaide om de voorraadkast uit te lopen, liet Siobhan het potje truffelzout in de zak van haar koksjasje glijden. Wat deed ze nu? Ze voelde zich een onverbeterlijke tiener, zo een die haar haar knalpaars verfde, een piercing in haar tong had en op Piccadilly Circus rondhing. Pikken van een klant! Ze zette het truffelzout terug op de plank.

Edward stond te dralen bij het aanrecht. Siobhan wees naar de afgedekte schotels en de borden die op theedoeken lagen te drogen. Hij stapelde ze op en liep achter haar aan naar buiten.

De avondlucht rondom Isabelles huis geurde naar rugosarozen en kamperfoelie, en het enige geluid was dat van de krekels. Er stopte een auto aan het einde van de oprit, en Edward en Siobhan keken toe hoe Dara en de taxichauffeur de cello in de achterbak van de taxi manoeuvreerden. De taxi reed weg, en de buitenlichten die door hun bewegingen aangesprongen waren, floepten weer uit. Het was donker.

Siobhan zette de borden veilig achter in de bestelauto neer, Edward deed hetzelfde. Toen pakte hij haar bij haar heupen, ze kusten, en zijn hand verdween meteen onder Siobhans koksjasje. Weer voelde ze een hevige woede in zich opkomen. Dit was typisch Edward om te denken dat hij haar zomaar kon versieren, kon overhalen. Hij ging er klakkeloos van uit dat zij hetzelfde voor hem voelde als hij voor haar. Maar dat was niet zo! Ze was hels en ze zou het hem laten weten ook. Ze was niet van plan Claire te volgen in het donkere bos van overspel, ondanks het feit dat Carter haar ook bedrogen had door te liegen over het huishoudgeld. Ze zou Edward laten zien wie hij voor zich had, en zich daarna van hem losrukken.

Maar op dat moment gebeurde er iets. Edward stopte. Hij trok zijn hand terug. Hij raakte haar gezicht aan, liet zijn duimen over haar jukbeenderen glijden, daarna over haar lippen. Hij drukte haar bril verder op haar neus, zoals hij vroeger altijd deed. Siobhan hield van dat gebaar. Ze moest toegeven dat er in haar hele leven niemand was geweest die haar zoveel aandacht had gegeven als Edward. Ze dacht terug aan de roze aronskelken die hij had gestuurd toen Liam zijn arm had gebroken. Toen de bel was gegaan en ze opendeed zag ze de bezorger met een enorme bos aronskelken staan en meteen had ze geweten dat ze van Edward waren.

'Ik hou nog steeds van je,' zei hij. 'Ik ben altijd van je blijven houden.'
'O,' zei Siobhan. Ze wist dat het waar was, en toch verrasten zijn woorden haar. Of misschien was het iets in zijn stem wat haar verraste. Iets teders.
'Je hebt me pijn gedaan,' zei Edward. 'Toen je wegging. Toen je je ineens van me afkeerde en met Carter trouwde. Mijn hart brak.'
Siobhan knikte. Ze kon geen woord uitbrengen.
'Je voelde niet voor mij wat ik voor jou voelde. Je had daarom gelijk dat je niet met me trouwde. Maar het is nu meer dan tien jaar geleden en hier sta ik dan, ik ben nog steeds verliefd op je.'
Siobhans woede kromp ineen tot een kiezelsteentje aan haar voeten dat ze weg kon schoppen. Ze stond zichzelf niet vaak toe te denken aan de manier waarop haar relatie met Edward verbroken was, vooral vanwege het feit dat ze zich betreurenswaardig had gedragen – door de ring in zijn gezicht te smijten en nog geen halfjaar later in Ierland met Carter te trouwen. Ze wilde Edward liever niet ontmoeten omdat hij haar herinnerde aan de persoon die ze toentertijd was: een vrouw die haar verloving verbrak en zich onmiddellijk aan een ander bond. Siobhan had Edward geen gelegenheid gegeven de relatie af te sluiten; toen hij haar thuis kwam opzoeken 'om te praten' was Carter er, en had ze hem bruusk verzocht te vertrekken. Vreselijk! Ze had de ring nog steeds – het mooie, kostbare symbool van Edwards liefde en toewijding – in haar juwelendoosje. De ring achtervolgde haar. Ze was niet in staat hem weg te doen, hem naar de lommerd te brengen of hem op eBay te verkopen omdat... Waarom? Ze begreep het zelf niet. Omdat ze op iets had gewacht. Misschien wel op deze avond.
Siobhan drukte haar hoofd tegen Edwards borst. Edward was een goede man, een goed mens; hij zou een geweldige vader en een fantastische kostwinner zijn. Siobhan had niet genoeg van hem gehouden of niet op de goede manier, en dat was op zich geen misdaad, maar het was wel een misdaad om je niet als een fatsoenlijk mens te gedragen. In al die jaren betekende een ontmoeting met Edward – zelfs als ze hem vluchtig voorbij zag rijden in de auto – een confrontatie met haar grootste fout.

Toch was ze niet in staat haar verontschuldigingen aan te bieden. Ze had de woorden niet tot haar beschikking en ze was bang dat alles wat ze zou zeggen laf of overdreven klonk. Bovendien was het tien jaar te laat. Dus hief ze haar hoofd op en kuste hem zo zacht als ze kon, en de kus maakte iets in haar wakker, wond haar op op een manier die ze vergeten was, en al gauw stonden ze hartstochtelijk te kussen, ze waren twee mensen in een film, zoenend, minnekozend, elkaar beroerend. Ze stond op het punt Claire te volgen in het donkere bos! Ze stond op het punt het met Edward te doen. Ze zou zondigen, maar het zou in zekere zin gerechtvaardigd zijn omdat Siobhan het op die manier goedmaakte met Edward. Ze zou hem iets geven waar hij tien jaar op had gewacht.

Maar waar? Hier, achter in de bestelauto? Het stond er vol met borden en schalen. Haar koksjasje hing nu los, waardoor haar hemdje zichtbaar was, en de bovenste knopen van Edwards overhemd stonden open. Ze zag dat hij er klaar voor was, en dat gold zeker ook voor haar. Even dacht ze aan Claire, Isabelle en Lock, ze zaten toch nog steeds op de veranda? Enveloppen aan het dichtplakken met die chique sponsjes, postzegels aan het losscheuren en de mensen op de gastenlijst aan het bespreken. ('Hij is die man met dat huis op Shawkemo Road... zijn vrouw is overleden aan... en de volgende zomer trouwde hij met een grietje van vijfentwintig.') Was niemand op zoek naar Edward of Siobhan? Waarschijnlijk niet. Ze waren allemaal behoorlijk teut daar op de veranda.

'Mijn auto,' zei Edward. 'De motorkap van mijn auto.'

Siobhan dacht dat hij een grapje maakte. Het zou al erg genoeg zijn het overspel aan pater Dominic te moeten opbiechten, maar stel je de uitdrukking op zijn gezicht eens voor als ze hem zou vertellen dat het op de motorkap van Edwards Jaguar gebeurd was! Maar Edward had gelijk: de motorkap van zijn auto was verscholen onder de takken van een grote boom. Zelfs in het donker stond hij in de schaduw gehuld, en het was de auto die het verst van het huis af geparkeerd stond.

Ja! Vlug! Ze slopen op hun tenen over het witte schelpengruis van Isabelles oprit. Siobhan voelde zich tomeloos en wild. Ging ze het werkelijk doen? Het leek er wel op. Voor één keertje, bovendien was het Edward, een oude liefde, geen nieuwe. Maakte dat het minder trouweloos dan wat Claire deed? Claire was verliefd, dat was haar rechtvaardiging. Siobhan was niet verliefd op Edward; haar liefde voor hem was over of ze was eigenlijk nooit echt verliefd op hem geweest, ze had hem voorgelogen of zich anders voorgedaan, ze had in elk geval zijn hart gebroken en ze voelde zich schuldig. Om het weer goed te maken zou ze nu zondigen. Ook al was het niet in de haak, Siobhan vond het heel logisch klinken. Zou ze naar de hel gaan? Samen met Claire?

Ze rook de geur van een brandende sigaret.

'Wie is daar?' riep een stem.

Met een ruk draaide Edward zich om. 'Hallo?' zei hij. Met één hand hield hij Siobhan vast, zijn andere hand vloog naar de knoopjes van zijn overhemd. Siobhan trok haar koksjasje strak om zich heen en keek langs Edward.

Gavin Andrews kwam over het schelpenpad de hoek om. Toen hij Edward en Siobhan zag, riep hij: 'Ahh!'

En Siobhan gilde: 'Ahh!'

Gavin legde zijn hand op zijn hart. 'Jezus,' zei hij. 'Ik schrok me lam! Ik dacht dat er een dief rondsloop!'

'Een dief?' vroeg Siobhan, terwijl ze automatisch aan het potje truffelzout moest denken. Gelukkig had ze het teruggezet!

'Geen dieven,' zei Edward. 'Wij zijn het maar.'

'Ja, dat zie ik.' Gavin nam een trekje van zijn sigaret.

Even was het akelig stil. Oké, dacht Siobhan. De vrijpartij met Edward ging niet door. Gavin Andrews, of all people, was als een teken uit de hemel gekomen om er een stokje voor te steken. Siobhan vroeg zich af wat Gavin van de situatie dacht. Zag het er naar uit dat ze op het punt stond met Edward een nummertje te maken op de motorkap van zijn auto? Het was niet te hopen. De helft van de roddelpraatjes op het eiland Nantucket was van Gavin Andrews afkomstig.

'Ik help Siobhan met de borden in de auto zetten,' zei Edward. Op de een of andere manier waren zijn knoopjes weer dicht en was zijn overhemd rechtgetrokken, hij zag er heel normaal en toonbaar uit. Maar Siobhan zag er uit of ze na een onstuimig liefdesspel uit bed gevallen was. 'Hoe is het binnen?'

'O,' antwoordde Gavin. Hij blies een sliert sigarettenrook door zijn neus naar buiten. 'Goed.'

Ze hadden beiden behoorlijk wat gedronken, het was al laat, bijna middernacht, maar een kans als deze deed zich niet vaak voor, dus ze maakten er gebruik van. Ze reden naar Altar Rock en keken naar de maan. Het was bijna twee weken geleden dat ze samen waren geweest, en ondanks dat ze elkaar elke dag gesproken hadden, hadden ze elkaar niet écht gesproken. Dus zodra Claire in Locks armen lag vertelde ze hem alles wat ze voor hem bewaard had – dat ze van hem hield, dat ze hem miste, dat haar hart eenzaam was, smachtte, stikte zonder hem. Ze wist niet hoe lang ze zo nog verder kon.

Hij kuste haar nek. 'De Eiffeltoren,' zei hij. 'Het postkantoor.'

'Ik weet het,' mompelde ze. 'Ik weet het.' Kaartspelletjes, Big Macs eten, naar de film gaan, dingen doen die andere mensen deden, ze samen doen. Ze had behoorlijk veel gedronken, ze voelde zich beneveld. Daar zat ze dan, midden in de nacht, op de mooiste plek op aarde. Altar Rock, het hoogste punt op het eiland, was niet meer dan een heuvel, maar bood uitzicht over de veenmoerassen en de meertjes. Dit was haar thuis, hier in het maanlicht. Je leeft maar een keer. Zou ze niet gelukkig moeten zijn?

Ze wist niet hoe lang ze nog met Jason getrouwd kon blijven en hoe lang ze het nog kon verdragen dat Lock met Daphne getrouwd bleef. Zij en Lock waren verliefd, zij wanhopig en dwaas, blind en onvoorwaardelijk. Ze was een slaaf, een gedoemde. Ze zou alles voor hem opgeven.

Was dat wel zo? Kon ze zich werkelijk een toekomst met Lock voorstellen? Hoe zou die eruitzien? Moest zij verhuizen? (Onvoorstelbaar.) Moest hij verhuizen? (Iets minder onvoorstelbaar, maar waar zou hij heen gaan? Hij kon niet met Claire *in Jasons huis* wonen.) Zouden ze samen weggaan en ergens gaan samenwonen? Waar moesten de kinderen heen? Naar haar vermoedelijk. Ze kon zich geen leven zonder haar kinderen voorstellen, maar ze kon zich ook niet voorstellen dat Lock in één huis met haar kinderen zou wonen. Ze dacht aan een leven met Lock, maar ze besefte dat dit alleen in een andere werkelijkheid kon plaatsvinden, in een werkelijkheid waar ze geen werk hadden, geen verantwoordelijkheden, geen exen en geen kinderen om voor te zorgen, geen vrienden, geen familie. Ze zouden naar Ibiza moeten verkassen – twee ontheemde vreemdelingen – en opnieuw moeten beginnen. Claire voelde zich net een marionet; Lock had alle touwtjes in handen die haar met haar huidige leven verbonden, hij kon ze zo losknippen, maar dan zou ze ineenstorten en zielloos zijn. Ze zou een mens zijn zonder vorm. Het erge van overspel was dat het je deed inzien wat je leven werkelijk voorstelde: iets waar je bijna onmogelijk aan kon ontsnappen. Bij deze gedachte begon Claire een beetje te huilen, maar Lock drukte haar tegen zich aan en fluisterde: 'Rustig maar. Ik ben bij je. Ik hou van je.'

'Weet ik,' zei ze. Ze zagen elkaar de laatste tijd zo weinig dat het beladen en emotioneel was als ze wel bij elkaar waren. Het was Claires schuld. Zij maakte zich zorgen en moest worden gerustgesteld, zij had problemen op te lossen. Ze werd vermoeiend, ook voor zichzelf.

'Ik moet gaan,' zei ze.

Hij liet haar los. Ze wilde dat hij *Nee, nog niet* of *Nu al?* zou zeggen. Maar hij stemde simpelweg in. 'Ja,' zei hij. 'Het is al laat.'

De alcohol suisde door Claires hoofd. Ze ging bij al haar kinderen even kijken: ze sliepen allemaal, ook Zack in zijn ledikantje. Jason lag in hun bed zachtjes te snurken. Hij had de kinderen op pizza en ijs getrakteerd en was met hen naar de speeltuin op Children's Beach geweest. *Mama heeft weer een vergadering!* Hij leek zich te schikken in een leven zonder haar, hij maakte er het beste van en begon het zelfs leuk te vinden. Plotseling kreeg Claire een duister visioen waarin Jason de kinderen pakte en wegvoerde. En haar achterliet. God, ze verdiende het. Ze lag wakker en tobde (waar zouden ze heen gaan? Yellowstone? Bar Harbor? In elk geval ergens waar Jason kon vissen). Daarna piekerde ze over andere dingen, over Lock, de kroonluchter en geld.

Ze had een belofte gedaan die ze niet waar kon maken. Ze had toegezegd dat ze een tafel van 25.000 dollar zou nemen. Iets in haar wist al die tijd al dat ze dit zou doen, dat ze niet in staat zou zijn om door het stof te gaan en te zeggen: *Sorry, ik kan het me niet veroorloven.* Het was een kwestie van trots – trots ten opzichte van Isabelle en ten opzichte van Lock. Ze had gelogen en iedereen aan tafel (ook Siobhan, die bij de tafel was blijven rondhangen) wijsgemaakt dat ze geld opzij had gezet. Het had heel aannemelijk geklonken. Maar het was verre van aannemelijk: Claire had hun gezinsbudget al zo vaak overschreden. Zij en Jason hadden een paar flinke beleggingen waar ze niet aan konden komen en ze hadden 42.000 dollar spaargeld. Het was uitgesloten dat Claire meer dan de helft ervan aan het gala kon verbrassen. Ze nam zich voor om na het gala haar best te gaan doen om nieuwe opdrachten binnen te halen en Fred Bulrush of Jeremy Tate-Friedman te benaderen. Maar nu kon ze niet eens de elektriciteitsrekeningen voor haar werkplaats betalen, laat staan 25.000 dollar. Ze overwoog om naar de bank te gaan om een lening af te sluiten en die volgend jaar af te lossen. Dat leek nog de meest verantwoorde oplossing... Tot ze aan Matthew dacht.

Matthew had miljoenen, miljoenen dollars. Nu Bess niet meer in de picture was, was er niets of niemand waar hij zijn geld aan uit kon geven. Het kon geen kwaad het hem te vragen. Ze twijfelde tussen deze gedachte en de angst dat het *wel* kwaad kon het hem te vragen: Matthew zou kwaad kunnen worden, haar voor de voeten kunnen gooien dat ze een aasgier was. Ze had hem in geen twaalf jaar gesproken, ze had hem zomaar uit het niets gebeld en gevraagd een gratis concert te geven, en hij had ja gezegd. Was dat niet genoeg? Ze zou hem terugbetalen, met rente, maar dan zou hij misschien zeggen dat hij geen bank, geen woekeraar was. Dat hij ooit haar vriend was geweest, maar er niet van hield dat ze nu op zijn geld zat te azen.

Deze gedachten weerhielden haar ervan hem te bellen.

Maar het was donker en rustig nu, ze had een paar borrels op en een belofte gedaan waar ze niet meer onderuit kon. Ze draaide Matthews nummer.

'*¿Hola?*'

'Matthew? Met Claire. Claire Danner.'

'*Buenas noches, chica*. Ik wist dat jij het was, want jij bent de enige die me Matthew noemt, op mijn moeder na.'

'O ja?'

'Ja. Hoe gaat het met je? Het moet bij jou diep in de nacht zijn.'

'Klopt,' zei Claire. Hij klonk nuchter. Gelukkig. Nuchter om halftien 's avonds. Thuis, niet in de kroeg of aan de zuip met een stel zeventienjarige grietjes om maar niet aan Bess te hoeven denken. 'Ik heb je toch niet wakker gemaakt?'

'Nee, nee,' antwoordde hij. 'Ik was net op de bank gaan liggen met mijn Berlitz-taalcursus.'

'Welke taal?'

'Spaans. Je kunt nooit genoeg Spaans leren. En Portugees. Je denkt misschien dat die twee talen op elkaar lijken, maar ze zijn heel verschillend.'

'Je had altijd een onvoldoende voor Spaans,' zei Claire. 'Waarom doe je het?'

'Om iets om handen te hebben. Het houdt me van de straat. Een laatste strohalm. Ik weet niet meer wat ik doe. Maar ik kom al bijna naar je toe. Nog zes weken!'

'Ik kan niet wachten. Ik mis je.'

'Ik jou ook.'

Claire slikte. 'Luister, ik bel je omdat ik je een enorme gunst wil vragen.'

'Wat het ook is, het antwoord is ja.'

'Ik wil vijfentwintigduizend dollar lenen.'

Stilte.

O God! dacht Claire.

'Ik heb mezelf behoorlijk in de nesten gewerkt met dat gala. Ik ben medevoorzitter, de andere voorzitter is stinkend rijk, ze heet Isabelle French. Ze heeft me zover gekregen dat ik een tafel voor vijfentwintigduizend dollar heb gekocht. Maar ik heb geen vijfentwintigduizend dollar, en als mijn man hoort wat ik heb gedaan, vermoordt hij me. Ik heb zitten denken hoe ik het moet oplossen, en het leek me het minst pijnlijk om het geld van jou te lenen. Ik betaal het je terug. Ik zweer het.'

Stilte.

O God! dacht Claire. Had hij opgehangen? Wat als hij nu niet meer op het gala wilde spelen? Die mogelijkheid drong nu pas tot haar door.

'Matthew?'

'Ik zoek mijn chequeboek.'

'Betekent dat dat je me het geld wilt lenen?'

'Ja, we kunnen het een lening noemen, maar om met de woorden van mijn favoriete ex te spreken: als je me een cheque stuurt, verscheur ik hem.'

'Maar Matthew...'

'Het is maar geld, Claire.'

'Oké, maar het is veel geld.'

'Weet je nog dat je oma je vroeger een keer honderd dollar voor je verjaardag had gestuurd?'

Claire ging terug in haar gedachten. Een cheque van haar oma? Toen ze zestien werd? Had hij het daarover?'

'Ja.'

'Weet je nog wat je ermee gedaan hebt?'

'Ik... wij... lieten gaatjes in onze oren prikken.'

'Ja. Je betaalde voor mij en je kocht een diamanten oorknopje voor me. Je zei dat ik nooit een echte rockster zou worden als ik geen diamanten oorknopje had. Voor jezelf kocht je veertien karaats oorbelletjes, die een stuk goedkoper waren.'

'O ja,' zei Claire. Ze herinnerde het zich: de rit naar het winkelcentrum in Rio Grande, dat ze op een stoel in de Piercing Pagoda zaten en in de keuken van Sweet Jane samen van de ingreep bijkwamen met ijsblokjes tegen hun oorlel, vechtend tegen hun tranen.

'Hoe vaak heb je me niet vijf dollar gegeven om te tanken, toen ik die Volkswagen had?'

'Ja, maar dat was maar vijf dollar.'

'Hoe vaak heb je niet popcorn of schaafijs voor me gekocht? Of bier?'

'Jij had een baan. Jij betaalde soms ook.'
'Jij betaalde het etentje voor het schoolbal.'
'Mijn vader had me geld gegeven.'
'Maar als ik geen geld had, betaalde jij, zonder te morren. Je gaf me alles wat je had. Er bestond geen grens tussen wat van jou en wat van mij was.' Hij zweeg even. 'Ik zou het fijn vinden als het nog steeds zo kon zijn. Ik ga die cheque uitschrijven, en ik wil geen woord over terugbetalen horen.'
'O,' zei ze. 'Jeetje.' Ze dacht even dat ze zou gaan huilen, maar ze was er te opgelucht voor. 'Dank je.'
'Zit je met die vijfentwintigduizend-dollar-tafel helemaal vooraan?'
'Vooraan in het midden.'
'Goed,' zei Matthew. 'Dan is het het waard.'

Toen Claire ophing was het al één uur, maar ze had het gevoel alsof het dag was en de zon scheen. Haar borstholte, besefte ze, was met beton gevuld geweest, maar nu was het zware gevoel weg en ze kon weer vrijuit ademen. Matthew zou haar de volgende ochtend de cheque sturen, en zij zou haar tafel krijgen. Probleem opgelost.

Zou ze haar geluk op de proef stellen? Iets in haar zei ja. Ze was helemaal niet moe, en de invloed van de alcohol begon te verdwijnen. Ze pakte een blikje cola uit de koelkast, verwisselde haar sandalen voor haar klompen en liep stilletjes het huis uit naar het atelier.

Ze bleef lang naar de kroonluchter kijken. Misschien was dat wel het verschil. Ze draaide hem rond, keek er met een kritische blik naar en dacht na. De andere keren dat ze in het atelier was, was ze gehaast, gestrest en bezorgd: zou ze hem vandaag afkrijgen? Hoe lang zou het duren? Hoeveel pogingen? Haar onderarmen deden altijd pijn. Maar nu Claire de kroonluchter in alle rust bekeek, zag ze de kromming, de neergaande lijn en de draaiing van de laatste arm duidelijk voor zich, ze zag hoe het kunstwerk er uit zou zien als het af was.

Het lukte haar meteen de eerste keer, zoals ze gedacht had. Ze rolde de klont vloeibaar glas in de kleurstof en al trekkend en draaiend kwam de laatste arm tot stand. Met vaste hand doorboorde ze hem. Ze hield hem omhoog – goed, geen twijfel mogelijk – en zette de arm voorzichtig in de koeloven. Morgen zou ze de cupjes blazen. Een fluitje van een cent.

Ze liep terug het huis in. Kwart voor twee. Opeens had ze vreselijk slaap. Ze trok haar kleren uit, waste haar gezicht, poetste haar tanden, voerde het ritueel uit van het schoonspoelen van de wastafel en het afnemen van het granieten blad van de toilettafel. Daarna liet ze zich in bed vallen, ze voelde zich licht, schoon en leeg, alsof ze zonder zorgen was.

Vanaf het moment dat de uitnodigingen waren verstuurd, kwamen er elke dag antwoordkaarten binnen, sommige met creditkaartnummers, andere met cheques. Gavin legde de cheques netjes op een stapeltje en als hij er tien had ging hij naar de bank om het geld te storten – en achterover te drukken. Claire had een cheque van vijfentwintigduizend dollar langsgebracht. Gavin kon het niet laten dit aan Lock te vertellen.

'Claire heeft een tafel van vijfentwintigduizend dollar gekocht.'

'O ja?'

'Ja.'

Lock stond op, zoals Gavin al verwacht had, om de cheque te bekijken.

'Ze zei al dat ze dat van plan was.'

'Nou, ze heeft het inderdaad gedaan,' zei Gavin.

De toestroom van geld voor de galakaartjes was duizelingwekkend. Gavins stapel geld groeide en groeide. Hij had het verplaatst van de besteklade (met het oog op de komst van zijn ouders op 1 augustus) naar een groene rugzak die hij onder zijn bed bewaarde. Het was zoveel geld dat hij het niet durfde te tellen. Maar hij was niet meer bang betrapt te worden. De brief naar de vrouw van de schoenenzaak was, zoals achteraf bleek, volkomen in orde. (Hij kon zich nu niet meer voorstellen dat hij er ooit aan getwijfeld had.) Hij had zijn zaakjes goed voor elkaar. In de tussentijd deden de mensen om hem heen allerlei dingen die niet door de beugel konden – eerst Lock en Claire, en gisteravond Siobhan Crispin en Edward Melior. In plaats van te stelen, dacht hij, zou hij ook kunnen gaan chanteren.

Isabelle belde nu elke dag om te informeren wie er gereageerd had, wie alleen geld doneerde en wie met wie aan tafel wilde zitten.

'Hebben de Jaspers gereageerd?'

'Nee.'

'Cavanaugh?'

'Die heeft een cheque gestuurd.'

'Hoeveel?'

'Duizend dollar.'

'Meer niet?'

'Meer niet.'

Isabelle zuchtte. 'Ze hebben meer geld dan Beckham. Ze hadden het tiendubbele kunnen schenken. Maar dat hebben ze niet gedaan, vanwege mij.'

Gavin wist niet wat hij moest zeggen. Hij had het gevoel dat zijn contact met haar vertrouwder werd. Hij had het idee dat ze misschien zo vaak belde omdat ze graag met hem sprak.

'Heeft Kimberly Posen gereageerd?'

'Ze komt niet. Ze heeft een cheque gestuurd.'

'Komt ze niet?'

'Nee,' zei Gavin. 'Maar ze heeft wel vijfentwintighonderd dollar gestuurd.'

Het was stil aan de andere kant van de lijn. 'Ze was altijd mijn beste vriendin,' zei Isabelle. 'Ik ben haar dochters peettante.'

'O.'

'Weet je zeker dat ze niet komt?'

'Ik zal het nog even nakijken.'

Gavin wilde Isabelle gelukkig maken, hij wilde haar goed nieuws brengen. Toen ze de keer erna belde, zei hij: 'Je vriendin Dara Kavinsky komt, en Aster Wyatt ook.'

'Dara is de celliste,' zei Isabelle. 'En Aster heeft de uitnodigingen gemaakt. Hij is mijn grafisch ontwerper. Waarom komen er alleen mensen die bij me op de loonlijst staan?'

De dagen gingen voorbij en Gavin dacht steeds vaker aan Isabelle French. Ze was sexy, vond hij, charmant, stijlvol... en gedesillusioneerd. Hij was waarschijnlijk de enige op kantoor die wist dat de mensen die Isabelle persoonlijk voor het gala had uitgenodigd niet kwamen en alleen geld stuurden. *Het komt door mijn scheiding,* zei Isabelle. *Het is net een ziekte: mensen zijn bang dat ze besmet worden. Ik haat het om single te zijn.* Was dat een hint zodat Gavin haar uit zou vragen? Ze was zo aardig voor hem geweest op het avondje dat ze de uitnodigingen in de enveloppen hadden gedaan. Ze was naast hem komen zitten, ze had zijn hand aangeraakt op een manier die hem een rilling over zijn arm bezorgde, en op een gegeven moment had ze hem zachtjes met haar voet onder tafel aangestoten. Gavin was die avond als laatste weggegaan. Het was volle maan, en Isabelle had hem uitgenodigd voor een wandelingetje door haar maantuin. Ze had een rond stuk grond met witte bloemen die 's nachts bloeiden; teunisbloemen, zei ze, en wonderbloemen, die er in het maanlicht wasachtig en lichtgevend uitzagen. Ze had ook een 'maanfontein', een bol van honingkleurige onyx, ietsje groter dan een bowlingbal, die van binnenuit straalde en ging draaien als er water over liep. De maantuin was zo'n magische plek die Gavin op zijn reizen hoopte te ontdekken. Hij was onder de indruk en tot zijn grote schaamte kreeg hij tranen in zijn ogen. Isabelle had zijn arm vast – ze liep op hoge hakken door het gras en ze hadden beiden behoorlijk wat op – en hij vroeg zich af of hij haar kon kussen. Maar uiteindelijk was hij te bang geweest. Een vrouw die zoveel fantasie en gevoel voor schoonheid had (plus geld) dat ze een maantuin had laten aanleggen (de fontein, zei ze, had ze zelf ontworpen) lag ver boven zijn niveau.

Nu had hij natuurlijk spijt van die lafhartige beslissing, en hij vroeg zich af of hij ooit het lef zou hebben Isabelle uit te vragen. Hij fantaseerde dat hij met Isabelle French naar bed ging. (Bij haar thuis, want hij kon haar in geen miljoen jaar in het huis van zijn ouders ontvangen. Of misschien ook wel – vóór 1 augustus – dan zou hij net doen alsof het van hem was. Zou ze dat geloven?) Ze konden geliefden worden, hij zou de rugzak met geld niet nodig hebben want zij zou hem onderhouden. Bij deze gedachte doofde zijn enthousiasme echter. Ondanks zijn gebrek aan ambitie wilde hij niet op de zak van een vrouw teren. Hij kwam op het idee om een graai in de rugzak te doen en Isabelle op een romantisch etentje in de Chanticleer te trakteren en haar dan te versieren. Ja, dat was het beste.

Zijn toenemende interesse voor Isabelle maakte het onophoudelijke gerinkel van de telefoon draaglijker. De meeste telefoontjes waren van tieners die wilden weten hoe ze aan kaartjes voor Max West konden komen. In het begin schiep Gavin er behagen in om te zeggen: 'Het is hier geen Madison Square Garden, het is een benefietfeest. De kaartjes kosten duizend dollar per stuk.'

Happen naar adem. 'Duizend dollar?'

'Ja,' antwoordde Gavin. 'Hoeveel kaartjes wil je?'

Verbinding verbroken.

Nu was hij zijn eigen grapje beu, hij voelde zich net Scrooge, of The Grinch, wanneer hij die belachelijk hoge prijs noemde en die kinderen moest teleurstellen. Daarnaast waren er nog de telefoontjes van de mensen van de feesttent, de mensen van de tafels en stoelen, de sponsors (hoeveel uithangborden, waar, hoe lang?), de mensen van de productie (lichten, speakers, reserveringen voor de veerboot, er was in het huis voor de crew toch wel een grill aanwezig?) en Genevieve van het cateringbedrijf, die vooral leek te bellen om telkens opnieuw te checken dat ze de opdracht nog steeds had. (Misschien hadden de roddels over Siobhan en Edward zich al verspreid.) Geheel eigenhandig stelde Gavin het gala samen. Hij reserveerde de veerboot voor de enorme vrachtwagen met de feesttent, hij zorgde voor onderdak voor de crew, voor maaltijden – en een grill! – en voor een alcoholvergunning van de gemeente. En hij probeerde Isabelle gunstig te stemmen.

'De Van Dykes komen,' zei Gavin. 'Ken jij hen?'

'Nee,' antwoordde Isabelle. 'Dat zijn vast vrienden van Claire.'

Gavin hield opzettelijk geen aantekeningen bij. Elk telefoontje maakte hem steeds onmisbaarder. Claire was een en al dankbaarheid. *God, bedankt Gavin, wat zouden we zonder jou moeten? Je verdient salarisverhoging! In september, als alles achter de rug is, zal ik het tijdens een bestuursvergadering naar voren brengen. Ik zal de bestuursleden laten weten dat je zo enorm goed geholpen hebt. Ik kan het onmogelijk allemaal zelf doen, ik heb er eenvoudigweg geen tijd voor.*

Daphne belde. Sinds hij Lock en Claire op kantoor had betrapt, deed Gavin zijn best om de gesprekken met Daphne kort en zakelijk te houden. *Hoi Daphne, wil je Lock spreken? Hij is net weg. Ik zal hem zeggen dat je gebeld hebt!* Gavin kon niet met haar roddelen terwijl hij zelf een groot geheim voor haar verborgen hield. Hij had zijn grenzen. Hij voelde zich zelfs zo nu en dan schuldig. Daphne had geen flauw idee van de ontrouw van haar man, of liever gezegd, ze had wel een idee maar ze had de verkeerde persoon voor ogen. Was het gemeen om het geheim van Lock en Claire voor haar te verzwijgen of was het juist aardig? Gavin koos voor het laatste. Hij was oud, volwassen en geraffineerd genoeg om doordrongen te zijn van de waarheid van het gezegde 'wat niet weet, wat niet deert'.

Die dag belde Daphne niet voor Lock. Dat maakte ze meteen duidelijk.

Ik bel omdat ik jou wil spreken, Gavin. Ik wil je iets vertellen.

Verbazend genoeg, betrof het 'iets' dat ze hem wilde vertellen geen roddel – niet over de postdirecteur die uitging met een twintigjarige Bulgaarse werkster, niet over Jeanette Hix' verslaving aan vermageringspillen, die haar slapeloosheid bezorgden, waardoor ze om vier uur 's nachts naar het tankstation sloop om een zakje Bugles van negentig cent te jatten.

In plaats daarvan zei Daphne: Lock vertelde dat je het zo goed doet. Jij, mijn vriend, je bent een tovenaar. Ik gun je, als het allemaal achter de rug is, een fijne, lange, exotische vakantie. Je verdient het, schat. Ik ben trots op je.

Nou, bedankt, Daphne, zei Gavin. Verbaasd hing hij op. Een gesprek met Daphne, zonder terloopse zinspelingen, zonder hatelijkheden. Alleen een welgemeend compliment, of een indirect compliment, omdat ze hem wilde laten weten wat Lock had gezegd. Hij was trots op zichzelf.

Op een middag toen Gavin zich om vijf uur klaarmaakte om weg te gaan (naar huis, waar hij op het balkon van zijn ouders met uitzicht op zee zou zitten, wijn drinkend, rokend, luisterend naar Mozart, lezend in zijn Lonely Planet-gids van Zuidoost-Azië... Vietnam klonk eigenlijk steeds aantrekkelijker) hield Lock hem staande.

'Gavin?'

Gavin bleef bij de deur staan. De toon van Locks stem was onheilspellend. Wat was er aan de hand? Hij was niet voorbereid! Denk na! Houd je wapen in de aanslag. In gedachten had hij het mes geslepen, het enige wat hem te doen stond was het gebruiken!

Gavin glimlachte afwachtend, zijn gedachten in een maalstroom. Wat was hij ook al weer van plan te zeggen? *Voordat je de autoriteiten op de hoogte stelt, wil ik alleen dit zeggen: ik weet het van jou en Claire. Ik ben op een avond in april op kantoor geweest. Ik heb jullie gezien... samen.*

Lock zei nog steeds niets. Hij had een gepijnigde blik in zijn ogen. God, wat een kwelling! Gavin stond daar, gevangen in het krachtveld van het verraad dat hij gepleegd had – stelen van de organisatie waar hij zo hard voor werkte! – en werd overspoeld door wroeging en een bijna ondraaglijk gevoel van vernedering. Lock zou zijn daden benoemen: diefstal, roof, verduistering. Die woorden zouden Gavin al te veel zijn. Een misdaad begaan was nog tot daaraan toe, maar ontmaskerd worden was van een heel ander kaliber. Had hij dan niets geleerd van de keer dat hij Diana Prell in de bezemkast had misbruikt en van het debacle bij Kapp and Lehigh? Gavin voelde een intense, onvervalste schaamte. *Hij verloor zijn gezicht,* zoals ze in sommige Aziatische culturen zeggen. Gavin begreep nu wat er met die woorden werd bedoeld. Terwijl hij daar stond, en wachtte tot Lock de bijl liet vallen, voelde zijn gezicht strak en brandend. Hij kon Lock niet aankijken, dus keek hij achter hem, naar het raam met de twintig ruitjes, naar de late zomermiddag buiten.

Lock stond op en liep op hem af. Instinctief deed Gavin een stap naar achteren, maar hij was niet snel genoeg om zich uit de voeten te maken. Lock had hem te pakken en sloeg hem op zijn schouder.

'Ik weet dat het niet gemakkelijk was allemaal,' zei Lock.

Gavin trok zijn wenkbrauwen op. Hij dacht aan Rosemary Pinkle, hoe teleurgesteld ze zou zijn. Ze was zo aardig en ze geloofde in Gavin. Hij werd morgen bij haar verwacht om in de tuin iets te drinken met een nichtje dat ze hem wilde voorstellen.

'Wat het gala betreft, bedoel ik. Al die telefoontjes. Isabelle die dit van je wil, Claire die weer wat anders wil.'

Gavin knikte, hij begreep er niets van. Zijn ouders zouden volgende week komen. Ze zouden het bepaald niet op prijs stellen om onmiddellijk na aankomst met een schandaal te worden geconfronteerd. Gavin wist niet goed hoe ze over hem dachten – dat had hij nooit geweten – maar hij wist wel dat het niet al te best was. Op de een of andere manier had hij niet aan hun verwachtingen voldaan.

'Ik wil je bedanken. Je doet het geweldig.' Om zijn woorden kracht bij te zetten kneep Lock in Gavins schouder, zo hard dat het pijn deed.

'O ja?' zei Gavin in een reflex. Hij ademde zijn angst uit.

'Ik ben je zo dankbaar. Als het gala zo fantastisch wordt als ik denk, is dat voor een groot deel aan jouw inzet te danken.'

'O,' zei Gavin.

'Maar je bent er nog niet,' zei Lock.

'Nee?'

'Het moeilijkste moet nog komen.'

'Denk je?'

'Ja,' zei Lock.

10

Hij maakt er een potje van

Maar één keer eerder in zijn leven was het zo zenuwslopend en moeilijk geweest als deze zomer. Dat was in de periode dat hij bezig was een bedrijf over te nemen, een bedrijf dat groter was dan dat van hem; iemand anders regelde de financiële kant van de zaak zodat hij zich kon concentreren op de onderhandelingen, die voornamelijk gevoerd werden met Gus MacEvoy, een oudere man, eigenaar van het andere, grotere bedrijf, die zich tegen de verkoop verzette. De meeste van de zaken die Lock wilde bedingen waren standaardzaken bij een bedrijfsovername, regelrecht uit zijn studieboek van de businessschool afkomstig, maar dat maakte het niet minder enerverend of vermoeiend. Daar kwam nog eens bij dat Daphne thuis zat met Heather, die achttien maanden was en haar moeder tot waanzin dreef. Een paar maanden eerder waren Daphnes eierstokken operatief verwijderd, en ze had nog steeds pijn en haar hormonen waren uit balans. Als Lock thuiskwam (met al die toestanden op zijn werk was dat soms pas om acht of negen uur 's avonds) trof hij Daphne huilend, boos of wanhopig aan. Haar leven, zei ze, was niet te harden zo saai. Het bestond uit *Sesamstraat*, kiekeboe spelen en eindeloos door de straat heen en weer slenteren terwijl Heather een paardenbloem plukte, een kiezel in haar mond stopte, wegrende, struikelde en huilde. Heather gooide met haar eten in plaats van het op te eten. Heather morste, brak spullen, scheurde blaadjes uit Daphnes tijdschriften en zeurde, tenzij Daphne haar onophoudelijk, steeds opnieuw *The Runa-*

way Bunny voorlas. Ze moest worden vastgehouden. Elke keer dat Daphne haar luier verschoonde, protesteerde ze uit alle macht. Daphne nam haar mee naar de speelweide, en een van de moeders leverde terloops commentaar op het feit dat Daphne de *New Yorker* las terwijl Heather in de zandbak speelde.

Ik ben niet geschikt als moeder, zei Daphne. Ik wil haar ter adoptie afstaan.

Lock was in de lach geschoten. Hij dacht dat Daphne een grapje maakte. Dat doen we niet, zei hij.

Jij hebt geen recht van spreken, zei Daphne, WANT JIJ BENT NOOIT THUIS!

Het was een moeilijke periode, maar ze hadden het overleefd. Lock had het bedrijf overgenomen, met de goedkeuring van Gus MacEvoy, Heather groeide snel op tot een schattig meisje – toen een poosje haar moeders beste vriendin.

En deze zomer, zei Lock tegen zichzelf, zou hij ook overleven. Het gala zou genoeg geld opleveren om al hun programma's en initiatieven te financieren, en hij en Claire zouden de draad weer kunnen oppakken.

Want nu verliep hun relatie moeizaam. Claire gaf hem daar de schuld van, en om ruzie te voorkomen, accepteerde hij dat. Hij verontschuldigde zich, wat moest hij anders doen?

Dit was er gebeurd: op een avond zaten hij en Daphne op hun terras te eten. Het was warm, ze hadden sushi besteld en spoelden die met gincocktails weg. Het idee was gezellig, maar Daphne werd met elke slok agressiever en hatelijker, ze had het over mensen die ze amper kende, trok hardop hun seksuele voorkeur in twijfel, en uiteindelijk kwam de vraag wat Lock eigenlijk allemaal met Isabelle French uitspookte. In plaats van voor de zoveelste keer deze strijd met Daphne aan te gaan, stond Lock op om af te ruimen. En daar, vanuit de voordeur de trap op lopend, zag hij zijn dochter Heather. Lock liet de borden bijna uit zijn handen vallen. Ze was thuisgekomen.

Op Martha's Vineyard, zei Heather, was het druk en lawaaierig, er was veel verkeer, voor tieners was er niets te doen en de ouders van Désirée wilden hen nooit ergens met de auto heen brengen omdat het verkeer zo druk was, met het gevolg dat ze de hele dag thuiszaten, zich verveelden en kibbelden. Désirée had gezegd: Als je het hier zo vreselijk vindt, ga je toch lekker naar huis? Dus... vandaar.

Lock omhelsde haar. 'Je mag altijd thuiskomen, liefje. Je kamers staan voor je klaar. God, wat ben ik blij je te zien!' Daphne zat nog steeds op het terras, en ging waarschijnlijk helemaal op in haar eenzame scheldkanonnade. Lock wilde niet dat ze Heather nu zou zien, hij wilde niet dat ze het meteen al zou verpesten. Heather kon even plotseling weggaan als ze gekomen was. Zoals de zaken er nu voor stonden zou ze ruim vier weken blijven. Het was een geschenk waar hij nooit op had durven hopen.

Het zat Claire niet lekker. Ze was natuurlijk blij voor Lock, blij dat Lock blij was. Maar door Heathers aanwezigheid konden ze elkaar minder vaak zien. Lock ging nu na zijn werk linea recta naar huis. Hij ging met Heather naar het strand om te zwemmen. Hij leerde haar zeevissen, ze had op de tweede avond al een zeeforel gevangen. Heather moest trainen voor hockey, dat in het nieuwe schooljaar weer zou beginnen; ze stond 's ochtends vroeg op om te gaan hardlopen, maar Lock vond het geen prettig idee dat ze alleen over de zandweggetjes in de buurt rende – waar Daphne haar ongeluk had gehad. Dus besloot Lock vroeger op te staan en ging hij met haar mee, hij moest toch afvallen. Hij kon niet meer 's avonds laat met Claire afspreken als hij 's ochtends om zes uur op moest om te gaan hardlopen. Hij kon niet met Claire afspreken omdat hij met Heather ging zeevissen, omdat ze *Night at the Museum* hadden gehuurd of omdat hij Heather trakteerde op een etentje in de Pearl. Of omdat Heather met haar vrienden naar de film ging, ijs ging eten in de Juice Bar en daarna nog op de boulevard bleef rondhangen. Aan het einde van de avond (elf uur, haar avondklok) moest Lock haar komen ophalen.

'Dat komt goed uit,' zei Claire, 'dan kun je tot elf uur bij mij blijven. Zeg maar tegen Daphne dat we aan de tafelschikking werken.'

'Juist,' zei Lock. 'Maar misschien heeft Heather me vóór elven nodig. Als ze vroeg naar huis wil.'

'Dit meen je toch niet, hoop ik?' zei Claire.

Hij had meer begrip van haar verwacht. Ze had vier kinderen; ze was een slaaf van hun programma, net zoals hij van Heathers plannen afhankelijk was.

'Ik moet er voor haar zijn,' zei Lock. Hij was bang dat Heather zich zou gaan vervelen en de benen zou nemen, dat ze kritiek op hem of Daphne had en zou opstappen. Claires kinderen waren jonger, ze hadden nog niet de leeftijd waarop ze uitvlogen. Wacht maar tot het zover is, had Lock gezegd. Je zult versteld staan. Dan zul je wel begrijpen waar ik het over heb.

'Ik heb het gevoel dat ik vervangen ben,' zei Claire.

'Het voelt voor mij niet goed om met je af te spreken als Heather op het eiland is,' zei hij. 'Ze was altijd weg – op school of op Martha's Vineyard. Nu ze hier is, voel ik me op de een of andere manier schuldiger, alsof ik haar verraad.'

Claire kneep haar ogen tot spleetjes. 'Hoe durf je dat te zeggen.'

'Hoezo?'

'Ik heb ook kinderen. Ik heb vier schatten van kinderen thuis, maar ik gebruik ze niet om jou een schuldgevoel te geven. Ik laat de kinderen er buiten. Heather is niet anders alleen maar omdat ze van jou is; ze is niet beter of specialer dan mijn kinderen.'

'Dat zei ik ook niet.'

'Dat zei je wel. Je zei dat je het gevoel hebt dat je haar verraadde. De kinderen worden allemaal verraden, Lock, sinds de herfst heb ik met die gedachte moeten leven.'

Hij kuste haar voorhoofd. 'Je hebt gelijk. Het spijt me.'

Ze trok haar hoofd naar achteren. 'Je kwetst me. Je bent zo arrogant! God, het maakt me razend.'

Hij kreeg zin om haar te laten gaan. Nog geen paar weken geleden zou dit ondenkbaar zijn geweest. Hij had Claire nodig, zijn geluk hing van haar af. Maar Heather was zijn dochter, zijn enige kind. Moest hij het blijven uitleggen?

'Ik ben bang dat ze weggaat,' zei hij. 'Ik moet alles doen wat in mijn macht ligt om haar hier te houden.'

Claire kneep in de brug van haar neus. 'Ik ga,' zei ze.

Lock keek op zijn horloge. 'Oké,' zei hij. Claire vloog de trap af. 'Ik hou van je,' riep hij. Ze sloeg de deur met een klap dicht.

Een paar dagen later zag hij haar weer, en hij bood zijn excuus aan. Ze stonden beiden onder zware stress, zei hij. Als het gala eenmaal voorbij was, zou alles weer normaal worden.

'Wat ís dat eigenlijk, normaal?' zei Claire.

Hij lachte, maar ze vond het niet leuk. Hij veranderde van onderwerp. 'Ik zag dat je een tafel voor het concert gekocht hebt.'

'Matthew heeft hem betaald.'

'Matthew?'

'Max West. Hij heeft me een cheque gestuurd.'

'Dat meen je niet.'

'Ik had er geen geld voor. Bij lange na niet.'

'Je zei dat je geld apart had gelegd.'

'Dat was een leugen.'

'Jezus, Claire! Als je geld nodig had, had je het aan mij kunnen vragen.'

'Wat?'

'Je had het aan mij kunnen vragen. Ik had met alle plezier je tafel gekocht.'

'En wat had je dan tegen Daphne gezegd?'

'Zij zou het niet gemerkt hebben.'

'Zou ze dat niet gemerkt hebben?'

'Alles loopt via onze accountant,' zei Lock. 'Ik wou dat je het aan mij had gevraagd. In plaats van achter dat oude rockstervriendje van je aan te zitten.'

'Wát zeg je?' zei Claire.

'Hoezo "wat zeg je"? Ik had je graag uit de brand geholpen. Ik wou dat je het aan mij gevraagd had in plaats van aan Max.'

'Zoek je ruzie?'

'Ik ben verbijsterd. Waarom vond je dat je tegen Isabelle moest liegen?'

'Snap je dat niet?'

'Nee, dat snap ik niet. Er werd geen druk op je uitgeoefend om een tafel van vijfentwintigduizend dollar te nemen.'

'Dat werd er wel.'

'Dat beeld je je in.'

'Doe niet zo stom, Lock. Er werd wel degelijk druk uitgeoefend.

"We moeten het goede voorbeeld geven, ik geef het goede voorbeeld, we moeten samen vooraan zitten..."'

Ze imiteerde Isabelles manier van spreken, en Lock glimlachte.

'Wat lach je nou? Het is niet grappig. Ik werd ertoe gedwongen.'

'Nou ja, uiteindelijk heb je niets betaald. Je mag blij zijn.'

'Blij?' zei ze. Ze was nu echt boos. Haar lippen waren kleurloos en haar wangen gloeiden. Hij moest erover ophouden. Was hij beledigd dat ze hem niet om het geld gevraagd had? Ja, dat was hij, een beetje.

Hij pakte haar vast. 'Ik wil degene zijn die jouw problemen oplost. Ik wil dat je naar mij toe komt.'

'Dat kan ik niet,' zei Claire. 'Ik hou vreselijk veel van je, maar ik kan niet voor alles bij je aankloppen want je bent mijn man niet. En je zult nooit mijn man zijn, toch?'

En daar ging het om. Hun verhouding had in het begin zo goed geleken; het was alsof zijn gebeden waren verhoord. Maar met de dag werd het gecompliceerder. Hij voelde zich wegzinken, en dat wilde hij ook, hij wilde zich volkomen in Claire verliezen, maar hij kon de laatste stap om Daphne te verlaten niet zetten. En hij was dat zeker niet van plan zolang Heather thuis was.

'Ik geef je alles wat ik heb.'

'Je geeft me alles wat je hebt,' zei Claire. 'Maar het is niet genoeg.'

'Vind je van niet?' zei hij.

De volgende dag liep Benjamin Franklin, penningmeester van het bestuur van Nantucket's Children, het kantoor binnen en vroeg aan Lock of hij de boekhouding vanaf de laatste accountantscontrole kon inzien. Lock wierp een blik op Gavins bureau. Gavin had een middag vrij genomen: zijn ouders zouden 's avonds op het eiland aankomen, en hij moest het huis netjes maken, de Cherokee van zijn vader voor een onderhoudsbeurt naar de garage brengen, bloemen en wijn voor zijn moeder kopen, enzovoort, enzovoort. Gavin wist waar de boeken lagen, hij zou het Ben Franklin allemaal kunnen uitleggen. Dat Ben Franklin net moest komen als Gavin er niet was! Frusterend!

'Waarom wil je de boekhouding inzien, Ben?' vroeg Lock. Het

was een zeer ongebruikelijk verzoek. Ben Franklin was als penningmeester niet al te ijverig, zeg maar gerust lui; hij liet Gavin maar al te graag het werk doen. Bovendien was Ben ook niet meer de scherpste. Lock bekeek hem aandachtig. Wist hij eigenlijk wel waar hij precies om vroeg?

Ben grinnikte. 'Mijn kleindochter Eliza werkt deze zomer bij de bank als kasbediende.'

'En?'

'En ik zou graag de boekhouding willen controleren. Om te kijken wat je precies probeert te verbergen.'

'Verbergen?' vroeg Lock. 'Gavins boekhouding klopt tot op de cent.' Hij stond op, en Ben liep achter hem aan naar Gavins bureau. Lock maakte de archiefkast open. *Financiën 2007-2008:* een manillapapieren map met bankafschriften. Hij pakte de map en gaf hem aan Ben.

'Ik heb ook de lijst met gelddonors nodig,' zei Ben. 'En een kopie van de laatste begroting.'

'Ja, ja, ja,' zei Lock. Hij probeerde niet ongeduldig te klinken. Omdat een van Bens twintig miljoen kleinkinderen bij de bank als kasbediende werkte, moest Ben de boeken inzien? Het was een volstrekt onlogische redenatie. Lock logde in op Gavins computer, zocht de bestanden op en printte ze uit. Terwijl de pagina's geprint werden, zwegen Ben Franklin en Lock. Lock was in gedachten bezig met de vraag wie van het huidige bestuur Ben als penningmeester kon vervangen. Het was een ondankbare taak, niemand wilde het doen. Lock gaf de prints aan Ben. 'Alsjeblieft, meneer. Ik weet zeker dat alles perfect in orde is.'

Ben tikte tegen een denkbeeldige hoed. 'Natuurlijk.'

Ze hadden een overeenkomst gesloten: niet meer ruziemaken. Hun verhouding was gespannen.

Ik heb het gevoel dat je me alleen maar tussen de bedrijven door wilt zien, zei Claire.

Dat gevoel heb ik al vanaf het begin, zei Lock. Ik heb me altijd aan jouw programma moeten aanpassen. En jij hebt het altijd vreselijk druk. Nu heb ik het drukker omdat Heather er is. Ik heb weinig tijd voor jou, jij hebt weinig tijd voor mij. We hebben weinig tijd voor elkaar. Niets in deze relatie is zo eenzijdig als jij denkt, Claire.

O nee? vroeg ze. Ze wilde hem uitdagen. Als ze zijn naam op het display van haar mobiele telefoon zag sloeg haar strijdlust al toe. Het was niet goed.

Dus hadden ze een wapenstilstand afgekondigd. Ze hadden elkaar een hand gegeven. Om de komende drie weken door te komen. Na het gala, als Heather weer in Andover was en de kinderen weer naar school waren, zouden ze opnieuw beginnen. Afgesproken? Afgesproken.

Het werk voor het gala zat er bijna op. Nu was het tijd om ervan te gaan genieten, zei Lock. Het was per slot van rekening een feest.

Feest! Ja, hij had gelijk. De verdomde kroonluchter was af. Ted Trimble had hem nu en maakte er – heel voorzichtig – de bedrading in. Claire kon aan haar tafel acht mensen uitnodigen. Omdat Matthew de tafel betaald had, kon Claire de plaatsen cadeau doen. Als eerste nodigde ze Siobhan en Carter uit en – verrassing! – Siobhan was enthousiast. Ze nodigde Adams en Heidi Fiske en Christo en Delaney Kitt uit. Ze nodigde Ted en Amie Trimble uit als dank voor het bedraden van de kroonluchter. Claire voelde zich weer een stuk beter. Ze was opgewonden. Ze zou in de schijnwerpers staan, omringd door haar dierbaarste vrienden. Het was háár evenement. Max West zou spelen, en Pietro da Silva zou het eerste kunstwerk veilen dat ze sinds bijna twee jaar gemaakt had. Zij was de medevoorzitter. Dit was háár feest, een feest in een tent zo groot als een hangar. Joepie!

Ze had een jurk nodig. Zij en Siobhan namen een hele ochtend vrij en ze gingen samen de stad in. Sommige spullen waren op Nantucket niet te koop, effen blauwe lakens bijvoorbeeld, sportsokken, kinderondergoed, een plastic vergiet, een softbal, alles wat in het groot werd ingekocht. Maar als je een partyjurk zocht, was Nantucket een paradijs. Claire en Siobhan keken bij Hepburn,

Vis-à-vis, David Chase, Eye of the Needle en Erica Wilson. De ene sensationele jurk na de andere! Siobhan wilde iets zwarts, iets dramatisch, iets dat in fel contrast stond met haar kokspak. Bij Erica Wilson vond ze iets oogverblindends, een halterjurk met een strakke rok en versierd met kraaltjes. Absoluut fantastisch. Maar Siobhan stond alles; ze had een mooie gezonde huidskleur en een tenger figuur. Voor Claire was het moeilijker. Ze paste van alles, sommige dingen stonden ronduit afschuwelijk, vloekten bij haar rode haar of maakten haar lijkbleek. Ze vond een paar jurkjes die ze wel aardig vond, maar niet een waar ze weg van was.

Ze lunchten op de patio bij de Rope Walk: broodjes met kreeftsalade en gebakken mosselen. Claire voelde zich net een toerist, wat leuk was, maar vreemd. Ze dronken wijn: Claire een glas viognier (ze bestelde het nu automatisch), Siobhan een groot glas chardonnay.

Siobhan hief haar glas. 'Gezellig,' zei ze. 'Dit mis ik nou.'

'Ik ook,' zei Claire.

'Nee,' zei Siobhan. 'Ik meen het.' Ze nam Claires hand in haar eigen, kleinere hand. De hand die voor Claire zo vertrouwd was: de elfachtige omvang, de tot op het vlees afgekloven nagels, de eenvoudige witgouden trouwring. 'Krijg ik je terug als alles achter de rug is?'

'Doe niet zo gek,' zei Claire. 'Je hebt me nu toch.'

Siobhan duwde haar aandoenlijke vierkante zonnebril op sterkte verder op haar neus. 'Krijg ik je terug, Claire?'

Claire nam een slokje van haar wijn. Haar maag knorde bij de geur van gebakken eten. Nu, tijdens hun dagje zorgeloos winkelen vroeg Siobhan haar iets. Ze wilde Claire terug bij Jason, veilig terug in de Crispin-clan, terug op haar plaats. *Krijg ik je terug?* Wat betekende: geen Lock meer.

Op dat moment werden de uienringen geserveerd, en daarna vroeg een vrouw aan het tafeltje naast hen of Siobhan een foto van haar en haar gezin wilde nemen. Claire leunde achterover in haar smeedijzeren stoel en keek over de stralende blauwe haven, de rondcirkelende zeemeeuwen, de witte zeilen, de wolkenslierten. De dag sprankelde. *Gezellig. Dit mis ik nou. Krijg ik je terug, Claire? Krijg ik je terug?*

Claire nam een slokje van haar viognier en genoot van de zon op haar gezicht, ook al wist ze dat ze er sproeten van kreeg. Het gezin riep in koor: '*Cheese!*' De vraag dreef weg, zonder een antwoord.

Nog elf dagen. Claire werd wakker met een naar voorgevoel. Er was iets. Ze draaide zich om. Jason was weg. Hij zat in de Downyflake te ontbijten; ergens ver weg in haar slaap had ze gehoord dat hij opstond, zich aankleedde en wegging. In de keuken vond ze haar mobiele telefoon. Ze belde hem. Het gold als een grove overtreding Jason tijdens zijn ontbijt te bellen, maar haar aanhoudende, zeurende onrust zei haar dat er iets aan de hand was. Ze zag hem voor zich op een druk vliegveld, hij had er genoeg van en vertrok. Was hij vertrokken?

'Hoi,' zei Jason. Zijn stem klonk vlak, ongeduldig, maar dat had ze wel verwacht. Hij streepte de dagen tot het gala op de gezinskalender af. Afgelopen zondag, achteroverleunend in zijn stoel op het strand, had hij zachtjes gemompeld (toen Claire dacht dat hij sliep): *Over twee weken is dat hele gelazer voorbij.*

'Is... alles oké?'

'Alles oké.'

'Zit je in de Downyflake?'

'Natuurlijk,' zei hij. 'Waar anders?'

Claire maakte het ontbijt voor de kinderen. Ze was er met haar gedachten niet bij, maar het was iets wat ze slapend kon doen. Zou ze Siobhan bellen om te vragen of er iets met haar was? Nee, ze leek wel gek. Het leek wel of ze iets akeligs zócht.

'Mama!' zei J.D.

Claire keek op, gealarmeerd. 'Wat is er?'

'Ik wil naar Nobadeer. Pan neemt ons altijd mee naar Eel Point, maar dat is een bábystrand.'

'Je moet ook aan Shea denken,' zei Claire. 'En aan Zackie.'

'Ik wil een strand met golven,' zei J.D. 'Ik heb mijn surfboard de hele zomer nog niet één keer gebruikt.'

'Nou, dat spijt me voor je,' zei Claire.

'Je geeft niks om me.'

'Dat is niet waar.'
'Je geeft alleen om Zack.'
'Je weet dat dat niet zo is, J.D. Het kwetst me als je dat zegt.'
'Het kwetst mij dat ik niet naar Nobadeer mag.'
'Ik kan Pan niet met jullie naar Nobadeer laten gaan. Zack zou binnen tien seconden verzuipen. En je zusje gaat dan achter jou aan de golven in, en–' Claire huiverde. 'Ik moet er gewoon niet aan denken.'
'Neem jij me dan mee.'
'Wat zeg je?'
'Waarom neem jij me niet mee?'
Het meest voor de hand liggende antwoord was dat ze het druk had. Ze had de opdracht om nog een set vazen voor Transom te maken – voor het geld, om Jason tevreden te stellen – en zomaar, uit het niets had Fred Bulrush uit San Francisco haar gebeld. *Ik heb gehoord dat je weer aan het werk bent.* Hoe had hij dat gehoord? Claire had geen idee – ze moest hem nog terugbellen – maar het zou fijn zijn als ze een opdracht kreeg waar ze flink wat geld mee verdiende. Claire had om twaalf uur een afspraak met Isabelle om de tafelschikking te bespreken, hoewel dat volkomen zinloos was: Isabelle zou de gasten toch neerzetten waar zij wilde, wat Claire er ook tegenin bracht. Waarom zou ze de middag *niet* met J.D. in Nobadeer doorbrengen? Ze vond het heerlijk om met een van de kinderen apart iets te doen, ook al had ze maar zelden de gelegenheid. Waarom zou ze vandaag haar kans niet grijpen? Bij Henry's broodjes en iets te drinken halen en met haar oudste zoon naar de golven gaan? Zij kon het nieuwste boek van Margaret Atwood lezen, terwijl J.D. met zijn board over de golven surfte.
'Oké,' zei ze. 'Ik neem je mee.'
'Ik wil ook,' zei Ottilie.
'Ik ook,' zei Shea.
'Nee,' zei Claire. 'Dit is een uitje voor J.D. alleen. Jullie twee gaan met Pan mee. Ik zal wat extra chocoladekoekjes in de tas doen.'
Ottilie fronste haar wenkbrauwen, Shea was tevreden met de

koekjes. Claires telefoon ging. Het was Lock. Om vijf voor acht? Ze voelde haar knieën knikken. Nu kwam het: het slechte nieuws.

'Hallo,' zei Claire.

'Ik heb slecht nieuws,' zei Lock.

Claire draaide het gas onder de bacon uit. 'Wat is er?'

'Genevieve kan het niet doen.'

'Wat niet?'

'Het gala.'

'Kan ze het gala niet cateren? Het is al over tien dagen, en ze kan niet–'

'Klopt. Er is iets met haar moeder in Arizona, ze is ziek, terminaal, volgens mij. Genevieve moet er heen, vandaag nog, ze weet niet wanneer ze terug zal zijn, ze kan geen feest voor duizend man voorbereiden, en ze heeft geen vervanger, niemand die het van haar kan overnemen. We moeten iemand anders zoeken.'

'Zoals wie?'

'Ik dacht, misschien kun je Siobhan bellen.'

'Siobhan,' herhaalde Claire.

'Ja. Dat ligt voor de hand, toch?'

'Ja,' zei Claire. Maar was dat wel zo? De kwestie van de catering was van het begin af aan een pijnlijk onderwerp geweest – het had voor een breuk in hun onverbrekelijke vriendschap gezorgd – en het ging eindelijk weer goed. Siobhan leek nog maar net vrede te hebben met de keuze van de cateringcommissie. Het was unfair om de onderhandelingen met Siobhan en Carter te hervatten. Maar nu Genevieve het niet kon doen, moest iemand hen komen redden, en als Claire Siobhan als redder zou passeren – als Siobhan niet als eerste werd gevraagd – zou opnieuw de hel losbreken.

'Oké,' zei Claire. 'Ik zal haar bellen.' Ze hing op en keek naar J.D. 'Ga je zwemspullen aantrekken.'

J.D. slaakte een zucht van verlichting. 'Gelukkig,' zei hij. 'Ik dacht dat je me ging laten stikken.'

'Jou? Nooit.'

Ze pakte Zack, waste de stroop van zijn gezicht en handjes en nam hem mee naar haar slaapkamer en belde Siobhan.

'Hoi,' zei Siobhan.

'Hoi,' zei Claire. 'Weet je, ik werd vanochtend wakker met een naar gevoel, en ja hoor.'

'Is er iets met de kinderen?' vroeg Siobhan.

'Nee. Het is een ander soort naar.'

'Vertel.'

'Genevieve laat het afweten.'

'Hè?'

'Ze heeft afgezegd. Haar moeder in Arizona is ziek. Genevieve moet er heen. Ze kan het gala niet doen.'

Stilte. Daarna gelach. Een melodieuze lach. Maar er waren twee redenen waarom het helemaal niet leuk was: ten eerste lag Genevieves moeder op sterven (Claire had net als Siobhan haar moeder aan kanker verloren), ten tweede had het gala nu geen cateraar.

'Ik vind het vreselijk om het je te vragen, maar–'

'O nee!' zei Siobhan. 'Geen haar op mijn hoofd!'

'Doe je het niet?'

'Natuurlijk niet! Ik heb de beste plaatsen voor het gala en een fantastische jurk. Waarom zou ik me de komende tien dagen uit de naad werken? Ik moet zaterdag de Pops al doen. Ik heb geen zin om zondag meteen weer aan de slag te gaan met de voorbereidingen van nog zo'n gigantische klus.'

'Je kunt er veel geld mee verdienen, Siobhan.'

'Dat kan me gelukkig geen bal schelen.'

'Je doet het dus niet?'

'Doe niet zo geschokt!'

'Ik ben niet geschokt. Maar ik dacht dat je deze klus wilde.'

'Nee,' zei Siobhan. 'Na al dat gedoe... Ik bedoel, ik weet dat ik "in de commissie" zit en dat dat betekent dat ik jullie op het laatste moment uit de brand zou moeten helpen, maar Edward heeft de kans gehad om me in te huren, en die heeft hij laten schieten. Hij heeft voor Genevieve gekozen. Het feit dat Genevieve het zou laten afweten was te voorzien. Ik vind het net goed dat ze het laat afweten omdat het betekent dat ik gelijk had toen ik in april zei dat ze onprofessioneel was. Ze had die klus nooit mogen krijgen. Als iemand veertig dollar de man onder mijn prijs zit, is dat niet voor niets.'

'Oké, als jij het niet gaat doen, wie moet ik dan bellen? Ik moet vandaag nog iemand regelen.' Claires telefoon piepte. Op het display stond *Isabelle French*. 'Shit, Isabelle probeert me te bellen. Ik bel haar straks wel terug. Wie kan ik nog meer vragen?'

'Om in tien dagen tijd eten voor duizend man te verzorgen?' vroeg Siobhan. 'Ik zou het niet weten. Het is augustus, Claire. Iedereen zit helemaal volgeboekt. Als iemand nog vrij is, heeft dat een reden, en kun je hem maar beter niet inhuren.'

'Nou, mooi is dat,' zei Claire. 'Dus de mensen die ik eventueel zou kunnen vragen, zijn niet beschikbaar?'

'Komt het wel op neer, ja.'

Opnieuw sprong het nummer van Isabelle op het display tevoorschijn. Claire zou moeten opnemen, maar ze was niet in de stemming voor hysterisch gedoe.

'Oké,' zei Claire. Ze begreep dat er reden was tot paniek. Ze hadden geen cateraar voor het gala; geen eten, geen drank. Maar zij was de rust zelve. Ze was met een naar voorgevoel opgestaan, en dit was het, besefte ze. J.D. kwam in zijn zwembroek en met een handdoek om zijn nek de slaapkamer binnen. Zou ze hem laten stikken en de hele dag met Isabelle op kantoor doorbrengen om alle cateringbedrijven uit het telefoonboek te bellen? Zou ze dat moeten doen? De beste keus was meestal de moeilijkste. Wie had haar dat verteld? Pater Dominic? Haar moeder? Maar het kon in deze situatie niet de juiste keuze zijn als ze het gala boven haar gezin prefereerde en haar zoon teleurstelde. Dus in dit bijzondere geval was de juiste keuze de minst moeilijke. 'Luister Siobhan, ik ga met J.D. naar Nobadeer. We gaan met z'n tweetjes. Kom je ook met de jongens?'

'Ik zit tot over mijn oren in het werk voor de Pops,' zei Siobhan. 'Maar waarom niet, een uurtje dan.'

De uren die Claire aan het strand doorbracht waren als een droom. De zon was warm, het water verfrissend, en J.D. vermaakte zich met de golven en zijn neefjes. Siobhan kwam een uurtje en bracht een half broodje met kipsalade, een kom gazpacho en een fles heerlijke Italiaanse limoengazeuse voor Claire mee.

Claires telefoon ging om de haverklap: Isabelle, Lock, Edward, Genevieve, maar ze nam niet een keer op. Ze zou zich later wel met het cateringprobleem bezighouden, en het was heel goed mogelijk dat de hele zaak tegen de tijd dat ze zich erop zou gaan concentreren al was opgelost. Het was bevrijdend om het van haar af te zetten, ze knapte ervan op om vier uur lang zichzelf te kunnen zijn – een vrouw die van het strand hield, de moeder van een tienjarige jongen. Ze probeerde zelfs een paar keer te golfsurfen, het was te warm om niet het water in te gaan. Ze dreef op de golven naar de kust, ze genoot van de deining en de stroming, ze genoot zelfs van het zand in haar badpak en het zout dat in haar ogen prikte.

Om kwart voor vijf verlieten ze het strand, op tijd om thuis Pan af te lossen. Claire was zo ontspannen dat J.D. naast haar op de voorbank mocht zitten. Zijn donkerblonde haar was vochtig, zijn blote borst bruin en tanig. Hij zou, net als Jason, knap en sterk worden. J.D. veranderde vijftien keer van radiostation – heerlijk om de muziek eindelijk in eigen hand te hebben! – slokte zijn colaatje naar binnen en stak vervolgens zijn elleboog nonchalant uit het open raam. Toen ze de hoek van hun straat omsloegen zei J.D.: 'Het was super, mam. Je bent fantastisch.'

Claire grinnikte. Haar gezicht was strak en warm van de zon. Tien jaar, meende ze, was de perfecte leeftijd voor een jongen. J.D. had niet meer zoals de andere kinderen voortdurende verzorging nodig, maar in zijn hart en zijn geest was hij nog altijd een kind.

'Je was geweldig gezelschap,' zei ze.

Er stond een onbekende auto op hun oprit. Terwijl Claire haar auto tot stilstand bracht, verdween haar goede humeur. Het was helemaal geen onbekende auto, het was een groene Jaguar cabriolet, de auto waar Lock 's zomers in reed. Lock was geen man die opgewonden werd van auto's. Hij zei altijd dat hij als directeur van Nantucket's Children in een twaalf jaar oud busje zou moeten rijden. Maar van deze auto hield hij. De XKR was slank, prachtig gestroomlijnd, snel en prestigieus raceautogroen. Hij zou hem nooit op straat parkeren, de hele zomer stond hij op het parkeerterrein van de jachtclub. Nu stond hij op Claires oprit. Lock zat in een van de Adirondack-tuinstoelen naast Claires bijkeukendeur. Hij droeg een kakikleurig pak, een lichtroze linnen overhemd, een donkerroze stropdas en mocassins zonder sokken. Boven zijn hoofd bungelde een hanggeranium; een paar roze bloemblaadjes waren op de schouders van zijn colbertje gevallen. Hoe lang zat hij daar al? Hij zat voorovergebogen, met zijn armen op zijn knieën staarde hij verwachtingsvol de straat naar Claires huis in. Wachtte hij op haar? Ja, uiteraard. Claire kende Lock niet als iemand die passief op iets of iemand zou gaan wachten. De man was het toonbeeld van efficiëntie, altijd aan het bellen, papieren aan het doornemen, opzetjes voor brieven aan het schrijven, artikelen over liefdadigheid of de *Economist* of *Baron's* aan het lezen. Was hij het wel?

'Wie is die vent?' vroeg J.D.

Claire verstijfde. Ze kon nauwelijks haar pols draaien om het autosleuteltje uit het contact te halen. Locks aanwezigheid overrompelde haar. Hij was nog maar één keer eerder onaangekondigd langsgekomen, in januari, toen hij haar atelier binnen was gekomen terwijl ze aan het werk was. Toen had zijn komst haar verrast, ja, maar toen had ze hem ergens al verwacht. Toen zat hij voortdurend in haar hoofd, in haar gedachten volgde hij haar overal waar ze was, dus toen had het feit dat hij vanuit het niets was verschenen logisch geleken. Die dag had Lock haar voor het eerst gezegd dat hij van haar hield. Het was magisch geweest dat hij gekomen was om een liefdesverklaring af te leggen, iets bovennatuurlijks. Maar nu, vandaag, was Claire zenuwachtig, op haar hoede, ze voelde zelfs een lichte afkeer. Dat kwam voor een deel omdat ze er vreselijk uitzag. Toen ze uit haar auto stapte werd dat duidelijker zichtbaar; haar benen waren aan de voorkant roodverbrand, ze droeg een vochtig katoenen strandjasje dat eens wit geweest was maar nu de kleur van oude kauwgum had, en haar haar leek wel een kluwen zeewier, een en al klit en zout. Er zat zand aan haar voeten en ze voelde de sproeten op haar gezicht tevoorschijn springen. In deze staat wilde ze Lock niet onder ogen komen, ze zag er uit als iets wat op het strand was aangespoeld.

Maar zij wilde ook Lock niet zien, zoals hij daar zat in al zijn zomerse roze, zonder sokken, zijn dunnende haar in de war van het ritje in zijn cabriolet. Ze had moeite genoeg gedaan hem uit haar gedachten te bannen, en het was haar gelukt al die nonsens rond de catering uit haar hoofd te zetten.

Maar nu kon ze er niet meer onderuit.

Toch was dit niet de reden waarom Claire versteende. Claire versteende door de gedachte dat Lock niet was gekomen om het cateringgedoe op te lossen, maar om haar eindelijk weg te kapen. De Jaguar was het witte paard. Lock had zo vol verlangen naar haar uitgekeken en veerde zo snel op toen ze de auto uit stapte dat ze dacht: Mijn hemel, hij gaat het doen: vragen of ik er met hem vandoor ga. Hij wilde dat ze in de Jag stapte en dat ze wuivend zouden wegrijden, J.D. in verbijstering op het terras achterlatend.

Claire trok de achterklep van de Pilot open, pakte er de handdoeken uit en nam alle tijd om ze uit te kloppen. Ze pakte de surfboards, gaf ze J.D. aan en zei: 'Wil je ze alsjeblieft even schoonspoelen, lieverd?'

J.D. keek naar Lock, Lock keek naar Claire.

J.D. nam de surfboards mee naar de tuinslang naast het huis. Op haar goedkope slippertjes sjokte Claire de trap van het terras op. Hij zou haar niet vragen met hem mee te gaan, drong het tot haar door. Maar plotseling was dat wat ze het liefst wilde. Dat hij het haar vroeg, dat hij haar smeekte.

'Hoi,' zei ze.

'Hoi,' zei hij.

Ze vroeg zich af waar haar andere kinderen en Pan waren. Ze waren nog niet thuis, daar was het in huis te stil voor. Om zich een houding te geven begon ze de vochtige handdoeken op te vouwen.

'Je verrast me,' zei ze, naar de bijkeukendeur lopend.

'Ik was van mijn werk op weg naar huis,' zei Lock. Hij glimlachte zenuwachtig. 'Ik probeer je al de hele dag te bereiken. We moeten praten.'

Ze draaide zich naar hem om. Haar adem stokte in haar keel. Als hij haar vroeg, als hij het meende, als hij haar de juiste dingen beloofde, als hij er heel goed over had nagedacht en het toch nog romantisch en spontaan kon laten klinken, alsof het de kans van haar leven was, de kans op geluk met een man die haar beter, op een andere manier begreep, zou ze dan met hem meegaan? Nee, nooit. Of misschien ook wel.

'Over de catering,' zei hij.

Toen ze het huis binnen liepen, vroeg Claire zich af of het er een bende was. In haar gedachten was het in haar huis altijd een janboel, slingerde er overal van alles rond: rekeningen, brieven, tijdschriften, haarspeldjes van de meisjes, spenen van Zack, zijn flesjes waar nog wat zure melk in zat, zonnebrillen, sleutelbossen, en de spijkers, schroeven en het kleingeld dat Jason elke avond uit zijn zakken haalde. Ja, het was er allemaal, het gezinsleven lag uitgestald: er lag een gebruikte pleister op de bar, Claire gooide hem in de afvalbak. Ze was nog nooit bij Lock thuis geweest, maar ze vermoedde dat het zo'n huis was waar alles netjes was opgeborgen, zo'n huis met de sfeer van een hotelkamer.

Het antwoordapparaat knipperde. Acht berichten.

Ze trok de koelkast open. 'Wil je wat frisse druiven?'

'Doe voor mij geen moeite,' antwoordde Lock.

Toch pakte Claire de schaal met druiven en zette die op de bar. 'Een biertje?'

Lock haalde z'n schouders op. 'Ja, na vandaag ben ik daar wel aan toe.'

Goed, hij wilde het dus over zijn dag hebben, hoe vreselijk die was geweest, terwijl Claire zich op het strand had verpoosd met golfsurfen en Italiaanse limoengazeuse. J.D. stapte binnen, en Claire zei: 'Buiten douchen, graag.'

'Ik ga al.'

Lock stak zijn hand uit. 'Hé, jij bent vast J.D. Lock Dixon.'

J.D. gaf hem een hand, keek hem aan en glimlachte. 'Aangenaam, meneer Dixon.'

'Ik ben een vriend van je moeder.'

'We werken samen,' zei Claire. 'We werken samen aan het gala. Meneer Dixon runt Nantucket's Children.'

‘Oké,’ zei J.D. Hij verdween door de achterdeur.

‘Hij heeft goede manieren,’ zei Lock.

Claire pakte een van Jasons biertjes uit de koelkast en trok hem open. ‘Een glas?’

‘Nee, bedankt.’

Hij was hier in haar huis, hij had met haar oudste kind kennisgemaakt en hem goedgekeurd, hij dronk Jasons bier, en Claire vond het allemaal hoogst ongemakkelijk.

‘Vertel nu maar wat er gebeurd is,’ zei ze.

Hij deed zijn colbertje uit en hing het over de rug van een barkruk. Hij rolde zorgvuldig de mouwen van zijn linnen overhemd op. Dit was Lock Dixon die zich na werktijd met een biertje ontspande. Claire sloeg hem gade. Hij was haar minnaar, maar hij was een volslagen vreemde.

Ze hoorde voetstappen in de bijkeuken. Daar kwam de rest van de familie aan: Zack huilend, Pan bekaf. De meisjes stopten met waar ze mee bezig waren (kibbelen), gooiden hun natte handdoeken op de grond en staarden Lock aan.

‘Wie is dat?’ vroeg Shea streng.

‘Dit is meneer Dixon,’ zei Claire. ‘Hij helpt mama met het gala.’

Lock zwaaide naar Pan. ‘Leuk je weer te zien.’

Pan glimlachte en gaf Zack aan Claire. Hij was warm en niet blij en zijn luier lekte en zat onder het zand.

Claire wist niet wat ze moest doen. Dit was niet bepaald hoe ze wilde dat Lock haar leven zag.

‘Is dat jouw auto?’ vroeg Ottilie.

‘Ja,’ zei Lock.

‘Ik vind hem mooi!’ zei ze.

‘Ik moet nu even met je moeder praten,’ zei Lock. ‘Maar de volgende keer dat ik kom gaan we een ritje maken.’

‘Mag ik dan ook mee?’ vroeg Shea.

Er werd aangebeld. Vast de postbode of een van de buurkinderen om loterijloten te verkopen voor de scouting.

‘Jongens,’ zei Claire tegen de kinderen. ‘Douchen, graag.’ Ze zette haar Julie Andrews-stem op. *Ze zijn maar een keer jong! Ge-*

niet van hen! Ze wilde dat Lock zag dat ze een goede moeder was, een fantastische moeder, ondanks haar faux pas waar hij alles van wist. 'Een ogenblikje,' zei ze, en ze liep naar de deur.

Voor Claire kon opendoen werd er nogmaals gebeld, hard en dringend. Ze keek uit het raam; er stond nu nog een auto op de oprit, een kersenrode Land Rover met bullbar. Geen buurkind van de padvinderij dus. Het eerste wat Claire zag toen ze opendeed was het haar, lang en glanzend.

'Isabelle!' Claire was nu echt met stomheid geslagen. Zacks luier was zo zwaar dat hij losraakte. Claire hoorde de meisjes buiten op de douchedeur bonken om J.D. op te jagen.

'Hallo,' zei Isabelle met een mengeling van verbazing en afkeer, alsof Claire plotseling voor háár neus stond. 'Is Lock hier?'

'Ja,' zei Claire. Ze keek naar beneden naar haar strandjasje, haar benen en haar voeten. Isabelle zag er bruin en elegant uit in haar witte zomerjurkje. Claire droeg een vuilniszak en had vier warme, zanderige, hongerige kinderen die als wilde indianen rondrenden. Toen ze die ochtend wakker werd met het gevoel dat er iets akeligs stond te gebeuren, had ze niet kunnen voorspellen dat het zó akelig zou zijn. Maar terwijl Isabelle zonder pardon en zelfs zonder te groeten langs haar heen naar de woonkamer liep, vermande Claire zich. Lock en Isabelle waren zomaar onverwachts haar huis komen binnenvallen. Ze zou zichzelf niet toestaan zich onzeker te voelen over haar uiterlijk of over het feit dat ze geen kabbelende vijver met karpers in de hal had of dat er geen gin-tonics en hapjes klaarstonden. Ze zou deze mensen vriendelijk te woord staan en ze er daarna uit bonjouren.

Maar ze moest nu eerst de indianen onder handen nemen.

'Ik moet Zacks luier verschonen,' zei ze. 'Lock, wil jij een glas wijn voor Isabelle inschenken? Er staat een fles koude viognier in de koelkast.' Dit was ongelooflijk, het gebeurde echt, en stiekempjes vond Claire het wel spannend. Ze nam Zack mee naar boven, spoelde hem af in de wasbak, deed hem een schone luier om en trok hem een schattig, blauw badstoffen speelpakje aan. Toen ze weer beneden kwam, zaten Lock en Isabelle aan de bar met hun drankjes en aten van de frisse druiven, terwijl de drie kinderen er in handdoeken gewikkeld al druipend bij stonden. Ze zagen er uit als bootvluchtelingen.

'Gaan jullie je maar aankleden,' zei Claire, 'dan mogen jullie nog even tv-kijken voordat we gaan eten.'

'Wat gaan we–'

'Biefstuk,' zei Claire. 'En maïs.'

De kinderen slopen weg, steelse blikken op de onbekenden in de keuken werpend. Zodra ze de kamer uit waren, kwam Isabelle ter zake.

'We hebben een ernstig probleem,' zei ze.

Door het raam van de bijkeuken zag Claire Jasons truck op de oprit tot stilstand komen. Ze voelde een golf van opluchting.

'We vinden wel een ander cateringbedrijf,' zei Claire.

'Ik heb iedereen op Nantucket gebeld. Ik heb de hele dag getelefoneerd, Gavin en Lock ook. Er is niemand beschikbaar. Ik heb alle restaurants afgebeld, zelfs de vrouw die de kantine van de middelbare school runt.'

'Dat geloof ik niet,' zei Claire.

'Iemand zei dat die vrouw als bijverdienste bij particulieren caterde. Ik heb veertien eetgelegenheden gebeld op de Cape, helemaal tot voorbij Wareham, maar niemand kan het doen. Het feest is te groot, ze hebben het personeel er niet voor, het is te duur om hiernaartoe te komen en we hebben geen voorbereidingskeuken...'

'Het ziet er somber uit,' zei Lock. 'Iemand uit New York over laten komen is onbetaalbaar, maar misschien zit er niets anders op. Maar dan nog zitten we met het probleem van de voorbereidingskeuken.' Hij nam een slok bier. Claire wilde zelf ook wel iets drinken, maar voor haar had Lock niets ingeschonken. Ze schonk zichzelf extra opvallend een glas wijn in. Ze keek naar Lock en Isabelle, naast elkaar in hun perfecte zomeroutfits, alsof ze zo waren weggelopen uit een schilderij van Renoir. Ze vormden een natuurlijk paar. Claire zag het plotseling duidelijk, zonder dat ze er speciaal iets van vond. Ze zouden een stel moeten zijn. Isabelle was vrij, tenminste, zo goed als; die twee pasten beter bij elkaar dan Claire en Lock. Ze kon deze gedachtegang niet voortzetten, omdat Lock op dat moment de bom liet vallen.

'We willen dat je het nog een keer aan Siobhan vraagt.'

Het 'we' ergerde haar mateloos. 'We' betekende Lock en Isabelle, de mensen die zich de hele dag hadden uitgesloofd om het probleem op te lossen terwijl Claire aan het strand lag, wat inhield dat Nantucket's Children voor haar niet belangrijk was.

'Dat heb ik al gedaan,' zei Claire. 'Ze heeft nee gezegd.'

'We willen dat je het nóg eens probeert. We willen dat je het haar smeekt. Er is geen eten, geen drank. Of het is zo duur dat we van het hele evenement geen rooie cent overhouden, na al het werk dat we hebben verzet. Begrijp je? We staan met onze rug tegen de muur. We zijn ten einde raad.'

'Ten einde raad,' herhaalde Claire. Ze keek naar Isabelle, die met gebogen hoofd en gevouwen handen zat, alsof ze aan het bidden was. Het kwam weer helemaal alleen op Claire neer, voor de zoveelste keer! Zou er dan nooit een eind aan komen?

De bijkeukendeur werd dichtgeslagen. Jason stapte de keuken binnen. Hij keek naar Isabelle, naar Lock en weer naar Isabelle. Claire voelde een steek van jaloezie, maar hoe kon Jason zijn blik van Isabelle losmaken, met dat prachtige lange haar, die gelijkmatige bruine teint, dat dunne gouden armbandje om haar pols en die perfecte vorm van haar gelakte nagels, glanzend als glas? Zo'n charmante verschijning had hun huis nog nooit opgeluisterd.

'Is die Jaguar van jou?' zei Jason.

'De Rover is van mij,' zei ze.

'Jason, dit is Isabelle French, mijn medevoorzitter van het gala. Isabelle, mijn man, Jason Crispin.'

'Aangenaam,' zei ze, en ze gaven elkaar een hand.

'Hallo Jason,' zei Lock, terwijl hij ging staan. Jason en Lock schudden elkaar de hand.

'Is die Jag van jou?' vroeg Jason.

'Ja.'

'Te gek.' Jason wierp een blik op hun glazen. 'Kan ik jullie nog iets inschenken? Lock, nog een biertje? Isabelle, nog een wijntje?' Jason was plotseling de perfecte gastheer.

'We zijn aan het vergaderen,' zei Claire. 'Over de catering van het gala, Genevieve kan het niet doen. Haar moeder is ernstig ziek. We hebben nu geen cateraar.'

'Dan moet je mijn broer vragen,' zei Jason tegen Lock. 'En Siobhan. Zij doen het wel.'

'Ik heb het hun al gevraagd,' zei Claire. 'Ze hebben nee gezegd.'

'Vraag het nog een keer,' zei Jason, terwijl hij een biertje opentrok. 'Anders vraag ik het wel.'

'Dat zou geweldig zijn,' zei Isabelle. 'Het zou echt zo geweldig zijn als je het nog eens zou willen vragen. We staan met onze rug tegen de muur.'

'Geen probleem.' Jason sloeg Lock op z'n schouder. 'Blijven jullie eten? Claire, wat eten we?'

Gebeurde dit allemaal echt? Claire kon het niet met zekerheid zeggen. Misschien lag ze nog steeds in haar stoel op het strand te slapen.

'Biefstuk,' antwoordde ze. 'En maïs.' Ze trok haar wenkbrauwen op naar Lock. Als ze niet uitkeek, zou ze iets vreselijk ongepasts zeggen. 'Jullie kunnen blijven als jullie willen.'

'Nee, bedankt,' zei Lock. 'Ik heb een etentje op de jachtclub.

'O, wat leuk,' zei Isabelle. 'Ik ook.'

Leuk? Toen Claire glimlachte, waren haar tanden koud. Haar gezicht voelde strak van de zon en het zout. Ze wilde dat Lock en Isabelle ophoepelden. Ze konden gerust naar een etentje op de jachtclub gaan, dat kwam mooi uit. Claire wilde met haar kinderen op het terras achter het huis zitten en de maïs pellen, en als de maïs opstond en de biefstuk op de grill lag, wilde ze even een warme douche nemen. Jason kon Carter en Siobhan bellen en hun in opdracht van Isabelle nog eens vragen of ze de catering wilden verzorgen, maar ze zouden nee zeggen, en Claire zou haar dag kunnen afsluiten met een heerlijk, zelfvoldaan *dat zei ik toch al.* Claire glimlachte naar Isabelle en Lock, ietsje vriendelijker nu. Ze hadden hun drankje nog niet op, maar dat kon haar niets schelen.

'Ik zal jullie uitlaten,' zei ze.

Isabelle sloeg haar wijn in één teug achterover. 'Het komt allemaal wel weer goed,' zei ze. 'Ik voel het.' Ze liet zich van haar barkruk glijden, en bij de deur stak ze haar arm door die van Lock.

Lock wierp een blik op Claire. Claire was niet in staat hem aan te kijken.

'Sorry dat we zo kwamen binnenvallen,' zei Lock. 'Ik heb je geprobeerd te bellen.'

'Ik weet het,' zei Claire. 'Ik heb al mijn telefoontjes genegeerd.'

'We zitten goed in de puree,' zei hij.

'Inderdaad.'

'We vonden allebei dat verdwijntrucje van je vandaag laf en onvolwassen,' zei Isabelle. 'Je zat nota bene op het strand! Je had ons moeten helpen. Je bent medevoorzitter.'

Ze wou dat ze gingen. Ga de auto in, dacht ze. Alsjeblieft! Wegwezen!

'O ja?' zei ze. 'Nou, sorry.'

'Het klinkt niet alsof het je spijt.'

'Ik was met mijn zoon naar het strand. Ik heb een heerlijke dag gehad.'

Lock schraapte zijn keel. Het was alsof hij Isabelles arm van zich wilde afschudden, maar het uit beleefdheid niet deed.

'Het gala is al over–'

'Ik weet heel goed wanneer het gala is, Lock.'

Hij zuchtte en zocht in haar gezicht... wat? Liefde? Tederheid? Een teken dat ze er spijt van had dat ze niet de hele dag cateringbedrijven had zitten bellen? Op dat moment dacht ze: Ga er maar met Isabelle vandoor, zij is immers zo met de zaak begaan! Lock en Isabelle vonden haar onvolwassen en laf. Het was pas laf dat ze haar met die cateringkwestie opzadelden. Nu zat zij ermee.

Ze liepen naar het trappetje bij de voordeur, Isabelles arm als een slang door die van Lock. Isabelle loodste Lock naar zijn auto, en toen hij ingestapt was, bleef ze bij hem staan en begon zachtjes tegen hem te praten. Ze had het met hem over Claire.

Jason was in de keuken. 'Claire!' zei hij.

Claire wenste Jason naast zich bij de voordeur. Hij was haar wederhelft: de gelukkige Crispins.

'Claire!' riep hij.

'Wat is er?' Als hij wilde eten, kon hij alvast de grill aansteken.

'Moet je kijken.'

Ze draaide zich om en zag Jason op zijn hurken zitten, terwijl hij Zack bij zijn handjes vasthield. Maar toen liet hij hem los, en Zack deed een, twee, drie, vier, vijf stapjes, botste tegen de kast waar de potten en pannen in stonden, en viel op zijn kontje.

'Hij liep!' gilde Claire.

Zack lachte naar zijn ouders en zette het vervolgens op een brullen.

'Hij liep!' zei ze.

'Hij liep,' zei Jason. 'Hij kan lopen.' Hij pakte Claires hand, trok haar stevig tegen zich aan en kuste haar hals. Ze omhelsde hem, en plotseling was ze zo, zo gelukkig, gelukkiger dan ze in lange tijd geweest was.

'Hij kan lopen,' zei ze. En ze hoopte dat dit alles was wat haar van deze dag zou bijblijven.

De ochtend nadat Claire Siobhan de klus van de galacatering aangeboden had en Siobhan die geweigerd had – nu niet en nooit niet, ze hoopte dat dat duidelijk was – werd Siobhan wakker van een stem uit haar inloopkast. Ze keek op de klok: tien over zes. Wat een absurde situatie. Siobhan stapte uit bed, poedelnaakt, en ging voor de kastdeur staan om er zeker van te zijn dat ze het goed had gehoord.

Ja, Carter zat erin. Aan de telefoon. Toen ze klein waren hadden Siobhan en haar broers en zusjes lakens over hun hoofd getrokken, in geheimtaal gesproken, het snoer van de telefoon helemaal de trap af naar de voorraadkelder getrokken en de deur dichtgeslagen om alleen gelaten te worden. Om te roddelen over Michael O'Keefe, en later toen ze ouder waren om te bespreken waar ze het bier zouden verstoppen. Het was niet zozeer dat hun vader het niet mocht horen, het was hun vooral om de spanning te doen.

Siobhan klopte niet – hoewel het met de jongens in huis een wet was te kloppen voordat je een kamer binnenging – omdat de inloopkast geen echte kamer was. Ze zwaaide de deur open, en daar zat Carter, naakt als op de dag waarop hij geboren was, met zijn harige achterste op haar fluwelen voetenbankje, de krant op zijn schoot. Hij had Tomas aan de telefoon, zijn bookmaker in Las Vegas (waar het drie uur 's nachts was!), om op die ellendige Red Sox te wedden. Siobhan hoorde Carter zeggen: *Ik zet vijfduizend in. Schilling pitcht.*

De scène die volgde is nauwelijks te beschrijven. Het was als in een film. Een drama van Shakespeare. Siobhan rukte de telefoon uit Carters hand en rende met een rotgang naar de badkamer. Ze keek naar de ovale toiletpot en voelde de neiging om te kokhalzen opkomen. Ze werd misselijk. Ze hoorde Carter naderen. Ze moest opschieten! Ze spoelde de mobiele telefoon door het toilet.

Wat doe je verdomme? zei Carter.

Siobhan pakte de huistelefoon en blokkeerde hun creditcard. Gestolen, zei ze. Toen ze had opgehangen, staarde Carter haar aan. Vijfduizend dollar! Ze ontsloeg Carter op staande voet, zette hem uit het bedrijf dat ze samen bezaten, het bedrijf waar hij de chef-kok was. Siobhan had geen idee of ze officieel het recht had dit te doen, maar ze zei met klem: Je maakt niet langer deel uit van Island Fare. Je neemt geen klussen meer aan. Je zet geen stap meer in de keuken. Elke cent die we verdienen gooi je in die stinkende Las Vegas-beerput.

Carter probeerde verschillende tactieken. Hij bood zijn verontschuldigingen aan met de wanhopige gelaatsuitdrukking van een verslaafde die zijn dealer om één laatste shot smeekt. Hij huilde. Alsjeblieft, schat, alsjeblieft, nog één keer. Ik weet zeker dat ik win, ik zweer het je. Schilling pitcht, schat! Siobhan was zo hels dat ze geen woord kon uitbrengen. Ze stormde de keuken in om koffie te zetten, en Carter kwam achter haar aan, huilend, beiden in hun blootje. Ze schonk koffie in, maar goot naast het kopje; het liep allemaal van het aanrecht op de grond en dat was voor Siobhan de druppel. Fluisterend, zo venijnig als ze maar kon, zei ze: Je probeert ons te ruïneren!

Nee, schat, dat...

Heb je dan geen enkele schaamte? vroeg ze. Omdat ze toch ook een hypotheek hadden en bovendien twee jongetjes die boven lagen, die in tegenstelling tot Siobhan en Carter, op een dag naar de universiteit zouden gaan. Je moest jezelf eens zien! Zielenpoot die je bent.

Hij werd kwaad – *Jij kan mij niet vertellen wat ik moet doen! Je kunt me niet zomaar uit mijn eigen bedrijf zetten!* – rende naar buiten en nam in de gauwigheid nog een paar korte broeken en zijn surfplank uit de garage mee.

Siobhan belde Claire. Als dit in augustus was gebeurd, zou Siobhan haar in geuren en kleuren alle sappige details hebben verteld, zelfs de lichamelijke weerzin die ze gevoeld had toen ze Carter in zijn volle glorie zag zitten op het fluwelen voetenbankje dat ze van haar oma had geërfd. Maar er was natuurlijk het een en ander veranderd, zij en Claire opereerden nu op zuiver informatieve basis, en de informatie die Claire nodig had was dat Island Fare de catering van het gala ging verzorgen. Dat ze het graag wilden doen.

Claire riep: 'Joepie!' en slaakte nog wat joe-hoe-achtige cowboykreten. Gisteren had ik zo'n rotdag, zei ze. Maar toen ging Zack lopen, hij deed zijn eerste stapjes, en nu ga jij ook nog het gala cateren, zoals we in het begin al samen van plan waren! Het voelt zo goed, alles komt op z'n pootjes terecht! Hoera! Toen Claire dit had gezegd wilde ze zo snel mogelijk ophangen, ze popelde om Isabelle en Lock te bellen en hun het goede nieuws te vertellen!

Claire dacht er niet aan – zou er onder de huidige omstandigheden nooit aan gedacht hebben – te vragen: Waarom ben je plotseling van gedachten veranderd? Waarom wilde Siobhan het nu zo graag, terwijl ze het de dag ervoor nog zo pertinent geweigerd had? Was er soms iets gebeurd? Claire vroeg het niet, en echt, het was prima zo. Siobhan had niet veel zorgzaamheid nodig. Ze was een sterke meid, een taaie, vals als een ondervoede kip; een vechter. Ze zou deze klus in haar eentje klaren, ze was beter af zonder de leugenaars, bedriegers en de gokkers die haar ten val probeerden te brengen. Met haar kwam het wel goed.

11

Ze verbergt het

De dagen voorafgaand aan het gala liepen in elkaar over; Claire kon zich niet herinneren wat er in welke volgorde was gebeurd – in feite gebeurde er ook van alles tegelijkertijd – maar de kleinste kleinigheid was deze dagen enerverend en belangrijk.

Die maandag verkochten ze de laatste tafel voor tien personen. Ze hadden duizend gasten. Gavin beantwoordde het telefoontje en regelde de creditcardbetaling voor de laatste tafel, en hij was het die er een feestelijk tintje aan gaf: hij gaf Lock een high five, omarmde en kuste Isabelle, Claire en Siobhan, die allemaal op kantoor waren, om de laatste zaken rondom de catering af te handelen.

Die maandag verscheen ook het zomernummer van *NanMag* met het artikel over Nantucket's Children en het zomergala. Het artikel was lang en soms belerend van toon wat betreft de liefdadigheid, maar geen zorgen; maar weinig mensen zouden het werkelijk lezen. Het ging vooral om de foto's! Er was een foto van Lock, waarop hij, omringd door zes kinderen, voor het Elijah Baker House stond; een foto van de kroonluchter (nog zonder bedrading) die in Claires atelier genomen was, en een oud kiekje dat Claire had opgediept van zichzelf en Matthew in hun middelbareschooltijd – ze waren in de duinen op Wildwood Beach, Matthew met zijn gitaar, Claire stuurs naar de zee starend – en een foto van Claire en Lock naast elkaar zittend (maar elkaar niet aanrakend) op de rand van Locks bureau.

Ze waren op kantoor toen ze het artikel lazen – Isabelle had

NanMag, vers van de pers, weten te bemachtigen, en met z'n allen bekeken ze het; Lock hield het tijdschrift vast en Gavin, Isabelle, Claire en Siobhan keken over zijn schouder mee. Sommige passages las Lock hardop voor. ('De mensen die hier 's zomers verblijven denken misschien dat hun mooie eiland immuun is voor de harde realiteit waar andere samenlevingen mee te maken hebben – slechte huisvesting, sleutelkinderen, kleine criminaliteit van tieners, gangs, drugsgebruik – maar ze vergissen zich. In de wintermaanden bijvoorbeeld heeft Nantucket het hoogste heroïnegebruik per hoofd van de bevolking van de staat, en maar al te vaak zijn het de kinderen die hier uiteindelijk de dupe van zijn.') Claire bekeek de foto van haar en Lock aandachtig. Het was, voor zover ze wist, de enige foto van hen samen die er bestond. Zagen ze er uit als een stel? Nee, ze vond van niet. Ze pasten totaal niet bij elkaar, een Franse film nagesynchroniseerd in het Italiaans, een giraf met tijgerstrepen. De manier waarop de cateringkwestie was verlopen, zat Claire nog steeds dwars; de woorden 'laf en onvolwassen' van Isabelle bleven in haar hoofd rondzingen.

Toch had Claire niet de moed om sarcastisch of gemeen tegen Isabelle te zijn, Isabelle was trouwens al chagrijnig genoeg. Geen van de mensen die ze persoonlijk voor het gala had uitgenodigd, had zich verwaardigd te komen. Ze was er heel openhartig over, openhartiger dan Claire in die situatie zou zijn. Ze hebben cheques gestuurd, zei ze, maar ze komen niet. Even dacht Claire dat Isabelle Max West de schuld zou geven, maar uit het feit dat ze zich gedroeg of ze elk moment in huilen kon uitbarsten bleek dat ze het persoonlijk opnam. Ze kwamen niet vanwege haar, vanwege het voorval afgelopen herfst in het Waldorf.

Gelukkig werd Isabelle afgeleid door het artikel in het tijdschrift.

Siobhan zei tegen Claire: 'Wat zit je haar leuk.' Dit waren de enige aardige woorden die Siobhan gezegd had sinds ze op kantoor waren. Ze was bekaf van het cateren van de Pops, het concert was zaterdagavond laat afgelopen en ze was de hele zondag bezig geweest met opruimen en Carter had niet geholpen. Hij was ziek, zei Siobhan. Ze had toegezegd het gala te cateren, maar ze leek er bepaald niet blij mee te zijn. Dat liet ze iedereen op kantoor dan ook heel duidelijk merken, en iedereen, ook Claire, knipte en boog voor haar omdat zij hun enige hoop was.

'Dank je,' antwoordde Claire vriendelijk, hoewel ze het helemaal niet met haar eens was: ze vond dat ze met haar haar – dat ze met alle mogelijke moeite steil had proberen te krijgen – op Alfred E. Neuman van *Mad*-magazine leek.

'Jouw haar zit ook leuk,' zei Gavin tegen Lock. Iedereen lachte. Behalve Isabelle.

Het duurde een paar minuten voor Claire doorhad dat Isabelle kookte van woede. Uiteindelijk snoof ze verachtelijk en deed een stap naar achteren.

'Leuk artikel,' zei ze op vlakke toon. 'Het geeft een duidelijk beeld van al het werk dat je aan het gala gehad hebt, Claire.'

Iedereen viel stil. Claire was een en al verbazing – niet vanwege het feit dat Isabelle beledigd was dat er geen foto van haar was geplaatst en ze niet als medevoorzitter werd genoemd, maar dat het haar en Lock (en Gavin, die een paar weken eerder een proef van het artikel gelezen had) niet eens was ópgevallen. Claire dacht: Ooo, shit. Ze zei: 'We weten allemaal hoeveel werk je verzet hebt, Isabelle. Ongelooflijk dat er niet meer over jou in het artikel staat...'

'Er staat níéts over mij in!' bitste Isabelle.

Claire liep snel de tekst van het artikel door. 'Je staat vast wel vermeld als...'

'Nee!' zei Isabelle. 'Ze hebben me compleet genegeerd.'

'Het is een faux pas van *NanMag*,' zei Gavin. 'We moeten ze nu onmiddellijk bellen en een klacht indienen. Misschien zullen ze in het volgende nummer een rectificatie plaatsen.'

'Een rectificatie?' zei Isabelle. 'Wat heeft dat voor zin?' Ze pakte haar Peter Beaton-tas en stormde het kantoor uit.

Lock sloeg het tijdschrift dicht. Gavin, Siobhan en Claire pakten hun spullen, niemand zei iets. Wat viel er te zeggen? Isabelle had gelijk. Zij – die een celliste uit het New York Symphonyorkest had ingehuurd op de avond dat ze de uitnodigingen in de enveloppen hadden gedaan, die de schoenenontwerper Manolo Blahnik zover had gekregen het evenement voor vijftigduizend dollar te sponsoren, die op de dag van de cateringcrisis zo ijverig honderd telefoontjes had gepleegd – was compleet over het hoofd gezien.

Zou ze ermee kappen? vroeg Claire zich af. Nu, op het laatste moment? Zou ze niet komen opdagen?

'Gun haar even de tijd om af te koelen. Ik bel haar straks wel,' zei Lock.

Lock had Isabelle aan de lijn – midden in een lang, emotioneel (wat Isabelle betreft) gesprek – toen Ben Franklin het kantoor binnenkwam. Het was bijna zes uur; Gavin was naar huis. Ben bleef voor Locks bureau staan met in zijn hand een stapel papieren terwijl Lock Isabelle probeerde te kalmeren. ('Niemand doet je tekort. De hele commissie weet hoe hard je gewerkt hebt, wat je niet allemaal gedaan hebt voor het feest...')

Lock legde zijn hand op de hoorn. 'Ik kan je nu niet helpen, Ben. Ik probeer iemand te overtuigen niet het bijltje erbij neer te gooien.'

Bens gezicht was uitdrukkingsloos. Door dit gebrek aan emotie en de manier waarop hij de papieren in zijn handen hield zag hij er uit als een butler.

'Het is belangrijk,' bromde hij. 'Eliza had het bij het rechte eind.'

'Ik bel je morgenochtend meteen,' zei Lock.

Ben knikte, draaide zich om en verliet het kantoor.

Die dinsdag stond de telefoon op kantoor roodgloeiend. Iedereen wilde kaarten voor het gala kopen!

'We zijn uitverkocht,' zei Gavin. 'Het spijt me. Ik zal uw naam op de wachtlijst moeten zetten.'

Tegen de middag telde de wachtlijst zesenveertig mensen. Wat *was* dit? Had iedereen het artikel in *NanMag* gelezen? Of waren mensen zo traag dat ze pas op dinsdag bedachten wat ze op zaterdag wilden gaan doen? Hoe dan ook, ze hadden pech, dacht Gavin zelfvoldaan. Ondanks het feit dat het helemaal niet zijn soort muziek was, ging hij naar het gala. Als gast van Isabelle. Toen hij haar maandagmiddag had gebeld om te vragen hoe het met haar ging, had ze het hem gevraagd.

Wil je met mij naar het gala? had Isabelle gezegd.

Eerst dacht hij dat ze een grapje maakte. Hij was in de lach geschoten.

Ik meen het, zei ze.

Weet je zeker dat er niemand anders is die...

Nee! zei Isabelle. Echt niet! Ik wil graag met jou gaan.

Isabelle French, de mooie, rijke medevoorzitter van het evenement, zou vergezeld worden door Gavin Andrews, de knappe (in 1991 verkozen tot 'de mooiste jongen' van Evanston), alleenstaande bureauchef en boekhouder. Hij stond in vuur en vlam! Hij wou dat hij eerder had geweten dat dit zou gebeuren, dan had hij nooit...

Om één uur kwam Lock terug van zijn lunch en zei: 'Verdomme! Ik ben vergeten Ben Franklin te bellen!'

Gavin hoestte. Zijn keel kneep zich dicht. Ben Franklin?

'Ben Franklin?' vroeg hij.

'Ja,' zei Lock. 'Hij heeft de boekhouding bekeken. Fijn dat hij er zich net nú, voor het eerst ooit, voor interesseert. Net nu ik het waanzinnig druk heb met andere dingen.'

Waanzinnig druk met andere dingen. Ja: Gavin had het zo druk gehad met het beantwoorden van de telefoon, het verzorgen van allerlei andere galazaken en het fantaseren over seks met Isabelle French dat het hem niet was opgevallen dat de ordners met de financiële gegevens ontbraken. Gavins ademhaling was oppervlakkig, hij moest naar de wc. Jezus, hij moest maken dat hij wegkwam voor hij gearresteerd werd. Hij moest naar huis, de rugzak met geld ophalen en vertrekken. Eerst naar Hyannis om te beslissen waar hij heen ging. Hij had zich beter moeten voorbereiden! Maar hij dacht dat hij nog lang niet betrapt zou worden. Had Ben Franklin de boekhouding meegenomen? Ondenkbaar. Ben Franklin was een stuk onbenul. Zou hij, áls hij al in de bankafschriften keek, doorhebben wat er gaande was? Zou hij zien dat er bij elke storting van een cheque cash geld was opgenomen? Zou hij het kunnen ontdekken?

Gavin moest weg. Hoe onopvallender hij vertrok, hoe beter. Hij zou moeten zeggen dat hij naar de Even Keel ging voor een ijskoffie en nooit meer terugkomen.

Maar het punt was... dat Gavin helemaal niet weg wílde. Hij wilde niet weg van het kantoor waar hij een taak had en waar hij iets had om mee bezig te zijn, het kantoor dat de laatste paar weken het centrum van het universum leek te zijn. Het werk gaf hem voldoening, hij ging tevreden naar huis. Het zou vreselijk zijn het kantoor nu te moeten verlaten, terwijl de mooiste, opwindendste momenten nog moesten komen, met het concert in het verschiet waarop hij Isabelle French zou vergezellen. Nog erger zou het zijn als hij Nantucket voor altijd zou moeten verlaten. En zijn ouders! De avond ervoor hadden ze nog met z'n drieën in de Pearl gegeten, en zijn ouders hadden, ieder afzonderlijk, gezegd dat hij zo goed bezig leek te zijn. Gavin had eindelijk iets van de goedkeuring gekregen waar hij zo naar verlangd had. Bovendien was voor het eerst het besef tot hem doorgedrongen dat zijn ouders ouder werden – zijn vader had een gehoorapparaat – en dat er niemand in de wereld was om voor hen te zorgen, behalve hij.

Wat heb ik gedaan? dacht Gavin. Stom, idioot, imbeciel, onvolwassen, gevaarlijk, oneerlijk, kleingeestig, kortzichtig en zielig: dat waren slechts een paar woorden om het laffe spel te beschrijven dat hij sinds afgelopen oktober speelde. Wat was geld? Geld was niets. Gavin wilde respect, en net nu hij dat op een legitieme manier begon te krijgen, werd hij door zijn eigen misdaden ingehaald.

Hoe kan ik het ongedaan maken? vroeg hij zich af. Er moest een manier zijn.

'Ik zal Ben meteen bellen,' zei Lock. 'Even geen andere telefoontjes.'

Gavin knikte kort. Hij had geen tijd om het ongedaan te maken. Hij moest maken dat hij wegkwam. Maar toen hoorde hij voetstappen op de trap, en kwam Heather de hoek om sluipen, een ontevreden tiener ten voeten uit.

'Pap,' zei ze.

Lock, die net het nummer van Ben draaide, hing op. 'O jee, helemaal vergeten!' Hij sprong op. 'Noem je dat witte kleding?'

Heather haalde haar schouders op. Ze droeg een roze Lacosteshirt, een kort spijkerbroekje dat zo verschoten was dat het bijna wit was en een groene riem. En Tretorn-tennisschoenen die andersom geveterd waren zodat de knoop bij haar tenen zat.

'We hebben een vader-dochtertenniswedstrijd,' zei Lock tegen Gavin. 'Het komt vreselijk ongelukkig uit, maar we moeten spelen, toch?'

'Jij zegt het,' zei Heather.

'We moeten! Tegen Greta en Dennis Peale, hè? We maken ze af!' Hij draaide zich om naar Gavin. 'Bewaak jij het fort?'

'Oké,' antwoordde Gavin.

Claire was op weg naar de sportvelden om de bouw van de tent te 'controleren'. Er zou geen beslissing van haar gevraagd worden, maar de man van de gemeente die de sportvelden beheerde, wilde dat er een afgevaardigde van Nantucket's Children langskwam voor het geval er vragen waren. Claire had Isabelle gebeld om te vragen of zij het wilde doen of dat ze misschien met Claire zou willen meegaan, maar Isabelle nam niet op. Ze had nog steeds de pest in over het artikel in het tijdschrift. Dus Claire besloot zelf te gaan en alleen in de brandende zon te zitten terwijl het personeel van Tennessee de tent van twaalfduizend vierkante meter aan het opbouwen was.

Ze ging aan een picknicktafel zitten, dronk Ice Tea light en speelde patience. Ze probeerde te ontdekken of de kaarten haar iets duidelijk konden maken: bij Lock blijven of bij hem weggaan? Blijven bidden om kracht of gewoonweg kracht tonen, haar leven terugwinnen en aan haar huwelijk werken? Ze hield van Lock en ze haatte hem. Het leek of er ontelbaar veel dingen het ergst waren aan overspel.

Om twaalf uur, toen de ploeg werklui ging lunchen, vertrok ze.

Op weg naar huis stopte ze bij de bedrijfskeuken van Siobhan om te kijken of ze misschien ergens mee kon helpen. Ze kon geen tent opbouwen, maar met wat aanwijzingen kon ze best een mangochutney maken.

Zonder te kloppen liep Claire de keuken in. Waarom zou ze kloppen? Ze verwachtte een keuken vol mensen: Siobhan, Carter, Alec, Floyd, Raimundo, Vaclav. Het was half augustus en Island Fare stond voor een herculische taak. Maar door niet te kloppen verstoorde Claire iets. Ze kwam de keuken binnenvallen – omdat alle ventilatoren aanstonden werd het geluid van haar binnenkomst waarschijnlijk overstemd – en trof daar tot haar verbazing Siobhan en Edward aan. Edward Melior? Dit was gewoon niet mogelijk. Maar echt; hij en Siobhan stonden heel dicht bij elkaar voor het lange roestvrijstalen aanrecht. Siobhan zag Claire het eerst, ze schrok en duwde Edward van zich af, zo leek het althans, en Edward draaide zich vliegensvlug om en zag Claire: op zijn gezicht stond schuld, maar ook opluchting te lezen. Het was Claire, niet Carter.

'Hoi,' groette Claire vrolijk, alsof het feit dat ze Edward Melior in Siobhans keuken aantrof haar niet choqueerde. Op het aanrecht lagen de ingrediënten voor de knapperige wontons. Claire wees naar de stapel deegvellen en zei: 'Mmm, mijn lievelingshapje.'

'Wat doe je hier?' zei Siobhan.

En Edward zei: 'Hoi Claire. Hoe is het met de tent?'

Claire pakte een waterkastanje uit een groot blik en at hem op. 'Die zijn ze aan het opzetten!' zei ze. Wat was hier precies aan de hand? Siobhan kon het niet verdragen Edwards naam te horen als die in een gesprek viel, en nu waren ze hier met z'n tweetjes. Claire had zich al op die avond bij Isabelle thuis afgevraagd of er iets tussen hen speelde, ze waren van tafel gegaan en heel lang weggebleven. Maar toen Claire gevraagd had: Hoe was het met Edward gisteravond? had Siobhan haar schouders opgehaald en gezegd: Moeizaam. Zoals gewoonlijk. Edwards aanwezigheid in de keuken bracht Claire van haar stuk. Waar was Carter? Ontging haar iets?

'Wat doe jij hier, Edward?' vroeg ze.

'O,' zei hij. Hij glimlachte; voor elke gelegenheid had hij een bijpassende glimlach, dit was zijn 'onschuldige'. 'Ik ben Siobhan aan het helpen met het vullen van de wontons.'

'Echt?' zei Claire. Was dit de Edward die je pindakaas op een dakpan kon voorzetten, de man die geen verschil proefde tussen een witte bourgogne en petroleum?

'Ze is bang dat het in het honderd loopt,' zei Edward. 'Maar wie zou dat niet zijn? Ze helpt ons mooi uit de brand door de catering op het laatste moment op zich te nemen.'

'Inderdaad,' zei Claire. Ze keek naar Siobhan om te zien wat die ervan vond dat er over haar in de derde persoon werd gesproken. Siobhans mond was samengetrokken en haar sproetige neus trilde als die van een konijn. 'Ik kom ook om te helpen. Wat kan ik doen?'

'Ik red me wel,' zei Siobhan. 'Ik kan het wel alleen afmaken.'

'Oké,' zei Edward. 'Ik heb om één uur sowieso een bezichtiging.'

'Weet je zeker dat je geen hulp wilt?' vroeg Claire.

'Ja.'

Edward rinkelde met het kleingeld in zijn zak. 'Ik blijf nog even om Siobhan met de wontons te helpen.'

'Ik dacht dat je om één uur een bezichtiging had?' zei Claire.

'Klopt.'

'Je moet gaan,' zei Siobhan.

'Zal ik niet nog even blijven?'

Er viel een ongemakkelijke stilte.

'Wegwezen!' zei Siobhan. 'Jullie alle twee!'

Die woensdag ging Gavin naar zijn werk, tegen beter weten in. Het was een gok, een gok die bijna net zo spannend was als het stelen zelf. Had Lock Ben Franklin al gesproken? Zou het kantoor bestormd worden door de federale politie? Zou hij in de boeien worden geslagen en weggeleid? Dit waren reële mogelijkheden, wist hij, maar zijn intuïtie zei hem dat hij op z'n minst nog één dag veilig zou zijn, en hij hoopte dat dat genoeg was om zijn zaakjes te regelen. Hij was de hele nacht wakker gebleven om alles goed te overdenken en hij was tot een schokkende conclusie gekomen: hij wilde niet weg uit Nantucket. Hij wilde niet vluchten naar Zuidoost-Azië of waarheen dan ook. Hij moest dus een manier vinden om het geld terug te geven. Het stelen ongedaan te maken. Dit was moeilijker dan het leek. Hij had het geld in de loop van honderden transacties achterovergedrukt. Hij kon het hele bedrag niet in een keer naar de bank brengen. De rugzak waar 52.000 dollar in zat lag achter in zijn Mini Cooper, die stevig afgesloten in Union Street geparkeerd stond. Hij moest van Ben Franklin af zien te komen. Als het gala eenmaal achter de rug was en alle zomergasten vertrokken waren, zou hij een manier vinden om de administratie weer kloppend te maken. Maar dat kon hij nu niet doen, niet nu hij de hete adem van iedereen in zijn nek voelde.

Lock kwam om vijf voor negen binnenwandelen. Hij keek Gavin aan en grinnikte. 'We hebben gewonnen met tennis,' zei hij.

En Gavin, die in de kleine uurtjes besloten had dat het het allerbelangrijkste was de aandacht niet op zijn situatie te vestigen, wierp dat besluit onmiddellijk overboord. 'Heb je al contact met Ben Franklin gehad?' vroeg hij.

'Nee,' zei Lock. 'Ik heb eerlijk gezegd momenteel geen tijd om me met hem bezig te houden.'

'Dat snap ik,' zei Gavin. 'Hij heeft ze ook allemaal niet meer zo goed op een rijtje. Dat weet je toch, hè?'

'Ik weet het, ja,' zei Lock. 'Ik zal Adams vragen om in de herfst een nieuwe penningmeester te zoeken. Maar het punt is dat niemand het wil doen.'

'Niemand,' echode Gavin. De telefoon ging.

'Tijd om aan het werk te gaan,' zei Lock.

Die woensdag belde Ted Trimble om te zeggen dat hij klaar was met het bedraden van de kroonluchter.

'Wil je hem komen halen?' vroeg hij Claire.

'Ja,' antwoordde ze.

Vanuit de auto belde Claire Lock op kantoor. Sinds het cateringdebacle was hun contact vormelijk en zakelijk, maar als iemand met haar mee moest om de kroonluchter op te halen was het Lock wel. Dus vroeg ze of hij met haar mee wilde gaan naar de winkel van Ted Trimble om de kroonluchter op te halen. Wilde hij haar helpen hem naar het sportterrein te brengen? (Ze zouden hem in het winkeltje opslaan, want dat kon op slot.)

Als ik hem zelf vervoer, zei Claire, is de kans groot dat ik hem breek. Ik ben zo zenuwachtig over zaterdag, ik tril helemaal.

Er is geen reden om zenuwachtig te zijn, zei Lock.

En hij zei ja. Hij zou haar komen helpen.

Toen Claire binnenkwam was er niemand te bekennen in de winkel van Ted Trimble. Er hing een briefje aan de deur waarop stond: *Claire, hij ligt boven!* In de bloedhitte klom Claire de trap op die uitkwam op een donkere kamer vol met lampen, draden, verlengsnoeren, lichtpeertjes, gasbranders en onderdelen van radiatoren. In het midden van de kamer stonden twee bureaus, met de achterkanten tegen elkaar; een voor Bridget, Teds secretaresse, en een voor Amie, zijn vrouw, die de boekhouding deed, maar noch Bridget, nog Amie was aanwezig. De ventilatoren stonden aan en de radio speelde, het was er om te stikken zo warm. Claire had geen tijd gehad om te lunchen, ze was duizelig van het beklimmen van de trap.

Ze hoorde Lock onder aan de trap roepen. 'Hallo?'

'Ik ben boven,' zei ze. Ze zag de kroonluchter niet staan. Ze hoorde Lock de trap op komen en zei: 'Ik kan hem niet vinden.'

'Hier is hij,' zei hij.

Ze draaide zich om toen hij de kroonluchter uit een witte doos omhoog trok. Hij hield de kroonluchter aan de bovenkant vast, waar Ted de zilveren ketting gemaakt had, met aan het uiteinde een omgekeerde zilveren bol voor de draden. De kroonluchter bungelde aan Locks hand; hij draaide, zelfs in de onbeweeglijke hitte van de kamer.

'God,' zei Claire.

'Hij is schitterend,' zei Lock. Hij gleed met zijn vinger over de boog van een van de armen van de kroonluchter. 'Hij is absoluut schitterend.'

Claire wist hoe de kroonluchter eruitzag, hij stond in haar geheugen gegrift. Ze had er meer tijd aan besteed dan aan welk ander kunstwerk in haar carrière dan ook. Maar toch, toen Lock hem vasthield en ze hem van een afstand bekeek, was het alsof ze hem voor het eerst zag. Het diepe, betoverende roze, de neervallende, gedraaide armen – hij was prachtig. Hij was gracieus, hij was geniaal.

Claire voelde de tranen in haar ogen branden. Ze dacht aan al die uren die met het vervaardigen van die verdomde kroonluchter gemoeid waren geweest; de inspanning, de energie, de uren die ze aan andere dingen had kunnen besteden, had moeten besteden – aan haar kinderen, haar huwelijk, haar leven. De kroonluchter was het tegenovergestelde van hoe ze gefaald had, hij vertegenwoordigde haar succes. En over twee dagen zou ze hem verkopen aan de hoogste bieder.

'Ik weet niet of ik hem kan loslaten,' zei ze. 'Ik weet niet of ik er afstand van kan doen.'

'Hij komt in veilige handen,' zei Lock zacht. 'Hij komt in mijn handen. Ik heb er al mijn geld voor over om hem te krijgen.'

Dit klonk als een van de aardigste dingen die iemand ooit tegen Claire had gezegd, de woorden waren bedoeld om te troosten en te prijzen. Claire dacht terug aan de eerste veilingvergadering, toen Lock zijn campagne was begonnen om haar weer aan het glasblazen te krijgen. Het was toen een idee geweest, nu was het de schitterende werkelijkheid, bungelend aan Locks hand. Zoals hun aantrekkingskracht voor elkaar die eerste avond alleen nog maar uit wat zaadjes van gedachten en nieuwsgierigheid had bestaan. En wat was eruit voortgesproten? Iets wat net zo ingewikkeld en fragiel was als de kroonluchter.

Wat onuitgesproken bleef was het feit dat de kroonluchter zou hangen in het huis dat Lock met Daphne deelde, hij zou hun maaltijden samen opluisteren. Hij zou nooit komen te hangen in het huis dat Lock met Claire had. Lock zou nooit met Claire een huis bezitten, ze zouden nooit samen zijn. Dit besef was plotseling even helder en ondraaglijk als de hitte in de kamer. Ondanks dat Lock de kroonluchter hoogstwaarschijnlijk zou kopen, zou Claire hem nooit meer zien...

'Ik moet hier weg,' zei ze. 'Ik word duizelig van de warmte.'

'Oké,' zei Lock, 'ik zal je helpen hem naar het sportterrein te vervoeren.'

Ze deden de kroonluchter terug in de doos en bedekten hem met bubbeltjesplastic. Ze sloten de doos en plakten hem dicht met isolatietape. Hij was veilig. Lock droeg de doos de trap af en Claire liep wankelend achter hem aan. Hij zette de doos in de achterbak van Claires Honda Pilot.

'Wil jij rijden?' vroeg Claire.

Natuurlijk. Hij pakte de autosleutels van haar aan, ging achter het stuur zitten en verstelde de stoel. Ze zaten samen in haar auto in verband met legitieme zaken, alle overige keren dat ze samen in haar auto hadden gezeten was het om niet-legitieme zaken gegaan, zaken die hun liefdesverhouding betroffen. Die gedachte maakte het te ongemakkelijk om te praten, ook al waren er dingen die Claire Lock wilde vertellen: over Isabelles hardnekkige stilzwijgen, over haar eigen boosheid over wat er gebeurd was met de catering. Claire kon niet praten, ze wilde dat hij praatte. Ze was verliefd op hem geworden – de zilveren gesp van zijn riem, het kale plekje op zijn hoofd, zijn onuitputtelijke bron van goedheid en generositeit en het nieuwe idee over zichzelf dat hij haar gegeven had. De viognier, de Bose-radio, de tuin van Greater Light, hem kussen op de koude cementen trappen – ze had zich weer een tiener gevoeld, een persoon, een vrouw die begeerlijk was, voor hem en voor zichzelf. Het was niet banaal of achteloos. Het was echt. Ze wilde een leven waarin ze zijn stropdas kon rechttrekken, waarin ze samen een broodje konden delen, waarin ze samen in de rij van het postkantoor konden staan, hij met zijn kin rustend op haar hoofd. Het ergste van overspel was – in hun geval tenminste – dat dat leven nooit zou komen, en dat was heel, heel droevig.

Ze staarde hem aan. Zijn wang, zijn oor, de rimpeltjes bij zijn ooghoeken – ze kende elke centimeter van hem. Maar hij zei niets. Niets!

De stilte was benauwend. Als Claire haar mond opendeed, wist ze wat ze zou gaan zeggen. Dit is zinloos. We hebben geen toekomst. We zullen nooit samen zijn, nooit echt. Doorgaan is emotionele zelfmoord. Waar zijn we mee bezig? Hoe kan dit het waard zijn?

We moeten stoppen.

We hadden nooit moeten beginnen.

Lock bracht de auto op het parkeerterrein bij de sportvelden tot stilstand. De tent stond nu, een witte olifant, een ruimteschip.

Lock schraapte zijn keel. 'Het was fijn je te zien.'

De volgende morgen om halfnegen, Pan was nog nergens te bekennen, liet Claire de kinderen buiten in hun pyjama rondrennen omdat ze druk bezig was met het opruimen van de ontbijtboel en zich afvroeg hoe ze het probleem Isabelle te lijf moest gaan – zou zíj haar excuses aanbieden voor het *NanMag*-artikel ook al had ze het helemaal niet geschreven? Zachtjes klopte Claire op Pans deur. Dit was heel ongewoon. Ze kon zich niet herinneren dat Pan ooit vijf minuten te laat was geweest, dat was nog nooit voorgekomen.

Er klonk gekreun uit de kamer, wat Claire interpreteerde als een teken dat ze mocht binnenkomen. Pan lag in bed, haar haar zat in haar gezicht. De lucht was bedompt in de kamer, Pan had het raam nooit open omdat ze zelfs de zomernachten te koud vond.

'Gaat het wel met je?' vroeg Claire. Automatisch begon ze in gedachten een weesgegroetje te bidden. Niet twee dagen voor het gala, niet vandaag, niet nu Claire een kilometerslange lijst van dingen te doen had, niet morgen, als Matthew kwam, en zeker niet zaterdag, als Claire van 's morgens vroeg tot 's avonds laat bezet zou zijn.

Pan kreunde. Claire liep naar het bed. Er stond een bijna leeggegeten kommetje rijst op de toilettafel.

'Pan, ben je ziek?'

Pan streek haar haar uit haar gezicht. 'Ik heb het zo warm,' zei ze.

Claire hapte naar lucht. Pan zat onder de rode bultjes.

Toen ze van de dokter naar huis reden, Pan slap tegen het portier van de auto leunend (Tylenol, had de dokter gezegd, baden met zuiveringszout en bedrust) belde Claire Isabelle. Er werd niet opgenomen, dus sprak Claire een boodschap in.

'Hoi Isabelle, met Claire. Luister, wil je me alsjeblieft terugbellen als je deze boodschap hoort? Vreemd genoeg heb ik de hele week niets meer van je gehoord. Ik wil even checken of we alles op orde hebben voor het feest.' Stilte. Zou ze het beestje bij de naam noemen? 'Ik snap dat je kwaad was over het artikel in het tijdschrift, maar echt, ik was ook geschokt, meer dan wie ook. Het is vreselijk. Een kolossale fout. Ik zal het tegen Tessa zeggen. Oké, bel me alsjeblieft.'

Claire hing op en belde Isabelles mobiele telefoon.

Weer werd er niet opgenomen. Weer liet Claire een bericht achter.

'Hoi Isabelle, met Claire.' Ze zweeg en dacht: Ik vind je gedrag laf en onvolwassen. 'Bel me zo snel mogelijk!'

Toen Lock die donderdag het kantoor binnen liep, bleef hij eerst bij Gavins bureau staan. Langzaam keek Gavin op van zijn werk.

'Klopt het dat jij met Isabelle naar het gala gaat?' vroeg Lock.

'Ja.'

'Daphne vertelde het me, maar ik geloofde het eigenlijk niet. Heeft Isabelle je uitgenodigd?'

'Ik heb mezelf niet uitgenodigd.'

'Natuurlijk niet. Nou, fijn, ik ben blij dat je met Isabelle gaat. Je hebt hard gewerkt en je verdient het.'

'Ik kan me voorstellen dat het voor jou vreemd is...'

'Helemaal niet,' zei Lock. 'Weet je al wat je zaterdag aantrekt?'

'Donkerblauwe blazer, wit overhemd, geruite broek, mocassins.'

'Stropdas?' vroeg Lock.

'Nee,' zei Gavin. 'Maar jij moet er als directeur wel een om.'

Lock knikte en liep naar zijn bureau. Gavin ademde uit. Het allerbelangrijkste, had hij de vorige avond besloten, was het geld uit zijn auto op de bank te krijgen, op de rekening van Nantucket's Children. Als het daar stond kon niemand hem ervan beschuldigen dat hij het had gestolen. Maar hij kon toch moeilijk in één keer 52.000 dollar storten!

Claire had gezegd dat ze om twee uur zou komen helpen, maar ze kwam pas tegen vieren opdagen, toen Siobhan geen pap meer kon zeggen.

'Sorry dat ik zo laat ben, maar je wilt niet weten wat er nu weer gebeurd is!' zei Claire.

Dacht dat mens nu werkelijk dat zij de enige met problemen was? Dacht ze dat zij de enige was die het krankzinnig druk had? Eén ding was zeker: sinds ze besloten had om galavoorzitter te zijn had Claire het alleenrecht op drama. Siobhan zei niets, en Claire bleef staan wachten tot Siobhan toehapte. Maar Siobhan zou niet toehappen! Siobhan was de manier waarop het er in hun vriendschap aan toeging zat: Claire met haar problemen, Claire, die voortdurend alle aandacht opeiste. Ze zou niets vragen! Ze was bezig zeshonderd kreeften te pocheren, een warm en ondankbaar rotklusje: je moest eerst de scharen van die arme beesten afbreken voor je ze in het water gooide, anders smaakte de hele boel naar elastiekjes. Siobhan kon Claire mooi opdracht geven de scharen af te breken. De gedachte alleen deed Siobhan glimlachen, wat Claire als een teken opvatte om verder te gaan met haar verhaal.

'Isabelle praat niet meer tegen me vanwege dat stomme artikel in *NanMag*.'

Siobhan besefte niet hoe kwaad ze eigenlijk op Claire was tot ze in een flits besloot partij voor Isabelle French te trekken. 'Logisch, ze is helemaal niet genoemd. Niet één keer.'

'Weet ik,' zei Claire. 'Maar dat is niet mijn schuld. Waarom kijkt ze mij erop aan?'

Siobhan gaf geen antwoord. Ze hield een kreeft in de lucht, er stond een bak vol op de grond, waarin de kreeften op en over elkaar krioelden. Die beesten zagen er echt heel onsmakelijk uit.

'Hier,' zei ze. 'Breek de scharen af, verwijder de elastiekjes en gooi hem in de pan.'

Claire trok een vies gezicht. 'Dat kan ik niet.'

'Je komt me toch helpen,' zei Siobhan. 'Dit moet ook gebeuren.'

'Zal ik anders gazpacho maken?'

'Die had ik een uur geleden al klaar,' antwoordde Siobhan. 'Als je om twee uur was gekomen, zoals je had gezegd–'

'Ik weet het,' zei Claire. 'Sorry. Maar weet je wat er tot overmaat van ramp ook nog is gebeurd?' Ze zweeg. Waar wachtte ze op? Tromgeroffel? 'Pan heeft de waterpokken!'

Siobhan schoot in de lach, hoewel dat, besefte ze, gemeen was en misschien te ver ging. 'De waterpokken?'

'Ze is hartstikke ziek,' zei Claire. 'Het is nog besmettelijk ook, gelukkig zijn mijn kinderen allemaal ingeënt. Maar ze kan niet werken. Waar haal ik zo gauw een oppas vandaan?'

'Wie past er nu op?'

'Jason. Hij moest eigenlijk werken, maar hij bood het aan. Hoe moet ik het regelen met het gala? Het is een nachtmerrie.'

Nachtmerrie? Wilde ze een nachtmerrie horen? Siobhan kon haar de definitie van een nachtmerrie geven: Carter had de afgelopen drie dagen als een zwerver door het huis gedoold, hij deed niets anders dan bier drinken en het junkfood opeten dat Siobhan voor de kinderen in huis had gehaald (yoghurtijsjes, chips met barbecuesmaak, milkshakes). Vervolgens betrapte ze hem toen hij aan het telefoneren was. Hij beweerde dat het Jason was, maar de nummerweergave liet een onbekend netnummer zien, en dat was de druppel: Siobhan gooide hem eruit. Ze genoot ervan de woorden *gooide hem eruit* te herhalen, hoewel ze in werkelijkheid gezegd had: *Scheer je weg, Carter Crispin. Ga weg, ga op reis, ga een paar dagen weg van het eiland, blijf uit mijn buurt tot dat galagedoe voorbij is. Daarna kunnen we opnieuw beginnen, dan kan ik erover nadenken, kunnen we praten, een oplossing vinden en hulp voor je zoeken. Oké?*

Oké, had Carter gezegd.

Siobhan gaf hem driehonderd dollar uit haar geheime geldla mee. Aan de ene kant begreep ze niet dat hij niet had aangeboden te blijven en haar met het gala te helpen. Hoe moest ze het in godsnaam in haar eentje redden? Maar aan de andere kant was ze blij dat hij haar respecteerde. Ze had hem ontslagen, zij was de baas. Hij zou doen wat ze gezegd had.

Hij pakte een bescheiden tasje. Siobhan keek naar hem, tartend, maar ook bedroefd. Ze hield van hem, ja, maar nu was hij een blok aan haar been.

Waar ga je heen? vroeg ze.

Hij haalde zijn schouders op. Hij keek haar niet aan. Misschien naar de stad.

New York, dacht ze toen. Pas toen hij weg was begreep ze dat hij Atlantic City bedoelde.

Nu Carter weg was, was Siobhan gedwongen de jongens alleen thuis te laten. Ze waren negen en zeven jaar en zouden het wekenlang uithouden zolang ze maar patates frites, een functionerende wc en een afstandsbediening hadden. Toch voelde Siobhan zich schuldig, schuldig, schuldig. Het was een mooie zomerdag en haar twee gezonde jongens zaten in hun verduisterde slaapkamer tandbederf- en hartkwaalbevorderend junkfood te eten en keken naar de herhaling van de afstompende serie *The Suite Life of Zack and Cody*. Ze had hen mee naar de keuken kunnen nemen, maar tijdens haar laatste pogingen hen zover te krijgen dat ze hielpen, dat ze waardering voor haar werk opbrachten en misschien zelfs belangstelling kregen om zelf te leren koken, hadden ze voortdurend geklaagd, van haar mise-en-place gesnoept en afschuwelijke grapjes uitgehaald zoals sandwiches beleggen met stukjes snot. Haar opdracht liep gevaar als ze Liam en Aidan nu in haar keuken toeliet, maar vanaf het moment dat ze hen had achtergelaten maakte ze zich voortdurend zorgen – dat ze in een kaasstengel zouden stikken, zich zouden elektrocuteren, gingen vechten en gewond raakten, dat ze zouden opmerken dat het een mooie dag was en op de fiets naar het strand gingen waar ze in de zee zouden verdrinken of op weg erheen door een auto werden aangereden. Het was onverantwoord om een zeven- en een negenjarige alleen thuis te laten, maar Siobhan had geen au pair, al dan niet met de waterpokken. Ze was haar eigen au pair. Ze was de komende paar dagen een alleenstaande ouder en bovendien de enige eigenaar en de bedrijfsleider van het cateringbedrijf dat voor duizend mensen een diner moest zien te verzorgen. Zeshonderd kreeften pocheren – was ze wel goed snik? Genevieve van À La Table zou ingevroren kreeftenvlees gekocht hebben (vers was peperduur). Maar ingevroren kreeft was waterig en flauw van smaak, en Siobhan wilde, ondanks haar verminderde omstandigheden, geen compromissen doen.

Niet zonder genoegen rukte Claire de poten van de kreeft. 'Weet je, dit werkt louterend. Ik moet mijn agressie kwijt.' Ze trok de poten van een volgende eraf.

Een jaar geleden zou Claire niet in staat zijn geweest de poten van een levend beest af te rukken, en nu deed ze het gewoon, genoot ze er zelfs van! Wat wilde dat zeggen? Siobhan schudde haar hoofd.

'Ik wist niet wat ik zag toen ik Edward hier laatst aantrof,' zei Claire. 'Is er iets gaande tussen jullie wat ik zou moeten weten?'

'Iets gaande?' vroeg Siobhan.

'Ja. Zijn jullie twee... weer vrienden?'

Siobhan stak een dertig centimeter lange tang in de ketel met kokend water, nam de dampende rode kreeften eruit en liet ze in de gootsteen vol water vallen om af te koelen. Ze zou hier letterlijk de hele nacht moeten blijven om ze van hun schaal te ontdoen, en bij die gedachte kon ze wel janken.

Met alle boosheid die ze in zich had, wendde ze zich tot Claire. 'Ik ben niet zoals jij.'

'Wat bedoel je?'

'Ik ben geen bedriegster zoals jij. Ik ben geen Madame Bovary die verliefd is op een ander!'

'Ik vroeg alleen maar of jullie vrienden waren!' zei Claire. 'Ik heb helemaal niet gezegd dat–'

'Je insinueerde iets.'

'Helemaal niet! Ik vond het gewoon vreemd. Geef nou maar toe: het wás toch ook vreemd dat jij hier alleen met Edward was...'

'Overspel is een zonde, Claire. Het is slecht. Wil je weten wat ik ervan vind? Dit: je begaat een vreselijke zonde. Je zondigt tegen Jason en tegen je kinderen en tegen jezelf. Je verloochent jezelf. Je bent een goed mens, iemand die onthoudt wanneer de postbode jarig is, die andermans rotzooi van het strand opruimt. Maar nu ben je anders. Moet je zien hoe je de ledematen van die kreeften af rukt!'

'Je hebt het me zelf gevraagd! Je zei dat het gedaan moest worden...'

'Het is alsof je je plotseling niet meer om je ziel bekommert,' zei Siobhan.

'Mijn ziel?'

'Je gaat natuurlijk zeggen dat je van Lock Dixon houdt. Je gaat zeggen dat Jason in emotioneel opzicht tekortschiet, dat de intiemste momenten die jullie hebben zijn als hij je voorleest uit *Penthouse Forum*. Het maakt niet uit. Je hebt plechtig beloofd, lieverd, dat je van hem zou houden. *Je hebt eeuwige trouw beloofd!* Weet je nog? Ik was erbij! Elke keer dat je Lock kust, elke keer dat je hem belt, breek je die gelofte.' Siobhan was behoorlijk op dreef; ze kraakte de kreeften en dompelde ze onder terwijl ze sprak, en de hete stoom maakte haar nog kwader. De waarheid borrelde uit haar op. Claire was haar morele kompas verloren, of was de richting kwijt. 'Je stopt met die affaire met Lock, of ik vertel het aan Jason.'

Claire staarde haar aan. 'Wat?'

'Ik meen het. Maak er een eind aan. Anders doe ik het voor je.'

'Dit meen je niet.'

'Ik meen het. Ik vertel Jason alles wat ik weet. Ik ga het iedereen vertellen.'

'Dat doe je niet.'

'Wel. Omdat ik van je hou, Claire. Ik zie hoe je erdoor verandert, dat je er gek en zwak van wordt. Het maakt je kapot. Je moet er een punt achter zetten.'

Claire keek Siobhan aan en schudde haar hoofd. Siobhan keek strijdlustig terug. Ze was niet van plan geweest een ultimatum te stellen, maar nu ze het gedaan had, voelde het goed. Siobhan had de kans gehad om met Edward naar bed te gaan, maar ze had het niet doorgezet, en daar was ze blij om. Haar ziel was schoon – of nagenoeg schoon. Ze hadden gekust en elkaar betast in het huis van Isabelle, en toen Siobhan had toegezegd dat ze de catering van het gala zou verzorgen, had Edward haar gebeld om te bedanken. Hij had haar in zijn hoedanigheid als hoofd van de cateringcommissie gebeld, maar ze hadden bijna een uur met elkaar gepraat en Siobhan had hem verteld over Carters gokverslaving. Edward liet Siobhan beloven dat ze hem zou bellen als ze hulp nodig had, en Siobhan zei: Als je langs wilt komen in de voorbereidingskeuken, ik ben daar in mijn eentje. Meteen de volgende dag was hij gekomen. Hij had haar hand vastgehouden en haar wang aangeraakt, ze hadden weer gekust, één keer, zachtjes, en waarschijnlijk waren ze verder gegaan als Claire niet was komen binnenvallen. Siobhan had Edward de ochtend van Carters exodus naar Atlantic City meteen gebeld, ze had hem verteld over de ruzie, over het feit dat ze Liam en Aidan alleen had thuisgelaten, en Edward had aangeboden al zijn afspraken af te zeggen om de kinderen in zijn jeep naar Great Point mee te nemen. Siobhan had zijn aanbod afgeslagen – de kinderen kenden hem niet en een bericht over een uitje met Edward zou Carter onmiddellijk ter ore komen. Maar het was fijn dat hij het aanbood. Het gaf troost te weten dat Edward alles voor haar zou doen – alles – omdat hij zoveel van haar hield. Siobhan was zo verduiveld hypocriet, maar wie niet? Het was niet eerlijk zich op Edward te verlaten als haar eigen man het liet afweten. Ze hield niet van Edward, het was gemeen om hem de indruk te geven dat het misschien wel zo was. Daar zou ze mee stoppen, nu, op dit moment. Ze zou de verlovingsring verkopen en al het geld, tot op de laatste cent, aan een goed doel schenken. Ze zou het pad van de deugd bewandelen! En om een schoon geweten te hebben zou ze zorgen dat Claire dat ook deed.

Op een dag zou Claire haar dankbaar zijn.

Bovendien was het ultimatum een feit. Ze kon er nu niet meer onderuit. Iedereen met kinderen zou dat snappen.

Lock stond juist op het punt om er voor die dag een punt achter te zetten toen Ben Franklin het kantoor binnen kwam lopen. Het was halfzeven en het licht door het raam met de twintig ruitjes viel schuin en goudkleurig naar binnen, een teken dat de zomer ten einde liep. Liep de zomer al ten einde? Ja, het zomergala was altijd de laatste activiteit op de sociale kalender, en de liefdadige organisatie trok profijt van het gevoel van nostalgie dat mensen kregen als hun vertrek van het eiland naderde. Heather zou maandag terugkeren naar Andover: Lock vond het een vreselijk vooruitzicht. Vanwege de drukte van de komende dagen namen hij en Daphne Heather die avond mee uit eten in de Galley. Ze hadden over een uur gereserveerd. Lock was dan ook niet bepaald blij toen hij Ben Franklin binnen zag komen. Hij had al de hele week contact met hem willen opnemen, maar dat was om diverse redenen telkens niet gelukt.

'Hallo, Ben, hallo!' zei Lock, terwijl hij opstond. 'Gelukkig tref je me nog. Ik was net van plan het pand te verlaten.' Hij boog zich over zijn bureau om Ben een hand te geven, maar Ben had zijn handen vol met de financiële administratie. 'Kan ik wat van je aanpakken?' zei Lock.

Ben liet de ordners zonder veel plichtplegingen op Locks bureau vallen. 'Er ontbreekt geld,' zei hij. 'Veel geld.'

Het huis was schoon. En die vrijdag was het doel van de dag om dit zo te houden.

'We krijgen een gast,' zei Claire tegen de kinderen.

'Een rockster,' zei Jason.

Ze hadden allemaal een vakantiegevoel die dag. Jason bleef thuis van zijn werk. Hij had geweldig geholpen sinds Pan ziek was, maar zijn goede, inschikkelijke bui bleek te maken te hebben met het feit dat de dag van het gala bijna was aangebroken en dat het dus ook bijna voorbij was. Hij vinkte nog steeds met een dikke zwarte marker de dagen op de kalender af. Nog drie dagen en ik heb mijn vrouw weer terug! Nog twee!

Voor de zoveelste keer had Claire de hele nacht wakker gelegen. Siobhan had alle hartsvriendinnenwetten overtreden. Ze ging Claire erbij lappen, ze zou er persoonlijk voor zorgen dat Claires ziel gered werd. Het was zo bespottelijk dat Claire het eerst niet kon geloven – maar ja, ze moest wel. *Ik doe het voor je eigen bestwil.* Claire moest toegeven dat haar relatie met Lock momenteel niet sterk was. Ze hadden het te druk met het gala, en Lock had het druk met het zijn dochter naar de zin te maken. Ze hadden elkaar niet gesproken, ze waren niet met elkaar naar bed geweest. Maar kon ze hem verlaten? Kon ze terugkeren naar de persoon die ze vóór dit alles was geweest – Claire Danner Crispin, moeder van vier kinderen, plaatselijk kunstenaar, een over het algemeen goed, eerbaar mens? Kon ze terugkeren naar Jason en Siobhan, haar rechtmatige plaats weer innemen? Hoe zou haar leven zijn zonder Lock? Ze kon het zich niet meer voorstellen. De conclusie die Claire, terwijl ze in bed lag, trok was dat ze tegen Siobhan zou zeggen dat ze haar verhouding had beëindigd, en er dan stiekem mee doorgaan. Ze zou weer tegen iedereen gaan liegen.

Claire had verwacht dat het de dag voor het gala een heksenketel zou zijn, maar ze had zich vergist. Alles was geregeld: de tent stond, het productieteam was bezig de lichten op te hangen, de geluidsapparatuur te installeren en het podium voor te bereiden. De ingehuurde muzikanten kwamen die middag aan op het vliegveld, een collega van Edward haalde ze op en bracht ze naar hun hotel. Gavin had de tafelnummers geregeld en de tafelschikking en bewaakte het overzicht van wie-doet-wat. De kroonluchter stond veilig in het winkeltje bij de sportkantine. Morgen zou hij uitgepakt en tentoongesteld worden.

Claire had nog één keer Bruce Mandalay gebeld om er zeker van te zijn dat Matthew op weg was.

'Zijn vlucht vertrekt over een uur,' zei Bruce. 'Hij komt om zeven uur, jouw tijd, aan. Zorg ervoor dat alle alcohol uit je huis verdwenen is.'

'Ja,' zei Claire. 'Komt voor elkaar.'

'Hij ging eergisteravond voor het eerst sinds maanden weer naar de kroeg. Hij raakte betrokken bij een vechtpartij en heeft de nacht in de cel doorgebracht. Het staat vandaag in de krant.'

'O nee!' zei Claire.

'Hij moet de stad uit,' zei Bruce. 'Nantucket zal hem goeddoen.'

Claire haalde het bier en een halve fles viognier uit de koelkast. Ze haalde het bier uit de koelkast in de garage. Ze haalde de wodka uit de vriezer. Ze haalde de gin, Mount Gay-rum, de Patron-tequila, Cuervo-tequila, vermouth, amaretto en Grand Marnier uit de drankkast en liet de club soda, de tonic, het limoensap en een kleverige pot cocktailkersen staan. Alle alcohol verstopte ze in de supergeheime voorraadkast waar ze de kerstcadeautjes voor de kinderen verborgen, en ze deed de deur op slot.

Nog een paar uur en Matthew zou er zijn.

Claire belde het kantoor. Het was de dag voor het gala, er was vast nog van alles te doen?

'Alles is onder controle,' zei Gavin.

'Heb je nog iets van Isabelle gehoord?' vroeg Claire. 'Ik heb dinsdag een boodschap op haar voicemail ingesproken, en gisteren weer. Ik heb haar ook nog een e-mail gestuurd, maar ik hoor niets terug. Ik ben bang dat ze niet op het gala komt.'

'Ze komt echt wel,' zei Gavin.

Hij klonk behoorlijk zeker van zijn zaak, en Claire ontspande zich een beetje.

'Ik kan dus niets doen?' vroeg ze.

'Niets,' zei hij.

Jason ging met de kinderen naar het strand.

'Weet je zeker dat je niet meegaat?' vroeg hij.

'Ja,' zei Claire. 'Ik blijf liever thuis wachten.'

Wachten waarop? Matthew zou er niet eerder dan zeven uur zijn. Voor de zoveelste keer nam Claire het aanrecht af. Het huis was om door een ringetje te halen, de logeerkamer onberispelijk en comfortabel als Hotel The Four Seasons. In de keuken had ze een voorraad chocolademelk en Nilla-wafels aangelegd, en de vriezer stond vol Italiaans kersenijs. Claire ging kijken hoe het met Pan was. De koorts was gezakt naar 38,2 graden en de vlekjes op haar lichaam begonnen te jeuken, een goed teken. Ze zat rechtop in bed en las *Harry Potter*. Claire zette een glas ijswater en een kom Thaise vuurbouillon bij haar neer.

'Sorry dat ik niet kan werken,' zei Pan.

'Geeft niet. We verzinnen wel iets.'

Claire liep Pans kamer uit. Ze had vier oppassen gebeld en ze wachtte tot ze iets van zich lieten horen. Ze zou wel iets verzinnen! Eerder die week was Claire in de stad Libby Jenkins tegen het lijf gelopen, een van de galavoorzitters van vorig jaar. 'Hoe is het ermee?' had Libby gevraagd.

'Prima. We liggen op schema,' had Claire geantwoord.

'Wacht maar af,' had Libby gezegd. 'Het is nog vroeg. Meestal loopt alles op het laatste moment nog in het honderd.' Ze lachte.

Claire lachte mee en dacht: Blijkbaar is het niet haar bedoeling om mijn zelfvertrouwen te versterken.

Zoals de zaken er nu voor stonden hing alles met losse eindjes aan elkaar. Matthew had zich klem gezopen, Pan had de waterpokken, Isabelle praatte niet tegen haar en Claire werd door haar beste vriendin gechanteerd. Zoals altijd was Claire voor Siobhan gezwicht; in plaats van de strijd aan te gaan, had ze toegegeven. In plaats van te zeggen: Ik laat me niet door jou chanteren, had ze gezegd: Chanteer me maar. Ik zal mijn verhouding met Lock verbreken.

Maar pas na het weekend, zei Claire.

Oké, stemde Siobhan in. Ze hadden als vriendinnen afscheid genomen, elkaar ten afscheid een zoen gegeven.

De plek waar Claire zich die dag het nuttigst kon maken was ongetwijfeld de cateringkeuken, waar ze Siobhan kon helpen. Maar Claire voelde er niets voor het veroordelende oog van Siobhan op zich gericht te voelen. Terwijl Claire koriander stond te hakken zou Siobhan denken: Zondares! Bedriegster! Liegende Madame Bovary! Maak je je geen zorgen om je zielenheil?

Claire checkte haar e-mail: niets. Isabelle was nog niet boven water. Claire checkte haar outfit. Ze had bij Gypsy uiteindelijk de volmaakte jurk gevonden. Het was een Colette Dinnigan van groen- en goudkleurige kant. Hij zat als gegoten, sexy en vrouwelijk; zijdeachtig, veel kant, uitdagend. Claire checkte haar hoge hakken en de sieraden die ze van plan was te dragen. Ze bevestigde haar afspraak bij de kapper. De volgende ochtend zouden veertig vrouwen de tent komen versieren met tafelkleden, bloemstukken, kaarsen en smaakvolle, bescheiden ballonnen. Lock zou gaan speechen en daarna een korte PowerPoint-presentatie geven. Adams zou een dankwoord uitspreken. Pietro da Silva zou de kroonluchter veilen. Matthew zou optreden.

Claire liet zich op de bank zakken. Ze kon niets doen, alleen maar wachten. Wachten tot er iets misliep.

Hij had gespeeld voor koningin Elizabeth, prinses Diana, Nelson Mandela, Jacques Chirac, Julia Roberts, Robert De Niro, Jack Nicholson, de sultan van Brunei, de Dalai Lama; hij had op de tweede inauguratie van Bill Clinton gespeeld en op Super Bowl XXVIII, hij had bij Oscar- en Grammy-uitreikingen gespeeld. Hij had gespeeld in stadions als het Shea, Fenway, Madison Square Garden, Minute Maid Park, Los Angeles Forum, Soldier Field en Meadowlands. Hij had gezongen met Buffett, Tom Petty, Dylan, Clapton, Ray Charles, Jerry Lee Lewis, Harry Connick Jr., Harry Belafonte en The Boss; hij had soundtracks voor zestien grote speelfilms opgenomen, twee tv-series, vijf commercials, waarvan een voor Coca-Cola en RadioShack. En Max West, alias Matthew Westfield, besefte dat hij nog nooit zo zenuwachtig was geweest als op het moment dat hij op Nantucket aankwam om Claire Danner weer te ontmoeten.

Oké, misschien één keer eerder: in de donkere schoolbus, in december 1986, de bus die het schoolkoor van het bejaardenhuis in Cape May terug naar de middelbare school in Wildwood reed. Matthew en Claire zaten in de derde, sinds hun twaalfde waren ze dik bevriend. Hij had naast haar in bed geslapen, hij had haar zien plassen, hij had haar bier uit haar neus zien braken. Ze had het met Timmy Carlsbad uitgemaakt en hij had drie weken haar gehuil aangehoord. Hij had het met Yvonne Simpson uitgemaakt en Claire was van de trap gevallen om de telefoon op te nemen toen hij haar om twee uur 's nachts belde om het te vertellen. Die avond in de schoolbus voelde Matthew zich goed. Hij had drie nummers met het folkloristisch mannenkwartet gezongen, en de ogen van de bejaarden hadden geschitterd. Ze hadden gelachen, geapplaudisseerd en *Bravo! Bis!* geroepen. Het was zijn eerste ervaring met beroemd zijn en het gaf hem een geweldige kick. Hij dacht: Ik wil dat dit gevoel nooit meer weggaat. Hij had deze mensen – wier leven een somber einde naderde – gelukkig gemaakt alleen maar door te zingen. Laten we zeggen dat het daarna een kwestie van timing was: Claire had haar hoofd op zijn schouder gelegd en haar hand op zijn been. 'Je was super,' zei ze. 'Ik ben trots op je.'

Onmiddellijk had hij een erectie gekregen, wat met zijn zestien jaar niet ongewoon was. Meer dan eens had hij aan Claire denkend gemasturbeerd, hoewel hij dat nooit aan haar of aan een ander zou bekennen. Ze was zijn beste vriendin, ze kon zijn zus zijn. Hij zou dit soort gevoelens eigenlijk niet voor haar mogen hebben, maar hij had ze. Zijn geslacht was een staaf gloeiend staal, haar hoofd op zijn schouder en haar hand op zijn been waren vurige, brandende plekken, zijn hartslag was een versterkte bassolo. Zou ze het voelen? Zou hij haar kussen? Hij wilde haar kussen. Maar misschien zou ze boos worden, wat hij niet wilde, of in de lach schieten, wat hij niet zou kunnen verdragen. Hij maakte een, twee, drie helse momenten door. Had hij het lef? Hij was zestien, maar hij begreep op de een of andere manier dat zich voorlopig waarschijnlijk niet meer zo'n moment zou voordoen: de donkere bus, hij de ster van de avond.

Hij tilde haar hoofd op. Hij kuste haar – het bleef de beste kus van zijn leven.

Romantische onzin? Deze vraag had Matthew zich sinds oktober, toen hij wist dat hij Claire weer zou ontmoeten, keer op keer gesteld. Was het allemaal alleen maar romantische onzin, een fixatie uit zijn jeugd? Zou hij in haar nog wel dezelfde persoon herkennen als hij haar zou terugzien? Zou ze nog de eigenschappen hebben die hij zo waardeerde en die hij al die jaren in zijn hart bewaard had? Was ze ouder geworden? Was ze veranderd? Dit was, volgens hem, het soort zenuwachtigheid dat mensen voelden als ze naar een middelbare schoolreünie gingen – iets wat hij, heel begrijpelijk, nooit deed.

Jezus, dat wachten was moordend!

De gedachte die hem natuurlijk vooral bezighield was dat hij een borrel nodig had, en hij had voor dit soort noodsituaties altijd alcohol aan boord. Maar hij had speciaal voor deze vlucht alles verwijderd, want hij kende zichzelf. Hij wist dat hij zin in een borrel zou krijgen, maar hij wilde niet gedronken hebben als hij Claire zag. Twee dagen eerder was het bijna verkeerd met hem afgelopen. Hij was uitgegaan met Archie Cole, de drummer van Sugar Shack, die zo jong en naïef was dat hij zich niet realiseerde dat Max een alcoholist was. Ze dronken gin en tequila en werden ladderzat. In een van de clubs raakte Archie slaags met een boom van een vent, en Max kreeg, toen hij Archie probeerde te redden, een stomp in zijn oog en belandde vervolgens in de cel. Het was weer het oude liedje: hij moest stoppen!

Het vliegtuig landde, maar ze hadden oponthoud op de landingsbaan.

Matthew haalde zijn mobiele telefoon tevoorschijn en stuurde haar een sms'je. *Zojuist geland. Ik ben zenuwachtig.*

Een seconde later bliepte zijn telefoon. Een sms'je van Claire: *Niet zenuwachtig zijn. Ik ben in mijn eentje.*

Er was een speciaal gedeelte van het vliegveld bestemd voor privévliegtuigen. Matthew keek uit het raampje, bloednerveus. Laat me eruit! Waar was ze? Ze moest daar ergens staan.

Eindelijk deden ze de deur open en werd de trap naar beneden gelaten. 'Welkom op Nantucket Island,' zei de piloot. Terry en Alfonso, die hadden liggen slapen, werden wakker en liepen voor hem uit de trap af. Als het vliegtuig van Max West landde en de pers of wie dan ook er lucht van had gekregen, en er een gillende, met spandoeken zwaaiende menigte fans stond te wachten, had Matthew altijd weer het gevoel een van de Beatles te zijn. Maar dit keer, deze avond, stond er toen hij de trap af liep maar één iemand op hem te wachten. Ze was de veiligheidscontrole gepasseerd, want ze stond onder aan de trap, in haar eentje, zoals beloofd. Matthew keek naar haar, en was niet meer in staat te denken. Handenwringend glimlachte ze naar hem, ze giechelde als een zeventienjarig meisje.

Wat dacht hij? Hij kon niet denken. Hij staarde naar dat moois dat hij verloren was, maar dat hij nu, het was ongelooflijk, teruggevonden had. Claire. Ze was zichzelf, het rode haar, de dunne, witte polsen, de groene ogen. Ze stak haar armen naar hem uit, hij omhelsde haar en zijn ogen vulden zich met tranen. Ze zeiden niets. Hij tilde haar op. Ze was zo licht als een veertje. Het was een wonder, alsof ze al die jaren dood was geweest en op de een of andere manier tot leven gewekt was. Zijn Claire.

In de auto: zij praatte en hij kon zijn ogen niet van haar afhouden. Hij zat voorin in haar SUV, die naar tapijtshampoo rook. Terry en Alfonso zaten achterin, Alfonso rookte – eindelijk, gelukkig – nadat Claire hem verzekerd had dat het echt mocht, en hij was zo attent dat hij de rook uit het raampje naar buiten blies. Matthew hield Claires hand vast – hij kon er niets aan doen, maar hij was ontzettend bang dat ze zou verdwijnen. Hij had haar twaalf jaar geleden voor het laatst gezien, bij een concert in Boston Garden. Ze was hem met Jason, toen haar verloofde, backstage komen opzoeken. Matthew was toen nog met Stacey getrouwd, ook al dronk hij stevig en was hun huwelijk eigenlijk al op de klippen gelopen. Stacey was jaloers geweest op Claire, en hun weerzien backstage was chaotisch en pijnlijk. Matthew was dronken of high, hij had te veel aandacht voor Jason – probeerde hem te imponeren of te intimideren – en te weinig voor Claire, hoewel Stacey hem van het omgekeerde beschuldigde. Daarna was Claire in de menigte verdwenen, en Matthew was te high om verdriet te voelen. Hij voelde het maanden later, toen hij voor de eerste keer in Hazelden was.

Hij wilde haar niet nog eens verliezen! Ze was volmaakt en bijzonder, een verborgen schat. Ze wist het nog niet en ze babbelde maar door over het gala, maar hij was niet van plan haar te laten gaan.

Ze zetten Terry en Alfonso af bij hun hotel, en toen waren ze alleen. Ze bedankte hem, nog eens, dat hij gekomen was om te spelen, en hij zei: 'Ik heb alles voor je over, Claire Danner, dat weet je.'

Toen ze voor een rood verkeerslicht stilstonden, stak ze haar hand uit en streek over zijn gezicht. 'Wat is er gebeurd?'

Hij had een donkerpaarse zwelling onder zijn oog, en een gelige plek op zijn opgezette kaak, waar hij die vuistslag had gekregen.

'Ik ben me te buiten gegaan,' zei hij. 'Kreeg mijn verdiende loon.'

'Had je gedronken?' vroeg Claire.

'Ik was dronken en stom,' zei Matthew. Wat hij nodig had was iemand die hem op het rechte pad hield. Iemand als Claire! 'Het zal hier niet gebeuren. Ik beloof het.'

'Afgesproken,' zei ze.

Ze stopten op de oprit. Het huis was groot en mooi, binnen brandde licht. Hij had zich Claire in precies zo'n huis voorgesteld, gelukkig en vrolijk. Ze verdiende het.

'Zijn we er al?' vroeg hij. Hij had moeten vragen of ze nog even wat rond wilde rijden, of ze hem het eiland wilde laten zien, ook al was het bijna donker. Hij wilde niet naar binnen, hij wilde haar man en kinderen niet ontmoeten. Hij wilde Claire voor zichzelf.

'Ja, we zijn er al,' zei ze.

Max West was een rockster, maar sinds Bess en de honden waren vertrokken, was hij eraan gewend geraakt alleen te zijn. Claire woonde in een huis vol mensen: haar man en een hele sliert kinderen. Wat een drukte!

'Matthew, dit is Jason,' zei Claire. 'Herinner je je mijn man nog, Jason Crispin?'

Matthew herinnerde zich Jason niet. Hij zou hem niet herkend hebben, hij zou hem nog niet uit twee mensen hebben kunnen aanwijzen – het was al zo lang geleden dat ze elkaar ontmoet hadden, Max was toen onder invloed geweest van het een of ander en bovendien was Jason niet speciaal opvallend. Hij was groot, ja, groter dan Matthew, sterk en gespierd, bruin, blond en hij had stoppeltjes van een dag niet scheren. Hij was best aardig om te zien, dacht Matthew, maar of hij bijzonder genoeg was voor Claire? Max vond van niet. Zou Max hem aankunnen? Dat viel te bezien.

'Hé kerel, hoe is het met je?' zei Jason. Hij had een opdringerige handdruk en die opgewonden blik in zijn ogen die iedereen kreeg die *Max West* ontmoette. 'Leuk je weer te zien. Ik ben een enórme fan van je!'

Matthew glimlachte. Wat een saaie Piet. Niet bijzonder genoeg voor Claire, bij lange na niet. Het meest interessante aan Jason was dat hij iets dronk uit een blauw plastic bekertje. Was het bier? Zou die Saaie Jason hem er ook een aanbieden? Om bij Claire thuis te zijn en haar gezin te ontmoeten maakte hem zenuwachtig en als hij zenuwachtig werd kreeg hij dorst. Hij had drank nodig.

Saaie Jason zag Matthews blik. Hij tikte tegen zijn bekertje en zei: 'IJsthee. Wil je ook?'

IJsthee? Matthew was bijna gaan kreunen. Bruce had gebeld.
'Nee bedankt, man,' zei Matthew. 'Ik hoef niets.'
In de tussentijd had Claire de kinderen als matroesjka's in het gelid gezet, klaar om kennis met hem te maken en noemde hun namen: Jaden, Odyssey... of zei ze Honesty? De derde naam ging helemaal aan hem voorbij, maar de naam van de jongste was Zack. Het waren mooie, prachtige kinderen, met goudglanzend rood haar, een zongebruinde huid, en als ze lachten zag je dat ze aan het wisselen waren. Dit waren zijn kinderen.
'Leuk jullie te ontmoeten!' zei Matthew tegen zijn kinderen. 'Ik heb cadeautjes meegenomen!' Hij ritste zijn plunjezak open en trok er een zwarte boodschappentas van Louis Vuitton uit die zijn assistente, Ashland, hem bij vertrek op het vliegveld in de handen gedrukt had. Op het laatste moment had hij haar erop uitgestuurd om cadeautjes voor de kinderen te kopen. Ze zijn nog klein, had hij gezegd. Of misschien zijn er een paar al wat groter. Twee jongens, twee meisjes. Koop maar wat leuks.
De kinderen stortten zich op de pakjes alsof het kerstochtend was. Hij, Matthew, was de Kerstman. Claire en Jason keken beleefd toe, en Claire zei: 'Je had niets voor hen mee hoeven nemen, Matthew. Ze hebben alles wat hun hartje begeert.'
'Maar zoiets toevallig nog niet!' riep de oudste – hoe heette hij ook al weer? Hij stak een zilveren Colibri-aansteker in de lucht.
'Wat is dat?' vroeg Claire. 'Geef eens.' Ze klikte hem open. Een vlam. 'Het is een aansteker.'
Matthew wist zich geen raad. Dit was nu typisch iets voor een rockster om voor een knul van tien een Italiaanse aansteker te kopen om heel stijlvol een jointje in het souterrain te gaan uitproberen.
'Mam, geef terug!' riep de jongen. 'Hij is van mij!'
'Straks steek je het huis nog in de fik,' zei Claire. Ze lachte, althans zo leek het. Het was tenenkrommend. Matthew kon Jason niet aankijken. Het ergste was dat hij Ashland nu zou moeten ontslaan. Wat bezielde haar?
'Wat is er nog meer?' vroeg Matthew zenuwachtig. Een marihuanapijp? Een pistool?

Er waren twee Louis Vuitton-sjaaltjes voor de meisjes en een doosje blauwe Chanel-oogschaduw. Claire zag eruit alsof ze elk moment kon ontploffen. Ze zou er nu niet meer met hem vandoor gaan. In het pakje voor de jongste, Zack, zat een Ferrari Testarossa met afstandsbediening. Iedereen was dolenthousiast, behalve Zack zelf. Vooral Jason vond het een succes. Max blies zijn adem uit en ontspande zich een beetje. Oké, Ashland kon haar baan houden.

'Kan ik jullie iets inschenken?' vroeg Claire. 'We hebben ijsthee, water, melk, chocolademelk, sinaasappelsap, granaatappelsap, appel-cranberrysap, of zal ik koffie zetten? Espresso, cappuccino, gewone koffie of decafé?'

Matthew wilde het liefst een biertje vragen. Gewoon een koud biertje, de situatie was ongekend stressvol, hij verdiende er een. Hij zou niet dronken worden. Hij was een gin-man; bier was voor hem net limonade. Maar hij kon het niet vragen, Claire zou in hem teleurgesteld zijn, en ze zou erachter komen hoe slap hij eigenlijk was, dat hij nog geen tien minuten zonder drank kon. Hij koos koffie, en Claire ging een pot zetten.

De avond sleepte zich voort. Matthew wilde bij Claire zijn, met Claire alleen zijn – hij was uiteindelijk voor Claire gekomen – maar Claires huis was een circus, het was de loopplank langs het strand op een avond in augustus, een hindernisbaan. Matthew werd voorgesteld aan het kindermeisje, Pan, een Thaise die de waterpokken had. Ze stond aan de andere kant van de kamer en boog voor hem en hij dacht aan Ace in Bangkok. (Uiteindelijk had hij haar vijfduizend dollar gegeven voor haar studie aan de universiteit.)

'*Sawadee krup!*' zei Matthew. Hij kon in veertig talen hallo zeggen. Wist Claire dat? Pan giechelde en ging weer naar haar kamer. Matthew had graag met haar gepraat, maar Saaie Jason stond pal naast hem, aandacht te trekken.

'Vertel eens, kerel, je hebt toch door Azië getourd? Hoe wás het daar?'

Hoe was het daar? Matthew zou er de hele dag over kunnen vertellen. Hij had voor mensen gespeeld met totaal verschillende geloofsovertuigingen; boeddhisten, moslims, hindoes, maar Saaie Jason wilde het net als iedere Amerikaanse man over meisjes, amusement en geld hebben. Matthew hunkerde naar een borrel. Hij had behoefte aan rust, aan alleen zijn, met Claire. Hij kon er niet bij dat de mens de iPod had uitgevonden, een stukje plastic dat twintigduizend songs kon afspelen, maar dat je niet twintig jaar in de tijd kon laten terugkeren, naar de gelukkigste dagen van je leven, en je daar kon laten blijven. *Claire!*

Ze betuttelde hem: ze deed Nilla-koekjes in een schaal, zijn lievelingskoekjes, en gaf hem een zak bevroren erwtjes voor op zijn oog. Het werd al later, en eindelijk excuseerde ze zich om de kinderen naar bed te brengen.

'Het is goed je weer te zien,' zei ze voor ze de trap op ging. 'Ik ben echt blij dat je er bent.'

'Maar je komt toch zo weer beneden?' zei hij. Zijn stem was dik van verlangen. Hij had het gevoel alsof hij zichzelf verraden had.

Jason zweeg en keek naar Claire.

'Ja,' zei Claire. 'Ik kom zo nog even welterusten zeggen.'

Hij leek wel gek, dacht hij, dat hij ervan was uitgegaan dat hij alleen met Claire zou kunnen zijn terwijl haar man thuis was. Het was slimmer om tot morgenochtend te wachten als Saaie Jason naar zijn werk was. Maar tot Matthews grote voldoening ging Jason als eerste naar bed (hij moest weer vroeg op, zei hij, als een soort verontschuldiging). Matthew schudde Jason de hand, dolblij hem te zien gaan. Het gevoel dat de tijd voor hem stil was blijven staan versterkte zich. Hoe vaak hadden Matthew en Claire niet tot diep in de nacht films zitten kijken, wachtend tot Sweet Jane naar bed ging zodat ze konden gaan zoenen?

Alleen, aan zijn lot overgelaten, ging Matthew in de koelkast op zoek naar bier. Niets. Er was een bar in de zitkamer, een prachtige ingebouwde bar met rijen fonkelende glazen, maar de kasten waren leeg op wat frisdrank om te mixen en een pot kersen na. Claire had haar huiswerk goed gedaan. Het was een daad van liefde, dat wist hij, een demonstratie van het feit dat ze zich om hem en zijn gezondheid bekommerde, maar het was om gek van te worden.

Hij hield het geen minuut langer uit zonder drank, snel sloop hij naar de koelkast in de garage. Leeg!

Hij liep terug naar de zitkamer, verslagen en trillend van te veel cafeïne. De Thaise au pair verscheen in haar nachthemd. Hij zag haar ketting – een klein zilveren belletje – en stak zijn hand uit om het aan te raken. 'Mooi,' zei hij.

'Bedankt,' zei ze. Ze zat onder de dikke, rode vlekjes. 'Wilt u iets hebben?'

Een borrel! dacht hij. De au pair kon hem helpen! Maar Claire zou het doorhebben, ze zou er achter komen, en vreselijk teleurgesteld zijn, of ze zou misschien, net als Bess, een zero tolerancebeleid invoeren en hem vragen te vertrekken.

'Ik hoef niets, bedankt,' zei hij.

Pan boog, en Matthew nam zijn toevlucht naar het terras achter het huis. De gevoelige, beschadigde huid rond zijn ogen klopte van de pijn. Hij was een rockster, en de wereld lag aan zijn voeten. Hij kon alles krijgen wat hij wilde. Maar kon hij Claire krijgen? Hij was net een verwend kind – Bess had het zo vaak gezegd. Hij was gewend aan onmiddellijke bevrediging. De mooiste dingen van het leven, zei ze altijd, zijn de dingen waar je op moet wachten.

Goed, hij had twintig jaar op Claire gewacht. Daar konden nog wel tien minuten bij. Voelde ze zich net als hij? Zou ze met hem weggaan? Hij wilde het weten, nu!

Morgen, dacht hij, zou hij een borrel nemen.

Hij was hier, in haar huis. Ze kon het nog steeds moeilijk geloven. De Wederkomst van Matthew.

Hij stond op het terras achter het huis op haar te wachten, zijn ellebogen achter hem rustend op de balustrade, zijn benen over elkaar geslagen voor zich. Hij droeg een spijkerbroek en was op blote voeten, en keek hoe ze kwam aanlopen.

Ze grinnikte. Hij was hier! Het was hem!

'God,' zei hij. 'Je bent nog steeds zo mooi.'

Die stem. Die stem had haar altijd meer bekoord dan zijn uiterlijk. Zo was het altijd geweest.

Hij legde zijn arm om haar heen en ze leunde tegen hem aan. Het was vriendschappelijk en aangenaam; ze gleden terug in hun vroegere identiteit, hun tiener-zijn.

'Het is zó fijn je te zien.'

'Ik weet het,' zei ze. 'Het is eerlijk gezegd alsof we nooit uit elkaar zijn geweest.'

Hij kneep haar. Ze zeiden een poosje niets, hoewel er genoeg dingen waren die ze hem zou kunnen vragen, dingen die ze wilde weten – over Bess, over zijn drankprobleem, over zijn beruchte affaire met Savannah Bright – maar het was, om de een of andere reden, beter om even te doen of dat allemaal niet gebeurd was. Ze wilde Lock en Jason en de kinderen binnen in huis vergeten en proberen om haar vroegere zelf te vinden. Ze wilde dat meisje langs het strand zijn, dat meisje dat in de duinen kreeft at, dat op de passagiersstoel van de gele Kever sprong. Ze wilde zich in Matthews armen koesteren en vijf minuten doen alsof.

Hij rook nog hetzelfde. Kon dat? Als tiener rook hij naar het goedkope merk wasmiddel dat Sweet Jane gebruikte en naar de tweedehands sigarettenrook van zijn oudere zussen. En zo rook hij nog steeds. Ze keek op naar zijn gezicht, een gezicht dat ze afgelopen twaalf jaar zo vaak op tv had gezien. Hij begon in haar oor te neuriën, en het neuriën ging over in zingen. Heel zacht zong hij *Stormy Eyes* in haar oor. Een privéconcert voor Claire. In de week voor ze uit elkaar gingen had hij de song voor haar geschreven. *Stormy Eyes* werd zijn eerste hit.

Hij omvatte haar gezicht. Ze huilde nu – natuurlijk huilde ze. Hij kon niet verwachten dat ze niet zou huilen als hij dat nummer voor haar zong. Toen kuste hij haar. Hij kuste haar langzaam, voorzichtig, en ze dacht aan Matthew in de donkere bus, een plotselinge, onverwachte superster. *Sweet Rosie O'Grady.* Matthew met zijn gitaar op zijn rug, Matthew op de avond dat ze strippoker speelden en hij zo, zo jaloers werd. *Dat meisje van me maakt me gek.* Matthew die naast de onderzoektafel stond: Claire was zwanger, ze wist het zeker, Matthew zou zijn gitaar, de Peal, moeten verkopen en zij zou rechtstreeks in de hel belanden. *Bloedarmoede!* Matthew op het podium van de Pony, Claire achter hem, de tamboerijn als Tracy Partridge tegen haar heupen slaand – ze was hem al kwijt, ze kon het aan hem zien, nog voordat Bruce zich had voorgesteld en ze in zijn Pinto naar New York reden en Bruce een cheeseburger en een cola voor haar kocht bij een wegrestaurant. Ze had hem kunnen houden, dat wist ze, maar ze liet hem gaan, en kijk wat er gebeurd was. Hij werd een ster. En als ster was hij naar haar teruggekomen. Hier was hij.

Konden al deze gedachten door haar heen gaan in één enkele kus? Het leek onmogelijk, maar het was zo.

Hij maakte zich van haar los. 'Ik hou van je, Claire. Ik wil dat je met me meegaat.'

Ze was verbaasd. 'Om wat te doen?' zei ze.

'Om bij mij te wonen. Met me te trouwen.'

'Matthew?' zei ze. Eerst vond ze het idee grappig, vervolgens triest. Hij was zo eenzaam. En zij was ook eenzaam, eenzamer dan hij dacht.

'Wil je het?' vroeg hij.

'O,' zei ze. O, o, o! Mijn lieve god. Hij vroeg haar. Hij meende het. 'Ik wou dat ik het kon. Geloof me als ik zeg dat een deel van mij zou willen dat ik het kon.'

'Je kinderen kunnen met ons mee. We zoeken een privéleraar, heel veel mensen die rondtrekken doen dat. Het is goed voor ze om andere landen te bezoeken, vreemde talen te leren, met andere culturen kennis te maken.'

'Matthew,' zei ze, 'mijn leven is hier.'

'Je zult een leven hebben met mij. Alsjeblieft? Ik heb je nodig.'

'Je hebt iemand nodig, maar die persoon ben ik niet.'

'Jij bent het. Dat voel jij toch ook?'

Ze voelde iets. Wat was het? Sporen oud hartzeer, intense nostalgie, verrukking hem te zien, hem aan te raken, en hem te horen zeggen dat ze nog steeds mooi was. Een deel van haar wilde er met hem vandoor gaan, een deel van haar wilde de chaos die ze had veroorzaakt ontvluchten, gewoon vertrekken, weglopen, op tournee gaan, de kinderen meenemen of achterlaten, aan de situatie ontsnappen. Ze had heel veel gevoelens, maar maakte niet de fout die met liefde te verwarren.

Ze kuste hem op het puntje van zijn neus. Hij had nog steeds een litteken daar – van de mazelen toen hij zeven was. Ze had hem in geen eeuwen gezien, maar ze kende hem door en door, ze wist wat het beste voor hem was. Hij had niet naar Californië willen gaan om het album op te nemen, hij had haar niet willen verlaten. Zij had gezegd: Als je nu niet gaat, mis je een fantastische kans! Ze hadden er ruzie om gekregen, ze hield voet bij stuk. Je moet gaan! Hij begreep niet waarom ze hem wegduwde. Het had andersom moeten zijn: hij had degene moeten zijn die weg wilde, zij degene die hem smeekte te blijven. Het was de omgekeerde wereld. Hij was gegaan, schreef *Stormy Eyes* en werd een rockicoon.

Misschien was hij dit allemaal vergeten. Ze zou het hem morgenochtend in herinnering brengen. Ze legde haar hoofd tegen zijn borst. Daarbinnen ging zijn hart tekeer.

'Het komt allemaal goed,' zei ze. Iemand had dat laatst tegen haar gezegd, wie ook alweer?

Ze voelde Matthew zich ontspannen, alsof hij haar geloofde.

12

Ze stoot hem om

Ze werd wakker met een stoot adrenaline, alsof iemand naast haar de klok had geluid. Dit was het. Het was zover!

Jason was al naar de Downyflake, hij zou ontbijten, het een en ander op de bouwplaats controleren en tegen tienen terug zijn zodat Claire weg kon om de feesttent te versieren. Hij had een briefje op het aanrecht achtergelaten: *Moet je buiten kijken.*

Ze keek: er stond een menigte mensen in de straat voor hun huis. Wat deden ze daar?

'Handtekeningen,' zei een stem achter haar. Claire draaide zich om. Matthew keek over haar schouder naar buiten. 'Ze staan daar voor mij.'

'O ja?' zei Claire. 'Echt?' Dit had ze niet kunnen voorspellen – dat mensen zouden weten dat Matthew hier logeerde, dat ze hier naartoe zouden komen om met hun mobiele telefoons en iPods te overnachten in de hoop hem te zien, hem aan te raken, met hem te praten.

'Echt,' zei Matthew.

'Is dat overal waar je heen gaat zo?'

'Overal.'

'Je oog ziet er beter uit.'

'O ja?'

'Nee,' zei ze. Hij glimlachte, maar ze wist dat ze hem de vorige avond gekwetst had. Het punt was, dacht ze, dat ze het nooit duidelijk afgesloten hadden. Hun relatie was een kampvuur dat jarenlang had liggen smeulen en niet was uitgemaakt. Matthew was eenzaam zonder Bess, hij was een gegijzelde van zijn alcoholverslaving en hij wilde Claire omdat ze stabiel was. Althans dat dacht hij. Maar ze konden niet terug naar het Wildwood Crest van 1987, hoe graag ze dat beiden ook wilden.

'Wat wil je als ontbijt?'

'Een bloody mary.'

'Matthew.'

'Grapje.'

'Je hebt me beloofd dat je nuchter blijft voor vanavond.'

'Ik maak een grapje!'

Claire pakte zijn arm. Boven hoorde ze Zack huilen. 'Je zou stapelgek van me worden.'

'Daar geloof ik niets van,' zei hij.

Ze raakte zijn wang aan, voorzichtig, onder zijn blauwe oog.

'Ik hou van je, Claire,' zei hij.

'Ik weet het,' zei ze.

Ze was een regelmachine. Ze moest nog een oppas zien te vinden, en terwijl ze voor Matthew en de kinderen achter elkaar pannenkoeken stond te bakken kwam ze op een idee. Ze liep naar buiten. Als een Grieks koor stonden de fans voor het huis samengedromd. Claire stapte op drie tienermeisjes af en vroeg of een van hen die avond kon oppassen. Ze waren alle drie van plan om zonder kaartje het gala binnen te glippen om Max West te horen zingen, maar een van hen, de oudste, die er het meest geschikt uitzag, Hannah heette ze, ging akkoord op voorwaarde dat ze met Max West op de foto mocht.

'Afgesproken,' zei Claire. 'Ik verwacht je om vijf uur.'

Ze was het Duracell-konijn. Ze was toneelmeester, akela, een multitaskende supervrouw. Ze bond vijfhonderd zilverkleurige ballonnen aan de rugleuningen van stoelen, ze zette bloemstukken neer en streek tafelkleden glad, ze nam de planning met Gavin door en inspecteerde de artiestenfoyer – geen drank hier, afgesproken? Oké. Ze vouwde programma's, belde Jason twaalf keer – Shea had van een tot drie een verjaardagsfeestje, het cadeautje was ingepakt, hij moest haar alleen wegbrengen en ophalen, en Zack kon in de auto slapen. J.D. zou naar de Fiskes gaan, Ottilie mocht de oogschaduw die Matthew had gekocht niet gebruiken, ook al zou ze nog zo zeuren. Geen tv voor de kinderen vandaag, en geen sigaretten voor Jason.

'Ik wil dat je je van je beste kant laat zien vanavond. Dat je met mensen praat, gesprekken aanknoopt, ook al heb je er de pest aan. Oké, Jase?'

'Oké, baas,' zei hij.

Claire vermeed de voorbereidingskeuken. Siobhan zou haar aan het werk zetten en ze zou, ondanks dat ze geen tijd had om vijfhonderd ronde minibrioches met een koekjesvorm uit te snijden, te laf zijn om het haar te weigeren.

Ze zag Lock niet, en ze zag Isabelle niet.

Toen ze naar huis reed om Matthew op te halen trof ze hem aan tussen zijn fans in de straat. Had een van hen hem drank of wiet gegeven? Ze was wantrouwig, maar ze had geen tijd om het uit te zoeken.

'We moeten gaan!' zei ze.

In de auto vroeg Matthew: 'Waarom ben je zo gehaast?'

'Als we niet opschieten, komen we te laat.'

'Ik heb je nog nooit zo gezien,' zei hij.

Ze haalden Terry en Alfonso op en reden terug naar de feesttent voor de soundcheck. Claire ging op zoek naar Lock en Isabelle – tevergeefs – en ze voelde een steek van zelfgenoegzame verontwaardiging. Waar waren ze? Waarom hielpen ze niet, de directeur en de medevoorzitter? Terwijl Matthew op het podium was, controleerde Claire nogmaals de artiestenfoyer. Geen drank hier, afgesproken? Oké. Claire ging naar haar afspraak bij de kapper. Ze zat met haar hoofd achterover in de wasbak en er liep warm water over haar hoofdhuid. De kapper zei: 'Je bent gespannen.'

Klopt, dacht Claire. Maar waar moest ze beginnen om het uit te leggen? Vandaag was de dag, vanavond was de avond, het was het hoogtepunt van een jaar lang werk. Er was zoveel gebeurd, er was zoveel veranderd. Zij was veranderd. Ze had honderden uren en duizenden dollars (duizenden uren en tienduizenden dollars) aan het gala besteed. Ze had alle stress en verdriet ervaren die haar in het begin voorspeld waren, en meer nog. Over acht uur zou het voorbij zijn. Over acht uur zou ze in bed liggen. Deze gedachte zou de bron van enorme blijdschap en opluchting moeten zijn, maar in plaats daarvan voelde Claire zich gedeprimeerd. Aan alle verwachtingen, voorbereidingen en opgebouwde spanning zou, net als aan alles, een einde komen. En... wat zouden ze eraan overhouden? Een smak geld. Hoop en geluk voor kinderen die het nodig hadden. Daar ging het uiteindelijk allemaal om.

Gavin arriveerde om vijf uur bij het huis van Isabelle. Ze hadden tijd voor één drankje en moesten dan gaan: Gavin had duizend-en-een dingen te doen in de tent. Het gala zou niet goed lopen zonder hem, zonder zijn leiding. Hij wilde het drankje liever overslaan om zich zo snel mogelijk naar de tent te spoeden, maar Isabelle had voet bij stuk gehouden: Kom om vijf uur, dan hebben we nog tijd voor één drankje, en Gavin kon haar niets weigeren.

Ze zat op de bank bij de karpervijver in de hal toen hij aankwam. Hij hoefde niet aan te bellen, de voordeur stond wagenwijd open en in een prachtige rode jurk stond ze op hem te wachten, haar haar als een waterval over haar schouders. Ze hief haar gezicht op toen hij binnen liep, en hij kon zien dat ze gehuild had.

'Gaat het?' zei hij.

Ze stortte zich in zijn armen. Alle hoop op een verfrissend, gezellig, en vooral snel drankje was in één klap verdwenen.

'Ik had net mijn ex-man aan de telefoon,' zei ze.

Hij had hier geen tijd voor. Hij moest naar de tent, er zaten vijftig vrijwilligers in zwarte T-shirts aan een door de Stop & Shop aangeboden maaltijd met hotdogs en macaronisalade op zijn instructies te wachten. Gavin wist niets van gedoe met exen, niets van emoties en intimiteit in het algemeen. Noem hem egocentrisch – wat waarschijnlijk zo was – maar andermans problemen hadden hem nooit echt kunnen boeien. Maar in dit geval was zijn desinteresse gegrond. Hij moest naar de tent! Hij moest naar het gala! Isabelle was medevoorzitter, ze zou dat toch moeten weten.

'Is alles oké?' vroeg hij.

'Hij belde zogenaamd om me succes te wensen vanavond,' antwoordde ze. 'Maar elke keer dat we elkaar spreken, worden we omlaaggezogen in hetzelfde oude emotionele moeras.'

Gavin hield haar aarzelend vast. Ze was warm in zijn armen en rook naar poedersuiker.

'Ik heb mezelf ongelooflijk belachelijk gemaakt afgelopen herfst,' zei ze. 'Er was een andere man in het spel. Ik was verliefd op hem en hij zei dat hij verliefd op mij was. Eigenlijk zei hij als eerste dat hij verliefd op me was, dat was de reden waarom ik ook verliefd op hem werd. Maar die man was een ziekelijke leugenaar. Hij kon zijn vrouw niet verlaten en is dat ook nooit van plan geweest ondanks dat hij herhaaldelijk het tegendeel beloofde. Hij beweerde dat hij om financiële redenen bij haar bleef, dat hij van mij hield, maar zich niet door haar wilde laten kaalplukken. En hij had kinderen, een geestelijk gehandicapte dochter die nog thuis woonde en twee studerende zonen. Hij wilde hen niet kwijtraken...' Ze zweeg. 'Wil je iets drinken?'

'Eh,' zei Gavin, 'natuurlijk.' Hij haalde diep adem. De karpervijver aan zijn voeten maakte bubbelgeluidjes, en hij keek naar de vissen die door het water schoten. Hij had misschien beter als vis geboren kunnen worden. De mensenwereld was te moeilijk voor hem, bracht hem in verwarring. (Lock en Claire, Edward en Siobhan, de jongens bij Kapp and Lehigh die hem op het slechte pad hadden gebracht, arme Diana Prell in de bezemkast, zelfs zijn eigen ouders – hij had hen nooit begrepen.) Hij wist niet hoe stevig of zacht hij Isabelle moest vasthouden. Ze had zich in zijn armen gestort, maar hij had haar nu al een paar minuten vast. Moest hij haar loslaten of dichter tegen zich aan trekken? 'Maar we moeten wel zo weg.'

Ze hief haar gezicht naar hem op. 'Wil je me kussen?'

Het was werkelijkheid nu: het duizelde hem. Hoe vaak had hij zichzelf niet verweten dat hij Isabelle niet had gekust op de avond waarop ze de uitnodigingen in enveloppen hadden gedaan, toen ze alleen waren en dicht bij elkaar stonden in de bedwelmende betovering van de maantuin? Dat was van zijn kant een pijnlijk moment van lafheid geweest, een gemiste kans. Maar dit was anders. Het zonlicht was fel, en elke spier en pees in zijn lichaam was doordrongen van de dringende noodzaak te gaan! Hij was altijd op tijd (zijn vaders schuld: *Te vroeg zijn is op tijd zijn, op tijd zijn is te laat zijn, te laat zijn is vergeten worden)*. Er was geen tijd om te kussen, maar Isabelle was er helemaal klaar voor: gesloten, trillende oogleden, gezicht opgeheven, lippen iets uiteen. Gavin was een man, je hoefde het hem geen tweede keer te vragen. Hij kuste haar. De zoen was zacht en zoet, ze was als een taartje, een bonbon. In het verleden was hij te bruusk geweest met vrouwen, maar dat kwam misschien omdat andere vrouwen lang niet zo verrukkelijk waren als Isabelle.

Ze glimlachte naar hem. 'Dank je,' zei ze. Ze legde haar hoofd tegen zijn borst. Hij streek over het glanzende gordijn van haar haar. 'Ik verheug me op vanavond.'

'Ja,' zei hij. 'Ik ook.'

Gavin was de man die de leiding had. Hij had het klembord met duizend namen en honderd tafelnummers. Hij had het tijdschema. Hij had de aantekeningen voor Lock en Adams' toespraak. Hij had de vrijwilligers geïnstrueerd. Hij was het aanspreekpunt voor het productieteam, voor Siobhan en haar ploeg en voor Max West in de artiestenfoyer.

'Als je een vraag hebt,' hoorde Lock een vrouw in een zwart vrijwilligersshirt zeggen, 'moet je bij die leuke vent met die geruite broek zijn.'

Lock had een vraag. Hij had heel veel vragen. Er ontbrak volgens Ben Franklin meer dan vijftigduizend dollar op hun bankrekening. Vijftigduizend dollar! Lock had zich de hele dag in de boekhouding verdiept – terwijl Gavin in de feesttent was, bezig met organiseren – voor het geval Ben Franklin inderdaad niet alles meer op een rijtje had. Maar nee: Lock zag dat er bij elke storting van een cheque contant geld was opgenomen. Hij was er ziek van. Niet alleen zou Gavin ontslagen worden (en mogelijk gearresteerd), maar ook Lock kon zijn baan verliezen vanwege het feit dat hij niet goed had opgelet. Of misschien zou hij ervan verdacht worden in het complot betrokken te zijn. Het was ondenkbaar dat Locks naam voor zoiets door het slijk gehaald zou worden.

Lock was de eerste die iets te drinken ging halen bij de bar. Hij bestelde voor zichzelf en Daphne witte wijn en cola met een kers erin voor Heather, maar hij hield voortdurend zijn oog op Gavin gericht, die duidelijk in zijn element was met zijn klembord en oortelefoon. Zich wentelend in zijn eigen gewichtigheid. Lock voelde zich afschuwelijk bedrogen. Het ene moment voelde hij zich bedrogen en het volgende moment hypocriet. Lock had immers zijn eigen geheime bergplaats met zonden, en het was louter om die reden dat hij besloten had Gavin er pas mee te confronteren wanneer het gala voorbij was. Hij zou er niet al te veel woorden aan vuilmaken, niet alleen om negatieve berichtgeving over Nantucket's Children te beperken, maar ook om Gavin te sparen.

Lock had zijn eerste glas wijn snel op. Aan de overkant van het grote, groene veld zag hij Claire staan. Ze was adembenemend. Verdomme! Haar aanblik trof hem. De jurk die ze droeg was lichtgroen en goud van kleur en viel dusdanig om haar lichaam heen dat Lock zich haar moeiteloos naakt onder de kanten stof kon voorstellen. Op haar hoge hakken zagen haar benen er fantastisch uit, en ze bewoog zich er elegant op, zelfs in het gras. Haar haar was ontkruld en viel in mooie lokken langs haar gezicht. Ze was schitterend, een filmster. Iedereen keek naar haar; iedereen wilde met haar praten. Lock voelde een steek van jaloezie, ze was van hem!

Hij haalde nog een drankje. Hij moest voorzichtig zijn, hij wilde niet te veel drinken voordat hij zijn toespraak hield, iedereen bedankte voor zijn komst en zijn PowerPoint-presentatie gaf. Maar zijn gedachten schoten alle kanten op, als een slee zonder bestuurder vlogen ze de berg af, over diepe spleten – Gavin, Claire, Daphne, Heather. Om hem heen was het cocktailuurtje in volle gang. Iedereen babbelde en lachte. Hij moest zich in het gezelschap mengen en zich laten zien, dat was zijn werk! Maar eerst wilde hij Daphne en Heather vinden. Hij moest Daphne in de gaten houden en hij wilde geen seconde van Heather missen, over twee dagen ging ze weer naar school. Maar hij moest ook met allerlei andere mensen praten. Ze kwamen tevoorschijn, de een na de ander, doken op terwijl hij zich een weg door de menigte baande, hij moest handen schudden, contacten leggen en banden versterken. Hij wilde Claire in het oog houden. En Gavin.

Lock kletste en keuvelde, maar zijn gedachten sloegen op hol. Hij ontwaarde Isabelle French, die er prachtig uitzag in een rode jurk. Isabelle, ook zo'n onvoorspelbaar persoon. Ze was zo kwaad, zo beledigd vanwege het feit dat ze niet genoemd was in het tijdschrift. Ze had Lock gezegd dat ze het gala tot het eind toe zou uitzitten, maar daarna uit het bestuur zou stappen. Ze zou haar financiële steun stopzetten. Nóg een smet op Locks reputatie.

Lock zag dat Daphne en Heather met een van hun buren stonden te praten. Daphne hief haar glas op als een teken naar Lock. Hij liep naar de bar om nog een wijntje voor haar te halen. Daphne! Claire! Isabelle! Gavin!

Gavin!

Toen Lock de bar naderde, stond Gavin daar alleen. Hij stond in een nonchalante houding tegen de bar geleund, alsof hij in een western speelde. Toen hij Lock zag, grijnsde hij. 'Geweldig,' zei hij. 'Al die mensen. Niet te geloven.'

Lock had zichzelf wat vriendelijkheid betreft overschat. Hij kon het niet opbrengen om Gavin te horen zeggen dat het gala zo geweldig was terwijl hij de organisatie eigenhandig voor meer dan vijftigduizend dollar had getild. Nu Lock naar Gavin keek, vielen de stukjes van de puzzel op zijn plaats; zijn geschutter op kantoor, het zich toe-eigenen van de financiën, het feit dat hij altijd tijdens de lunchpauze naar de bank wilde gaan, en die zelfgenoegzame blik die hij had als hij van de bank terugkwam. Lock had zich zelfs afgevraagd of Gavin verliefd was op een van de kasbedienden, zo duidelijk was de verandering in zijn gedrag, van zakelijk naar uitgelaten. Het was Bens kleindochter Eliza geweest die als eerste Gavins integriteit in twijfel had getrokken. Ze lette speciaal op de transacties van Nantucket's Children omdat haar opa in het bestuur zat. Waarom liep Gavin met zoveel geld op zak? Duizenden dollars, had ze Ben verteld.

Dat lijkt me niet in de haak, had ze gezegd.

En Ben had gezegd: Nee, lieverd, dat lijkt mij ook niet.

Lock had zich voorgenomen dat hij tot maandag zou wachten om de financiën met Gavin te bespreken, maar vanwege zijn woede, de wijn en zijn voortrazende gedachten kon hij niet langer wachten. Ze stonden met z'n tweeën aan de bar, er was niemand in de buurt. Dit was zijn kans. Het was een teken.

'Ik moet iets met je bespreken,' zei Lock.

De glimlach viel van Gavins gezicht als een man die van een flat af springt. 'Ik heb het geld in een rugzak,' zei hij. 'In mijn auto. Ik wil het teruggeven.'

Lock staarde hem aan. Hij was niet op deze bekentenis voorbereid, noch op het aanbod het geld terug te geven. Had hij het geld in zijn auto? Wilde hij het teruggeven?

'Zo makkelijk kom je er niet vanaf,' zei Lock.

Gavin schraapte zijn keel. 'Ik weet het van jou en Claire,' zei hij.

Nu was Lock degene die bijna zijn kalmte verloor. Maar op dat moment schoof de barkeeper Locks drankjes over de bar, en Lock kon zijn gedachten lang genoeg beheersen om de drankjes aan te nemen en wat dollars in de fooienpot te gooien. Hij wist van Claire? Nee! Hoe dan? Locks blik zocht Heather. Jezus.

'Ik weet niet waar je het over hebt,' zei Lock.

Gavin zuchtte. 'Ik kwam op een avond op kantoor toen jij daar met haar was. Ik heb alles gezien, alles gehoord...'

Alles gezien, alles gehóórd? Lock was in zijn eer aangetast. Was Gavin op een avond dat hij en Claire de liefde bedreven op kantoor geweest en had hij staan toekijken?

'Oké,' zei Lock met een bovennatuurlijke kalmte. Hij had een strategische fout gemaakt, hij had moeten wachten, zoals hij van plan was geweest.

'Ik ga het Daphne vertellen,' zei Gavin. 'Ik ga het Heather vertellen. Ik ga het Jason Crispin vertellen. En Isabelle. Ik zal ervoor zorgen dat de schokkende waarheid zich door deze tent verspreidt, en tegen de tijd dat het eten geserveerd wordt zal iedereen op de hoogte zijn.'

'Ben je daartoe in staat?' zei Lock. 'O ja, natuurlijk. Je hebt maandenlang van de organisatie gestolen, dus is het niet zo gek dat je in staat bent me te chanteren om zelf buiten schot te blijven.'

'Ik wil het geld teruggeven,' zei Gavin. 'Het was een vergissing.'

Een vergissing? Lock keek om zich heen of er iemand meeluisterde. Hoorde de barkeeper het? Lock moest het gesprek beëindigen, hij kon het nu niet oplossen.

'We hebben het er maandag over,' zei Lock. 'Jij en ik, onder vier ogen. Kun je er om zeven uur zijn?'

Gavin knikte éénmaal, kort. Was hij tevredengesteld? Zou hij zijn mond houden? Vertrouwde hij erop dat Lock hem zou sparen? Waarom zou hij? Van wederzijds vertrouwen was geen sprake meer. Wat hen verbond was angst.

Gavin pakte zijn glas wijn en zijn klembord en verdween tussen de mensen. *Een vergissing?* Was het fair om het een vergissing te noemen als je een misdaad beging of een gebod overtrad – een religieus gebod of een zelfopgelegd gebod – wanneer je het willens en wetens, met open ogen deed?

Misschien wel.

Nooit meer! Nooit meer! Nooit meer! schreeuwde Siobhan in gedachten uit, maar in werkelijkheid zei ze het fluisterend. Nooit meer zou ze twee titanische evenementen achter elkaar cateren, nooit meer zou ze zonder Carter cateren, ze zou überhaupt nooit meer cateren, punt uit! Ze zou de zaak verkopen en weer broodjes gaan smeren en ijs scheppen bij de lunchroom in Main Street. Ze zou met Edward Melior trouwen en een luxe leven leiden, ze zou uit lunchen gaan in plaats van lunches klaar te maken en te serveren. Want dit was vreselijk. Het was warm en benauwd in de tent waar ze stond te werken. Ze was de afgelopen drie nachten tot laat opgebleven om het diner voor te bereiden, maar omdat ze niet genoeg personeel had en haar man een dwangmatige gokker was, waren de hapjes haar ontschoten. Ze had drie verschillende soorten, van elk vijfhonderd, wat op z'n zachtst gezegd niet genoeg was.

Claire kwam de cateringtent binnen lopen. Tot haar grote ongenoegen zag Siobhan dat Claire er fantastisch uitzag. Ze leek verdomme Heidi Klum wel in die spectaculaire jurk, en blijkbaar had ze een kapper gevonden die iets met haar haar kon. Het feit dat Claire er zo kalm en mooi uitzag maakte Siobhan razend. Tot overmaat van ramp droeg Claire de parelketting die hun schoonvader Malcolm haar had gegeven toen ze van J.D. bevallen was, het eerste kleinkind dat de naam Crispin voortzette. Ze pronkte met haar geluk door die parels te dragen, ze liet ermee zien dat zij 'de diva' was en haar schoonzus 'de sloeber'. Siobhan voelde zich net Assepoester. Dat kleine, overspelige kreng stond buiten viognier te drinken, terwijl zij zich binnen in een plastic tent stond af te beulen.

'Er zijn te weinig hapjes, Siobhan,' zei Claire. 'De mensen zijn aan het klagen en ze worden hartstikke teut. Ze hebben alle kaashapjes al op en de bar met verse vis is leeg. Er liggen alleen nog wat partjes citroen en wat korstjes brie. Je moet wat meer eten brengen, pronto.'

Pronto? Siobhan wilde haar slaan.

'Ik heb niets klaar,' zei Siobhan. 'Laat ze maar lekker teut worden.'

'Wat?' zei Claire. Ze keek de tent rond. Siobhans personeel was druk bezig het eten op borden te scheppen. 'Waar is Carter?'

Eindelijk had ze door dat Siobhan het helemaal alleen deed!

'Geen idee, waarschijnlijk naar het casino in Harrah's in Atlantic City.'

'Wat?' zei Claire.

'Ik heb hem eruit geschopt. Het is een lang verhaal en ik heb nu geen tijd om het uit te leggen,' zei Siobhan. 'Heb je nog wat te zeggen of kom je hier alleen maar om kritiek te leveren?'

'Siobhan–'

'Leuk, die parels!' snauwde Siobhan.

Claire kreeg de sleutel van het winkeltje van een beveiliger. Het was tijd om de kroonluchter tevoorschijn te halen.

'Voorzichtig ermee op die schoenen,' zei de beveiliger.

'Ja, doe ik,' zei Claire. Iemand zou haar even moeten helpen, maar ze kon Lock en Jason niet vinden. Claire speurde de menigte af. Ze zag Jason bij een van de hoge bartafels staan, hij was in gesprek met Daphne Dixon. Daphne zag er fantastisch uit, ze had een koraalrood halterjurkje waarin haar 'mooie tieten' royaal tot hun recht kwamen. Claire zuchtte. De aanblik van Jason en Daphne samen ergerde haar, maar er was geen tijd om hen uit elkaar te trekken. En waar was Lock eigenlijk? Oké, laat maar: Claire kon de kroonluchter zelf wel halen. Voor de ingang van de tent stond een tafel die voor de kroonluchter was bestemd zodat de mensen hem op weg naar het diner konden bewonderen.

Claire stak het sportveld over, haar hakken bleven telkens in het gras vastzitten. Het had niet geregend, godzijdank, maar een sportveld bleef een sportveld. Ze had beter platte schoentjes kunnen aantrekken, maar haar jurk vroeg om hakken. Morgen zou ze voor haar ijdelheid gestraft worden met zere voeten.

Er stonden een man en een vrouw voor het gesloten winkeltje, ze waren diep in gesprek verwikkeld. Claire wilde niet al te uitgebreid kijken – ze wilde niet storen – maar toen de vrouw een geluidje maakte, keek ze. Het was Isabelle met... Gavin.

'Isabelle!' riep Claire spontaan uit. 'God, ik heb je de hele week proberen te bereiken.'

Isabelle snoof en trok de bandjes van haar jurk recht. Ze droeg een mooie, eenvoudige, nauwsluitende rode jurk, afgezet met satijnband. 'Hallo, Claire,' zei ze.

Claire keek tussen Isabelle en Gavin door. 'Het was niet mijn bedoeling te storen,' zei ze. 'Ik kom alleen even de kroonluchter halen.'

'Oké,' zei Isabelle.

'Is alles in orde?'

Claire vroeg zich af of Isabelle huilde vanwege het artikel in *NanMag*. Was het zo belangrijk voor haar? Of was ze boos dat niemand van haar vrienden naar het gala was gekomen? Misschien huilde ze vanwege haar nare scheiding. Wat het ook was, ze had een merkwaardig persoon uitgekozen om haar te troosten. Gavin. Claire moest het even laten bezinken.

'Sorry,' zei Claire. 'Ik wil echt niet storen. Let maar niet op me.'

Ze maakte het winkeltje open. Achter haar was het feest in volle gang. Behalve het feit dat er nauwelijks hapjes waren, liep het gala op rolletjes. Ze durfde de artiestenfoyer niet binnen te gaan om te kijken hoe het met Matthew ging; ze zou flippen als ze hem zag drinken. Het was beter van niets te weten. Trouwens, als ze onverwachts binnenviel om hem te controleren zou er misschien een vervelende discussie ontstaan die voor hem juist aanleiding zou zijn om te gaan drinken. Ze zou hem met rust laten en hoopte er het beste van.

Omdat er geen licht in het winkeltje was, moest Claire de kroonluchter in de invallende duisternis op de tast zoeken. Toen ze de doos gevonden had, realiseerde ze zich dat Isabelle en Gavin nog steeds voor de open deur stonden.

'Ik heb hem,' zei Claire. 'Ik zal hem op de tafel uitpakken.'

Ze hield voor de deuropening haar pas in en gebaarde Isabelle en Gavin dat ze plaats voor haar moesten maken, wat ze deden, en ze stapte tussen hen door naar buiten. Zou ze iets tegen Isabelle zeggen? Zelfs in moeilijke tijden was Isabelle altijd positief en sterk gebleven. Ze had, ondanks dat ze zich schaamde, op honderden uitnodigingen een persoonlijk woordje geschreven, ze had cateringbedrijven gebeld, zelfs het hoofd van de kantine van de middelbare school. Claire zou haar moeten feliciteren, haar moeten bedanken, een laatste poging moeten doen om een band met haar te krijgen. Morgen zou Isabelle French voor altijd uit haar leven zijn.

Maar Claire riep zichzelf een halt toe. Isabelle zou niet door Claire getroost willen worden. Misschien was zijzelf wel de reden dat Isabelle huilde.

Claire had de doos met de kroonluchter vast, ze moest zich er nu op concentreren dat ze hem veilig naar de tent kreeg. Helemaal over het sportveld op die hakken? Claire liep langzaam en voorzichtig, de doos was zwaar.

Ze zette de kroonluchter op de daarvoor bestemde tafel. Ze pakte hem uit en knipte het beschermende bubbeltjesplastic los. Op een kaartje naast de kroonluchter stond: *Gesmolten-toffee-kroonluchter in fuchsia. Kunstenaar: Claire Danner Crispin. Startbod: 25.000 dollar.* Mensen om de tafel heen riepen 'o' en 'ah' toen de kroonluchter eindelijk tevoorschijn kwam. Claire probeerde niet te glimlachen, maar zelfs nu hij op tafel stond was de kroonluchter magnifiek! Ze had er zo, zo hard aan gewerkt.

'Het is mijn eerste werk sinds bijna twee jaar,' zei ze tegen niemand in het bijzonder. Op dat moment wenste ze vurig dat Lock hem zou krijgen. Ze had hem voor hem gemaakt.

Ze legde haar hand op de perfecte boog van de eerste arm (vierenhalf uur, zestig pogingen).

'Vaarwel,' fluisterde ze. 'Vaarwel.'

Sinds ze begonnen waren met de soundcheck had hij drie sixpacks op, achttien biertjes dus, maar dat was niets om je zorgen over te maken. Terry en Alfonso waren er niet blij mee, dat kon hij wel merken, maar ze zouden hem er niet bijlappen. Het was tenslotte maar bier. Ze waren allang blij dat hij de fles Tanqueray niet tevoorschijn had gehaald.

Hij kon krijgen wat hij wilde. Een negentienjarige Nepalese jongen die G-Man heette, had als taak Max en de bandleden te voorzien van alles wat ze maar wilden. Matthew wilde bier, en hij kreeg bier, de ene Heineken na de andere, in koude groene flesjes. *Namasté!*

Hij trok een nieuw flesje open. De negentiende. Het nadeel van bier was dat je alsmaar moest plassen. Op zijn laatste tocht naar het eco-toilet had hij zich licht in zijn hoofd gevoeld. Of dat kwam door het bier of door zijn melancholische stemming vanwege zijn vertrek de volgende dag, hij had geen idee. Hij wilde met Claire weggaan, maar hij had haar nog niet kunnen overhalen. Hij fantaseerde dat hij gewoon op Nantucket bleef, bij Claire en Jason en hun kinderen ging wonen, als een soort excentrieke oom. Want hij had een gezin nodig. Hij had zelf een gezin moeten stichten, maar zijn manier van leven leende zich daar niet voor. Te veel drugs, te veel nachtbraken, te weinig regelmaat en vastigheid.

Matthew gluurde door een kiertje van de tent naar buiten, het veld over. Claire stond in zijn blikveld. Hij probeerde zich voor andere vrouwen te interesseren, maar telkens viel zijn oog weer op Claire. Die groene jurk. Het was ongelooflijk dat Claire op haar zevenendertigste nog aantrekkelijker was dan op haar zeventiende, maar echt, het was zo. Ze was als het ware in zichzelf gegroeid. Ze had zelfvertrouwen nu, een bepaalde allure, een hartelijkheid gecombineerd met competentie. Ze schitterde, ze gaf licht van binnenuit.

Op dat moment zag Matthew dat Claire met een kalende man met een roze das stond te praten. Ze bracht haar mond naar zijn oor en fluisterde iets. Hij legde zijn hand op haar onderrug, alsof het voor hem heel normaal was om haar daar aan te raken. Hij was de grote baas van de liefdadigheidsorganisatie. Een paar minuten eerder was hij de artiestenfoyer binnengestapt om zich voor te stellen, maar Matthew kon zich zijn naam niet herinneren. Dock? Dick? In tegenstelling tot de meeste mensen leek hij niet speciaal onder de indruk te zijn een beroemdheid als *Max West* te ontmoeten, hij was vriendelijk en zakelijk geweest. Nu zag Matthew dat deze Dick en Claire intiem met elkaar omgingen. God, de manier waarop hij haar nu aanraakte, zijn hand op haar onderrug, op haar billen bijna, het maakte Matthew ongelooflijk jaloers. Hij had zichzelf niet in de hand, vooral niet als hij gedronken had. Was het vanwege die Dick dat Claire hem had afgewezen?

Matthew riep G-Man. 'Wil je een glas Tanqueray met een scheut tonic en een schijfje superverse limoen voor me halen?' vroeg hij. 'Alsjeblieft?'

De tijd vloog! Het was al tijd om aan tafel te gaan. Iedereen was uitgehongerd. Het cocktailuurtje – dat legendarisch was – was wat hapjes betreft magertjes geweest.

Claire haalde diep adem en keek de tent rond. Dit was het! Het gala! De tent was verlicht met witte kerstlampjes en kaarsen, de tafels waren bedekt met helder wit linnen waarop kristallen bokalen en zilveren schalen met eenvoudige roze theeroosjes stonden. De tent gonsde van pratende en lachende mensen. Het was een schitterend feest. Adams ontkurkte een fles champagne en schonk Claire een glas in, hij kuste haar wang en zei: 'Je hebt het fantastisch gedaan.'

'Ik niet alleen,' zei Claire. Ze wierp een blik op de tafel naast haar. Lock zat tussen Heather en Isabelle in. Daphne zat naast Heather, en Gavin – die, begreep Claire nu, met Isabelle gekomen was! – zat aan de andere kant van Isabelle. Dara, de celliste, was er met haar partner, en Aster Wyatt, de grafisch ontwerper, had zijn vriend meegenomen. Geen van Isabelles andere vrienden was komen opdagen. Isabelle keek behoorlijk chagrijnig. Claire hief haar champagneflûte in haar richting. *Het is ons gelukt!* vormde ze met haar mond. Isabelle wendde haar blik af.

Claires hart sloeg over. Ze nam een piepklein slokje en zette haar glas neer. Morgen, hield ze zichzelf voor, deed het er niet meer toe wat Isabelle dacht.

Meestal loopt alles op het laatste moment nog in het honderd. Ze waren het punt waarop alles fout kon gaan gepasseerd, toch?

Maar Claire maakte zich zorgen om het diner. Siobhan had het met de hapjes niet gered, zelfs Genevieve en haar club zestienjarigen zouden het beter hebben gedaan. Maar toen de kelner Claires bord neerzette, was ze gerustgesteld: het eten zag er fantastisch uit. De ossenhaas was roze, de kreeftsalade romig, de wilde rijst vol gedroogde kersen en gouden rozijnen, als juweeltjes. Claire keek om zich heen: iedereen was voorzien. Claire dacht een collectieve zucht van verlichting te horen, en daarna kreten van opwinding en blijdschap. Eten!

Toen de tafels waren afgeruimd, stond Lock op. Claires maag kromp ineen, hier was ze nog niet klaar voor. Lock nam een microfoon aan van een van de productiejongens en zei, met een bulderende stem die iedereen tot stilte bracht: 'Goedenavond!'

Applaus. Iedereen voelde zich nu goed, de mensen waren in het cocktailuurtje opgewarmd en ze hadden gegeten. De avond stond op het punt om als een raket de lucht in te gaan.

'Ik ben Lockhart Dixon, directeur van Nantucket's Children. Ik wil u bedanken voor uw aanwezigheid op ons zomergala.'

Nog meer applaus.

'Nantucket's Children werd in 1992 opgericht, het jaar waarin het onze onlangs overleden oprichtster Margaret Kincaid begon op te vallen dat het karakter van Nantucket aan het veranderen was. Er waren hier op het eiland kinderen van arbeiders die de noodzakelijke basisbehoeften ontbeerden. Het eiland had behoefte aan betaalbare huizen, betere naschoolse activiteiten, dagopvang...'

Lock ging verder, Claire kende het verhaal. Ze keek om zich heen naar de aantrekkelijke, welgestelde mensen. Snapten zíj het? Nantucket's Children hield zich bezig met kinderen van wie de ouders keihard werkten om zich hier staande te houden. De economie van Nantucket was van deze arbeidskrachten afhankelijk, het eiland had de verantwoordelijkheid om voor deze kinderen te zorgen. Lock beëindigde zijn speech en hief zijn handen op, en de lichten in de tent werden gedimd. Op het podium werd een scherm neergelaten en de slideshow startte: kinderen groot en klein, donker en blank waren aan het ballen, leren, fietsen en liepen in groepjes over het strand. Het nummer *Lean on Me* werd gedraaid en Claire schoot vol. Even flitste het beeld van J.D. op het scherm voorbij waarin hij naast een gehandicapt peuterschoolleerlingetje zat, een opengeslagen boek tussen hen in. Het was in het kader van het 'Lees me voor'-programma, dat gefinancierd werd door Nantucket's Children. Claire had tegenstrijdige gevoelens: het voorzitterschap was zo zwaar geweest, zo uitputtend, en het had haar in zo'n moeilijke positie gebracht. Ze keek naar de gezichten van de kinderen op het scherm. Het doel van het gala was geld inzamelen, geld zou uitkomst bieden. Ze had het werk als voorzitter op zich genomen omdat ze wilde helpen, omdat ze iets aan het universum wilde teruggeven. Maar het was helemaal misgelopen. Of niet?

Claires zenuwen namen bezit van haar dijen, haar knieën. Ze

wist wat er nu komen ging. Ze keek naar Isabelles tafel, en tot haar grote ontsteltenis zag ze dat Isabelle opstond, haar stoel aanschoof en naar de uitgang liep. Waar ging ze heen? Wist ze niet dat hierna de dankbetuigingen op het programma stonden? Gavin stond op en liep achter Isabelle aan naar buiten.

Adams kwam het podium op en nam de microfoon van Lock over. Claire draaide zich om, tevergeefs Isabelle zoekend. Ze was weg. Claire probeerde naar Adams te seinen, maar die werd volledig in beslag genomen door zijn voorzitter-van-het-bestuurspeech. Hij bedankte Gavin – beleefd applaus, ondanks het feit dat Gavin er niet was – hij bedankte Lock, die weer het podium op kwam om een buiging te maken. Claire keek naar Daphne, die zoals gewoonlijk misprijzend voor zich uitkeek. Toen stond Daphne op en liep weg. Het applaus was oorverdovend, zo leek het althans voor Claire. Angst greep haar bij de keel. Nu kwam het moment waarop ze gewacht had, of een van de momenten, en ze zag het met angst en beven tegemoet. Néé! dacht ze. Op haar wangen kwamen twee rode boeketten tot bloei. Rustig blijven. Ze had wel voor hetere vuren gestaan. Ze had haar kalmte bewaard toen ze een keizersnede hadden moeten uitvoeren en Zack eruit haalden: Levend? Dood? Gezond? Beschadigd? Ze was voorgesteld tijdens de onthulling van *Bubbles III* in het Whitney Museum; de *New York Times* had foto's van haar gemaakt. Ze had voor een overvolle zaal in de Stone Pony de tamboerijn tegen haar heup geslagen. Wat een lef moest ze toen hebben gehad. Dat lef had ze nu niet meer. Ze werkte in haar eentje in het atelier, ze bracht haar kinderen groot; ze was niet het type vrouw dat een bos bloemen in ontvangst kon nemen ten overstaan van een afschrikwekkende menigte als deze. Ze zou haar enkel verzwikken, ze zou vallen, er zou op een gênante plek een vlek op haar jurk prijken, er zou iets tussen haar tanden zitten. Ze keek nogmaals of Isabelle er was – nee. Zeker naar het toilet. Ook Daphne was verdwenen. En ook Matthew zou haar schittermoment missen. Wat was een schittermoment waard als de juiste mensen er niet waren om het te zien?

Isabelle!

'En nu is het mij een bijzonder genoegen,' zei Adams, 'om de twee vrouwen die deze avond mogelijk hebben gemaakt aan u voor te stellen. Deze vrouwen hebben zich bijna een jaar lang ingezet – ze hebben geld ingezameld, vrijwilligers gezocht, hun leven op z'n kop gezet om zich ten dienste van Nantucket's Children en het zomergala te stellen. Graag een hartelijk applaus voor onze voorzitters. Dames en heren, Claire Danner Crispin en Isabelle French!'

Later zou Claire zeggen dat ze de klap gehoord had. Het geluid werd in haar onderbewustzijn vastgelegd. Het geluid van brekend glas. Dus toen Claire het podium opkwam om armen vol lelies en ridderspoor (koningin van het bal, Academy Award, Miss America) in ontvangst te nemen, maakte haar geest een vrije val. Om met een weerzinwekkende smak neer te komen.

De veiling zou als volgt verlopen: Pietro da Silva zou van achter uit de tent naar voren komen lopen, de kroonluchter omhooghoudend. Om het nog wat spectaculairder te maken had Ted Trimble er een batterij in gemonteerd zodat de kroonluchter licht gaf. Pietro da Silva was een professionele veilingmeester, hij kwam in actie voor elke liefdadige instelling op het eiland en hij hield ervan het extra spannend te maken. Het was zijn idee geweest om met de kostbare, lichtgevende kroonluchter door de verduisterde tent te lopen. Een veiling is theater. En waarom ook niet? De prijs zou erdoor omhoog gaan.

Claire was nerveus en opgewonden. De bloemen van het boeket streken langs haar gezicht. Ze was zich ervan bewust dat Isabelle níét met haar het toneel was opgegaan; Claire had alleen met Adams geposeerd voor de fotografen van de beide kranten van het eiland. Vond het publiek het vreemd dat Isabelle er niet was? Claire wist het niet, ze wist evenmin wat ze nou precies voelde, maar er was absoluut iets mis. Op het toneel, met de lichten in haar ogen, probeerde ze Jason te zoeken. Waar was hij? Ze dacht aan Jason zoals ze hem had leren kennen, zijn jonge gezicht warm gloeiend, oranje van het kampvuur bij Great Point; hij had een emmer mosselen meegenomen, die hij op het strand had gepeld en Claire had gevoerd, elke mossel een klein, lief, volmaakt cadeautje. Die Jason was weg, voor hem in de plaats had ze nu.... ja wat had ze nu nog? De man die haar hand had gepakt toen Zack zijn eerste stapjes deed, die haar hals had gekust, de man die weer bij haar was komen slapen, ook al was ze mijlenver van zichzelf vervreemd geraakt. Jason! Waar was haar man? Ze voelde dat er iets afschuwelijks gebeurd was. Een van hun kinderen was verbrand in het atelier! Zijn plek aan tafel was leeg. Shea was aan het overgeven in bed, terwijl ze helemaal alleen was; Ottilie was gekidnapt door een vent die haar al maandenlang stalkte. Achter in de tent, helemaal achterin, zag Claire Siobhan, haar gezicht was bleek en opgezet als de korst van een pasteitje, weggedoken in haar witte koksjas. Er was iemand dood.

Toen Claire van het podium af stapte, stond Lock haar op te wachten, hij keek ontzet. *Meestal loopt alles op het laatste moment nog in het honderd.* Het moment was gekomen, de laatste minuut.

'De kroonluchter is gevallen,' zei Lock. 'Hij is gebroken.'

Hij is gevallen, dacht Claire. Hij is gebroken.

'Gebroken?' zei ze.

'In scherven uiteengespat,' zei Lock.

Dat kan niet, dacht Claire. Er was speciaal een beveiliger ingehuurd om ervoor te zorgen dat er niets mee zou gebeuren.

De mensen in de zaal werden stil toen Lock Claire bij haar arm de tent uit leidde. Ze wisten niet wat er gebeurd was, maar voelden een drama in de lucht hangen.

Met stemverheffing riep Adams in de microfoon: 'Geniet van uw dessert! Over enkele minuten begint het concert van Max West!'

Het was geen drama: de kroonluchter was tenslotte maar een ding. Maar toen Claire hem op het gras zag liggen – gebroken, aan diggelen, uiteengespat – schreeuwde ze het uit, daarna huilde ze, snotterde ze, snikte ze. Ze draaide zich om naar Lock en vroeg: 'Waar is Jason?'

Ze voelde handen om haar heen. 'Hier ben ik, schatje. God, ik vind het zo vreselijk voor je.'

Claire liet zich in zijn armen vallen. Ze huilde zo hard dat Jason niet begreep wat ze zei. Ze moest zich concentreren op haar ademhaling, herhalen wat ze zei.

'Ik wil dat je de oppas belt. Vraag haar. Of het goed gaat. Met de kinderen.'

'Ik weet zeker dat het goed met hen gaat.'

'Bel haar!' Er was iets vreselijks, Claire voelde het. De aansteker! J.D. had met die verdomde aansteker het huis in de fik gestoken. Hij had ermee zitten spelen onder de lakens van zijn bed. Claire had dat rotding mee moeten nemen toen ze van huis ging. Zijn lakens hadden vlam gevat en zijn kamer was in brand gevlogen en vervolgens de kamers waar de andere kinderen lagen te slapen. Ze zouden stikken in de rook. Hannah, de oppas, had toch maar besloten naar het concert te gaan. Ze had de kinderen alleen gelaten, en nu waren ze dood.

Jason belde. Claire hing tegen hem aan, ze trilde. Iedereen verzamelde zich in een kring: Lock, Adams, Ted en Amie Trimble, Brent en Julie Jackson. Siobhan niet, hoewel Claire haar zo-even nog had gezien. Isabelle niet. Gavin niet. Daphne niet.

Jason beëindigde zijn telefoongesprek. 'Er is niets aan de hand met de kinderen,' zei hij. 'Ze liggen te slapen.'

'Zack ook?'

'Zack ook.'

'Is Hannah er? Heb je Hannah gesproken?'

'Hannah is er, Pan is er. De kinderen zijn veilig.'

Oké. Ze kon haar boosheid, haar woede, haar teleurstelling, haar verdriet nu van zich af laten vallen. Het huis stond immers niet in de brand, haar kinderen lagen veilig in bed. De kroonluchter was maar een ding, een zielloos object, een ding, Claire! Ze berispte zichzelf om haar oneindige stroom hete tranen, maar ze waren niet te stuiten. Honderden uren werk, de stress en de inspanning, een bezoek aan het ziekenhuis – ze was bijna dood geweest vanwege die verdomde kroonluchter! Ze was naar het atelier teruggekeerd om hem te maken, het was een werk uit liefde, de hoogste vorm van liefdadigheid, en nu was hij er niet meer. Woedend richtte ze zich tot de groep mensen.

'Hoe is dit gebeurd?' vroeg ze streng. 'Wie heeft hem omgegooid? Hij is niet uit zichzelf gevallen! Waar is die beveiliger? Hij zou hem bewaken!'

Niemand gaf antwoord. Isabelle, dacht Claire. Ze had de tent verlaten, en even later was de kroonluchter gevallen. Vanaf het eerste begin was ze in Claire teleurgesteld geweest...

'Waar is Isabelle?' vroeg Claire.

'Ze is terug naar de tent,' zei Adams. 'Ze eet haar dessert.'

'Ik kan Gavin niet vinden,' zei Lock. 'Ik dacht dat hij een sigaret ging roken, maar ik kan hem nergens vinden. Hij is ervandoor.'

Ervandoor? dacht Claire. Gavin was niet haar favoriet, maar hij had geen reden om haar kroonluchter te breken. Om hem om te gooien en weg te rennen, als een kind dat een bal door een raam had gegooid.

'Waarschijnlijk heeft iemand hem per ongeluk omgestoten,' zei Jason.

Per ongeluk? dacht Claire. Hoe dan, door onoplettend met een tas te zwaaien? Dat zou dan een behoorlijk grote tas moeten zijn. Door met een dienblad vol desserts te lopen? Siobhan had achter in de tent gestaan, kruizen slaand: *In de naam van de Vader, de Zoon en de Heilige Geest. Maak je je geen zorgen om je zielenheil, Claire?* Claire had haar gezien, maar waar was ze nu? Waar was ze, nu Claire haar nodig had? Siobhan was kwaad, Claire wist het. Ze koesterde wrok. Ze had het gala niet willen cateren. Ze had willen eten en drinken en in haar sexy zwarte jurk willen rondlopen, in plaats van te sloven als een dienstmeid. Ze had rechter gespeeld over Claire en besloten dat Claire moest hangen.

'Ik kan niet geloven dat niemand gezien heeft wat er gebeurd is,' zei Claire. 'Waar is de beveiliger?'

'Er waren mensen bij het hek,' zei Adams. 'Een stel meiden die zonder kaartje naar binnen probeerden te komen. Hij was met hen bezig.'

Claire stapte naar de bar en wenkte de barkeeper. Hunter heette hij. Hij werkte al jaren voor Carter en Siobhan. 'Heb jij gezien wie het gedaan heeft?' vroeg Claire. 'Je moet iets gezien hebben.'

Hij stak zijn handen omhoog. 'Ik stond er met mijn rug naar toe,' zei hij. 'Ik heb niets gezien.'

Slechts enkele mensen hadden gezien wat er gebeurd was, en een van hen was Max West, die buiten, voor de artiestenfoyer, een koude, scherpe Tanqueray met tonic stond te drinken. Max had zijn blik strak op de opening van de grote tent gericht, hij probeerde te verstaan wat er binnen gezegd werd.

Zijn blauwe beker was tot de rand toe gevuld met de verboden gin. Alles draaide en flikkerde voor zijn ogen. Eindelijk was hij waar hij wezen wilde als hij dronk, de toestand waarin hij niet goed meer wist wat echt en wat niet echt was, de toestand waarin de wereld, de mensen, de gebeurtenissen en de omstandigheden gemaakt leken te zijn om hem te amuseren. Als hij dronken was, verbaasde hij zich voortdurend ergens over.

Hij had gezien dat de kroonluchter viel, hij had gezien wie hem omverstootte, maar hij kon het niet over zijn lippen krijgen, hij kon het niet verraden omdat hij het net zo goed gedaan had kunnen hebben. Na een paar stappen liep hij behoorlijk te slingeren, ook hij was in staat een catastrofaal ongeluk te veroorzaken. De kroonluchter was gevallen, op het gras uiteengespat, hoewel het woord 'uiteengespat' een geluid veronderstelt, maar wat Matthew had gehoord was niet meer geweest dan een gedempt knerpen. Matthew keek naar de kroonluchter op het gras. Zou hij hem oprapen? Ik moet stoppen met drinken, dacht hij.

Terug in de artiestenfoyer sloeg hij twee espresso's achterover en probeerde hij Bruce te bellen. Bruce was op dat moment in de sportschool in Burbank, hij stond op de loopband en wilde liever niet stoppen. (Hij moest tien kilo afvallen, had zijn dokter gezegd, anders zou hij een hartaanval krijgen.)

'Is dit een noodsituatie, Max?' zei Bruce.

'Ja,' zei Matthew.

Matthew probeerde het zo beknopt mogelijk uit te leggen: het veilingstuk, een kroonluchter die Claire zelf had gemaakt, was gebroken, en de liefdadigheidsorganisatie zou in plaats daarvan iets anders nodig hebben. Wat kunnen we geven?

'Het moet echt iets heel goeds zijn,' zei Matthew. 'Die kroonluchter had zo'n vijftigduizend dollar opgebracht.'

'Vijftigduizend dollar?' zei Bruce. 'Jezus, Max! Heb je nog niet genoeg voor die vrouw gedaan? Je geeft een gratis concert. En je hebt toch ook al een tafel van vijfentwintigduizend dollar voor haar gekocht? Het is wel genoeg zo, Max. Meer dan genoeg. Waarom vind je dat je haar nog meer moet geven?'

'Ik moet niets,' zei Matthew. 'Ik wil het.' Hoe kon hij het uitleggen? Hij wilde alles voor Claire doen. Hij had hier een missie! 'Wat kunnen we hun geven?'

Bruce zuchtte. 'Wat dacht je van twee kaartjes voor je concert in Londen op kerstavond en twee backstagepasjes?'

'Dat is een aardig beginnetje. Maar het moet groter zijn. Denk groot, Bruce!'

'We kunnen er een eersteklas vliegticket bij doen, zeven nachten in een suite in het Connaught-hotel en een diner in het restaurant van Gordon Ramsay op kerstavond met jou, Elton John en Paul McCartney?'

'Heb ik op kerstavond een diner met Elton John en Paul McCartney?'

'Jazeker.'

'Je bent geniaal,' zei Matthew. 'Bedankt, Bruce. Daar zullen ze blij mee zijn.'

Gavin haastte zich over de strook gras langs de Old South Road met als enige lichtbron het puntje van zijn sigaret. Hij rende, maar omdat hij in een abominabele conditie was, kwam hij adem tekort, hij moest hoesten en was gedwongen te stoppen en te gaan lopen. Hij had met zijn mobiele telefoon de luchtvaartmaatschappij gebeld en onder een valse naam de laatste vlucht van het eiland geboekt.

Hij ging weg van Nantucket. Hij had al het geld – min vijfhonderd dollar die hij nodig had om weg te komen – op de achterbank van Ben Franklins Lincoln Continental gegooid. Hij hield zich voor dat hij niet had gestolen, hij had het geld immers teruggegeven – het was gewoon een enerverend spelletje waar hij een tijdje lol mee had gehad. Het deed hem pijn om Isabelle te verlaten, maar ze verdiende iemand die beter was dan hij; ze verdiende iemand die sterk en slim was, niet een of andere mislukte crimineel. Door nu te vertrekken, bewees hij Isabelle een dienst. En Lock en Claire trouwens ook. Hij kon hun leven ruïneren, hun gezinnen uiteenscheuren, maar wat zou hij daarmee bereiken? Niets dan verdriet.

Hij glipte weg toen Isabelle op het toilet was. Hij bleef een paar minuten op de parkeerplaats staan, hij kon zich niet losrukken voordat hij wist wat er op de veiling zou gebeuren. Wat er gebeurde was het volgende: Pietro da Silva en Max West kwamen het podium op en brachten het meest extravagante in veiling wat het eiland ooit had gezien: concertkaartjes, backstagepasjes, een vliegticket, een hotel, een kerstavonddiner met Max, Sir Elton John, Sir Paul McCartney of, zoals Max West grapte 'twee ridders en een knecht'. Het ging weg voor honderdduizend dollar en Max West bood hetzelfde nog een keer aan voor honderdduizend dollar. Tweehonderdduizend dollar! Gavin voelde zijn hart sneller kloppen. Zoveel geld voor het goede doel! Veel meer dan ze hadden verwacht! Het was vreemd, de verrukking die Gavin ervoer bij het galasucces. Het was te laat. Hij rende weg.

Hij was bijna bij de afslag naar de luchthaven toen er lichten achter hem verschenen. Hij gooide zijn sigaret neer, trapte hem uit in het gras en schaamde zich voor het feit dat hij troep maakte. De lichten waren niet de lichten die hij vreesde. Of wel? Hij twijfelde of hij zich zou omdraaien om te kijken of gewoon de benen zou nemen. Had hij nog genoeg kracht om te rennen? Hard genoeg om naar het vliegveld te komen? Op het vliegveld was hij nu trouwens ook niet meer veilig. Hij moest zich verstoppen, maar waar?

De lichten draaiden en flitsten heen en weer. Ja, het waren absoluut politielichten, maar misschien niet voor hem. Hij draaide zich om. Een surveillancewagen stopte naast hem. Er zaten twee agenten voorin, en achterin een oude man, Ben Franklin.

'Gavin Andrews?' zei de agent achter het stuur.

Hij was erbij. Gavin stopte zijn handen diep in de zakken van zijn geruite broek en keek achterom naar de tent. Hij stond op bijna een kilometer afstand, maar toch hoorde hij flarden van het zingen van Max West. De sound, wat het ook zijn mocht, lag goed in het gehoor.

'Handen in de lucht!' blafte de andere politieagent.

Gavin stak zijn handen boven zijn hoofd, zoals hij dat in films gezien had. Iedereen die Gavin kende beging misdaden, grote of kleine, was betrokken bij schandalen, corruptie, criminaliteit of was anderszins te kwader trouw, maar hij was degene die werd gepakt.

Zo was het nu altijd.

Zijn stem had nog nooit zo mooi geklonken. Ondanks dat Claire overmand was door verdriet en woede, hoorde ze hoe goed hij was. Matthew – Max West – zette een fantastische show neer, hij speelde al zijn hits en de gasten stonden allemaal te dansen en zongen zich de longen uit hun lijf. Claire danste met Jason, Ted en Amie Trimble, en Adams en Heidi Fiske. Ze dansten in een kring om haar heen, beschermden haar, alsof zijzelf ook kon breken.

De kroonluchter bestond niet meer. Telkens als Claire eraan dacht, werd ze misselijk. Het was een roman van Hemingway, achtergelaten in een trein. Het was Degas' schilderij met de ballerina's dat in rook was opgegaan. De ergste gedachte was dat andere mensen haar verlies misschien niet zo zagen en het zouden beschouwen als niet meer dan gebroken glas, zo weer opgeveegd, zo weer te vervangen door concertkaartjes en een diner met beroemdheden, die in feite samen vier keer zoveel geld hadden opgebracht als de kroonluchter. Max West, zei iedereen, was de held van de avond. Hij had de dag gered. Maar dat kon de wond in Claires ziel niet helen. Ze had bijna een jaar aan de kroonluchter gewerkt, het was het mooiste wat ze ooit had gemaakt, maar hij zou in de vergetelheid raken. Daar bestond geen troost voor.

Ze voelde een tikje op haar schouder: Lock. Iedereen was aan het dansen, maar Lock stond daar gewoon en hij staarde haar aan met een uitdrukking die weinig te raden overliet.

'Ik moet met je praten,' zei hij.

'Nu?'

'Ja,' zei hij.

Ze wilde geen seconde van het concert missen, maar Max zette net op dat moment een cover van *Dancing Queen* in, en omdat het niet zijn eigen nummer was, ging Claire akkoord.

Toen ze door de tent liepen, probeerde Lock haar hand te pakken. Claire keek hem boos aan.

'Wat doe je nou?' vroeg ze. 'Ben je dronken? Waar is je vrouw? Je dochter?'

'Daphne is weggegaan, ze vond dat ik te veel aandacht aan Isabelle schonk,' antwoordde hij. 'En Heather is naar de stad, naar haar vrienden.'

'Waar gaan we heen?'

'Ik wil je iets laten zien,' zei hij. 'In het winkeltje.'

'Dat lijkt me geen goed idee,' zei Claire.

'Alsjeblieft, vijf minuutjes.'

Ze liep over het donkere veld achter hem aan naar het winkeltje. Hij wees naar de doos. 'Ik heb hem voor je ingepakt,' zei hij. 'De resten. Wat er van over was.'

'Wilde je me dat laten zien?'

'Ik wist dat het belangrijk voor je zou zijn,' zei hij. 'Belangrijk dat het niet allemaal wordt weggegooid.'

Ze wierp een blik in de doos. Het was te donker om het duidelijk te zien, maar ze onderscheidde vaag de uit zijn verband gerukte vorm van de gebroken kroonluchter en een stapel scherven. De doos was als een doodskist.

'Je had de scherven niet hoeven te bewaren,' zei ze. 'Ze zijn gevaarlijk.'

'Ik kon het niet over mijn hart verkrijgen ze weg te gooien.'

Het was een gebaar, een poging om duidelijk te maken dat hij haar verlies begreep, maar hij begreep het niet.

Hij sloeg zijn armen om haar heen. 'Ik hou van je, Claire. Alles van het afgelopen jaar, alles wat we hebben meegemaakt, was om die reden. Ik hou van je.'

Ze legde haar handen op de revers van zijn colbert. Ze dacht terug aan het afgelopen jaar, aan de keren dat ze hem in het geheim had ontmoet, aan de momenten voor ze afscheid namen en ze zeker wist dat ze zou sterven van verlangen, aan de ontredderde momenten met pater Dominic, aan de keren dat ze zichzelf steeds maar weer afvroeg: *Hoe kan een goed mens zoiets slechts doen?* Ze zou willen dat ze geloofde dat de kracht waar ze zich nu door liet leiden de kracht was waar ze om gebeden had. Maar de waarheid was dat haar gevoelens voor Lock verflauwd en veranderd waren. Ze dacht aan de middag waarop hij naar haar huis was gekomen om over de catering te praten; hij was toen zo vreemd voor haar geweest, zo anders dan de man van wie ze hield, de man met wie ze de Eiffeltoren wilde beklimmen, voor wie ze Frank Sinatra tot leven wilde wekken, met wie ze zelfs in de rij in het postkantoor wilde staan. Op die mooie, zonnige middag had Claire niet kunnen wachten tot Lock weg zou gaan. Ze dacht aan de ochtend waarop Lock haar met het vervoeren van de kroonluchter geholpen had. Ze hadden naast elkaar in de auto gezeten – Lock aan het stuur, Claire naast hem – als een echt stel, en gezwegen. De situatie was pijnlijk omdat wat er tussen hen van betekenis was geweest, verdwenen was, althans voor Claire. En daarna, de laatste avond, toen Matthew zijn aanzoek gedaan had – *Ik wil dat je met me meegaat. Trouw met me* – dacht Claire: *Ik zou Jason nooit kunnen verlaten. Ik zou de kinderen nooit kunnen verlaten.* Maar ze kon Lock gemakkelijk verlaten. Het was Lock voor wie ze zou hebben willen wegvluchten.

'We hebben geluk dat alleen de kroonluchter gebroken is,' zei ze. Ze hief haar hoofd op en keek hem aan. Ze had hem het afgelopen jaar fantastisch en mysterieus gevonden, hij leek alwetend en over een onuitputtelijke schat aan kennis te beschikken, altijd het juiste antwoord en het juiste oordeel te hebben. Hij was haar redder geweest. Er was een leemte in haar leven geweest waar ze zich niet van bewust was, en hij had die opgevuld. Maar hij vergiste zich als hij dacht dat er geen hel bestond; er bestond wel een hel en ze waren er maar ternauwernood aan ontsnapt. 'We hadden onze levens kapot kunnen maken. Mijn huwelijk had stuk kunnen lopen, of het jouwe. Onze kinderen, jouw werk, onze vrienden, onze levens – het had allemaal geruïneerd kunnen worden.' Claire stelde zich voor dat ze met Lock in een huurhuis woonde, haar kinderen in vreemde kamers, ontheemd en vol wrok. Na een tijdje zou Lock 's avonds naar zijn werk gaan om háár te ontlopen, en zij zou op haar beurt stiekem met Jason bellen. Claire schudde het beeld uit haar gedachten en werd vervuld van een gevoel dat zo dik was als stroop, een gevoel dat ze alleen als 'bitterzoet' kon omschrijven. God, ze had met heel haar hart van Lock Dixon gehouden, zo hevig en intens dat het haar had verblind. Maar haar liefde was nu, ten lange leste opgebrand.

'Claire...'

Ze streek zijn stropdas glad. Het vreselijke van overspel was uiteindelijk dat het haar geloof in de dingen die ze altijd als heilig beschouwd had – liefde, huwelijk, vriendschap – aan het wankelen gebracht had. 'Ik wil je iets vragen,' zei ze.

'Ja, natuurlijk,' zei Lock. 'Wat je maar wilt.'

Hij was ernstig, smekend, beschadigd. Hij was beschadigd geweest vanaf het moment dat ze hem ontmoet had, hij was de gewonde vogel langs de kant van de weg, waar niemand voor wilde stoppen behalve zij. Hij was de teer in haar haar, aan haar handen, die klont die zwaar aan een kant van haar hoofd hing en onmogelijk te verwijderen was. Hij was de enige tegen wie ze geen nee kon zeggen. Tot dat moment.

'Ik wil dat je me laat gaan.'

Lock knikte. Het overweldigde hem, misschien, of misschien dacht hij in zijn oneindige wijsheid: *Ja, je hebt gelijk. Ga, nu je het kunt.* Claire vroeg het niet. Ze haastte zich terug naar de verlichte tent, naar de muziek.

Siobhan wist dat de geestelijke uit haar jeugd, pastoor Kennedy, gezegd zou hebben dat ze allen, niemand uitgezonderd, zondaars waren. Dat gold voor Carter, haar gokverslaafde echtgenoot, en voor Claire, haar overspelige hartsvriendin. Dat gold voor Siobhan zelf.

Het was allemaal in een sneltreinvaart gegaan, net als toen Liam zijn arm had gebroken: het ene moment sloeg hij met zijn stick tegen de puck en het volgende moment klapte hij tegen het zijschot en viel op het ijs, zijn arm vreemd naast hem bungelend.

Siobhan had het dessert geserveerd en luisterde naar Lock Dixon, die op het podium zijn melodramatische 'red de kinderen'-praatje hield. Voor Siobhan was de gedachte dat deze avond met zijn cocktails, hapjes en met diamanten versierde vrouwen iets te maken had met kinderen van arbeidersgezinnen op Nantucket grote flauwekul. Deze avond was er voor de gasten die hun eigen rijkdom en weelde vierden, die een beroemde rockster van dichtbij wilden zien. Het ging niet om goeddoen, maar om te showen dat je goeddeed. Sommige mensen in de tent hadden waarschijnlijk zelfs geen flauw benul naar welk goed doel hun geld ging! Het hele wereldje van liefdadigheid was, besloot Siobhan, oppervlakkig en verfoeilijk. Maar misschien was dat wat té cynisch: Siobhan was gewoon moe, bekaf, ze had een rotbui, veroorzaakt door visioenen van Carter aan de roulettetafel.

Ze stapte net uit de tent toen de beveiligingsagent – een pafferige Engelsman – langs haar rende. Er waren mensen, klaplopers, Max West-fanaten die over het hek probeerden te klimmen. Bijna de hele avond hadden er mensen buiten de tent rondgedwaald, om drankjes te kopen, een sigaret te roken, naar het toilet te gaan. Nu stond iedereen binnen samengepakt om in afwachting van Max West naar de toespraken te luisteren. De enigen die zich buiten de tent bevonden waren haar barkeeper, Hunter, en aan de bar Ben Franklin, die in zichzelf leek te praten. Siobhan voelde een steek van medelijden; zij had ook de hele avond in zichzelf gepraat, en wat ze gezegd had was niet bepaald aardig geweest.

Siobhan keek naar rechts en zag Isabelle French Claires kroonluchter oppakken. Hij hing aan Isabelles linkerhand. Isabelle zei iets tegen Gavin wat Siobhan niet kon verstaan. Siobhan dacht terug aan de avond van de *soirée intime* en hoe vreselijk Isabelle zich ten opzichte van Claire gedragen had met haar dwingelandij over die tafel van 25.000 dollar. Het was een valse vrouwenstreek geweest.

De aanblik van Isabelle die Claires kroonluchter zo nonchalant in haar hand had stond Siobhan allerminst aan. Siobhan dacht niet na voor ze iets zei. Ze schreeuwde naar Isabelle in haar platste Iers.

'Zet neer!'

Haar stem was te hard en kwam te onverwachts, een geweerschot in de nacht. Ben Franklin liet van schrik zijn drankje over de bar vallen. En Isabelle, zenuwachtig, dronken, achteloos de ketting vasthoudend – draaide zich met een ruk om en de kroonluchter zwaaide met haar mee.

Siobhan gilde. Gavin gilde. De kroonluchter had bijna de rand van de tafel geraakt.

'Wat?' riep Isabelle beschuldigend naar Siobhan.

'Zet neer,' zei Siobhan.

Gavin pakte de kroonluchter van Isabelle af en zette hem weer veilig op de tafel.

Isabelle keek alsof ze op het punt stond in tranen uit te barsten. 'Ik ga naar het toilet.'

'Ik blijf hier op je wachten,' zei Gavin. Siobhan staarde hem aan, terwijl ze terugdacht aan de avond waarop hij naar buiten was gegaan om haar en Edward te bespioneren. Hij was stiekem. Nu keurde hij Siobhan geen blik waardig, en er kwam zelfs geen sorry over zijn lippen om zich namens zijn 'vriendin' te verontschuldigen. Die twee pasten in meerdere opzichten perfect bij elkaar. Gavin stak een sigaret op, klapte zijn mobiele telefoon open en verdween in het donker.

Siobhan raakte de kroonluchter voorzichtig aan, hij was zo teer en fijn als gesponnen suiker. Het idee dat Isabelle hem bijna kapot had gemaakt. Binnen in de tent werd de PowerPoint-presentatie gehouden. Adams zou daarna zijn dankwoord uitspreken, als laatste aan Claire, als klap op de vuurpijl. Siobhan wist dat ze Claire haar moment van glorie niet mocht misgunnen, maar toch deed ze het. Het was niet eerlijk dat Claire alles kreeg. Zij was de kunstenaar, zij was de medevoorzitter van het gala, zij was het lieverdje en Siobhan de slechterik. Ze had de parels voor het eerste kleinkind gekregen van Malcolm, hun schoonvader, en elke keer dat Claire ze om had, ook vanavond, was dat een klap in Siobhans gezicht. Siobhan hield meer van Claire dan van welke vrouw ook ter wereld, maar die liefde ging gepaard met rancune. Dus ik ben de slechterik? Siobhan liet zich in gedachten gaan in een gemeen fantasietje waarin ze de kroonluchter vernielde. Sinds ze volle sherryglazen over Martin Scorseses schoot had laten vallen tijdens het filmfestival had ze al meer dan twee jaar niets meer laten kletteren of gemorst. Het werd wel weer tijd voor Siobhan om een betreurenswaardige misser te begaan.

Ze stelde zich voor dat zij de boosdoener was in dit verhaal, en huiverde. Vreselijk. Ze werd zo in beslag genomen door haar gedachten aan een verschrikkelijke zondaar dat ze Daphne Dixon niet uit de tent zag komen tot die bijna tegen haar aan botste. Wat ze vanuit haar ooghoek zag was een flikkering, een vlamkleurige vlek. En dat was wat Siobhan met 'snel' bedoelde – het ene moment stond ze alleen bij de kroonluchter, de onrechtvaardigheden van het leven te overdenken, en het volgende moment was Daphne er, dronken, uit de tent op Siobhan af strompelend. Het leek alsof ze Siobhan iets wilde zeggen – o, goeie god, wat zou ze gaan zeggen? – of misschien had ze iemand nodig die haar overeind hield. Daphne was een stuk groter dan Siobhan en ze naderde met een angstwekkende vaart. Ze knalde tegen Siobhan aan, Siobhan viel tegen de tafel aan, de tafel kantelde en de kroonluchter smakte op de grond. Hij stortte neer op het gras en sloeg in stukken door zijn eigen ketting.

O nee! Hij is gebroken! Aan diggelen! Siobhan rukte zich los van Daphne. Daphne ging wankelend staan, ze trok haar schoenen uit – waren haar schoenen het probleem? – en zigzagde weg.

'Daphne! Daphne, kom terug!'

Daphne draaide zich niet om, maar struikelde bijna. Ze was stomdronken. De eerste gedachte die bij Siobhan opkwam was dat ze Daphne niet met de auto kon laten vertrekken. Ze rende Daphne achterna tot op de parkeerplaats. Ze haalde haar in en greep haar bij haar arm.

'Je gaat niet rijden,' zei Siobhan.

'Het was een ongeluk,' zei Daphne. 'Ongeluk, ongeluk, ongeluk. Maak je geen zorgen. Het was niet jouw schuld.'

Siobhan verstevigde haar greep om Daphnes arm en riep naar

de beveiliger, die tussen de auto's door manoeuvrerend op hen af kwam. Moest ze hem vertellen over de kroonluchter die in scherven op het gras was gevallen? Wie had hem omgestoten? *Maak je geen zorgen. Het was niet jouw schuld.* Nee, dat zou verdomme helemaal mooi worden! Maar Siobhan had daar niet moeten staan, ze had in de benauwde cateringtent moeten staan afwassen. Siobhan had het misselijkmakende gevoel dat het wel haar fout was. Had zij hem omgestoten? Ze wist het niet zeker, het was zo snel gebeurd. Ongeluk, ongeluk, ongeluk. Ja, het was een ongeluk. Jaren geleden hadden Claire en Siobhan van Daphne moeten eisen dat ze met de taxi zou gaan. Claire had zich er altijd schuldig om gevoeld, Siobhan niet, hoewel ze nu inzag dat Claire gelijk had. *Maak je geen zorgen. Het was niet jouw schuld.* Het was wel hun schuld. Het feit dat ze geen actie hadden ondernomen was onachtzaam, misdadig geweest. Ze hadden Daphne naar huis laten rijden, terwijl ze hem verschrikkelijk om had. Ze hadden haar net zo goed een geladen pistool kunnen geven. Als ze Daphne hadden tegengehouden, was nu alles anders geweest.

Toch?

'Deze mevrouw heeft een taxi nodig,' zei Siobhan tegen de beveiliger. 'Ze mag niet rijden.'

'Ik voel me prima,' bitste Daphne.

'Alsjeblieft, regel een taxi voor haar,' zei Siobhan. 'Ze heeft gedronken.'

De beveiliger loodste Daphne naar de uitgang. 'Komt in orde. Waar woont u, mevrouw?'

Siobhan liep terug naar de tent, het grind knerpte onder haar keukenklompen. Ze waren allen zondaars.

Toen Siobhan de tent naderde, klonk er een daverend applaus. Ze liep naar Hunter, die bij de bar Ben Franklins drankje aan het opdweilen was.

'Als iemand iets vraagt,' zei ze tegen Hunter, 'zeg je dat je er met je rug naar toe stond.'

Hunter knikte.

Siobhan stapte de achterzijde van de tent binnen juist toen Claire opstond om haar bloemen in ontvangst te nemen. Siobhan zou haar later, onder vier ogen, vertellen wat er gebeurd was. Na al die uren die Claire aan de kroonluchter had besteed, had het nog geen tien seconden geduurd om hem te verwoesten. Minder: vijf seconden, drie seconden. Hoe zou Claire het haar kunnen vergeven? (Ze zou het haar vergeven, dat wist Siobhan, omdat Claire Claire was.) Siobhan dacht aan het blauwe fluwelen zakje in het geheime vakje van haar juwelendoosje dat nu leeg was. Ze had de ring voor vijfenzeventighonderd dollar verkocht en het geld anoniem aan Nantucket's Children geschonken, ondanks dat ze het zelf hard nodig had. *Carter!* Wat was Carter aan het doen, nu op dit moment? Dacht hij aan haar, voelde hij haar angst, haar kwelling, of was hij high van het dobbelen? Ze moest zorgen dat hij hulp kreeg. Maar waar? Van wie? Ze zou het beetje trots dat ze nog bezat moeten doorslikken en het Lock Dixon vragen, hij zou het antwoord weten. Vergiffenis.

Siobhan sloot haar ogen en sloeg een kruis: *In de naam van de Vader, de Zoon en de Heilige Geest.* Dat was het enige wat ze kon bedenken te doen.

Het was vijf voor tien en hij werd hees. Dat was het grootste nadeel van drinken voor een show: de tekst of de melodie vergat hij niet, maar zijn stem werd minder. Hij had nog twee songs te gaan.

Hij bracht zijn mond naar de microfoon en zei: 'Dit laatste nummer is voor mijn... vriendin Claire Danner.' Het woord 'vriendin' was nietszeggend en ontoereikend, maar hij kon toch moeilijk al die duizend vrienden en vriendinnen van Claire vertellen dat hij weer verliefd op haar was geworden. Toch voegde hij eraan toe: 'Toen ik dit nummer twintig jaar geleden schreef, schreef ik het voor haar.' Hij liet zijn blik over het publiek gaan. Claires ogen werden vochtig. Ze knipperde, de tranen biggelden over haar wangen. Matthew sloeg het eerste akkoord aan, en de band zette *Stormy Eyes* in.

Hij wilde dat ze het toneel op kwam, hij wilde dat ze het laatste couplet met hem meezong. Niemand wist het, maar Claire kon zingen. Middelbareschoolkoor, bij de sopranen. Hij probeerde haar met gebaren duidelijk te maken dat ze het podium op moest komen. Ze schudde haar hoofd. Ze was aan het dansen met Saaie Jason. Dick was niet in de buurt. Matthew kreeg hoop.

Na *Stormy Eyes* was het concert officieel afgelopen. De lichten doofden. De menigte schreeuwde. Ze wilden meer. Matthew glimlachte. Met duizend dollar voor een kaartje had hij een ander publiek verwacht, chiquer, gereserveerder, maar deze lui deden niet onder voor zestigduizend New Yorkers in het luidruchtigste vak van het Shea Stadion.

'Oké!' zei Matthew in de microfoon. Hij gaf nog een toegift, één laatste song, waarover hij lang had nagedacht. Hij had het al geregeld nog voor hij op het eiland was aangekomen. Hij had alle gecontracteerde muzikanten zelf gebeld – een tweede tenor, een bariton, een bas – om ervan verzekerd te zijn dat ze vierstemmig konden zingen.

Niemand zou het begrijpen, alleen zij, en dat was goed, want zij was de enige die ertoe deed. Hij wachtte tot het publiek stil was, absoluut stil, en zong de eerste, glasheldere, perfecte noot.

Sweet Rosie O'Grady, my dear little Rose.

Met dat lied had hij haar toentertijd gekregen. Het was zijn laatste troef.

En ja, ze lachte van oor tot oor, en ja, er stroomden tranen over haar wangen, en ja, het was alsof ze de enige twee in de zaal waren: Matthew Westfield en Claire Danner, het verliefde stel van de middelbare school in Wildwood Crest, New Jersey.

Maar toen het kwartet het laatste akkoord zong, toen hun vier stemmen zo zuiver en gevoelig in elkaar overgingen dat Matthew het zelf nauwelijks kon geloven – *and Rosie O'Grady loves me!* – keek Claire hem recht in de ogen en ze schudde haar hoofd.

Nee, zei ze. Ik kan het niet.

Matthews stem stierf weg. De lichten gingen uit. Het publiek was door het dolle heen. Hij was op dat moment intens jaloers, zo jaloers als hij nog nooit was geweest, niet op Saaie Jason en niet op Dick, maar op het hebben van een leven dat je niet kon, of niet wilde achterlaten.

Nee, dacht hij. Je moet het ook niet doen.
Het was tijd om weg te gaan.

Claire werd wakker van Jason die haar hals kuste.
'Hoe laat is het?' vroeg ze.
'Zes uur.'
'Te vroeg nog.' Ze sloot haar ogen.
Hij liet haar tot negen uur slapen, een ongelooflijke luxe. Toen ze naar beneden kwam en de keuken in liep hadden alle kinderen al gegeten en was de afwas gedaan. Pan zat op de bank Zack voor te lezen. Ze zat nog steeds onder de vlekjes, maar ze voelde zich beter. Jason stond bij het aanrecht, boterhammen te smeren. Verbaasd keek Claire wat hij deed: hij legde een hele stapel klaar en besmeerde er een met mayonaise (Ottilie), een met mosterd (J.D.) en een met mosterd en boter (Shea). Toen hij Claire zag, stopte hij en schonk een kop koffie voor haar in.
Claire gaf hem een kus en zei: 'Bedankt dat je me hebt laten slapen.'
'We gaan vandaag op het strand picknicken,' zei hij.
'Oké,' zei Claire. 'Waar is Matthew?'
'Hij is vertrokken.'
'Is hij vertrokken?'
'Zijn vliegtuig ging om zeven uur. Naar Spanje. Ik heb hem naar het vliegveld gebracht.'
'Hij zei tegen mij dat zijn vlucht om tien uur ging,' zei Claire. 'Hij heeft niet eens afscheid genomen.'
Jason schraapte zijn keel en belegde de boterhammen met plakjes ham. 'Ik moest van hem zeggen dat hij van je houdt, maar dat hij het begrijpt.'
Claire knikte.
Jason deed de boterhammen op elkaar, en sneed ze met het grote mes doormidden. 'Je hebt er een fantastisch evenement van gemaakt, ondanks alles. Je mag trots zijn op jezelf, Claire.'

Claire nam haar koffie mee naar het terras achter het huis. Ze stond bij het hek en keek over de golfbaan. Het was een schitterende dag.

Haar hoofd zou pijn moeten doen, maar dat was niet zo. Haar hart zou pijn moeten doen, maar dat was ook niet zo. De kroonluchter was gebroken. Na het gala, op weg naar huis, had Claire Jason gevraagd bij de supermarkt te stoppen. Claire was van plan de doos in de afvalbak gooien, maar merkte dat ze er niet zo zonder meer, zo bot, afstand van kon nemen. De kroonluchter, gebroken of heel, vertegenwoordigde een heel jaar van haar leven, en er waren toch ook waardevolle dingen geweest in het afgelopen jaar? Was er niet iets wat ze kon redden? Ze kon de kroonluchter nog gebruiken, dacht ze. Ze dacht aan Fred Bulrush in San Francisco, voor wie ze de gesmolten-toffee-kandelaars had gemaakt. Ze zou de kroonluchter herstellen, en hij zou hem kopen. Als hij scheef was, als er haarscheurtjes in zaten en hij onder de deuken en krassen zat, als hij een verhaal over liefde, verraad, extase en spijt vertelde, des te beter. *Het is alsof je je plotseling niet meer om je ziel bekommert. In het postkantoor samen in de rij staan. Je moet bidden om kracht. We moeten iemand hebben die er helemaal voor gaat. Er is een ongeluk gebeurd. Barmhartige God, ik heb spijt over mijn zonden... Ze weten niet hoe het met de baby is. Ik kijk al... vijf dagen naar je uit. Kom bij me wonen. Trouw met me. Krijg ik je terug als alles voorbij is? Hij kan lopen! Dames en heren, Claire Danner Crispin!...*

Het zou haar triomfantelijke terugkeer betekenen.

Dankwoord

Virginia Woolf heeft het raak gezegd: Een vrouw heeft om te schrijven vijfhonderd pond nodig en een kamer voor zichzelf. Met andere woorden, gelegenheid en plek.

Wat de gelegenheid betreft wil ik allereerst mijn au pair Suphawan 'Za' Intafa bedanken. Za kan het best omschreven worden als een engel die rechtstreeks uit de hemel is neergedaald. Zonder Za zou er geen boek (sterker, geen leven) zijn. Ik wil mijn moeder, Sally Hilderbrand, bedanken die me ten tijde van de 'correctiecrisis' uit de brand heeft geholpen, en in één adem met haar noem ik graag mijn grootmoeder Ruth Huling, die dertig jaar geleden mijn moeder uit de brand hielp. Ik beloof dat ik hun fantastische, onbaatzuchtige voorbeeld zal volgen en dat ik er voor mijn dochter Shelby zal zijn als de tijd daar is.

Wat de plek betreft, wil ik Anne en Whitney Gifford bedanken voor de sleutels van Barnabas. Barnabas was zowel een inspiratiebron als een toevluchtsoord. Jerry en Ann Longerot, ik bedank jullie voor jullie 'hutje' aan Lake Michigan in mijn laatste, wanhopige dagen.

Mark Yelle van Nantuckets Catering Company (de man die mijn kinderen simpelweg 'de chef' noemen), bedankt voor je uitleg van alle ins en outs van de cateringbusiness. Ik ontleende Siobhans fantastische persoonlijkheid aan Eithne Yelle, maar Siobhan is natuurlijk verzonnen(!).

Ik heb het voorrecht dat ik deel uitmaak van het bestuur van drie non-profitorganisaties op Nantucket: de Nantucket Boys &

Girls Club, de Nantucket Preservation Trust en de Friends of the Nantucket Public Schools. Ik heb menig evenement georganiseerd en ik kan zeggen dat die ervaringen van het begin tot het eind verrijkend voor me waren. Mijn waardering gaat uit naar Irene McMenamin Shabel en Mary Dougherty uit Philadelphia, voor hun schat aan informatie over liefdadigheid in de grote stad. De Arthur Ashe Youth Tennis and Education-stichting heeft geen idee hoe gelukkig ze mag zijn met die twee!

Ik bedank mijn fantastische agenten en muzen in New York, Michael Carlisle en David Forrer van Inkwell Management. Ze zorgen ongelooflijk goed voor me. Bij Little, Brown Book Group, bedank ik Reagan Arthur, mijn redacteur, voor haar inzicht, wijsheid en *geduld*. Ook bedank ik Oliver Haslegrave, Michael Pietsch en David Young. En aan de overkant van het water, dank je wel, Ursula McKenzie en in het bijzonder Jo Dickinson, die van dit boek een beter boek heeft gemaakt.

Tot slot zou ik graag de mensen in mijn omgeving willen bedanken. Allereerst 'mijn soulmate, mijn lieveling, mijn verdediger, mijn klankbord en medeplichtige' Amanda Congdon. En de geweldige vrouwen die me dagelijks hun vriendschap, vrolijkheid en steun boden: Elizabeth Almodobar, Margie Marino, Sally Bates Hall, Wendy Rouillard, Wendy Hudson, Rebecca Bartlett, Debbie Bennett, Leslie Bresette, Betty Dupont, Renee Gamberoni, Evelyn MacEachern, Holly McGowan, Nancy Pittman, en Anne Gifford en Eithne Yelle die ik al eerder genoemd heb, en mijn innig geliefde Manda Riggs. Een speciaal dankjewel voor Mike Westwood, die voor mij altijd een rockster zal zijn, voor de liefde en vriendschap die hij me gaf toen ik opgroeide.

Zoals altijd bedank ik Heather Osteen Thorpe voor de eerste, zeer belangrijke lezing, en het overleg dat we bijna dagelijks pleegden.

En wat mijn echtgenoot betreft, Chip Cunningham, en onze drie kinderen, Max, Dawson en Shelby – wat kan ik zeggen? Ik ben er weer voor jullie.